詞科掌錄

附餘話

（一）

臺灣學生書局印行

國家圖書館出版品預行編目資料

詞科掌錄　附餘話

(清)杭世駿編輯. – 初版. – 臺北市：臺灣學生，1976.03
冊；公分(中國史學叢書續編)(清.道古堂刊本)

ISBN 978-957-15-1954-8 (全套：精裝)

1. 詞科掌錄 2. 科舉 3. 清代 4. 詞論

573.4417　　113011964

中國史學叢書
續編

清・道古堂刊本

詞科掌錄　附餘話　全二冊

編輯者：清・杭世駿
出版者：臺灣學生書局有限公司
發行人：楊雲龍
發行所：臺灣學生書局有限公司
臺北市和平東路一段七十五巷十一號
郵政劃撥戶：〇〇〇二四六六八號
電話：（〇二）二三九二八一八五
傳真：（〇二）二三九二八一〇五
E-mail:student.book@msa.hinet.net
http://www.studentbook.com.tw
本書局登記證字號：行政院新聞局局版北市業字第玖捌壹號
定價：新臺幣二〇〇〇元
一九七六年三月景印初版
二〇二五年四月景印初版二刷

6580256

詞科掌錄

道古堂藏板

雍正十一年四月初八日奉
上諭國家聲教覃敷人文蔚起加恩科目樂育羣材
彬彬乎盛矣惟博學宏詞之科所以待卓越淹
通之士俾之黼黻皇猷潤色鴻業膺著作之盛
備顧問之選
聖祖仁皇帝康熙十七年
特詔內外大臣薦舉博學宏儒召試授職一時名儒碩
彥多預其選得人號爲極盛迄今數十年來館
閣詞林儲材雖廣而宏通博雅淹貫古今者未
嘗廣爲搜羅以示鼓勵自古文教休明之日必
有瑰奇大雅之材況蒙

聖祖仁皇帝六十餘年壽考作人之盛涵濡教澤漸海
從風朕延攬維殷闢門籲俊端崇實學諭旨屢
頒宜有品行端醇文材優贍枕經葄史殫見洽
聞足稱博學宏詞之選所當特修曠典嘉與旁
求除現任翰詹官員無庸再應薦舉外其他已
仕未仕之人在京著滿漢三品以上各舉所知
彙送內閣在外著督撫會同該學政悉心體訪
遴選考驗保題送部轉交內閣務期虛公詳慎
搜拔眞才朕將臨軒親試優加錄用廣示興賢
之典茂昭稽古之榮應行事宜著大學士九卿
會議具奏特諭欽此

雍正十三年二月二十七日內閣抄出奉
上諭朕令薦舉博學宏詞以廣育才之典為督撫學
臣者自應秉公採訪加意蒐羅以副朕愛人材
之至意乃降旨已及兩年而外省之奏薦者寥
寥無幾以江浙兩省人材衆多之地至今未見
題達此非人材之不足應選乃督撫學臣等奉
行不力之故也大凡薦舉之典臣工得以行其
私者往往踴躍從事爭先恐後若不能行其私
則觀望遲回任意延緩其跡似乎慎重周詳其
實視公事如膜外也凡督撫學臣之所考取者
不過就耳目見聞之所及彼狀筵幾稱學問淹

舉貢有抱負之士未必皆以文章筆墨求售于
有司以倖進一日之遇合是在督撫學臣留心
訪察加意旁求屏虛名而崇實學以佐國家右
文之治如李衞吳應棻合舉二人吳應棻又獨
舉二人就中則有宣化府進士夫以宣化北邊
一郡尚有可舉之人何況內地各省之大可見
李衞吳應棻乃實心爲國家留意人材者著再
通行宣諭無論巳奏未奏之省俱著再行遴選
倘因朕此旨而遂冒濫以行其私亦難逃朕之
鑒察若果有才華出衆而與例不符者著具摺
陳奏候朕降旨其在京三品以上之大臣均有

薦舉之責將此一併曉諭知之特諭

雍正十三年十一月初十日內閣抄出奉

上諭國家久道化成人文蔚起

皇考樂育人材

特降諭旨令直省督撫及在朝大臣各保舉博學宏詞

以備制作之選乃直省奉

詔已及二年而所舉人數寥寥朕思天下之大人材之

衆豈無足膺是舉者一則各懷慎重觀望之心

一則鑒衡之明視乎在己之學問或己實空疎

難以物色流品此所以遲回而不能決也然朕

此盛典寧可久稽朕用再爲申諭凡在內大臣

及各省督撫務宜悉心延訪速行保薦定于一
年之內齊集京師候旨廷試倘直省中實無可
舉亦即具本題覆特諭
乾隆元年二月二十四日內閣抄出奉
上諭內外臣工所舉博學宏詞聞已有一百餘人祇
因到京未齊不便即行考試其赴考先至者未
免旅食艱難著從三月為始每人月給銀四兩
資其膏火在戶部按名給發考試後停止若有
現任在京食俸者即不必支給並行文外省令
未到之人俱於九月以前到京若該省無續舉
之人亦即報部知之免致久待欽此

詞科掌錄舉目[illegible]

明詔既下首訖凡四年合內外所舉凡二百六十七人

亟薦者六人

宗人府左宗正多羅慎郡王舉三人

試用浙江曹娥場鹽場大使易宗瀛湖南湘鄉縣人

原任官庶筆帖式李鍇正黃旗漢軍人

景陵八品茶上人長住正白旗包衣漢軍人

太子太傅文華殿大學士兼吏部尚書朱軾舉四人

原任刑部員外降補太常寺典簿潘安禮江西南城

人雍正丁未進士

直隸趙州寧晉縣知縣張振義江西龍泉人雍正癸

卯進士

原任翰林院庶吉士改補知縣又改儒學教授未補

梁機江西泰和人康熙辛丑進士

雍正甲辰進士李紱江西臨川人

太子太保文淵閣大學士兼吏部尚書嵇曾筠舉二人

原任翰林院庶吉士杜詔江南無錫人康熙壬辰進士

原任臨江府知府胡期頤湖廣武陵人

協辦內閣事務刑部尚書徐本舉二人

原任翰林院編脩查祥浙江海寧人康熙戊戌進士

原任左春坊左中允黃之雋江南華亭人康熙辛丑進士

戶部尚書史貽直舉二人

原任翰林院脩撰降補行人司司副于振江南金壇
人雍正癸卯進士
雍正甲辰舉人周欽江南宜興人
禮部尚書任蘭枝舉三人
候補教授徐廷槐浙江會稽人雍正庚戌進士
雍正乙酉副榜貢生胡天游浙江山陰人
拔貢生楊度汪江南無錫人
兵部尚書甘汝來舉六人
雍正癸卯舉人徐文靖江南當塗人
廣東瓊州府額外教授鄧士錦江西南城人
雍正癸卯舉人魏允迪江西廣昌人

雍正壬子舉人黃世成江西信豐人
拔貢生余騰蛟山東武定人
廪生張星景江西奉新人
工部尚書涂天相舉五人
刑部員外奚源江南當塗人雍正丁未進士不考
湖北孝感縣知縣金虞浙江錢唐人康熙庚子舉人丁憂
湖南寶慶府教授夏策謙湖北孝感人康熙己卯舉
人不考
江南淮安府鹽城教諭夏之蓉江南高郵人雍正癸
丑進士
康熙丁酉舉人李春燿湖北孝感人

都察院左都御史兼理吏部侍郎事務孫嘉淦舉六人

徐文靖重保

[redacted]舉人劉始興江南金壇人

雍正甲辰舉人劉斯組江西新建人

雍正乙卯拔貢生劉五教山西臨縣人

拔貢生車文河南太康人

生員方貞觀江南桐城人不考

戶部左侍郎陳樹萱舉三人

雍正丙午舉人韓曾江南長洲人

雍正乙卯舉人楊述曾江南武進人

貢生陳長鎮湖南武陵人

戶部左侍郎兼管三庫事務李紱舉四人

雍正癸卯舉人鄭長慶江西貴溪人

雍正壬子舉人曹秀先江西新建人改庶吉士不考

廩生傅涵江西臨川人

貢生趙昇浙江仁和人

經筵講官戶部右侍郎兼管錢法事務趙殿最舉四人

原任翰林院編脩萬經浙江鄞縣人康熙癸未進士不考

署河南彰德府管河同知李光型福建安溪人雍正
癸丑進士

浙江嘉興府教授諸錦浙江秀水人雍正甲辰進士

雍正壬子舉人全祖望浙江鄞縣人改庶吉士不考

總督倉場軍務戶部右侍郎呂耀曾舉二人
康熙庚子舉人劉世澍湖南善化人
生員方辛元江南桐城人
禮部左侍郎徐元夢舉三人
原任內閣中書吳麟鑲黃旗滿洲人
歲貢生黑瑪正紅旗滿洲人
壬子舉人金鑑江南江陰人
兵部左侍郎鎮國將軍宗室德沛舉五人
李鍇重保
雍正庚戌進士西成鑲黃旗滿洲人
監生楊握會江南武進人丁憂

[illegible]人

春表趙寧靜江西南豐人

兵部左侍郎楊汝穀舉四人

內閣中書史鳳輝江南宜興人雍正己酉舉人

原任興化縣知縣汪芳藻江南休寧人駁

雍正己酉舉人萬松齡江南宜興人

監生沈廷芳浙江仁和人

兵部右侍郎吳應棻舉二人

原任廣東東莞縣知縣于梓江南金壇人駁

江南涇縣教諭熊希閔江南無錫人康熙庚子舉人不考

雍正乙卯副榜貢生姚世錸浙江歸安人

署兵部侍郎事王士俊舉六人
原任河南河南府知府張漢雲南石屏州人康熙癸
巳進士
原任雲南姚州知州告病在籍靖道謨湖北漢陽人
康熙辛丑進士不考
雲南雲龍州知州徐本僊湖北蘄水人康熙庚子舉
人先考
原任順天豐潤縣知縣方黎如浙江淳安人康熙丙
戌進士
原任湖北孝感縣知縣張宏敏江南丹徒人康熙甲
午舉士駁

廩生黃濤榻江南江寧人故

刑部左侍郎兼管禮部侍郎事王紘舉五人

原任河南淯川縣知縣胡浚浙江山陰人康熙庚子

舉人

丁酉舉人李清藻福建安溪人

雍正壬子舉人戴永植浙江歸安人

廩生陳洪淡江西高安人

生員盛樂江西[redacted]人

刑部左侍郎兼管禮部侍郎事勵宗萬舉二人

戶部學習行走符曾浙江錢塘人丁憂

監生葉承點江南奉賢人

[redacted]舉人王世樞江南寶山人
刑部右侍郎楊超曾舉四人
雍正癸卯副榜貢生曹憤廣東保昌人
廩生蘇珥廣東順德人不考
陳長鎮重保
布衣屈復陝西蒲城人不考
工部左侍郎王鈞舉三人
[redacted]舉人秦懋紳江南武進人
雍正乙卯舉人金焜浙江錢唐人
監生吳溶江南陽湖人
工部右侍郎張廷瑑舉一人

內閣中書馬模臣江南桐城人壬子舉人
內閣學士兼禮部侍郎伊爾敦舉四人
原任翰林院編脩葉長揚江南吳縣人康熙戊戌進士駁
江南上海縣知縣褚菊書浙江嘉興人[redacted]舉人不
考
通州學正于栻江南金壇人[redacted]舉人
康熙庚子舉人俞鴻德浙江海鹽人
內閣學士兼禮部侍郎春山舉一人
[redacted]馮元溥江南金壇人
內閣學士兼禮部侍郎方苞舉五人
浙江衢州府教授柯煜浙江嘉善人康熙辛丑進士故

江南江都縣教諭吳銳江南當塗人康熙辛卯舉人
貢生龔纓江南江寧人不考
雍正壬子副榜貢生劉大櫆江南桐城人
貢生佘華瑞[redacted]人不考
內閣學士兼禮部侍郎吳家騏舉六人
原任翰林院庶吉士宋照江南長洲人康熙戊戌進士駁
乙酉舉人王霖浙江山陰人
雍正癸卯舉人聞元晟浙江嘉善人不考
雍正癸卯副榜貢生曹廷樞浙江嘉善人
監生周汝舟江南吳江人
廩生沈彤江南吳江人

內閣學士兼禮部侍郎姚三辰舉三人

康熙庚子舉人王照浙江仁和人不考

廩生周京浙江錢唐人

稟生汪臺浙江仁和人

都察院左副都御史孫國璽舉四人

戶部主事尙廷楓江西新建人

戶部筆帖式峻德正白旗滿洲人

康熙庚子舉人汪援甲浙江錢唐人

監生王藻江南吳江人

都察院左副都御史陳世倌舉五人

工部主事桑調元浙江錢唐人雍正癸丑進士

康熙庚子副榜貢生汪祚江南江都人
監生陸榮秬江南華亭人
廩生盧存心浙江錢唐人
廩生胡二樂江南歙縣人
通政使司通政使趙之垣舉六人
直隸盧龍縣知縣萬承蒼江西南昌人雍正癸卯進
士不考
候選知州馬曰璐江南江都人不考
工部主事凌之調江西新建人乾隆丙辰進士
布衣陳撰浙江鄞縣人不考
監生趙信浙江仁和人

楊煜曾保

詹事府詹事覺羅吳拜舉二人

國子監學正丁凝浙江長興人康熙癸巳舉人

拔貢生李光國江南興化人

日講官起居注詹事府詹事劉統勳舉一人

康熙庚子副榜貢生瞿駿江南常熟人不考

詹事府詹事管少詹事王奕清舉六人

內閣中書方觀承江南桐城人不考

原任行人司行人顧陳垿江南鎮洋人康熙乙酉舉人

雍正甲辰舉人趙永孝江南常熟人

考授州判朱稻孫浙江秀水人

貢生沈炳震浙江歸安人

生員陸枝江南吳縣人

太常寺卿王游舉一人

監生葉酉江南桐城人

光祿寺卿那爾泰舉一人

原任南豐教諭宋上宗江西星子人[redacted]舉人駿

總理北路軍需光祿寺卿劉吳龍舉五人

雍正癸丑進士楊廷英江西新建人

[redacted]舉人夏之翰江西新建人

劉斯組重保

雍正己酉拔貢生龔正江西南昌人

廪生龔元玠江西南昌人
太僕寺卿蔣漣舉六人
原任翰林院編脩傅王露浙江會稽人康熙乙未進士駁
原任黔陽縣知縣王作人浙江錢唐人
雍正丙午舉人金德瑛浙江仁和人授脩撰不考
雍正丙午舉人王延年浙江錢唐人
廪生沈冰壺浙江山陰人
武生邵岷江南元和人駁
順天府府尹陳守創舉五人
康熙丁酉舉人金門詔江南江都人改庶吉士不考
雍正丙午舉人甘禾江西奉新人

江西新建教諭饒一辛江西廣昌人雍正癸卯舉人
貢生劉世基江西贛縣人
廩生裘曰脩江西新建人
奉天府府尹宋筠舉一人
直隸永平府教授魏樞奉天承德人雍正庚戌進士故
奉天府府丞管學政事王河舉一人
監生祝維誥浙江秀水人駁
衍聖公舉一人
監生張範江南華亭人
太子少保兵部尚書兼都察院右副都御史直隸總督
李衛舉六人

原任翰林院編修劉自潔直隸武強人雍正癸巳進士續舉

原任北運河同知程恂江南休寧人雍正甲辰進士

雍正癸丑進士閻介年直隸蔚州人

副榜貢生汪士鋐江南江寧人續舉

雍正己酉拔貢生陸祖錫浙江平湖人

拔貢生邊連寶直隸任邱人

太子太保兵部尚書江蘇巡撫高其倬舉十七人

原任翰林院庶吉士改補知縣孫見龍浙江歸安人

康熙癸巳進士

雍正甲辰舉人孫天寅江南常熟人故

廩生沈德潛江南長洲人

廩生朱厚章江南長洲人故

監生倪承茂江南吳縣人

增生吳龍見江南武進人

廩生胡鳴玉江南青浦人

雍正壬子舉人馬榮祖江南江都人

廩生葉榮梓江南青浦人

貢生王騰蛟浙江錢塘人

雍正壬子副榜貢生張鳳孫江南華亭人

江南興化教諭姚焜江南桐城人

[redacted]教諭沈虹江南長洲人

雍正乙卯舉人王會汾江南無錫人

生員陳黃中江南長洲人

[redacted]進士張廷槐江南江陰人

兵部右侍郎署理江蘇巡撫事顧琮舉七人

貢生邱迥江南山陽人

拔貢生周振采江南山陽人不考

生員許鏘江南上元人

康熙辛丑進士顧棟高江南無錫人

[redacted]舉人潘遇莘江南寶應人

廩生郭東江南寶應人

監生劉師翔江南寶應人

禮部左侍郎提督江蘇學政張廷璐舉三人

廩生劉綸江南武進人

廩生劉鳴鶴江南陽湖人

貢生陸桂馨江南震澤人

兵部尚書兼都察院右副都御史兩江總督趙宏恩舉

二人

優貢生吳張元江南吳江人

監生任瑗江南山陽人

安徽巡撫都察院右副都御史王紘舉三人

江南池州府教授陳以剛江南天長人康熙壬辰進

士先考

廩生程光祚江南上元人

增生吳檠江南全椒人
安徽巡撫兵部右侍郎兼都察院右副都御史趙國麟
舉三人
生員李希稷江南宣城人
生員梅兆頤江南宣城人
生員江其龍江南桐城人
浙江總督管巡撫事兵部右侍郎兼都察院右副都御
史程元章舉十八人
原任山西臨縣知縣嚴遂成浙江烏程人雍正甲辰
進士丁憂
康熙庚子舉人厲鶚浙江錢唐人

生員周玉章浙江仁和人
雍正甲辰舉人杭世駿浙江仁和人
貢生沈炳謙浙江歸安人
雍正己卯副榜貢生齊召南浙江天台人
雍正乙卯舉人張懋建浙江鎮海人
浙江樂清縣教諭周長發浙江會稽人雍正甲辰進士原
任翰林院庶吉士
生員汪沆浙江錢唐人
生員周琰浙江蕭山人
生員周大樞浙江山陰人
生員萬光泰浙江秀水人

生員陳士璠浙江錢唐人
雍正乙卯拔貢生邵昂霄浙江餘姚人
拔貢生程川浙江錢唐人
生員孫詒年浙江歸安人
雍正甲辰副榜貢生李宗潮浙江秀水人
雍正壬子副榜貢生錢載浙江秀水人
太子太保文淵閣大學士兼吏部尚書管浙江總督嵇
曾筠舉四人
廩生金文淳浙江錢唐人
廩生沈樹德浙江歸安人
生員朱芩浙江桐鄉人

布衣申甫浙江西安人
又南河總督任內舉一人
監生翁照江南江陰人不考
江西巡撫都察院右副都御史常安舉六人
江西撫州府教授鄧牧江西南豐人康熙辛丑進士
雍正乙卯舉人黃永年江西廣昌人
廩生廖理江西南城人
生員張錦傳江西臨川人
生員李灝江西南豐人
[redacted]黃天策[redacted]
福建巡撫兵部右侍郎都察院右副都御史趙國麟舉

一人

福建學習雍正庚戌進士陳兆崙浙江錢唐人

福建巡撫兵部右侍郎都察院右副都御史盧焯舉十人

雍正壬子副榜貢生王士讓福建安溪人

優行廩生方鶴鳴福建晉江人

廩生潘思光福建安溪人

廩生張甄陶福建閩縣人

廩生洪世澤福建南安人

生員王元芳福建晉江人

廩生陳繩福建閩縣人

貢生陳一策福建晉江人
廪生陳大琰福建龍巖人
生員陳繼善福建閩縣人
翰林院侍講提督福建學政周學健舉二人
監生蔡寅斗江南江陰人不考
雍正乙卯拔貢生饒允坡江西進賢人
湖南巡撫都察院右副都御史鍾保舉十人
候選縣丞易宗涒湖南湘鄉人
生員鄧獻璋湖南祁陽人
生員陳世賢湖南祁陽人
原任湖南岳州府教授王文清雍正甲辰進士

雍正壬子舉人張敘江南鎭洋人

監生段梧生湖南長寧人

監生錢斌江南太倉人

拔貢生陳世龍湖南祁陽人

雍正乙酉拔貢生許伯政湖南巴陵人

監生王元湖南華容人

提督湖北學政翰林院檢討蔣蔚舉一人

布衣張庚浙江秀水人

山東巡撫兵部右侍郎兼都察院右副都御史岳濬舉

四人

山東觀城縣教諭劉玉麟山東荷澤人雍正丙午舉人

雍正癸丑進士牛運震山東滋陽人

[redacted]舉人耿賢舉山東[redacted]人

雍正己酉拔貢生顏懋倫山東曲阜人

河東總督兵部右侍郎兼都察院右副都御史王士俊

舉六人

河南儀封縣知縣梅枚江西南城人雍正庚戌進士先考

河南衛輝府管河通判許佩璜江南江都人先考

河南孟津縣教諭閻式鑛河南祥符人

河南濬縣教諭朱超河南祥符人

[redacted]舉人萬邦榮河南襄城人

廩生張雄圖河南洛陽人

山西巡撫都察院右副都御史覺羅石麟舉四人
山西興縣知縣王祖庚江南華亭人雍正丁未進士
山西大同府教授王系山西榆次人雍正丁未進士
拔貢生張廷奏山西榆社人
監生葉翥鳳江南荆谿人故
陝西巡撫都察院右副都御史碩色舉二人
陝西青澗縣知縣十起鵬浙江歸安人
廩生解含章陝西韓城人
生員秦涇陝西郃陽人
內閣學士兼禮部侍郎提督陝西學政王蘭生舉一人
陸祖錫保重

四川巡撫都察院右副都御史楊馝舉二人

四川宜賓縣知縣劉暐澤湖南長沙人雍正庚戌進士

監生許儒龍四川郫縣人

廣東巡撫都察院右副都御史楊永斌舉六人

廣東新安縣知縣何夢篆江南江寧人雍正癸卯進士

廣東興寧縣知縣施念曾江南宣城人

原任江南清河縣知縣許遂廣東番禺人康熙丙子舉人駁

雍正壬子舉人鍾獅廣東番禺人

拔貢生勞孝輿廣東南海人

康熙庚子舉人車騰芳廣東番禺人

廣西巡撫兵部右侍郎都察院右副都御史金鉷舉二人

廣西永福縣知縣吳王坦江南華亭人雍正癸卯進士

廩生袁枚浙江仁和人

戶部尚書總理陝西巡撫事史貽直舉一人

廩生田荃陝西富平人

兵部右侍郎署理湖北巡撫事吳應棻舉四人

雍正癸丑進士沈瀾浙江烏程人

雍正乙癸拔貢生毛一驄湖北東湖人

監生南昌齡湖北蘄水人

雍正壬子順天副榜貢生迮雲龍江南吳江人

詞科掌錄舉目終

詞科掌錄卷一

仁和杭世駿編輯

山陰胡天游稚威一字雲持己酉副榜貢生禮部尚書溧陽任公所薦其座主也灤耀高翔才名為詞科中第一所作若文種廟銘蠶濟廟碑安頤先生碑任御史趙總兵兩墓志遜國名臣贊序柯西石宕記皆天下奇作使李文饒權載之執筆不能過也以持服不與試丁巳補考鼻血大作納卷而出識與不識皆為搤掔云

太學石鼓歌

鼓聞禹作鳴獨周周周人有鼓不自雷鼓龐石很字缻靈荒醒怪夢三千秋我常聆之未得識聲宮東序遙相求重扉深屋冋以扃意嚴濡脫若備偷竊居二五

崎嶇錯其側未敢高唫謳篇羅旋彎遊捫摸巔晦歷
數皆有由始時陳倉摩陳寶剖斲正與封部儔失官
竄狄夷在楚漢後落度無人收輸爲坳臼入舂穀塞
庫窖等班幽蚪來燕引汴從陝廟邪程僂徒步略倂
一朝煥煌發廊殿明堂西伯勢宅優物輕代邈更毀
貴豈有造物煩深籌鼎遷三國或復類昆吾實命占
前錄荒荒神鬼不可詰疑昧此柄長難搜昔維小與
託近監人叩天毒叢汾流經營赫造徐剛毅爲戒昭
滿由邪柔大勳特鑠掩姬誦實任吉甫勤咨諏司徒
卿士盡元老不見孔聖癸番柴始令常武繼殷武美
詩懸響鏗天球正從高截太華掌指耀後代晉鴻鏤

馬駒車攻旛右左故事誰見無春蒐何歌魚獸貫楊
柳鯉鱮鹿豕紛彪彪戎鬪令主無拒諫左儒杜伯胡
旋仇功成意荒或自恣淫原蓋物從禽游侈陳誇頌
自張伐功類巖刻驕之累何哉汝籀職諷納技心欣
迂忘其猷章鋪何檢見迫偪安儷大雅餘綢繆雖來
拂濯辭棄擲詒須輕片寧堪迷嘉禾朗月潛蟄走翔
鸞鶖鳳珊瑚鉤後賢傳猜迭矜詫點畫筆迹徒爭褒
共嗟鏡剝少完詒蝦蟇蝕月鼇沈州經天星宿二十
八終始畢婦亡帝半餘癡剩瘠到今日差勝岣嶁翻
蝓蟬開觀形狀驗一一恍忽數騎奔髦頭鬭車紛迴
戈子擒檻穴怒伏熊螭囚目讀手剖半莫測飛門施

箝棘在喉人言舊文日以少討拾誰訂功宜道腐儒
自昔寡通變豈解今古殊薰蕕叔孫會許過公旦況
此細事蚓與螻蟻之未足欺項籍卜世何用如懸疣
丈夫窮年多事業許身稷契非謬羞誰能磊落不自
壯蟲鳥廿譯佛侏儺天終地古幹元氣付忽日月荒
曨睟千年無人作堯典補亡會有詩崇邪更不衒少
陵李白歌此歌何必使汝瑣碎塊聚局促廡下無時
休

禹陵銘

憑翼無疆之爲大變化不測之爲神惟神也故能通
天下之志惟大也故能成天下之務若夫參鈞治贊

幽明開物以冒乎道裁成以佐佑民撥根荄而得英華挹三五以偕步驟古夏后氏有皇極之建焉昔者祕電流樞紫氣表壽邱之帝瑤虹擁月清明誕若水之君承家連聖不俟千年紹體徵奇照于奕葉蓋自白馬肅唐元魚列伯石紐育雞丸之瑞金精燿龍冢之祥所以繼天測靈柄眞撫斷澄罔太極挺捫萬萌若夫虎憪鳥啄殊其度駢齒參鏤異其質戴鈎鈐之威懷璣衡之道應古靈而稱帝履文祥而錫名是聖人之天授不違者其德可親者其仁右矩以左規聲律以身度儉勤既克滿假實融于焉翰蟲告忠崇郊禋孝是聖人之元哲古者二靈陳樞五德未正爰自

陰康烈山之世媪有濫洪震汨之災共工更薄于窮
桑赤縣將鄰于細柳陰行始乎淵獻當九六而數窮
水府逆乎塡星雖勳華而曷救匏瓜不固其石將復
廢極而沈州赤帝徒司其方無以發英而生寶夫乃
瀹河擠爵躬槖興庸象三能以奠川任中宮而數土
抑下鴻于八載塡沈菑于九刈神媛白水之上睹其
憂勞奇子紺谷之中笑其毛髮逮乎黃經按歷蒼使
告期龍關既開呂梁無阤四隩宅九州同作乂于萬
方施功于三代相柳絕獻羣帝藉以有臺支祁不伸
太燗斯焉凝竭沐日浴月爛此光華鴻沼玉淵返其
沈茂是聖人之神功由是度東西之高下正南北之

廣輪相原隰而作畛畦任膌胜而胗殖蘫土交風而
不雜民鼓舞以咸安六府修九功敘司馬得導其三
農司徒得敷其五敎是聖人之經緯絕地通天而後
民人不糅于重黎賊行亂德之餘精祲或孳于妖孽
向非寶靈之有作何以祓戕而備民夫乃驅龍馭于
翠岑鸞鼉深于紫渤經日月之外迷風雨之鄉笵形
山海之圖象物陰陽之鼎青鳥白澤掩軒后之載書
十日九嬰邁丹陵之命射是以禍暴弭神姦窮無害
無虞不逢不若岳稹檢元都之印江河奉金篆之封
知幽明故爲山川主是聖人之贊化邦貢既作夷琛
自來利用尚象而器數立包錫茅入而綱紀尊丹銅

鏤翟金絲競奏于方州貝瑱珠闓龜玉環登于海廡
何天龍而受共盛王會而來享是聖人之制典于是
元龜協吉澤馬銜覞洞庭會黑風之紀河壇飛綠錯
之文雲龍信躍而遷虞鐘管革調而啓夏然且巽於
大費讓在皋陶以至鶉居有鬬雉之風而女醪轂衛
粉藻有徽琴之樂而尺璧是輕方復遜德于二皇納
勳于元昊是聖人之撝挹百事考于廷臚言采于市
式隨耕耦俯仰巖阿四海載道者迎握沐而俱來五
器聲門者俟投飡而併動晉侯之體咸燭魏闕之羅
不驚是聖人之廣運把瑞令于元宮築刑塘于鍾阜
曹魏之猾斯翦屈驁之淆乃平萬國震疊而言歸九

流承鏡而服化是聖人之神武用以鈐天撥地正歷
辨風山畝徵仁燕衣饗禮鉤車六雒綏旆九斿三常
操五罰定好緣而惡騆尙信而貴忠是聖人之宏憲
夫其勝術脩乎帝衷敬德稽乎天若纘顓錄而振黃
圖行堯道而修舜緒有君民之大德有事上之小心
膠漆無約寡怨而物親愉易昭風末施而民化故以
陊城郭焚甲兵天下無鬭百姓仁遂天休效地祺集
亥既呈珠渠搜覲服跌踶弱水逐飛兔而俱來玉女
琅風挾祝融而𢿌降扶登驗律佘山漆樹之鄉昭明
測辰夸父壙民之域其顯令也如此其光被也如彼
豈直燧巢荒略太平惟吁俗之風姬孚讃獻奄歷監

干戈之命皇風穆矣明德遠矣是以化訓九原[illegible]功
于虞帝執中三善無聞於素王宇宙嘉懋其平成健
順允安乎翕闢故曰禹者備也備以續洪業夏者樂
也樂其馭三聖業殊茂故埒文祖而稱神聖以至故
妃重華而號大公子觀之而不窮大夫歎之而已淺
是知入域未優乃陋儒之畸辨衰德傳子乃摽末之
口哼歷陽贖幣豈勞于玉燭之年蒼梧縛人寧泣于
醴泉之載乎至人達化原始要終二龍東浮甲馴爲
畜九山南望菟苑何多覩此曾計用藏弓劍拂驂霞
景聊從鼎湖之遊脫屣車書遂罷塗山之會殊雲陽
之博韓毀渤海之高營范林不列于九嬪綾葛無煩

于四衛臺連虞狩九面之陵遠迴洞接朱明千里之
雲自起下周廬于太乙隨播風于帝江作廟奕奕乃
刻桷而丹楹奉璋峩峩儼受珪于碧月木客大冢猶
庇曾孫之墳百蟲將軍言侑呂臣之祀雖復貿遷朝
市縣邈山河茶陵天子墓氣方沈衡岳炎皇冢圖永
閉貞珉長揭惟餘安息之封靈汲邃潭終似瀨鄉之
欝然而其魚既免乃粒般歌是則秦皇肅灌仰此明
仁漢后遙祠感乎至德稟神服教百年畏軒帝之臺
樹岳流江終古麗盤皇之宇銘曰
太極既成乾坤乃行洪荒混茫狉榛杳冥聯珠繼聖
比葉書靈亭形毒氣郴物導名其功則融其施則建

理剝數盡元屯黃蹇載啓大通經綸天險兼德堯俊
籠光墳典神珠受氏崑石開祥疊亹穆穆爲紀爲綱
炅刀羽野猋輪月傷雨沐風纚標趨楯行知以神行
道由利故括象通原崑崙察扈心罔弗辰冠挂不顧
析形八區哀歌三過雲華訪道春皇授策龜印泥青
河精字黑肅兵天老擁川五伯熊化轘轅牛分峽石
流沙西寫漏陸東揵赤淵分穴咸池躋天三叢壺粟
九點齊煙山明海靜星黃喬鮮範疇協昊元圭錫帝
食溢艱奏壞綿擊地臂湖敷南東漸西被禘軒承世
賓均裸祭唐川更就嬀風再薰二武慚紹五稱比聞
祊崇馭馬關石和鈞玉帛輯瑞禋柴合神郊引青凋

庭虛元武大越山靡九夷路阻始從宛委復于覆釜
襲乃衣裳遏焉鐏鼓北瞻穀林南通紀市鬱鬱相望
參參互起日月流天江河行地神之濩戢靈其煌矣
幽宮拂漢虛陵隱岡鳥耘晚陛烏會朝析松如舊社
梅非故梁劍沈山而斗落鐘出隴而螭翔涸岷山之
扇水泯安都之石房惟懷德兮日新與溥利兮流長
千春兮萬古瑤瑱兮椒漿

蜀岡瓦暖硯歌

蒼青截鐵堅不阿瑑珞敲玉鏗而瑳太乙之舩卻斤
斧帝鴻之紐揪穴窠貝掌伏卯抱沂鄂瓠肉削澤無
瘢瘥露清紺淺葉幽泚日冷豬淡罔兜舵琅琅一片

抗歷落佗佗四面平傾頗瑩陳天智比珍穀巧琢由
骨殊砮磬祝融相土刑德合方軫員蓋經營多炎京
熿化出摶造域分宇立開婆娑東有日山西有月包
之郭郭環之涯水輪無風自然舉氣冉襲地歸下餘
乾坤大腹吞樂浪荊吳懸胃藏鑿鄱陂謠鴻隙兩黃
鵂敵樹所國雙元蝸靜如辰樞執魁柄動如牡鑰張
機牙線連羅浮走複折氣通艮兌無壅謁嚴冬生暍
畏積雪終何狎骨偪假波封翰蒞毳失魏鹿凍蜂作
罷銜刀戈一丸末脫手旋磨寸裂快逐紋生韡似同
大池敗蚩霧比困秦法遭斯苛分明落紙誤倚罵絳
拘行步借尉贏爾看利器喜入用初如得寶良可歌

火山有軍罷闌燦熱坂近我勝嘘呵涫湯初顧五熟
瓮灌嬰等拔千囊沙劒門一道塞非絡春候三月暄
江沱共工雖怒霸無所溫洛自潤揚其華東宮香膠
銘絳客湘姿紫鯉浮晴渦沈沈鴉色暈餘滋靄靄甫
族披圓羅咸池勃張浴黑帝神鼇研擊隨阜媧山馳
岳走事俄頃霆翻雷薄酣滂沱虹窗焰流玉抱肚月
懶水轉金蝦蟇時時正見黝鏡底北斗熛爥垂天河
蜀岡工良近莫過擣泥濾水相撓挼爲罌爲皿爲飲
植壺如鸕鷀杯如瀛千窯萬墻列門戶堆器不盡十
馬馱智搜技微更衛誰歟作者黠則那溫麥勁骨
春璘欽輕膚細理撒粉飾馬肝或霜瓜倒面凰蛛兼

狀奮含荷蟠燒顏色出美好端正不待切與磋華元
蟠然抱坦拓周顗窣洞非婷嬰早從仲將試點漆峽
檣懸潘駿注坡我初見此貪不覺衆中奇畜擬橐駝
詩篇送似因賺得若彼取鳥致以网溫泉火井佐沐
邑華陽黑水環粱蟠豹囊乾煤吐柏髯古玉笏笏徐
研摩青霜倒開漾海色烏蚪尾掉重雲拖端州太守
輕萬石宮淩秦羽磯羲巃比于中國豈無上今者祇
悅哀臺佗時煩拭灑安且陶捧盈恆恐遭跌蹉裝書
未取押玳瑁格筆遊所珊瑚枘豈螭蟠鳳閣一尺錦
官為汝城初甚啓之刀劍快川風止為熊虎巖盤窩
蕭行孔草雖嫻擯須記甲乙親覽哦國風好色陳傚

儵離騷荒忽追沅灑凝鋪潭影滑幽璞秋生龍尾涼侵霞夜遙鐙語風撼珊縈者爲蚓篠者蛾行斜次雜共綣蜿于無停度劇卉梭宏農客卿座上客雄鳴藉掃幺與歷欲銘功德何門楹顧此堅頑誰能劘硯乎與汝好相結分等石友亦已加闌干垂于鮮琢玉捧侍未許宮釵娥他年塗竄堯典字件我作猶書歸禾

女李三傳

女李三者河南鹿邑縣人也父某畢貧業田嘗以隱事與邑大豪相恨豪陰謀殺之使客陽與親召之酒而藥以飲遂發病心知豪所爲將死女從母泣於前某齕齒切叱曰若何泣若非我子也且吾爲人殺

幸有兒俟壯或行能復仇若眇子煢稚後無望矣吾
恨終不吐矣女時年十餘聞父言晝夕憤傷時時蓄
報豪志比數歲稍長日誓鬼神往祝某墓願魂魄相
助挾利刃候道上期乘便刺豪豪出入乘馬從僮奴
彪彪然勢不得逞乃匄人爲詞屢愬有司大吏咸偏
列于官者三年矣一人無行白其事者女甚恨曰此
曹雖官人實盜隸耳徒知探金錢取醉飽何能爲直
冤痛者乎遂辭其母當呼往京師鹿邑道京師二千
里女孤弱無相攜挈慷慨行暮託逆旅逆旅主人或
怪其獨來疑有他圖不內則潛伏草閒賊至將擊登
聞鼓自訟數爲吏所閼以陳於刑部與都察院交格

之一如有司大吏之在河南者久之會有新任令於鹿邑者頗強直任事女鬪乃走還令方升車出遮前大呼且涕且陳伍伯箠驅不能動令以某死深歲月且無驗意其未信吏詰得死時語及脅京師狀乃爲受牒縛鞠客與豪皆自窮服昔者荆平王既殺伍奢子胥亡之江東卒覆楚國而鞭平王之屍李暠妝蘇謙謙子不卓變姓名穿窒掘冢以刻其報然必藉闔廬之威兄弟賓客之助若夫窮特孤露挾持僻冒嶮忍險以終立乎事無負乎志然則子胥之謀非足以爲勇不韋之奮非足以爲烈也緹縈沈痛而上書曹娥憂思而沈江或有揚刃于都亭或假貸傭以襲

仇其爲爾著于世其于古何如也今已論正豪罪未
即決豪死牢戶中豪家滋憎女甚構宦詞以爲嘗
受汚有邑公子獨心知女賢請聘之其母與長老姻
婭皆勸之行矢不許及母卒殮埋悉召宗族親戚里
隣告之曰吾痛父見害楚毒幾十年幸得雪仇而名
爲人垢忍不早就死者傷無兄弟終奉老母今吾事
大已其將有所自明室而掩之遂自絞也於是豪子
舁相之矣視其面儼猶生然將舉刀斷之有血激諸
口類噴怒者豪子駭仆不能動左右亟扶負歸亦竟
得疾以死女死康熙中至今且五十載歲戊午予居
長安始聞感嘗世無能文章揚洗昭彜之使家說戶

唱相有爭勸乃撰述其事歌而系之
大海何漫漫千年不能移太山自言高精衛銜石飛
朝見精衛飛莫見精衛飛吐血塡作堰一旦成路蹊
豈惟成路蹊崔嵬復崔嵬女面潔如玉女身濯如脂
十四頗有餘十五十六時婀娜環春風明月仍徘徊
門中姊與姑鄰舍雜姥嫠人笑女無聲人憐女長啼
昔昔重昔昔娥痛不得治有似食大鯁[illegible][illegible]連衿臍
阿母喚不應步出中閨闈女身亦非狂女心亦非癡
向母問阿爺阿爺誰所屍昨者門前望裂眼睜忍窺
爺仇意妍妍走馬東西街我無白楊刃鍛作雙虹蜺
磨我削葵刀三寸久在懷一心願與仇血肉相齏虀

仇人何陸梁挾隊健如犛前者爲飢狼後者爲怒豺
小爵抵黃鶴徒恐哺作糜大聲呼縣官縣官正聾蚩
宛轉太守府再三中丞司堂皇信威嚴隸卒森柴崖
安知坐中閒一一梗與泥何由腐地骨鬼笑回牙欽
孤小不識事聞人說京師京師多貴官列坐省與臺
頭上鐵柱冠獬廌當胸棲獬廌所獄獄多皆能矜哀
局我頭上髮縫我當躬衣手中何所將血吊斑斕絲
帛上何所書繁霜慘濛埋細軀誠艱難要當門防支
女弱母所憐請母毋擎持今便辭母去出門去如遺
是月仲冬節殺氣爭驕排併冰寒黃河急饑穿矛錐
大風飇天翻行人色成灰夜黑不見掌深林抱枯枝

三更叫鴟鵂四更嗥狐狸五更道上行躑躅增羸飢
舉頭望長安盤盤鳳皇陴下著十二門道洞縱橫闢
持我帛上書齎我囊中袜跪伏御史府廷尉三重墀
尙書更巍巍巍巍唱騶歸頭上鐵柱冠獬廌當胸棲
獬廌郎無角豈與羣羊齊李女倚柱嘯白日凋精輝
結怨彌中宵中宵盛莽悲有地何搏搏有天何垂垂
高城不爲崩高陵不爲阤爲遣明府來明府來何遲
長跪向明府淚落江東馳女今千里還女變終身罹
女誠不敢紿願官無見疑父冤信沈沈沈沈痛無期
一日但能俯井底生朝嚱死父地下笑生仇市中封
顧此弱賤軀廿從釜甑炊語終難成聲聲如繫庖槖

明府大嗟歎嗟歎仍歔欷翻翻洞庭波洞庭非淵洞
嶄嶄邛峽坂九折無險巇我今爲汝尸汝去行得知
翁仇意姸姸舉家忽驚摧勢似宿疹發驟劇無由醫
同時惡少年驅至如連雞銀鐺押領頭畢命塡牢陛
有馬空馬鞍永別街西[illegible]叩頭謝明府搦骨難相貽
昔爲舐乳兒今爲箭還敹遙遙望我畢我屋荒茈萊
寡母倚門唏唏於杞梁妻女去母唉相唉相今成飴
雖則今成飴母悲轉難裁女顏昔如玉女髮何祁祁
女口含朱丹女下垂春黃哭泣親塵沙面目餘瘢劃
宛宛閨中存鷩猗疑病羆姑姊看女來簪笄不及施
鄰姥看女來左右相呼攜各各自流涕一尺紛漣洏

鄰姥少別去媒媼從容來三請得見女殷勤致言辭
公子縣南居端正無匹儕金銀列兩廂織執不勝披
身當作官人華榮灼搒悻頗欲得賢女賢女勝妻姬
回面答媒媼身實寒且微無弟無長兄老母心偎依
所賴事力作澀指縫裙襖安得隨他人乖違母恩慈
母年風中燈女命霜中葵須臾母大病死父相尋追
棺槨安當中起墳遂成堆一一營事訖姑姊可前來
爲我喚長老長老升堂階爲我召鄉鄰鄉鄰麇如圍
十歲隨爺娘幼小惟癡孩十五銜沈寃灌鼻承煎醯
二十行報仇報仇苦且危三年走大梁趙北燕南陲
女行本無伴女止亦有規皎皎月光明不墮濁水湄

斑斑錦翼兒耿死安能騁長老得未信鄉鄰莫休猜
自此旋入房重闥雙雙扉朱繩八九尺挂向梁間顏
鮮鮮桂華樹華好葉何奇葳蕤揚芳馨生在空山隈
烈火燒昆岡三日餘未衰大石屋言言小石當連羣
蕭芝泣蕙草萬族合一煤燒出白玉姿皎乎寒皚皚
玉以爲女墳將桂墳上栽夜有大星辰共光何離離
錯落桂樹間爲照女容徽桂枝上摩天下根深深基
中央纏悲風聲出商陵吹吹爲行人聽千載長淒淒

會稽胡浚希張庚子孝廉任浙川令以事落職刑部左
侍郎交河王公所薦爲部駁不得試騈體最華贍

南園雜著序

山中挑網蒓花胥昌谷之長繂埜際開荒竹色藤紫
桑之方宅隱君豹谷垣繚青柯丞相魚池窗臨朱鳥
識芙蓉於前苑錫名屬下杜門邊園橘柚於陽坡擇
勝在祝融峰下望春埜樹接先生黃州之廬古澳平
沙憶學士翠華之館歷稽自昔園圃恆多載考佳稱
南偏允著顧境姝人外雖衡澗而何奇地媿山幽總
買邛共奚貴磯上之詩人非錦亦誇蔬甲黃桑壇邊
之高士無峰焉事松花白石不披靈府之煙霞孰拓
潛居之天地臨川武峰之麓有南園者李巨州先生
別業也爾其連樊窈窕翀瀠高輸英巨迢遙靈支西
擘懸崖瀑吼秦源則紅樹中分沃埜岡圍鄭谷則青

森四合皇桐峰畔葉塢猿啼白馬橋邊蓮塘鷺立深
林號楮複嶮名花卓金魚而古石秋丹鎖玉蝀而春
溪青黑珠攢五嶼隆隆疑鷲筍之雷犁削三峰藐藐
架浣花之筆更須淳風勝古佳興隨時長籬闌鵝鴨
以分隣高壘種枌榆而作社風生幽磵水碓春鳴雨
歇平田漁燈夜散香龕寶筏寧無竹裏疎鐘短衍紅
欄大有松間舊咏樂誠可獨垢亦均離爰是別從南
岫之陽小築園林之景琴臺鍛竈積樹成埤釣閣艖
亭疏泉作沼問果園於鄰里依稀十畝之間做茅屋
於玉川不過數間而已窗虛做六徑曲分三簾衣覃
翡翠之巢壁鑠印毹氍之跡紙封蕣葉無崦非雲卷

束穀皮有倉皆石陸放翁之詩圃不乏寒梅劉侍中之講堂最多深柳雖復始寧側歷匡阜懸帷黃磁華子之岡碧篠王官之墅天然巧構詎便如斯邈爾遐棲何修匹此況乃屏車絕品雅御紛華閉戶醇儒九標邃學櫂董相之玉杯繁露入林不改荷衣列崔門之畫戟高幢在陸何妨蔬食短童奉帚乾日蓬頭埜衲求書有時脫腕香爐酒盞數長物之無多易註騷箋發元鈎而甚妙從此巖坳麋狖得主蚌蚌峽口貧篁依人巍巍棱山悟道知精舍之估傳菑水談經識崇臺之共賞嗟乎石㟪柱剝金谷園傾平泉之雪斷何歸午壁之糠粃安在唯賴賢哲垂名風流紀實郭

田半畝能爭五柳之高鈷鉧一泓足媲三桑之景[illegible]
中倚樹便彰井竈于荒盧沱上誅茅不朽紅山之故
宅先民有作來者爲昭浚千里懷山廿年枕石風昔
杏花壇上沐吾師函丈之勤經時蘆草園西接猶子
通家之席而乃長安樹綠難忘蓮客孤菴逆旅燈紅
頻話樟公舊嶺指陳歷歷夢想依依宛乎榼其會擧
儀肩與之竟造張仲蔚蒿居久寂不離村後村前杜
少陵花逕堪尋只在城南城北伏承提耳敬仰高踪
敢曰嘔心還疏短序紫琅萬卷細隨鹿洞之齋開青
璧千尋題作鵝湖之講席

吳樸庭詩序

荒茨漁舍春波曲繞青門埜筍詩莊山路斜斜連黃埃彩雲五色罥鼯樹之寒苔靈鶴雙飛認隱居之古木叢垣左右巷陌交通堰水東西衡扉互對身將隱矣蓺裘營福地之林泉彼有人焉蠟屐送元亭之甊甕紅牋署姓山陰則客是吳融綠樹多家溪上則居分項里左原誌癖煜若金燈飲亦疑仙皎如玉樹齊祖之百面暗記不遺陀寺之碑王仲宣七子交推解覆車箱之局談雄桂苑篇妙竹林醇醲藻錦[illegible]於樓臺劄磕撼緇帷於風雨然而子安注易祗命騷才袁[illegible]工文偏稱詞客烜籬士舍非無獨孟之[illegible]峽寺虹[illegible]時有登高之賦楼陰黃刻或傷[illegible]

馬射廣筵迅脫寫團扇以彌工古壁淋漓貯山靈而易滿帙裝玳瑁硯飼琉璃獨尋花逕之潛夫乞序樓庭之別集嗟乎吾越浸遁珠浦舊築文臺鎮峴瓊樓原封詩箬遞從擁檝瀏自藏青襄陵韻創稽山古米謠權射的葬臣江上質如自大照詞木客溪中愁甚烏鳶奏曲下迫公回虎嘯內史鴻飛戶生苔筆之花入唾班藤之玉石門築舍謝公揚帆川於芙蓉山水傳觴逸少敘清流於修竹幽蘭旬鴻秀花巖維秋黍黃雞逸傳顧況素琴花落方雄飛俗爨醉蛤石硯首驛奏高士亭標麗句吏著柳姑祠畔范蠡巖前瓊臺雄鐵篋之孤吹劍閣笛冰枝之萬竹類皆情深旨僻

上逼澧蘭語樸詞醇退追山木負乎南弄麗矣越唫恢登六義之堂允入九歌之壘既自西崑乍變騷壇誇玉虎之柔靡南部初翻狐穴逞篠驂之險怪清矜竹雪芒稚則半入覆窠銳擬花潭粉面則祇成依樣陋惟賞積慮甚鏤冰炭藍石其將頹悵緣文之寡色而君則精思杳杳天然庾信之清新別趣泠泠苑爾蘇公之宕逸明珠夜照詎假彫鏤生翠春飛寧由絢繪纂蘭亭之絕唱大雅奚慚續草市之佳篇正聲猶在則使畢綜四部徧歷千門騁銅丸陣馬之離奇探石粉癡羊之瑰異取精既富便役龍蛇用物能神自成颷霈將健贋相去何難踞五字之長城輿驅若何

端可作三江之一柱也又況才人染筆之倉文字聚
書之館橋接平霞池通洗鉢短垣翠雨小松已過人
長仄逕蒼煙古榦全同蓋偃皇墳叟語板皮如雲漢
鼎泰鐘檀牀若海千峯對丌依然紅樹孤邨一曲浮
家仍傍黃冠舊宅斯則移堂就樹借景題緜逸才更
易於追仙細律尤安於入聖嗟乎中庭斂潔漫誇別
墅之幽篁此樹婆娑何若小山之叢桂瑣窗咏碧含
毫奚羨五城石路歌青好事合宗一體雲根臥讀雪
後開評金精騰柳瘦之芒石葉穠韭花之氣君誠號
傑詎曰嘔心僕未能豪但應拭目從此林間雅集無
異添裴潭上偕游恰欣得謝一垣東郭數武西鄰持

布鼓而誰喧投錦囊兮甚便綠楊泳月亭臯靈氾之橋碧玉酬山重振少微之閣搜驚春卉織訪秋蒲自慚老不如人彌愧唱難和汝如從賭墅已知算九籌於局中比値邗溝且幸觀五花於壁上

江都馬曰璐佩兮監生候補知州藏書甲於大江南北詩筆清俏通政司使寧夏趙公所薦有兄曰琯秋玉亦賢士有詩才

湖船錄序

明湖一片舊識蘇堤游舫千年仍裝吳榜白公自好還尋鏡裏之行厲氏蹤遙莫辨峯頭之纜傍柳邊而泊宅隔花外以浮鷖鷗狎堪盟魚問共樂豈比剡中

半夜興盡矣而還何如海上三山風引之而去僕昔者端憂林臥寓意萍游憑襟而夕靄雷人鼓枻而春山命笑歌明月短長橋畔不辭高價之租唱竹枝大小船中孰問前人之製將使聆櫂謳於玉樣指樯影於青編非聞見之能該恐駢羅之不易此吾友樊榭先生湖船錄一卷雖補金風亭長之遺文實續四水潛夫之舊事者也嗟乎洛陽園囿半屬邱墟江左風流猶傳藪澤工皆倒載重開天水新談錢希言桐薪云宋時呼湖[illegible]舟為上山自形蓋遂上倒載以行耶樓更憶家山清事明湖船有樓[illegible]彼鄂君波上檝標青翰之名王子井中板記赤烏之字傳游可繼坐我於公雨晴開高躅誰同置君於坐

風波處

詞科掌錄卷一終

詞科掌錄卷二

錢唐厲鶚太鴻庚子孝廉爲詩精深華妙截斷衆流鄉前輩湯少宰西厓先生最所激賞自新城長水盛行時海內操奇觚者莫不乞靈於兩家太鴻獨矯之以孤澹用意既超徵材尤博吾鄉稱詩於宋元之後未之或過也性耽閒靜愛樂山水一再計偕遂絕意仕進以浙江總督上蔡程公薦來都試題誤寫論在詩前遂罷歸生平詩逾萬首勇於刪擇近裒刻其詩曰樊榭山房集凡八卷樂府爲今海內第一他著有遼史補東城雜記湖船錄仿計敏夫例爲宋詩紀事百卷搜采極富是科徵士中吾石友三人皆據天下之最太鴻之詩稚威之古

文紹衣之考證窮究之近代罕有倫比紹衣丙辰先成進士改庶常例不當試後以散館出外稚威以疾太鴻以違式皆不得在詞館豈非命哉

遊洞霄宮

大滌元蓋洞天然所縈時時飛夢淩孱顏茲辰奮足遂躋討芒屩豈憚山行艱初從南湖歷四井霜清日出羣峯靜紆回路轉金綫潭鑑皦不動澄嵐影偶逢樵子爲指迷深入欑林竦壁得異境青山九鎖勢更殊千尋拔地秀不孤松栝溼翠交撐持石橋流水聲可娛道旁碑碣眞丹粉巖隙乳滴羊須珠傳聞舊有無骨篆可等羅浮古蹟竹柴符帝所瑯館此奧區圓

殿高峙凝塵無共餘廊廡雞煙蕪蒼筤萬个爲筆竿
寒風噫竅洗毛骨白雲上下如飛鳧我思郭文舉無
情木石相爾汝何時月底騎虎歸泠泠澗上聞仙語
我思鄧牧心黃冠遺世來煙岑幽泉滌硯作山志俗
士未許窺清襟自從貔郎作相年祠官往例縻諸賢
提舉惟有李忠定栗主巍像永永無祧遷尚餘御筆
觀虎臥（洞天福地額宋理宗御書）寂歷開階少人過眞茶啜比換
骨膏牟日盤旋雜行坐天柱峯大滌洞瑤房玉宇恍
如夢太息天寒日短不得游留與他時策杖尋清秋
二月十七日重遊洞霄宮燃大滌洞天
振衣浴罷體更輕竹杖投石聲彭觥穿山昨夜龍洗

宿雨過萬壑泉聲縱橫山靈知我有默禱故遣松風作
前導一峯陰見一峯晴天柱中央翠於掃元同先生
昔隱居洞天長鎖琅函書前遊日夕未曾到恨身不
得乘飈車穹晝幽篁履苔石驚見谽谺洞天坼童子
曾爲擣藥鶴桃花解笑趣詩客此中日月停兩丸想
像九夏九淸寒微明秉炬觸暗壁古靈題字來尋看
洞中題刻多漫滅但見處云陳襄述古來癸巳夏玲瓏乳竇隔凡處路接華
陽不歸去有人問我洞中來爲說浮雲如柳絮

吳山咏古詩二首 并序

麻曷葛剌佛在吳山寶成寺石壁上覆之以屋元至
治二年驃騎衛上將軍左衛親軍都指揮使伯家奴

所繫案元史泰定帝元年塑馬合吃刺佛像於延春
閣之徽清亭下輟耕錄亦稱馬吃刺佛滿梵音無定
字故也元時最敬西僧此其像設獰惡可怖志乘不
載觀者多昧其所自故詩以著之
寺古釋迦院青淵石如飴何年施斧鑿幻作梵相奇
五采與塗飾黯慘猶淋漓一軀儼箕踞努目雪兩眉
赤腳踏魔女二婢相夾持玉顱捧在手豈是飲月支
有來左右侍騎白象青獅獅背匪鞍韉坐用人皮
髑髏亂繫頸珠貫何纍纍其餘不盡者復置戟與鈹
旁紀至治歲喜捨莊嚴資求福不唐捐宰官多佞辭
我聞劉元塑妙比元伽兒轉換入紫闥祕密無人知

此像琢山骨要使千年垂徧翻諸佛名難解姚秦師
游人跡罕到破殿蟲網絲來觀盡毛戴香火誰共尸
陰苔久凝立想見初成時高昌畏吾族奔走傾城姿
施以觀音鈔百定鵝青披題以樸樕筆譯寫蟠蚪螭
照以駝酥燈深盌明流離供以封羊心潔於大祀犧
紅兜交膜拜白傘紛葳蕤琅琅組鈴語逢逢扇鼓馳
到今數百禩眩惑生淒其但受孔子戒元世祖命廉希憲受戒於國師廉對曰臣已受孔子戒漫書膽巴碑趙子昂延祐二年奉命書膽巴帝師碑膽巴華言秘密訪占爲此作聊釋怪諜疑
鐵四太尉在吳山東嶽廟廡下宋名中興觀像凡四
軀猙獰瞋目醜怪駭人相傳江中浮來郡人有忿爭

凶隙者則迎而詛之案凌彥翀柘軒集有吳山東嶽
廟化鐵四太尉疏云吳山東嶽廟鐵四太尉一曰靈
應侯二曰福祐侯三曰忠正侯四曰順祐侯以禦災
危以鐵肖像非一日矣因軍器造作有欲假爲用者
一夕託夢於王子澄曰吾欲助國將作吾新像以離
於此已而果爲國用子澄識其語不忘果蒙神祐動
止協吉欲求衆力圓成庶見神功昭著彥翀爲至正
末人像當重鑄於此時不知何年復增鑄一軀譌爲
五方之神俗名鐵哥而微俗不可息矣
岱宗長五嶽秩祀百代舉仙釋爭傳會幽眇竟難距
蠻蛮宋行都寓祭亦名嶽四尉知何神封號侯爵序

治官巧絕鐵面目黑如秬譌傳汎濤江風掀出沙渚
奇事神降華里俗文詛楚愼匪金人銘誕將木甲侶泰山上有木甲漢武帝時神也見應劭漢官儀唯有避俗翁皎皎載玉楮當
年著蝨功志在捍疆圉不爲錢可耕不爲釜可煮願
鑄爲五兵廓如掃烽炬報睍重肖形爭傳夢中語斯
事略足徵諸皐儻見許衛寒過琳宮虛廊竄松鼠

五月二十五日艮山門外晚眺

吳天入時涼似水裌衣出城三四里城角遠山青半
環分得濃嵐落漁市荒陂繚絡行何求雲影水中凝
不收邊科誰與作都祭陰森大樹堪蔽牛幾家叢莽
徑微窄稚髦鬪籬竅過客榿欄散葉覆深井薜荔牽

絲護敲壁喜聞田水夜初滿不道瓠花朝更坼半紅
忽墮橫一橋恰當高處風刁騷四天萬綠染未銷黃
尖嶺鶴如可招畫本髣髴山樵深林絕磵藏過面
山中茅屋愁漂搖道夠日暮紛惆悵白荷欲語嬌相
向斜倚珠盤踏寒浪菰蒲低處見船行弭櫂無人能
一訪我時小極因廢書消憂起病兩有餘但思歸乎
考古蹟安得湯鎮謀村居
朝廷蠲租
詔寬大官府勸農意樂胥攜挈亦可號豐室息影[illegible]
發開蝸廬試歌元豐歲連稔姓氏何必[illegible]
聖因寺觀貫休畫十六羅漢

唐人畫十六羅漢筆力獨數盧楞伽休公後起出其
上眞容應夢有似忽現優曇花小篆親題廣明歲正
在江陵傳絕藝禪人請歸懷玉山海衆林神盛訶衞
休公不樂依錢王此畫何年流落長明古寺青豆房
殿陊香斷印龕冷燈無光我昔借觀匿不出卻恨俗
僧皆啞羊宰官後置湖上龍宮之寶地應眞一一來
高堂題詩記得歐陽炯此畫依然神貌並煙煤雖暗
墨蹟麁生綃開張氣疎挺眼淨野鶴行側枯籐頂峯
嶽嶽眉雪毿毿彈舌呪龍蓮葉齒齒臍偏楊枝四十
二章經在手一百八顆珠倒垂灘缾高擎褰鼻坐
具入定揩瘦顱聖賢自古不異相何況流沙印度相

逢時高情逸格寫不盡更有嗔如破賊三軍鏖其閒
憩寂皆無語亙石高松絡雲霧中華只識諸矩羅龍
湫雁蕩經行多嗚呼烱也詩休公畫同在人間縱瑰
怪我欲追扳力不能但作低頭東野拜聖因寺裏鳴
粥魚五雲長護
先皇書永將玉軸鎮孤嶼請看水墨已是七百春秋
餘

歲暮自題南湖所居四首

巢居何地可高騫近水聊同離垢園寒淨綠蕪侵巷
尾明涵疎樹照城根雲帆引我邀歸與雪履聞誰獨
往言魚計茶經無外事太平時節在衡門

三間老屋打頭低安隱深冬類蟄棲短布自遮周伯況大船不識庾安西雨多夾雪添湖水凍後烘晴滑徑泥俯仰懷人千古意蜜梅花發竊黃啼

又向張園把早春豪華舊事久飛塵石殘甲乙黏乾蘚檻易庚辛積冷蘋佛粥近分林下寺餳新賣水邊人賞心是物關時令只以康強祝老親

聊悅吾生未有涯須煩健步遠移花下臨列岫人煙小細讀殘碑日影斜臥架少青思鬧市行勝無夢到乘車詩壇不似麒麟閣敢鼓南湖上將家楊誠齋詩新拜南湖爲上將謂張功父也

招隱寺

戴公遺靑山松門限畦畛淸風入仙梵雲罄流不泯
穿香厨構出密葉長廊引西鏡鹿跑泉林影寫鏡錦
故人李約輩藉草共瓢飲微聆得至音寒漱有餘凜
荒臺傳蕭梁亂石如插笏讀書今已無具學予自哂
古事滿禪關追尋恐難詳山上有昭明太子讀書堂

題敬身所藏崔子忠伏生授經圖

樹底危坐秦博士頭童背僂須眉蒼彼姝侍側兩鬟
妥欹臂似有聲微颺一人炯視而若側高冠褎衣意
則莊刻深頗似見顏色頴川掌故稱智囊據石作几
俛首聽手操不律書幾行發來化我本齊語豈至難
辨如公羊此時未有蔡侯紙非是簡策應縑緗贏灰

旣冷孔壁匿聖權獨賴生扶將二十五篇復繼出微
言大義難低昂後儒往往疑作僞欲與百兩俱淪亡
典午清談那辨此地下齒冷梅賾章操矛入室眞鹵
莽安得生也相攟摭北平崔丹古節士布袍草履神
揚揚貴人乞書怒不與楠死十室廿飢厄龍泓館主
得小軸晨夕坐對齋屋張遺經獨抱測姚姒樸學正
可傳諸郎猶勝濟南一女子宛轉膝下青袿裳
嘉善柯煜南陔康熙辛丑登第以磨勘黜落雍正癸卯
復成進士初爲安都令改衢州教授禮部侍郎桐城方
公所薦未及試卒官南陔工詩及駢體有集十二卷雙
溪沈吳二氏刻倡和詩東南紛牧皆其高第弟子故南

陵爲之序

水晶樓閣蕭森迴異乎人間浮玉溪山奇秀夙標乎甸外問詠詩中漁具曾此句留指揮竹裏樵青於焉信宿葉左丞之貞意下步瓏玲趨承旨之清暉全身罨畫藹藹吳根越角獨開茶竈之鄉紛紛岸芷汀蘭徧護水雲之窟則有沈休文之門閥奕葉雕華吳叔庠之家風聯翩才藻遙指瓊樓玉宇予瞻不待乘風暫依竹簟茆檐永叔豈容支枕阮分南北咸隨籍以俱賢塏並東西機挾雲而競爽何山筠篦移爲翡翠之牀碧浪容明吸作蟾蜍之滴書淫傳癖沈酣四庫之間吐鳳懷蛟噴薄千秋之上畫橈萃止右挹日以

多暇與屬僚來更當筵而授簡或豪唫之陡發竭月
儷行或密緒之餘抽繭繅不去蠻箋砑就頻催兩買
之書細鋟擲來已付小紅之唱斯地也洵麗農方丈
之爭奇斯人也復鯨海鶴天之莁駕詄蕩紫霞之賞
品題藻笈之書屬有畸人挂情良友出沒芰荷香裏
疑乘貫月之槎婆娑金石堆中恍入謨觴之洞眠餐
蘿月誰主誰賓盥漱松風不巿不禨取金貂而換酒
杯不停飛川銅鉢而成唫椀還欲脫諸君好事都懷
投轄之心浪士無端誤作遊仙之夢假令詩之熱客
未免羅師然而偏數清游最爲蜆斗還念藍田輞日
既得和之無多金粟玉山亦賓朋之偶集豈若雙溪

作合廉泉讓水之縈迴兩姓論交謝墅王亭之咫尺雖召雲命律他邦不乏同聲而銜柳編蒲賢主獨持大雅琢磨琬琰遂成羣玉之峰呼吸芳華頓有衆香之國從此雞林賈客爭購新篇蠻作弓衣競傳麗句庶幾遐陬結契行多汲古之人如其下上懷疑請試量才之尺

小遊仙詩

一枝橫玉叫清秋西塞山前兩度遊自在凌波乘赤鯉旁人只道駕扁舟

精含分明小洞天底須煉汞更調鉛鞠通脈望非凡品只守琴書自得仙

醲就清芬十八仙[illegible]皮詩句早流傳君家自有眞靈
蹟若論堯賓是外篇
名山小住便忘歸珍簟疎簾拂翠微一卷蘂珠朝課
畢羣眞次第叩巖扉

題高房山津亭待渡圖

羣峰羅列雲巖巖下有精舍依淵阿居人物色迥閒
暇豈知行李方奔波津頭蹇驢駐躄躄欲渡不渡心
如何前山雨勢忽復作招招舟子臨長河狂奴十載
困羈旅冒涉險阻驚盤渦高堂讀書三歎息回首昔
夢揩摩崖倘書標格凜超越奧區靈境窮研磨前師
南宮後北苑俛視餘子眞幺麼道園題詩推第一峥

嵥醉筆誰能過只今蒼茫睇邛鼇似欲招飲歸煙[illegible]
水濱木杪寄慘澹青鞵布襪嗟蹉跎人生忙閒適自
取一念妄動逾新羅清暉娛人苦相喚栖栖那免山
盦訶把茆蓋頭吾事足何用織路追羲娥

遊法華山

不知造物有意無高高下下分山湖尤匚遠勢岌飛
動豈與叢巨爭規模涼風吹人雙袂舉窅胸決眥形
神舒孤亭妥穩倚木末遊峰縹緲橫天隅山中古寺
閱千載金繩覺路開迷途遊人抵掌說靈蹟地上涌
出青芙蕖人生五欲困纏縛擾擾火宅圍羣慝三乘
方便亦假設大乘直可歸真如何為中道遵如見[illegible]

試撥點猶遮廬咄哉氣喝龍奔走弟子忘御衣中華
大雲釀雨澤萬物欣欣藥樹紛扶疏由來長養自匪
別上天嘉澍同涵濡琅琅至人眞實語說法圖與藏
常殊優曇鉢華時一現十方瞻仰天人趨吾登茲山
發深省佛陀三昧炯不誣眼前三萬六千頃泠然入
口成醍醐
君山闢雅集同用丹黎鄭孫駢贊韻
哭與門牖誰不知寢敝之後才愈奇相逢一揖不暇
語手持硯匣開琉璃長篇短詠奮迅出牘欲指摘無
纖疵三詩六筆各有態直與天巧非人爲狂奴甘苦
備飽歷有飯頗識勞薪炊麟角況從十洲得天球自

與東房宜公侯復始乃券內麴蘖端糟萬卷資只今
高齋共幽賞觥船入手生瀾漪阿大中郎並挺拔江
東所見皆猘兒郊居已觀雌霓妙蘭臺重賦雄風吹
挽留鄭重荷深意夜談吏擬篩朝儀臨分執手期努
力莫隨草木嗟變衰

叢芸館小集

側聞水晶宮尋仙盛游衍遂令戴笠人亦腳踏蒼蘚
契闊與霞交宿昔心期展邀我虹月舟詰曲蘭橈轉
貽我藻思書天人洞微顯飲我碧筒酒全樂非沉湎
高談挾清風四座洽然遣紛紛區中緣遂絕不待遣

長興丁凝靜者癸巳孝廉國子監學正令盟體郡罰番

偕事覺最吳公所藏冊者爲沈宮贊〔註三〕女夫故與竹巖
諸沈酬倡最密

題高房山津亭待渡圖

滈溪徑樹如牛飲雪浪漫空魚不淰濤潑複澗瀉壘
康磊落危峰矗石廩江湖滿地有孤舟驢背幽人囊
破錦顛風斷渡勢喧豗忽雨穿林意淒凜是誰老手
抉鴻濛高公筆妙絛神品百年以來見者稀玉軸裝
成傳癡沈明府出玩高興慨不信煙霞藏墨瀋根無
好句記丹青料有名山縈夢寐平生五嶽尠壯遊百
事悠悠付高枕如許分身入畫圖青鞵布襪計已賒

觀弈

月邑隱青蘿廊櫳倚老栝文窗理弈旨不惜燭見跋
布席意飛騰開奩氣軒豁得計則揚眉蓄疑亦蹙額
有客斂袵觀忽焉忘飢渴借籌謝不敏云欲議其末
發端網一面列陣衞九逵黑山拔地雄白水浮天闊
北伐距虜顏南窺通蠻鬪扼險得龍蟠擣虛追兔脫
摩空萬騎馳伺隙千槍撥悍如搏牛蟲捷若祭魚獺
橫行綏欲交直上幟能拔勿戢且自焚無備故可奪
壯志失乍炎虛懷昧事葛驕兵久在原勁敵忽排闥
不患蔓難圖而懼本先撥强亂覷腹心與戎兆萌蘖
局哉固苞桑隔矣爭圭撮審勢法建瓴藏機效省括
[illegible]

[illegible]手有何[illegible]規[illegible]者[illegible][illegible][illegible]小道不足為新詩成[illegible][illegible]

天竺寺壁觀管夫人畫竹

洋州竹派遠莫傳何人復寫碧玉椽摻摻女手晚角出筆之所到生雲煙王孫肖馬萬騣裏仲姬狀竹千嬋娟洞房倡和日多暇不惜點染窮幽妍城西蕭寺富遺蹟至今好事停輿輧升階入戶岌飛動壁淨如絹修叢連湘君山鬼呼欲出風篠屈曲乖龍纏一枝旁出生氣足灑然而起森戈鋋得之象外覷天巧淮濱嶰谷弃毫顛紛紛摹本竊形似枝葉則具神不全百年舊事知者幾臨波亭圮成荒阡王孫冥漠仲姬死墨君不共滄桑遷

秋涼飲酒詩

松風吹廣陌裙屐集巖扉東軒酒復清好友多忘機踞牀幽興足極目孤雲飛老燕辭故巢隊巢戀舊暉不惜節物改所嗟會面稀握手不能別壺觴慨相依竹溪逸者六金谷有同歸如復不痛飲何以嗣遺徽

吳縣張鳳孫少儀副榜貢生江蘇巡撫奉天高公所薦父之項任貴州印江令以負帑下獄少儀走萬里之京師備貸于所親知卒得論出駢體清麗詩章秀傑屢屢所至諸公皆折節下之

落葉

正是秋風明璨餘紛紛椿片下空虛病蛩答響燈昏

後羈鸝驚心月上初長夜已丹入不寐流年無那春
全疎布衣席帽金臺客一樣蕭森賦索居
飄零應不到璇臺歌舞當筵醉玉杯只恐便隨闌屋
棄可堪頻遣暮笳催風搖鈴索千門迥漏盡銅壺聲
點來記得昔年題何在宮溝流水幾時迴
不與羈愁一例刪偏教客思滿途開鴉翻落照迷寒
渡鹿走層雲響暮山穴兀酒旗城郭近分明漁火笠
蓑聞新來歸夢應無礙楓冷吳江任往還
繡箔珠簾鎖日融梧桐院宇晚蕭蕭邊鴻影斷三千
里歌板聲殘廿四橋永伴清砧鳴夜月瀟看飛葉綴
寒條憑樓一望江天闊點點歸帆子細招

憔悴無心去澗阿菁華何日返枝柯三秋鶴夢應先覺一夕僧窗訝獨多和我松間風謖謖讓他月地影娑娑茶煙芋火資清供莫等飛花委逝波

西風吹送短長亭撲面衝濃雪又零十里錯看仙杏赤一痕遙認故山青呼童細掃開蓬徑點筆閒題對畫屏猿鳥漫愁塵客到柴門長護白雲扃

桐城方貞觀南堂諸生康熙癸巳以族人牽連隸歸旗籍雍正元年放歸屢客揚州左都御史興縣孫公所薦辭不就試刻有南堂詩鈔六卷常山李可淳序云貞觀詩凡數變最初學張籍王建既又學孟東野三十以後盡棄其所素習沈淫於貞元大歷之間鎔鍊淘汰獨標

[illegible]匠余齊貞觀諸體惟律最工五言尤勝

呈元公

閣嶠擲經回蹦跌不下臺講聲秋轉健慧眼夜常開

露草沾松粉山雞啄石苔古堂寒月滿弟子必重來

秋日感懷

失路乘時總漫論眼前黃葉手中罇青苔巷外無行

蹟白袷秋來有酒痕往事千端閒入夢故人幾輩賦

招魂詩情不厭風兼雨誰遣儺神吏到門

七月初五夜偕左文韓石樓上人劉慶适家兄霆

皐過訪小集畫鶴軒

雨過槐堦淨風來秋水波蟬鳴在高樹晚色繁煙蘿

故人池上集雜遝踈星羅一鉤有情月數枝初破荷
相逢且謀醉得閒遑問他歲荒裁食品二篕不可過
長竿撲園棗瓦釜烹青螺酒味冽以甘一巡皆微酡
胡嘉說古史抽繹如穿梭忠良極咏歎姦回生怒訶
文韓誦新詩節短聲淵和突屈媲昌黎人言師老坡
樓公妙畫理對景心摩挲回頭取故絹設筆成巖阿
吾兄疾初平拄頼盼庭柯移時一微笑不在能言科
阿适會元解語意經磨礱長爪捉麈尾揮客歸亡何
主人好雌黃昔日如懸河爾迺緘在嗌欲語苦不多
形骸各放浪酒政無寬苛送日權籬螢側耳鄰里歌
逝者猶轉轂[illegible]已[illegible][illegible][illegible]往不返百年等剎那

幾人爲作僅寄身存然甚伯倫墓上土畢卓家邊路

不謂酒人名而乃永不磨

與龔四叔度論詩

早年不讀書作詩揆枯腸中歲漸追悔人事紛相妨

邇乃老見侵精力苦不強開卷輒假寐目不竟兩行

鑿井須及泉汲綆須用長自腹求高文致遠無梯航

太音聲常希元酒味如水虛室可生白何處容查滓

此境良獨難衆論殊不爾

昌黎徧區宇坡老盈巷陌捃摭狐集裘綴湊芒接屐

辭煩旨愈晦囁嚅苦鯁在喑豈不齒牙贅奈茲義理隔

乃自矜豪雄羣兒亦辟易古人已不作妍媸無別擇

何當謦欬一爲發霹靂

杜宇咽春暮寒螿泣黃昏茲何與人事往往縈心着多情亦一累實爲風雅根可知無情人所得皆凡骨

答馬相如書問近況

故人書至問何爲落拓心情老更癡自入秋來常中酒一從君去斷唫詩橘奴傷澇成驕僕瘧鬼公行如故知惟有龍眠山口月清暉夜夜照相思

秋杪寄懷周孝叔

霜寒草枯木葉脫城頭老鴉聲閣閣歲既暮兮日復落攬鏡鬢眉不如昨清明送爾東門道山桃花開桂

予小病[illegible]一年老居常自[illegible]

十六

管與樂有田不肎事耕耘老大不沾升斗稱婦女號飢兒赤腳西鄰小兒學問易居奇守贏計涓滴十年家富累萬金鄉閭出入生顏色四民由來商賈賤一日金多爭艷羨平生讀書破萬卷失錯偏遺貨殖傳

寄馬相如

吾生溯朋遊與子識先最子少我將冠馬齒六齡大見必作莊語聚必以文會爾性特敏聰目下十行快十三誦六籍名義通梗概十五爲文章搦毫舟下瀨擊物秋隼迅吐談夜光怪我才與君衡如齊楚曹鄶攏腕寸有長悠然瀉大籟以茲遇中原鞭弭互勝敗同時有姚鏞意度亦瀟灑修檢無費辭駘宕弄微靄

交成管鄴華敵若韓趙魏朝昏連几席出入共車蓋
觴咏恐後時清狂駭流輩壯夫恥雕蟲少長漸知悔
古人貴有用生民須藉賴惟君子不器肎以文詞界
求爲園綺徒羞作潘陸隊緬懷三代英庶幾七年艾
韞匵藏圭璋欲售豈愁儈証知人事異我向彼所背
奄忽二十載顚倒各狼狽姚子痛物化宿草已荒穢
與君抱餘息志遠身若械轉喉即忤物跋足輒有礙
生謀晚愈拙上堂缺籃糲爾南邁入閩我東歷陳蔡
諺云長揖客實爲萬里匃涼風吹鬢絲寒月照骨瘵
趨時幼不學變計老莫逮展轉長夜心臬臬風中旆
悲歌聊寄君示後可垂戒

艇子飄十六韻

艇子飄飄大偏能上瀨行倚空龍尾矗貼浪鷁頭輕

質樸雖嫌陋堅牢御耐撐篙師皆妙遨艇子宿知名

捷恥尋常鬬功爭頃刻成辨渦知怪伏觸水識風生

峽絕連天險牽長覺地平才看洄窟穴倏已過崢嶸

淺渚膠難滯奔濤怒敢攖馴如調悍馬縱若舞長鯨

狹可懸三槅寬容置一枰艣柔聲款款帆峭影盈盈

茶竈安隨便繩牀側不傾就舷低盥手隈岸近牽蘅

未稱商人意惟怡楚客情安能庾嶺谿乘此到羊城

錢唐陳撰楞山布衣自稱鄭人初有繡鋏集秋唱擬古

諸刻壯歲以來客于儀真長年不歸意思蕭澹屏絕人

事詩意沖逸高簡通政寧真趙公祭告南鎮聞其名薦
于朝辭不赴有謝啟極工

石湖舟中

城鐘遠野渡更漏入啼烏戢羽起欲刷數聲霜月曉
聆此惆晰音所懷在遠道山隄雜菰蒲人家蒙竹篠
水煙瀰無際鳧鷺容浩渺不見烏巾人寒汀戍紅蓼
宋毛翊石湖詩想見烏巾照碧波

雨雪謠

風刮地雪滿途路者何黔之驢嗥者何赤匪狐行傑
傑走擔夫窄嗷嗷攘婦姑足無扉身無襦貴米玉白
米珠十家哭九家呼莫呼又莫哭雨雪睍睆陽春復

天寧寺裏賑官粥

使君行

陳嘉筵娛韶光堂上賓客紛成行虹飲霞流不記數甲煎沈火香霏霧此時絳蠟氣初熏樂伎前來奉使君幽性能消楊柳恨姣心獨護石榴裙彈絲未已吹竹續一聲兩聲房中曲當歌不惜朱顏酡恰看長褎舞婆娑庭花影翻橫仄出夜深何處行雲過珠箔銀屏翠闈繞紅綃淺繫蠻腰小石家慣拂珊瑚枝少年欲賭金絲幾十斛列六博呼英雄了萬輕于樗誰如寒素論行無須臾拍掌色全盧仰天笑起纓自絕願將好采換彼姝最是使君才難撿倜儻超奇莫與共

濡毫立就青蓮篇奮槌快作漁陽弄舌辨懸河炙輠
推從令鄴架縹緗開脈望曾食神仙字照耀四座休
驚猜使君復賞葡萄酒玉鱗搖動杯在手直須洗盡
浮世塵王孫富貴何便醜脫俗帽學吾惟冷然唫罷
白紵詞文窗列列藏星斗不信終身臥草莽

古蕩歸途

日莫東風急歸途雨正繁泥深黏屐重雲溼帶林昏
野水喧漁艇人家掩竹門遙憐折梅處回首更西村

旅雪

雨斷雪方作塗塗白前除寒光依小院夕景明荒廬
竹響驚未歇齋聲來漸疎無人命尊酒清極轉躊躇

冬夜

寒檠小燄燼紅金散澹情懷寂寞尋一卷殘書開闔看數竿風竹短長唫已教老辨中邊味未便禪空愛染心我欲捶琴破蕭瑟無絃何處覓知音

山陽周振采白民拔貢生署江蘇巡撫奉天顧公所薦至京師病不就試白民有盛名於江淮閒詩宗選體時有遠致

冬日懷胡穉威

去年風雪中別君還故鄉今日風雪中懷君空斷腸車殆與馬煩從之道路長五城十二樓仙靈相與翔機杼燦雲錦挹注盈天漿顧我止枋榆何以高頡頏

手鈔子史書後

誰遣閒居歲月遷卻宜懶性愜丹鉛朧非翦水光猶照手縱生胝運自便賛稡何如三語掾縹緗爭及一囊錢夠入莫笑貧兒富積累辛勤四十年

朝映曦光暮傍燈霜毫自寫剡溪藤魯魚亥豕教無誤泥印沙錐恨未能離卻烏絲行曲局塡來白地字鬅鬙他年照眼防昏眊覓得玻瓈似水澄

象外幽深即又離苦心難冀後人知纖成當識藏鍼巧珠去方慙買櫝癡忽爾精誠通汗漫將毋混沌鑿髣髴言詮有障聊中意獨處憑誰與析疑

髮外羣言有是非發揚蹈厲亦精微情中現理機祛

[illegible]神處參元自發機放眼天門開蕩蕩洞心玉屑鋸
霏霏周秦以下遺諸子嘗食還令體不肥
千古惟應太史公蘭臺並駕已追風似因詳贍神鋒
減猶喜雄剛筆力同翡翠蘭苕六代後衣冠土偶列
朝中蔚宗僅有休文匹別數廬陵殿後功
言志因之發歎嗟情歸正則韻成葩芬芳任使文傳
意綺靡終須實勝華筆路有神應介轍性靈在我不
名家李王贗古鍾譚矜轉從文流上漸賒
制作章程判兩塗單行排對 機樞漫言儷體辭華
陋自有雄才氣骨殊詩到三唐存沈宋文將八代附
韓蘇同工異曲看妍手忍使菁英盡覆瓿

自是心閑便筆隨敢言去取析毫釐花枝寓目參差見山石經行犖确知一縷篆煙微裊處半壺家釀淺斟時平生結習眞娛老書舫巾車共所之

壯不如人老愈疎止憑蠡勺測歸墟五車多在標題外三篋空慙掩卷餘廬室大光開剖蠱軟塵岐路失華胥心知袁敬高風杳脈望成來讓蠹魚

經訓昭垂萬古新個中精義迭披陳未能航海遵遺筏空與雕蟲作後塵肘下金壺供紀牒閣前藜杖動星辰抗懷已是年光邁微蔵無功愧此身

詞科掌錄卷二終

詞科掌錄卷三

淳安方婺如文輈康熙丙戌進士原豐潤令署兵部侍郎平越王公所薦經史淹洽以古文雄於東南

錢蒼翁尚書離句序

不得乎辭而通其義者無有也句讀之不知則其辭又烏乎得古者入學一年鄉遂大夫於年終時考視其業而先之以離經離經者謂離析經理使章斷句絕也是故韓子究窮經傳史記百家之書必曰反覆乎句讀非謂章者之末節而已夫句讀之不易知者書爲甚古今語異一也蒼頡古字俗師失其讀二也自伏生始授艱錯錯所不知者已十二三略以其意

屬讀而已而況其凡乎是以楊仲愚請朱子點尚書以幸後學而朱子難之蓋其慎也科舉之學興九峯書傳立於學官章斷句絕亦既粲然畫一然而末學膚受憚于博練聽外承譌往往而在仁和錢子蒼益所輯尚書離句一編挑截本末分判節度時亦訓詁舉大誼辭義條貫事理明正爲功於承學之士者甚鉅閒嘗商論尚書蒼益復爲余言宋儒讀書動輒言悮武成一篇既已小小裂之其他上起舜典下訖多方所疑脫簡閒編積至數十條竊謂他經容有悮而書不容悮書之應語武成容有悮而舜典臯謨禹貢康誥梓材洛誥多士多方諸篇不容悮何者以此固

伏生二十九篇所已傳而考定于安國者也伏生或悞安國豈應再悞且不讀漢書藝文志乎劉向以中古文校歐陽大小夏侯經文酒誥脫簡一召誥脫簡二夫所謂中古文者即安國所獻壁中書也所謂三家經文者即伏生所傳二十九篇也然而脫簡之云則在酒誥召誥而於宋儒所疑諸篇又了不相值詎云莫三而迷今此諸篇伏生授之安國定之劉向又校之所謂三卿爲士而卒疑滿腹必欲擿之六州鑄錯之列亦獨何與余聞其說知其鑽灼經典更能通大義不執一隅之解其他探討失得辯析異同者又未暇縷述而離句一編特做帥初辯僞之例爲辨經

二

辨志之始知類通達夫豈以是限哉爰節所云爲壽

之篇端

桐城劉大櫆耕南雍正已酉壬子兩科副榜貢生閣學桐城方公所薦善古文有小稱集吳縣吳文恪公有劉生詩儆昌黎即其韻贈耕南云生名大櫆其姓劉意氣橫絕凌九州赤驥縶足絲絡頭哀歌欲放淚莫收我食龍眠雨暫留邂逅執禮以業投盈紙怪發奮兩眸干將出匣光射虬蒙莊滉瀁無繆悠閎仿韓柳勁以遒詩賦峭蒨窮蹋搜此才豐韓信寡儔白言八試不一酧泮水迢隔瀛洲分廿長往山之陬嗚呼生言胝良籌天生名材必有由風霜飽歷凋鬱幽匠石一顧迴萬牛況乃

才命每不諜入世坎壈何其稠我昨豫章駐旆斿有奢
晨謁辭咿嚘小品清韻鳴佩璆義仍魯叟之風流沈埋
童子四十秋搔首訴天天應愁戒以堅壯志勿休勉耘
其業追前修力未能振心自憂聊爲劉生商聲謳

觀化

吾與萬物羣生於天地之中其萬有不齊耶其有至齊者存耶張目以視之不可得而見也傾耳以聽之不可得而聞也一而二二而三三而四四而五五而十十之十爲百百之十爲千千之十爲萬其紀之不可勝紀耶其推之所不能自已耶清者寧者靈者蠢者動者植者其爲物不同也而莫非物也一物一聲

也一物一色也一物之聲聲各聲也一物之色色各
色也烏聲之交交也鵲聲之楂楂也交交者人見以
為鳥也以鳥而聽鳥則其交交也有萬楂楂者人見
以為鵲也以鵲而聽鵲則其楂楂也亦有萬彼鳥鵲
之於覶人也亦若是已矣蒼水之民呼中角黃水之
民呼中宮白水之民呼中商黑水之民呼中羽徵雖
然一國一音也一鄉一音也一里一音也一家一音
也一人一音也自一人推之至於九州漸之於近也
自九州引之至於　人漸之於遠也楚人與越人共
語秦人不能別也朝夕與游者足音跫然不出戶外
而辨之矣一乳而兩子不相期而與之相遺脣誣知

伯之非仲邪庸詎知仲之非伯邪雖然有辯其父者
知之其昆弟知之其妻知之其子知之其同室之人
亦知之一人之身兩手也兩足也兩目也兩[illegible]
耳也兩鼻之竇叶也一也不一也兩手之持一十此一
龍兩足之行一雲一風兩脅之峙一華一嵩兩目之[illegible]
潑一河一江叶兩耳之入一纖一洪兩鼻之出一十[illegible]
一雄羣鳥方哺於林其出求食一鳥銜食先歸其[illegible]
望見之軒川嘈嘈而衆巢之雛皆伏彼必有以異其[illegible]
形容故也游蟻求蟲行乾邱見魚骨歸以報穴蟻[illegible]
蟻以上於巨蟻巨蟻下令隊中率其卒伍三十餘[illegible]
衆取之適蔣虜過乾邱將之致[illegible]

則怒以游蟻爲謬妄言欺我實無魚骨也乃舉其罪
羣罾而殺之齊之水躁越之水重秦之水泔楚之水
弱燕之水沈滯宋之水輕清風之逢逢然起於北海
而入南海也風一也而不一也爲凱爲谷爲融爲閶
闔爲不周爲廣莫隱隱磤磤者彼何聲耶其牛鳴節
耶其奮往而不知歸者耶雖然有土焉有水焉有石
焉有火焉石英也鍾乳也川遂也人背也牛溲也
敗鼓也參苣也赤白之砒也溫涼益損之異施也爲
根爲莖爲枝爲葉爲華爲實爲皮爲核爲首爲尾爲
顚爲末爲中身爲要節爲近水爲附石爲精粗爲厚
薄其性之一出焉而異宜也食之使人壽善而光榮

或鬱滯而蕭索道之所居氣與居之氣浸假而有象
象浸假而有數道也者不貳者也數也者不一者也
奇零也參差也自一而長之以至於無窮也其可以
道里計邪夫彼可化者亦桒於氣數之中而不能以
自主耳非其能爲不齊而不能使之齊也鷹爲鳩鷹
爲鼈田鼠爲青魚蜻蛉爲鍵木蛾子之爲蠶也蠶之
復爲蛾而遺其子以死也非蛾之與蠶所能自止也
結璘與鬱儀遊於青冥之野鬱儀謂結璘曰吾與若
御此輪也月始有之而御之者數萬年於今矣而未
之或改也結璘曰若欺予哉若今所御之輪非昔者
所御之輪也吾今與若晉若之輪非昔若與吾晉者

之轄也鬱儀曰若何以知之曰以吾之轄知之於是兩人相視而嬉曰吾知之若亦知之彼外人不知也

鄞縣萬經授一癸未進士官編修視學貴州泒修城工去職戶部侍郎仁和趙公所薦部駁不得試其尊甫充宗先生著有禮記集說未脫稿而卒授一闡明遺緒搜擇羣言在衞陳兩家之閒可謂綮簡得中矣又有歷代建元考晚歲精研分隸時人珍若拱璧詩文不多作惟見南宋雜事詩序一篇

國史綜其大綱野史補其缺略然傳聞失實不可盡信則一也如勝國愍帝遺錄載十七年三月甲辰李自成陷昌平州燬十二陵余核之實止昭定二陵西

山口天下大師墳乃蒙古僧朱竹垞日下舊聞辯之
極明無名氏謁陵詩至指師爲建文君夫有明事其
近者也猶難信如此況其遠者乎南宋遺事如亦齋
桯史放翁老學菴筆記東發日鈔草窗齊東野語之
類皆記述詳核近而可據足以取信而行遠茲武林
七子抗懷卓犖偉然爲儒林藝苑中人於千百年事
協志搜遺因事系詩詩各有首其詞淒楚沈冥不堪
卒讀而上繫廟廊下述里閈言外顯垂法戒不當與
桯史筆記諸書永永傳信於後世哉抑遺事之最鉅
者莫如六陵闕亭後天章寺前舊有冬青穴今寺僧
滅其蹟爲詩地酷烈不下於楊髡姚江黃來史曾作

蘭亭尋冬青記七子以闡微發幽爲己任其東敬錢

唐一問之乎

華亭黃之雋石牧辛丑進士授館職撰文稱

旨加日講起居注官晉中允視學八閩以事落職刑部尚
書錢唐徐公薦于朝試日詩賦既就日昃眼眵不能作字
納卷出石牧僻居陶宅風流自賞少時好爲輕豔詩通籍
後門人海寧陳編修邦直爲刻香屑集凡十八卷皆集唐豔
體也千首中句無重出一首中人無叠見又集唐人文
句爲自序多至三千餘言嘉定張檢討蒔服膺不去口
可以當才子之目矣

香屑集自序

脂粉簡編（李商隱爲舉人上翰林蕭侍郎啓）每諷詞人之口（崔融報三原李少府書）花鈿侍從（常袞贈倢伃董氏墓誌）終慙神女之工（崔融嵩山啓母廟碑）爲芳草以怨王孫（李商隱謝河東公和詩啓）緣情不忍（皇甫湜佷石銘）執定鏡而求西子（李商隱獻河東公啓）與影俱游（蔣至罔兩賦）不陰紈扇之詩（黃滔漢宮人誦洞簫賦賦）自奪鴛衾之價（張仲素迴文錦賦）豈敢傳諸作者（李白大鵬賦序）尋恥雕蟲（溫庭筠上崔相公啓）殊不類其爲人（皮日休桃花賦序）希聲刻鵠（駱賓王上吏部侍郎帝京篇賦）則有長卿消渴（張說宴薛王山池序）王窮幽居（王勣遊北山賦序）庾子山之染翰（顧雲上陸侍御啓）巧借丹青（顧雲上翰林劉學士啓）嵇叔夜之鳴琴（宋之問雨中禊飲序）會諸絲竹（元結篋中集序）惜流光之不駐（吳筠洗心賦）歎歡宴之難尋（徐寅蘭賦）木求女媧鍊石之方（羅袞謝大[illegible]）

邇好藥（陸龜蒙採藥賦）是游燕窺梁之日（羅隱謝崔舍人啟）花怯愁

當（陸龜蒙春寒賦）於是彷彿煙光（陳山甫漢武帝重見李夫人賦）依稀仙闕

（王勃遊北山賦）千趣萬態（歐陽詹泉州二公亭記）因珠翠以興言（徐寅句踐

進西施賦）六采五章（楊炯梓州惠義寺重閣銘）鑿金銀爲書字（李延壽南史潘

妃傳）若夫春風畫蕩（宋之問秋蓮賦）明月宵懸（趙勵秋鴻賦）珠網七

重（張鷟滄州實性寺什迦像碑）近接天孫之館（許敬宗鄂國公尉遲恭碑）金釭

二等（李商隱爲崔從事寄尚書彭城公啟）暫疑王母之臺（崔融賀大后芝草表）弄

葉爭花（李商隱祭姪女寄寄文）家家鬬翠（王勃上巳祓禊序）佩蘭陰竹

（王勃遊北山賦）久久逾芳（李嶠與夏縣崔少府書）鳥開關而共嬌（呂向美人

賦）鵲聯翩而不定（歐陽詹出門賦）既開聯戶（樊晦燕巢賦）絳雲霞

於玉樓（張說洛州張司馬集序）卽瞰銅衢（長孫正隱上元夜效小庾體詩序）飾

琥珀於虹棟李朝威柳毅傳原隰擁神仙之氣王勃秋日遊蓮池序軒
庭映梅柳之春唐玄宗春中興慶宮酺宴序長廡生寒岑文本論撫養表
玉燒不熱孫樵蕭相國真贊虹橋駐燠王勃乾元殿頌燭醉始酣獨孤
霖宣州疊嶂樓記有美一人符載長沙東池記是爲棲託蕭穎士伐櫻桃樹賦
序妍妝袨服王勃上巳浮江宴序風符三月之春李湜江州沖陽觀碑麗
質治容李百藥贊道賦價奪十城之美崔蕃契麗色賦產耶溪而濯
質駱賓王上郭贊府啟蘭麝氛氳楊炯幽蘭賦觴瑤池以迭謠柳宗元天
對綺羅迴薄謝觀招李夫人魂賦曲眉豐頰韓愈送李愿歸盤谷序流月
亭亭徐魁閑遊賦鬒髮絡脅謝觀招李夫人魂賦當閨脈脈皮日休桃花賦
誰能攀擷溫庭筠上學士舍人啟夢佳期於北方蕭穎士愛而不見賦豈
讓娉婷薛逢上翰林韋學士啟贈靈修於南浦喬彝幽蘭賦又若侯

家璅鏘王勃採蓮賦錦障如霞長孫正隱上元夜效小庾體詩序感星池
臺張說宴薛王山池序美人似玉王勃別洛下知己序東吳信婦王勃採蓮賦
旁攜綠囊黃滔景陽井賦南國妖姬李商隱上河東公啟咸貯金屋祖君
彥為李密檄洛州文江女穿鍼之闕王勃七夕賦季倫調伎之園王勃
夏日宴張二林亭序相如之宅員半千青城縣令達奚君神道碑西子之里柳宗
元輿崔饒州論石鍾乳書無不修眉橫波張說鄭國夫人神道碑纖指如畫
獨孤及仙掌銘序霓裳鳳髻王勃九成宮頌序競飾明璫符載愁賦雲帔
花冠蔣防姮娥奔月賦來窺鮫鏡溫庭筠上崔相公啟煥爛而錦繡入
玩李商隱獻相國京兆公啟熒煌而戶牖生春謝觀招李夫人魂賦伴機李
以表年張芮櫻桃樹賦糅初梅而委色李商隱為成魏州賀瑞雪慶雲表饒
邊種菊陸龜蒙幽居賦序菊藝部華楊炯百泉縣令李君神道碑野外初

蘭王勃送蕭三還齊州序蘭儀蕙問蘇頲封姚崇妻鄭國夫人制姹花嫋竹
沈亞之閩城開新池記疑佚女之瑤臺盧照鄰雙槿樹賦長篴短簫獻雲
謝試官啟類羣仙之廣宴王勃乾元殿頌序金釵十二溫庭筠上鹽鐵侍郎
啟巧笑工顰呂向美人賦牙管一雙李商隱為柳州鄭郎中謝上表能書
善畫顧況晉國公韓公行狀洗鏡光於月夜浩虛舟舒姑泉賦豈曰無
娛劉禹錫吏隱亭述疑珮響于風餘陳甫山漢武帝重見李夫人賦何能窺
似李嶠賀瑞桃表至如洛妃綽約崔融嵩山啟母廟碑卞女容華王粲琉璃
窗賦麻姑送酒王勃遊北山賦智瓊陪宴崔融嵩山啟母廟碑雙珠絕價
宋之問春遊宴韋曲莊序入王母之環王粲聖人不貴難得之貨賦四照靈葩
楊炯晦日藥園詩序撲江妃之珮王粲鶡賦朱霞漿玉醴宋之問早秋上陽宮
侍宴序散芳氣之氤氳左牟蟬蛾賦木窬金膏崔融啟母廟碑映雕

[illegible]之館落[illegible]華[illegible][illegible][illegible]枝舞賦芙蓉帳裏見康僚漢武帝李夫人賦重一襲
[illegible]衣李商隱爲安平公謝[illegible]作賜物狀朱鳥窗前李嶠謝賜臙脂表九莖仙
草楊炯晦日藥園詩序孕靈娥之秀彩宋之問太平公主山池賦匪隔雲霄
蔣防蔓捧日賦降神女之徜徉李邕石賦唯新風月韋夐卿昆陵東山記聊
比虛妃之館崔融賀天后芝草表遙通婺女之津許敬宗尉遲恭碑陰
兔息有於綺寮王勃乾元殿頌序歸雲納影於重廡王勃九成宮頌
序若集瑤池之上蔣防姮娥奔月賦潛羨羿妻上紫禘女不過灊壇賦
似臨兆率之天王勃彭州九隴縣龍懷寺碑更名佛婢柳宗元下殤女子墓
磚記神施鬼設韓愈孟東野墓志非煙非雲韓愈代慶雲表人欲天從
柳宗元爲崔中丞請例數表若煙若水唐太宗答魏徵書既待形於流豔
謝偃影賦凝睇相看舒元輿牡丹賦若有會於精靈駱賓王螢火賦序持

頤而笑柳宗元陪崔使君遊宴南池序春山歷歷黃滔送君南浦賦邑鶯翻
之仙遊王勃九成宮頌序暮雨沈沈楊炯益州溫江縣令任君神道碑漲龍
橋之遠岸盧肇天河賦貌然姑射之上太宗述聖賦序未足比其
清華太宗聖教序降於巫峽之陽常袞贈倢伃蕭氏墓志不足寫其
形狀楊炯公卿以下冕服議更若柳巷青樓韓偓香奩集序倡姬蕩勝
王勃採蓮賦叢臺妙妓李商隱上河東公啟道傍欄於南陌白行簡李娃傳
天水偃哥孫棨北里志開絃歌於北里王勃畢公宅別道王宴序韶顏
稚齒蔣防霍小玉傳始預風流韓偓香奩集序曲欄溫爐李商隱為外姑祭張
氏女文自然飄蕩溫庭筠上令狐丞相啟寫瓊璐而洞色蘇頲皇誕日畫
像銘序綃縠參差李昭回柳毅傳素皓月而按歌陳子昂薛大夫上亭宴序
管絃嘔啞杜牧阿房宮賦飄輕裾翳長袖韓愈送李愿歸盤谷序桃花

蕊之翩翩（韓伯庸幽蘭賦）披繡闥俯雕甍（王勃滕王閣序）辟江樓之

婉婉（白行簡望夫化爲石賦）纖歌凝而白雲遏（王勃滕王閣序）芳酒滿

而綠水春（王勃遊冀州韓家園序）珠初滌其月華（顧夐袁氏傳）紈將

調而雪舞（盧照鄰悲今日）瑤臺吐鏡（富嘉謩麗色賦）翠髮蛾眉（王勃採蓮

賦）銀燭掩花（王勃秋日宴山亭序）美膚膩體（舒元輿牡丹賦）胡堂夜闊

（李商隱爲外姑祭張氏女文）倶爲練玉之場（盧照鄰益州至眞觀主黎君碑）秋帳

冬缸（步非煙與趙象書）更示投香之所（李商隱爲濮陽公祭太常崔丞文）雷

姓名於金谷（駱賓王冒雨尋菊序）命妖侶於石城（王勃採蓮賦）麗容

嫣然（常袞贈倢伃蕭氏墓誌銘）顏如桃李（楊炎右金吾楊公神道碑）鼻息咈然

（柳宗元河間傳）香濃蘭桂（李華木蘭賦）花箋一幅（裴說無雙傳）遺天涯

之美人（喬彝幽蘭賦）頂樹一枝（李商隱爲崔從事寄彭城公啓）狎蘭房之

妓女（王維白鸚鵡賦）纖穠合度（陳鴻長恨歌傳）長短侔形（謝偃影賦）一凬一容（杜牧阿房宮賦）一盼一睞（歐陽詹泉州二公亭記）孌妁嬋娟可羨（康僚漢武帝重見李夫人賦）枯槁皆蘇（溫庭筠上宰相啟）迴風過雲之藝（權德輿杜城郭居記）比日增奇（駱賓王揚州看競渡序）共被同車之歡（劉存義彈李子和將軍文）如月斯仰（樊員新修漕河石斗門記）他若鄭婉秦妍（王勃採蓮賦）燕姬趙女（富嘉謩麗色賦）濮陽美婦（敬括卿姝賦）把芳酒以要歡（黃滔送君南浦賦）越國名姝（胡連[illegible]賦）咏歸讓之自牧（李商隱為張周封上楊相公啟）調絲擫管（李商隱柳枝詩序）餞斜光於碧岫之前（王勃上巳浮江宴序）落絮飄花（李嶠為定王賀雪表）選麗質於綺羅之側（盧僎觀雙柳枝舞賦）獨立窈窕（宋之問太平公主山池賦）鬟髻峨峨（柳宗元郎州司戶薛君妻崔氏墓誌銘）側身徘徊（李觀高宗夢得說賦）霜羅曳曳（崔融嵩山啟母

廟碑湔裙水上李商隱柳枝詩序忽欲去而中斷駱賓王螢火賦拾翠
巖邊韋莊又元集序若將翔而復倚沈亞之爲人擬乞巧文覆彩鴛之
瓦潘炎寢堂紫氣賦洞照一庭李商隱代陽公遺表影戴金雀之釵崔融
啟母廟碑席芳十步王勃乾元殿頌序亭亭獨處陸龜蒙采藥賦入華林
而珠樹非多韋昭又元集序嬌嬌無雙盧照鄰益州至眞觀上黎君碑見滄
海之神山作川陳子昂忠州江亭喜遇吳參軍序燦前月下孫樵罵僮志
斜身倚幨蔣防霍小玉傳月裏風中李商隱祭小姪女寄寄文迴眸去扇
沈既濟任氏傳仰仙女而搖曳上官遊松价有心賦發綺牖以透迤黃滔
館娃光宮賦既彰絕代之姿常袞贈婕妤崔氏墓志須臾傾城之色徐寅
句踐進西施賦香堪愈病韓雄謝茶表芳馨椒蘭柳宗元禮部賀甘露表畫
以爲屏白居易批李夷簡賀展風表氣含煙霧宋之問春遊韋曲莊序霞霏

畫做王諲向衙開門判唫哦於貝齒朱脣黄滔漢宮人賦誦洞簫賦繡栭

晨開王勃梓州郪縣靈瑞寺浮圖碑眷戀於芳辰美景陸龜蒙幽居賦是以

遇河間之姹女李商隱獻河東公啟龍腦呈香黄滔明皇經馬嵬賦駭汾

水之佳人李商隱獻侍郎鉅鹿公啟海紛掩麗李商隱為榮陽公端午謝賜物狀

筆籖觸手柳宗元乞巧文能創窈窕之思沈亞之為人撰乞巧文珠玉

在傍王勃秋日遊蓮池序可為屬賛之具也皮日休太湖詩序於是新

調鉛粉李嶠謝賜臘脂表闤闠多喧李商隱祭呂商州文似隔窗紗舒元

輿牡丹賦墺臺易接王勃乾元殿頌序仙凡阻越顧雲射徐學上存問啟見

偶語而生疑呂溫藥師如來繡像贊序姑姊引提元結說楚何惑王賦與眞

情而合契陳子昂薛大夫山亭宴序還悅臨邛之客陳子昂祭司馬相如文

始詣臨邛王勃秋夜山亭宴序遙疑洛浦之人王棨曲江池賦同遊洛

滿長孫正隱上元夜效小庾詩體序顧我則笑獨孤及送徐侍郎還京序不邀結

而自親陸贄收河中後請罷兵狀望之若仙白居易三月三日祓禊洛濱詩序尚

殷勤而未已武三思賀老人星見表微言相誘符載梵閣寺常準上人精院記

花豔丹脣張鷟滄州實性寺什迦像碑美態入神李嶠賀梁王處見御書雜文表

雲靡綠鬢黃滔漢宮人誦洞簫賦賦初疑夢覺顧雲謝徐學士存問啟攬明

鏡於懷中張鷟滄州實性寺什迦像碑遂致背奔李商隱爲平安公兗州謝上表

隆纖腰於掌上李百藥笙賦時則金燈照灼陸龜蒙書帶草賦感

曆叶花王勃守歲序玉樹玲瓏皇甫松大隱賦魚鱗積磴王勃秋夜山亭

宴序捧金爐而入侍李湜江州沖陽觀碑輕攬翠蛾盧肇觀雙柘枝舞賦抗

項闕而同嬉王勃九成宮頌序金沈笑髻黃滔送君南浦序形影雙

美李邕嵩岳寺碑彼我一身孫樵祭高諫議文價重兼金皇甫松大隱賦序

心同匪石（楊炯登秘書省閣詩序）丹鸎紫蝶（王勃上巳浮江宴序）必雄雌
而與俱（劉禹錫傷往賦）東鰈西鶼（上官儀勸封禪表）誓山海而長在
（江采蘋樓東賦）言無漏口（張說爲高力士祭父文）情皆發衷（陸贄授李叔明右僕
射制）極千載之交歡（楊炯晦日藥閣詩序）蕩百齡之痾恙（符載長沙東池
序）至於曉鍾初動（皇甫枚非煙傳）晨光既升（陸贄論替換李楚琳狀）粉
黛之坐（皮日休酒箴序）頹鬢雲痕（謝偃觀舞賦）宵沐之餘（溫庭筠上宰相
啟）同嚐月漿（王勃乾元殿頌）是非雙遣（王勃畢公宅別道王宴序）心口兩
齊（駱賓王初秋于竇六郎宅宴序）與珠玉而俱灰（皇甫松大隱賦）將金石以
齊同（湯伯成大智禪師碑陰記）流光合脉（權德輿杜城郊居記）不覺魂消（李商
隱祭呂商州文）歛衽易容（皇甫松大隱賦）如防膽怯（陸龜蒙採藥賦）暗鬭珠
翠（康僚漢武重見李夫人賦）頓華履以自持（謝偃觀舞賦）願把珊瑚（李商

（隱謝河東公和詩啟）伴瓊繖而不去（崔融代宰相上尊號表）此則窺形弄影（高郢沙州獨鳥賦）留臥瑇瑁之牀（宋之問為太平公主設齋嘆佛文）心照神交（楊炯晦日藥園詩序）欲學鴛鴦之性（溫庭筠上鹽鐵侍郎啟）以妖以豔（徐夤句踐進西施賦）且嘆且言（歐陽詹泉州公亭記）是耶非耶（劉禹錫何卜賦）盛矣美矣（李商隱為某先輩獻集賢相公啟）然而天長地久（楊炯庭菊賦）良會不恆（王勃與員四等宴序）山高海深（王勃上明員外啟）長亭欲別（李商隱為滎陽公謝借飛龍馬狀）泛素波而縱大（李白送陳郎將歸衡陽序）翦瑤帶而猶斂（王勃採蓮賦）路隔危橋（陸龜蒙苔賦）已極傷春之目（白行簡望夫化為石賦）天銷劫石（張鷟滄州寶刹寺什迦像碑）誰憐此夜之心（王棨離人怨長夜賦）仙娥去月（王勃梓州郪縣兜率寺浮圖碑）玉趾遲留（王棨神女不過滸嶢賦）織婦希風（崔融嵩山啟母廟碑）花顏縹緲（黃滔館娃宮賦）

曉開魚鑰顧雲上翰林劉學士啟望蹇修兮不來符載愁賦暝出香

街蘇頲勤學犯夜判想佳人兮如在王勃七夕賦謂翔鸞之欲舞

崔融賀千葉瑞蓮表近入離紘駱賓王暗李八騎曹序信梁燕之莫儔陸贄

鴻漸賦能搖別恨宋之問送皇甫使君序長煙苒惹杜牧望故園賦尙悄

悄以在眸張隨莊周夢爲蝴蝶賦餘馥歲難劉禹錫傷往賦亦悵悵而

度日張元宴謝集賢相公啟覯娟麗歐陽詹泉州二公亭記則瑤房有寂

王勃答賦青問涼燠駱賓王冒雨尋菊序則芳樹無情宋之問秋蓮賦又或

山中攀桂王勃送蕭三還齊州序王孫遊兮不歸盧照鄰宴鳳泉石翁神祠

詩序堂後生萱陸龜蒙幽居賦公子去而忘返駱賓王答員半千書織回

文之錦呂溫藥師如來繡像贊序目斷意迷許堯佐章臺柳傳首步搖之

偃[illegible]柳宗元[illegible]影單影隻韓愈祭十二郎文含情愈慼黃滔館娃宮賦同

銷地爐之魂盧照鄰益州至眞觀主黎君碑握手已違司空圖詩品自有
湘妃之泣無名氏子姪承襲判踠長條於柔指敬括蜘蛛賦著手成
春司空圖詩品掩離涕於交頤駱賓王餞宋少府之豐城序將刀斷水
顧況送朱拾遺序何時促膝王粲離人怨長夜賦已無為雨之期黃滔陳皇
后復寵賦詎肯動心羅隱謝刑部蕭郎中啟復認吹簫之侶康僚漢武帝見
李夫人賦膏鉛不御呂溫藥師如來繡佛贊序奪首飾於金鈿張嵩櫻桃樹賦
衾被罔留李湜江州沖陽觀碑卻冰紈於寶笥許敬宗麥秋賦何相思
之可寄王維送秘書晁監還日本序瀛海千尋楊炯登秘書省閣詩序非夢
寐而不通李商隱為汝南公賀元日表金墉萬仞王勃九成宮頌序遂使
青郊晦色常袞中書門下賀雪表紫陌迷塵羅隱上禮部鄭員外啟遠花
落而春歸李德裕書桐花鳳扇賦竟月同而地隔李商隱祭呂商州文夫

陪歡北渚王勃採蓮賦幸無折齒之慙韓偓香奩集序影動南榮李商隱奠小姪女寄寄文翻笑鵲河黃滔卿鷗賦兩心似火黃滔送南浦賦君親

王勃上明員外啟多值斂眉之日白敏中息夫人不言賦五情空熱李商

當獸炭王維宴韋司戶南亭序悵緣情而莫極劉禹錫傷往賦難立節

以自持白行簡望夫化爲石賦倘未忘情白居易商山路有感詩序曾因善

賦顧雲上陸侍御啟洛川迴雪駱賓王揚州看競渡序許予以煙霄鸞

鳳之交崔融報三原李少府書衛國報瓊李嶠賀瑤桃表富我以琳瑯

圭璧之寶柳宗元答貢士沈起書則重將減調羅隱上令狐相公啟劣近

於謳歌溫庭筠上蔣侍郎啟不媿秦臺溫庭筠上宰相啟將迴於咳吐

溫庭筠上鹽鐵侍郎啟更佇丹青之玩皇甫瓊詞標文苑科策無忘獻好

之時張說酬崔光祿冬日遊讌[illegible]落序明眸結腕白行簡李娃傳拂長袁裔

善留李百藥笙賦雪膚花顏許渾贈蕭鍊師詩序擁寒爐而必出陸龜蒙幽居賦梳曉鬟也杜牧阿房宮賦匣鏡重窺浩虛舟陶母截髮賦嚬翠黛兮徐夤句踐進西施賦修蛾再覩陳山甫漢武重見李夫人賦指蘭蕙而可掇高適陪竇侍御南亭宴詩序託芙蓉以為媒宋之問秋蓮賦喜滿其家孫樵迎春奏經過款狎李商隱祭錫郎中文入同其宰柳宗元祭太常崔少卿文朝夕窺臨李元卿廚院新池記響環珮如層城虞世南文德皇后哀策文可人如玉司空圖詩品御蘭芬於絕代李善上文選注表照我如春孫樵祭高諫議文斜窗印月顧雲題武賓客嵩山舊隱詩序當綺疏而薦香陸龜蒙微涼賦彩檻臨風王勃廣州寶莊嚴寺舍利塔碑下雲幬而匽枕王勃七夕賦錦裀象榻李商隱上河東公啟斜領金開周繇夢鍾馗賦舞金瑣銀鋪王勃九成宮頌序香風乍度陸贄月臨鏡河賦可謂勤矣韓愈進學

解何其樂哉（王勃遊北山賦序）嗟乎情源九派（王勃上明員外啟）浩無津涯（陸贄優卹畿內百姓詔）情田萬頃（薛廷珪授徐彥樞禮部員外郎制）敞無垠埸（歐陽詹曲江池記）天穿地巧（韓偓紅芭蕉賦）男歡女娛（盧照鄰悲今日）願親桃李之蹊（謝觀吳坂馬賦）必盡蒸荼之美（李德裕平泉草木記）列瑤窗而送燠（王勃七夕賦）本自無雙（李商隱上河東公啟）孕蘭畹而生姿（駱賓王上瑕邱韋明府啟）素推第一（沈既濟任氏傳）雕簾繡軸（王勃梓州郪縣兜率寺浮圖碑）挑錦停功（司空圖春愁賦）寶樹瓊軒（吳筠思還淳賦）浣紗見影（皮日休桃花賦）精靈惚恍（王勃遊北山賦）愛羅幌之春風（樊晦燕巢賦）冶態嫣妍（陸龜蒙李花賦）郁漱玉池之靈液（吳筠心賦）沈纓綿巧妙（駱賓王謝學士示詩啟）絃管相從（駱賓王揚州看競渡序）天紹嬋娟（蔣防湘妃泣竹賦）琴棋閒作（韋夏卿毘陵東山記）嫣容色授以勸酒

蘇源明小洞庭五太守燕籍曼睩騰光以橫波呂向美人賦嬌如連瑣
陸龜蒙採藥賦佩以幽襟溫庭筠上學士舍人啟妍若春暉李商隱祭楊郎中文
題於團扇顧雲上戶部鄭員外啟綺襦紈袴溫庭筠上宰相啟彈雲璈
而答歌顏眞卿南岳魏夫人傳碧繶緗絇溫庭筠錦鞵賦繞霞廊而轉
步王勃七夕賦金鋪月墜王勃九成宮頌序抽簪扣扉陳鴻長恨歌傳錦
席夜陳富嘉謩麗色賦引箏替枕蔣防霍小玉傳窮百年之樂事楊炯
晦日藥園詩序記茲夕之當歌宋之問春夜令狐正字田子過樊盧序大愆存
焉白行簡李娃傳徜心遂矣陳子昂別中岳眞人傳視彼飾嫫母之容
李嶠謝撫交降勑褒揚表竊窺明鏡李嶠謝賜臙脂表寄婦人之手柳宗元與
郡陸大人志答諫寶釵陸龜蒙採藥賦或淫言媟語杜牧李府君墓志忍
赧汗以自謀孫樵逐痁鬼文或雌伏單棲杜甫祭外祖祖母文顧容華

之莫守浩虛舟舒姑泉賦布裙弊屨杜甫祭外祖祖母文去也何緣李商
隱祭小姪女寄寄文朝虀暮鹽韓愈送窮文醜而思嫁者顧雲上陸侍御啓高
下相懸王勃上明員外啓妍媸自遠王勃上皇甫常伯啓鳴呼林何春
而不花太宗感舊賦水何苔而不綠楊炯青苔賦暖風習習江采
蘋樓東賦搖草萋萋貴滔陳皇后門賦復寵賦蘭欲芳而逼人宋之問春夜令
狐正字田子過敝廬序鸚能言而人座蕭穎士白鸚賦聊因憐替則天后臣
範序庶幾申騷客之情徐鉉木蘭賦猶隔瑣窗張仲素[illegible]絢賦彷彿
入神仙之境宋之問宴唐鄭山亭記而授僕以幽憂孤憤之性
王勃夏日諸公見訪詩序不解衾裯李商隱為某先輩上集賢相公啓博我以風
賦比興之旨柳宗元答貢士沈起書客持硯席溫庭筠上學士舍人啓是
故心靈若喪王勃秋日遊蓮池序夢想徒勞康僚漢武帝見李夫人賦重覽

綺紈之遊踐太宗感舊賦錦石封泥駱賓王冒雨尋菊序指簪履以
輪懷羅隱上李永寧相公啟纖羅凝日賈餗蜘蛛賦彼洛水之靈非
匹陳山甫武帝重見李夫人賦猗賦陳思駱賓王揚州看競渡序楚襄之夢
應然康僚武帝重見李夫人賦思齊宋玉顧雲上翰林劉學士啟用開筆海
駱賓王秋日餞尹大往京詩序競落文河駱賓王冒雨尋菊序刻乎貞金翠珉
李商隱上河東公啟貯之幽房密寢李商隱別令狐拾遺書淫文豔辭白居
易和答詩序誠非丈夫所爲韓偓香奩集序盡態極妍杜牧阿房宮賦此
爲才子之最陸龜蒙和顏萱過張處士故居詩序僕文非綺組溫庭筠上紇干
相公啟學乏縑緗李商隱爲同州張評事謝辟啟斷章摘句李商隱元結文集序
取譏於青廚韋縠才調集序散藻摛華李商隱爲某先輩獻集賢相公啟微
愧於風雅溫庭筠上蔣侍郎啟常持縹帙溫庭筠謝賚集賢墨表移東觀

西陸贄論裴延齡姦蠹書時閒瑤箋顧雲謝徐學士啟抽黃對白柳宗元乞
巧文有歡有戚李華相里如見如問劉禹錫融大師新塔記乃為撫掌
之資李白送陳郎將歸衡陽序飛得捧心之態韓偓香奩集序鬱余懷其
誰語徐魁閑遊賦式以風騷李商隱獻鉅鹿公啟命女史以書之白敏
中息夫人不言賦增諸卷軸杜甫同元使君舂陵行序嗚呼花有情而獨
笑駱賓王蕩子從軍賦春度桃源常袞浮萍賦月來人而先陰王勣遊北
山賦輪消桂魄駱賓王傷祝阿王明府詩序芬芳九醞李商隱為榮陽公謝勅設
壯不待尊罍錢珝為兩省官謝內宴表花前白齡溫庭筠謝紇干相公啟聊
因牋備顧雲上殿院章侍御啟寵陳編以益編韓愈進學解極耽玩
以研精李百藥贊道賦不三四年令狐楚白楊神新廟碑凡入百首白居
易香山寺白氏洛中集記爛若編貝柳宗元送韋南容歸使聯句詩序章章貴奇

孫樵寓居對端如貫珠陸贄論前所答奏未施行狀句句欲活孫樵與王霖秀
才書非錦非繡李商隱賀慶雲表惟鶯惟鷰盧肇觀雙柘枝舞賦撮而集
之李翺韋氏月錄序情可知矣王勃夏日諸公見訪詩序豈倩徐陵作序
韓偓香奩集序用極菁華李商隱獻相國京兆公啟爲遂少裴書李商隱謝河東
公和詩啟別成新趣哉沈亞之鑿山引瀑記疑者曰韓愈與崔羣書鼓扇輕
浮孫棨北里志序班揚掃地李商隱爲李貽孫上李相公啟識者曰柳宗元送從弟
謀歸江陵序摹擬竊竊柳宗元讀毛穎傳後題莊列寓言白居易讀史詩序
爭致於瑤編繡帙黃滔漢宮人誦洞簫賦賦終傳鄭國之香喬彝洧蘭
賦或譏於畫虎續貂李嶠爲永昌災異陳情表貞謂羽鱗之蠹陸龜
蒙書帶草賦
連陂懷謝圖賦

昔新城王尚書居魯連陂賦懷謝詩懷陽羨謝初月也好事者繪圖以傳因屬余作賦夫賦亡於唐後之律明盧柟不偭於古而謝榛好爲所難於知音也爰敘而賦之

緊大人起於東方兮弭節於魯連之陂與岱雲溟波之瀚鬱噴歕兮橫天地老而不衰息煙水於一方兮扇薰馨於九垓惟葭菼鷗鷺之狎處以蕭寥兮奚埃壒之能來倚池亭以窅唅兮心不懌而坐馳目送飛鴻於千里之外兮殷遙遙焉而締所思彼美人兮江之滸予慕予兮修以嫭吐心聲以爲媒兮藐姑射之仙侶嬿背蓮之高潔兮加以令連之風雅郁春草之

霏靡以芬蘊兮偃西堂而延佇世鑒貞其無人混準
嫫以和女渺南國之獨處兮睇荊溪於何所目成既
已無期兮徒奈何乎粲者悲所思之縹緲而不可即
兮心若遊絲之縈繫凝之可通鬼神而貫金石兮散
之恐飈逝電滅而追不逮役慮無於夢魂兮掠景光
於雲氣川浩浩之不可越兮途綿綿之不可至搖風
雨以合離兮瀏㳂游于髣髴匪諧之於繪畫兮炳斯
心之寸丹來者抃知嚶鳴之流韻兮人一倫之所敦
翡翠聲兮風瀟翻花延緣兮漁櫂閒此中之有人兮
靜相思而無言據窈窕之幽懷兮羌軒豁詄蕩於乾
坤俾一瞬兮永存將千古兮永存

帶經圖贊

畇畇經畬有沃其土奧犁三墳豐穫四府穮之蓘之漱六筍五詩典之閣儁官一畝髫童髽婢樟吡牧豎馴犬及雞池鵞岸牯人物盡性天地得所根苗於風豳頌豳雅斯道孔昭鼓鼓舞舞耕經老農日謝香祖含月香祖與適為主糾笠綏帶一雝鄒魯我儀圖之古之又古

詞科掌錄卷三終

詞科掌錄卷四

當塗徐文靖位山雍正癸卯孝廉左都御史興縣孫公所薦著有山河兩戒考禹貢證發管城碩記諸書嘗爲佛手柑賦穿穴梵夾驚絶流輩其賦云

維茲嘉植產自南中芳根孕地翠榦搖空煩拏柰苑轇轕花宮香霧霏霏兮薄批明月弱蔓纍纍兮細抹清風小垂大垂象緣於人力是幻非幻巧奪乎天工爾迺攢柯交横清芬競吐拳不必雙指不拘五或弄鳴禽或招翠羽或邀君子之風或灑先生之雨或嘯拳而作勢或拊手而欲舞靜者垂拱以式臨動者担撟以軒舉分者搖曳而不援合者延攬而弗拒叉若

厚抄佳日布攟寒煙惜芳辰而欲挽撫瓊枝以留連
緬賦形之惟肖胒雕飾之能然詎實合成乎多指而
又相屈以拘攣豐彩外盈不駢拇而枝指貞芳內蘊
時縈踡以曲卷同桃李之不言偏能抵掌類蕨芽之
可食亦復擎拳屈而不伸豈藏鉤以待帝挺而直上
疑入夢以捧天倘列金門不致摸棱於兩可設登玉
案肯容伸縮以下遷客曰君能徹六藝之淵而不悟
一指之禪獲告斯之妙果究無証於余仙盍陳言之
務去爲操末以續顛徐了不得已而復爲之賦曰爾
其托根淨土映蔚華林豎光明於屈指誅香馥以生
心雕琢乎黃甘之玉照耀乎紫磨之金駒隙飛光彈

指而徑度龍池濯影按樹而俱臨花香寶手居然無
量菩提長爪到處堪尋又如修條歎美低枝屈起釋
迦下上而分指籬落橫斜亂蕊交加瞿夷持莖而獻
花一支寒潰禁翻低墜忍辱仕林而斷臂振穎堦前
高聳樹頗歸宗對客而舉拳長不及肘面擁背負鉢
羅頓見其香手翠攬黃摻玉指駢纖善才合掌而透
尖擎撲交互而枝旁附摩耶啟脇而攀樹手爪攣如
一握木舒婆舍受襯而含珠雖楊梅以聖僧為號黃
蕉以佛耳見方茱則佛十之紫鬚垂豔花則佛桑之
紅燒吐芭柳以觀音而濯濯松以羅漢而蒼蒼孰若
一柑之馥郁天然具體於空王剖以分甘勝森長老

之櫻筍漬之用蜜壓鄒和倚之糖霜客聞之遂葉拱
而退遷延而負牆
又嘗以之乎者也矣焉哉七字冠首為七言長句十章
其仲子脊樞應滋亦佳士博求故實逐句為訓今錄其
跋語
之兮矣也之類疏列於關雎（唐孔氏關雎疏曰之兮矣也之類本取以為辭）諸之乎也之辭義詳於孔鮒（孔叢子名鮒字子魚孔子八世孫著小爾雅其廣義篇曰諸之乎也惡乎於何也烏乎吁嗟也）以七字為顛倒原六藝所習聞（家語孔子之徒身通六藝者七十有二人六藝指六經而言）至如諷叶宮商弁冕近體之上頒諸金石綱領格律之先寶自家君于焉創構升高自下義取諸書（書太甲若升高必自下）操末續顛

理通於賦陸機賦恒操末以續顛尾諄居首迴旋溫嶠之詩皮日休雜詩序曰晉溫嶠始有迴文詩腳且爲頭傲岸神嘘之贊郭璞山海經神嘘贊曰腳屬于頭詞源倒流三峽杜子美詩詞源倒流三峽水情瀾屈注千江韻府情瀾不竭杜詩注滄江流三百篇以來罕聞厥製十九首而後僅覯斯哉者也梁昭明選古詩十九首不著作者既因屬和殊乖選言用續歘後者仍改頭而換面容齋隨筆曰韓杜二公作詩或用歘後語如山鳥山花吾友于謙謂此厥無基址之類是也處末者復吐氣而揚斜孔氏詩疏處末者皆字上爲韻厥體無常惟變所適似子明淩反景而下覜光燭川千陵陽子明經倒景氣去地四千里其景皆倒在下也博雅日西落光反照於東曰反景在上曰反景在下曰倒景如奉古覽序篇而倒書字踰五百唐魏奉古嘗九日公宴有客草序五百言奉古曰此舊藁也援筆倒疏之徐笑曰適

覽記之耶由是知名七言升坐詠漢室之延青詩話漢武帝柏梁臺成詔羣臣能爲七言詩者得上坐大將軍衛青詩日和撫四夷不易哉十詠成亭陋唐人之尙赤李赤撫姑孰十詠托名李白後人因以名亭追撮其大義究厥指歸總以時際昇平士當績學繪皇圖之廣遠寫聲教之覃敷非故爲示異標奇誇多鬪靡已也蓋轆無妨於翻著則屐襲方知楞嚴新話知梵志翻著襪法則可以作文黃魯直言梵志翻著襪詩後梵志翻著襪人皆道是錯乍可刺你眼不可隱我腳一切衆倚顛倒類皆如此乃知梵志是大修行人也蔗亦可以倒餐則佳境漸人世說顧凱之爲虎頭將軍每食蔗自末至本或問之對日漸入佳境佩觿乎兮盡貽奚囊郭忠恕佩觿集乎兮不聲與入聲相對上語助下捲取釋詁茂才同收爲軸釋詁爾雅篇名邢昺爾雅疏故者古文作才字古卷字防經藉志何遜集八首詞無定格義有適然脊楓家學僅

沿父書徒讀將承嚴命愧效箋詩之乏混淆右軍草訣歌免使之成乏烏焉漫漶古彥字經三寫烏焉成馬因乎莫究於南極山海經南海渚中有神名曰因因乎南方曰因乎夸風怪哉徒駭於東方漢武帝在長平坂道中見蟲赤如肝具耳目鼻東方朔曰此蟲名怪哉綴奚馬於荒陬蒐羅未竟陸伯存廣輿記雲南地圖安南有矣馬都側者鳩於稗傳記載頗繁明史正德十一年爨蠻阿又緣者叱者鳩等流劫至十五年討擒之餘黨悉平誦小雅十月之交史幽王六年十月辛卯日食詩序十月之交大夫刺幽王也字典曰十月之交徹我矣乃音依牆屋田卒汙萊曰予不戕禮則然矣萊音釐矣叶于嬉切音依摩岐陽石鼓之碣也竹書紀年成王六年大蒐于岐陽程大昌雍錄成既滅奄蒐岐陽銘於石鼓鄭樵曰石鼓原爲殹文以殹爲也見於秦斤以𠄞爲丞見於秦權分陰宜惜繙閱彌勤況在積傳更多全集博學而期於孱守祖訓猶存祖斐然翁著孱守錄

四卷取大戴禮曾子曰君子博學而孱守之之義也孱仁謹貌茹實而并以撫華家言其在性理大全龜山楊氏門世之學者誇多鬪麗撫其華不茹其實伯父熙巷有華渚軒集二伯父冠山有經義茹實二十卷莊懷廉及編欲做郭雍世系之編郭雍河南人錄其父昔卷末載問答雜說及世系本末敢曰未能且將嗣楊迴庭聞之錄馬端臨經籍考楊迴撰庭聞錄

江都馬榮祖力本王子孝廉兩江總督鐵嶺高公所薦爲文清遒深亮見賞於博陵尹運使會一所著有亭雲堂稾嘗擬劉彥和爲文頌首其序云

頌居六義之後而什四始之全三頌偉矣變而爲騷始創橘頌晉劉伶乃頌酒德緣物導意標彷遂滋若陸機之頌功臣才華閃爍而予奪錯互自棄其體普

乎梁劉勰之論曰敷寫似賦而不入華侈之區敬慎如銘而異乎規戒之域斯頌體也雕龍上辨體裁下窮筆術而風氣不越齊梁閒反覆古人締造所由鉤摹情狀都來可得百例覩勰所列殆於倍之夫一物之細猶或擬諸形容而載道行遠之文歌頌闕如寂寥千古斯亦翰墨之恥也用據所窺測創立文頌虛空追攝幻等結風而囊所嘗試利鈍曲折之故往往來會豈夙世薰習藉手冥謝古人抑聊附正則伯倫之後而因以補彥和所未及庶幾離形得似之旨乎正聲不絕來者難誣下上茫茫喟然閣筆

又爲演連珠籤百首宜興儲六雅謂爲窮探窔邃廬州

先還甫以爲與衍橫騖其自序云

連珠權輿韓非或云揚雄自是班固賈逵傅毅承制秉筆蔡邕張華等後先嗣音而昭明獨登陸機亦云約矣予婁時心知其意竊歎其鑴劃造化體大思精指事類情辭文旨遠妄希學步未能也長更艱辛窮覽物變鬱折激射迸谿端倪士衡不云乎傾羣言之瀝液漱六藝之芳潤課虛無以責有叩寂寞而求音專論此體尤確今即其五十首中澄心研味栽僞鉤元所謂意不稱物言不逮意者往往而有夫駢儷鏗鏘無關理要卽輪寫刻露又不免音盡絃中庾信陵雲健筆傾倒少陵而此體數十首瑜傷辭費則餘子

可知矣新秋多暇桐風驚心孤進㝡觀獨興導意或
光月空庭遙天鶴唳或五更淒斷吟魂乍起或雷電
驟發蚪龍攫拏或林禽喚晴花絲欲笑頃倏變滅縱
手而成夢覺醉醒漫不省記庶幾淘汰壯心耗磨白
日迴翔彳亍亦惆悵而自憐也

川李紘巨州甲辰進士侍郎紱第六弟也登第後歸
園養母不出南昌萬編修宇兆亟稱之以大學士高
安生八公薦來京第一場試時賦稾爲人所竊不能省記
遂緝巷出所著南園稾中有南園答問一篇與柳州晉
問深寧七觀頡頏西江掌錄此焉爲最

有東溟公子游乎大江折而南遊至於豫章歷彭蠡

之濶淼印廬嶽之崇隆西山緜延而彎日章江瀲瀲而涵空震思警慮鉥目鐵胸慨然而歎昔所未經何山川之恢奇意必有超倫軼羣之雄篤生乎其中也乃振其神乃肅其容冠其箕冠彯其帷裳傔從麗都車馬駿龐以造乎南園先生先生肅客而入曰公子奚爲而至於斯也公子曰鄙人生長渤澥之濱遨遊長安之都幸逢景運以嬉以娛長揖三公不視五侯身習乎紈綺耳飫乎謌謳鍾鼎刻乎左右便嬖效其奔趨遠登泰華近泛江湖交呂攀嵇結蕭納朱蓋盡識華腴之彥而未覩山澤之癯也漫爲茲遊不敢修齊魯薄鄒郲也蓋豫章山水之奇頗覘其梗概抑此

邦風俗之美有頡頏於末小子所閱歷而馳驅者乎
先生迺爾而言曰居吾姑語子以百一若悉數之更
僕不能卒也昔在唐虞三代建都立國名爲中州實
偏於北平陽蒲阪夏陳耿亳西或卜鎬東乃至涿迨
於成周乃惟洛食瀍澗之間東都是宅謂陰陽和風
雨會天子於是而省方百辟因之而受職然而大江
以南棄爲蠻夷荊揚百粵地荒於火維稽一統之義
未足極居中圖大之規也漢唐以來南啟交廣西極
冉駹盡列爲郡縣其在中域楚黔豫章東南不濱於
大海西北不及於戎羌然而楚雜三苗黔實鬼方惟
吾豫章毓美洛嵩風土和粹實維土中是故清淑之

氣敦麗之質絪縕化醇鍾於人物聰明文秀孝友廉節雷陳則羔鴈相推徐陶則龍潛不出或還金於承塵乃償責而不伐陳蕃之榻獨懸王玄之樽漫列高琊琊桑杯盛醬宋定陵土杯飯麥淸風所煦寒流相激廉若道原雖溫公之茵褥不斷曠如元亮郎刺史而履度莫覓金投園而追送珠遺道而不俯是皆秋水競清寒冰比潔若夫孔武仲之居憂致毀而廢脉張汝明之養親調藥而刺血過定林刻木爲母寶丁蘭之倚羅孟郊剖冰取魚乃王祥之匹茶山之孝則蔬食十五年平甫之哀則廬墓十餘日精孝子割股取肝則通於神明世孝子牡丹變白則轉移造物至

於家庭雍雍閭黨藹藹族必有祠宗必有牒死徙不出其鄉昭穆不踰其節十世十五世之同居名恒動乎九重千指數千指之合食瑞乃徵乎庶物葢江西之水北會爲匯江西之山同交於湖山無旁走水不外趨故人情訢合嘽嘽如三代醇醇如唐虞讓田讓畔則羣口歡而誦義分飯異席則衆呲怒而睢盱風俗之美寰宇無如性雖一而習異天雖同而地殊非浮華之俗所得而汚也公子所見亦有擬茲匾者乎風俗是徵無乃迂乎

公子曰信如茲言俗則嘉矣恐篤行獨行之可稱抑三德六德之末宜乎高於邛樊或歉於廷墀乎周官

八枋祿以馭其富爵以馭其貴得時而後可爲大行
而後設施若魏科顯爵名位之隆者亦嘗駢生於玆
乎先生曰富貴不離其身古之敎也富貴不溺其心
古之學也西江士風銖視軒冕好爵不能縻芥視千
駟大賚不足較也然時至事起王侯挺生實大聲宏
公卿並耀三古亡論秦漢可稽吳氏封王國祚同乎
炎漢陶公建節威名震乎華夷十八元功獨克永世
八州都督洊歷崇階分茅胙土之封赤幢羽葆之貤
斯王公之異數豈尋常所倖覬者乎南人爲相首鍾
越公而曲江乃其次南人封王始吳番君而尉他乃
自爲初命詞臣入閣曠典也僅七人而江西得其五

初選進士爲庶常異數也廿九人而江西十有七是
皆三分有二豈惟九集有一老臣耆德則晏元獻舊
學之碑配食先師則王文公顏孟之匹秩宗淸地而
曾氏三登學士華階而洪家四直若夫進士之科隋
唐初設南風未競西江早發易重之名尚唱盧肇之
幖首奪迨夫有宋盛乃獨絕悉數之則一朝之士多
逾四千分攷之則一姓之人科盈三十有明之初吳
學士開科第一於是解額之盛直省莫及南宮之試
百猶不給鄉薦則一科而屢占五解元殿試則一郡
而連兼三鼎甲故老有言吉安曩哲明初半朝衣冠
森列閣臣十亂省元八傑得謚凡四九鼎魁殆五八

南昌之盛與吉相埒進士近千公卿惟百吉水則五狀元同時豐城乃入尚書連閣列卿表頗嘗觀乎抑登科錄未之閱也名位是徵殆習而不察也

公子失色曰名位之盛若斯誠小子所未達矣雖然位可積資致舉可射策決或者求掌故而剽聞帖諸經而難括未學古而入官志行義而莫達則亦鞅矣夫學優而乃仕西河之傳說也學而後入政東里所致詰也西江前喆亦有苞孕千古貫穿衆說通天人之理數竭墳典於疏佐者乎先生曰道在躬行經籍非所先理惟心得記問非所尊吾鄉儒者固嘗譏支離之病心博雜之誤勤矣彌見洽聞特吾鄉之餘事

非志士之所珍也然略徵一二則五車失其富三篋不足言矣試言經學則五經鉤沈六義引奧推餘汗侯爲首五經纂言三禮考註則草廬氏爲宗張遐學本關西則諸葛瞻隆遜皆其弟子伯和直探古始則蔡邕張華可以抗衡至於下窮治理上澈天行占策馬星者知鴽停宮禁辨斗牛氣者知劍在豐城徐穉子經學春秋嚴氏易京君明書歐陽生兼綜風角算歷天星河圖七緯推步變易無所不精劉道原對經總列儒先古訓乃以己意折中獨爲窮一世莫與京其於史學若指諸掌私記雜說無所不通資治通鑑獨治其難獨總其成其他學究天人則臧嘉猷之於

皇輿言撫典故則王定保之於科名李公擇鈔書則九千卷未已樂子正著述則八百卷有嬴王淮公冊府元龜晏元獻聖朝類要記事必長纂言並妙考文獻者千秋猶旦暮耳編閩書者六合歸襟抱焉子強治平子正裒守並誇鴻博莫能彊圉曾民瞻刻漏之巧比于盧憲鄧名世氏族之詳不誇守素公子以記博爲賢則可徵已如許其亦有所取乎

公子遜謝曰學誠博矣侈矣不可及已然以目治不若以手治藏諸中不若見諸外大雅宏達在於文字未可輕華藻於蘭若濟元載爲榮悅也大江之西亦有煌煌大文足與四方才士並驅而別驁者乎先生

曰文章者經國之大業不朽之盛事也變義繼垂舜
會蒐商盤陳周誥嵬哉岌乎高矣美矣五經三傳虞
夏殷周之隆制也漢唐以前北方爲盛自宋以還獨
歸此地公子徵文於斯毋乃日未嘗佔畢手未嘗習
藝浮慕翰墨之虛聲而未窺著述之實際也粵自東
漢謁者李潮黎陽九歌風雅啟昔皆推靖節上接離
騷潯陽隱逸蓮社賢豪名章偉搆水深山高散落八
閒泰山毫毛洎乎有唐以詩取士時則劉存虛擅開
元之奇吉中孚拔大歷之萃任濤鄭谷稱十哲於咸
通盧肇黃頗闢兩龍於秀水南康綦毋鄱陽穎士來
氏弟兄豐城季子或矜西山之編或侈鬘溪之製其

不馳譽寰區蜚聲域外至於文律恢奇碩大吳武陵
則西漢可興幸南容在枚馬之次媲柳配韓角張競
李猶未足盡江西之能事也宋興百年文章楷範歐
陽公奮興然後沛然復古抃轡絕馳直追韓愈探大
道之根源作斯文之宗主獨立一代高視六寓不特
吳越所絕無叢寰瀛所希覯也若夫晏臨淄開荊國
之文公李盱江傳南豐子固古今大家七有其三文鑑
佳篇十居其五黃涪翁開宗派於西江周益公領臺
閣乎南渡封事則胡忠簡驚人詩則楊誠齋獨主
鍾秀於一門則三劉三孔競美清江高步於一朝則
虞陽范揭不參他士廷對萬言則姚文公雖各占大

魁上書萬言則王蔡孔章並躋卿輔他若方城經義併苞一代之制科玉茗塡詞空絕千秋之樂府猶未暇覼縷焉蓋西江文事若晉之伯業世執牛耳西破秦南服楚未暇問陳蔡而鄶鄭許也四國稟稟若山仰岱以為宗水朝海而爭赴也賢之下徵毋乃為臆語乎

公子跋踖而謝曰韓魏公有言歐陽永叔為翰林學士天下文章莫大乎是而緘生遺忘乃為此贅也顧歐公亦有言文章止於潤身政事可以及物謂載之空言不若見之行事也江西者舊文誠至矣亦有兵農禮樂無不通水火工虞無不治房謀而杜斷文經

而武緯者乎先生曰誦詩不能達政聖人之所棄也坐言不能起行君子之所恥也吾鄉素崇實績不務浮靡施於有政起而坐位雲雷經綸日月獻替佐命則垂統承平則翼治勒鍾鼎書旂常舉之未能既也番君佐入關之業列在元功細陽掮臨民之化舉爲尤異胡休治邑而鸞翔劉陵作宰而虎避化成而巷梧興頌駕至而開陽不敢事必振奇功必瓌偉至於晉尚清談王謝風靡唯陶桓公貞固幹事忠順勤勞似孔明幾神明鑒似魏武前破張昌後滅陳恢南夷杜弢北殲王機兼督八州二千餘里道不拾遺勳業之盛實古來未有之奇也同時若周壯侯簡兵練卒

志平河洛兩甄疊鼓杜曾立縛比陶公之斬郭默感石勒信兩賢之相得也四世爲將威名烜赫陶有贊與周推撫楚皆世德也他如胡壯侯以十二人破魏兵六百以五千人破魏師數萬李侍郎帥夔而息思州之爭撫粵而平邕管之叛眞鹽鐵不言府庫之充眞學士每進犯顏之諫陳文正四策備金始正敵國之禮鍾越公一言定策乃弭景龍之變王魏公守開封三月則萬獄皆空謝艮齋上封事一篇而導溢立散知成都者龍門鳩堡遙障蕃回守延安者金窟銀州還歸禹甸或開熙河而擒嗐征爲百年來有之功或用義軍以平烏蠻去百年不靖之亂羅文恭請遇

官則三十五疏黃修撰撫流民則二十五萬建炎以
九十四人會議惟胡忠簡一人不主和金亮以八十
萬衆南侵惟陳統制一軍能再戰曾子固治齊州鼓鳴
而盜輒得周益公任宣撫黜試而軍乃練羅都憲冰
居庸之堞徑破也先宋尙書分汝水之流遂停海運
三月八捷李襄敏之奇功十人選一張簡肅之風憲
孰非命世之高才經邦之碩彥此於世未數數然豈
公子亦嘗嘗見乎
公子曰烈既偉矣勳誠鴻矣信可以銘無射而勒景
鐘矣然吾聞有猷爲者未必有守爲良臣者未必能
忠疾風而後知勁草嚴霜而後識貞松豫章先賢亦

有顯名奇節匹巡遠而追比逢者乎先生曰忠義之性人所同稟名節之重則西江獨鍾盍山巍巍而水清激石齗巖而土不豐刻畫圭角刊落丰茸故氣之所發卓犖崢嶸吁咈多而都俞少是非重而去就輕大節不可奪大義無不明其或遭時板蕩遇事搶攘廟堂之爭則肝披而膽亦露疆埸之鬭則首離而心不懲姦鈇逆鼎莫之能膺飈馳霆擊電掣雷驚試舉一二爲公子微爲昔長沙文王之忠炎漢二百餘年定著爲令忠宣洪公之節冷山一十五載誠通於天士行之淑王室則星言兼邁子喪不臨士達之破杜弢則流矢折牙形色不變陶瞻死難於蘇峻周虓抗

節於符堅陳喬蕭儼殺力南唐則終身不二節叔夜直孺赴援北宋則天下惟兩人拘其家火其書械其使向子諲之抗張邦昌也襲其國要其歸焚其舟陳敏之破完顏亮也輿疾以進裹疾以終陳文正氣推強敵椎折其脇校滅其耳李吉康忠忤權璫磊忠懸伸義於撤繳比稍紹之濺血崔尚書捐軀於提節勝蘇武之還鄉唐主降而九江不下明命詫而南贛後亡莫不乾坤震動日月爭光若夫正氣之歌塞乎天地止水之誓質諸鬼神歐陽明德上書而見殺歐陽全美拒寇而遭焚李忠節殺二子而不懼曾忠愍爾一弟以承先三寸舌一文錢王濟淵贈登山之什泪

羅水首陽薇王炎午祭信國之文曾文定之孫仲賓罵賊於越則一棺埋其卌口曾文昭之孫業伯罵賊於亳則衆刃靡其一身咸舍生而取義亦求仁而得仁至於狀元以建言受禍不媿科名惟吾江西後先相仍汪端明抗秦檜和議彭器資論李憲主兵徐忠愍劾史嵩之而被鴆姚雪坡彈賈似道而除名若夫文山大節仰軋霄崢延對卽忠肝鐵石拜官而讜論縱橫其境則丁零惶恐其氣則慷慨從容旣光於宋益振於明吳伯宗首糾僨轅之犢預防伏壁之兵請鳳陽而不悔批龍鱗而不驚豈徒十題立就才子榮稱哉於是張文僖劾劉吉耐彈羅文毅論南陽李侍

彭文憲爭太后之禮劉文介折奸相之萌念一斥
而不出梓溪再奮而彌貞費文憲之忤宸濠劉文節
之守孤城莫不鴻章懸國門義聲聞四方九死不懼
百折愈剛非徒媲四儷六描直撫橫區區求工於字
句點畫之閒以竊世俗之浮榮也他邦之士不乏大
魁亦有仗節死義之衆如吾鄉者乎
公子曰西江節義敬開明敎爵祿可辭白刃可蹈洵
斯愛而斯傳宜是則而是傚矣顧吾聞之令尹之忠
不知其仁鬻權之廉或疑其躁好剛多至於狂好直
多傷於絞蓋節義偏乎氣氣易失之偏德器成於學
學則衷諸道孔孟以來道喪久矣西江人才既盛亦

有續軻之傳興孔之教者乎先生肅然危坐正容而答曰善如公子之問也既窺其末復求其本此三極之重百世之奮也內聖外王之學誠非蒙者所知而守先待後之勤願與公子同論也粵自元黃既判道在人心形生而已具事至而可尋羣黎徧德卽日用而其則不遠聖人立極乃首出而萬物咸瞻聖非有餘愚非不足惟降衷之陰隲不二能盡其性能至於命乃贊化而天地可參周綱既弛秦火既炎兩漢之經師失之淺六朝之異教失之深惟韓李追孔孟之緒而歐公承其統惟周程尋孔顏之樂而陸氏嗣其音歐固大德不踰陸乃細行必矜梭山之正本制用

復齋之知愛知敬精微廣大象山獨兼其旨則首先辨志其功則求其放心故考亭和詩服其商量之密密歎其涵養之深洸鹿洞講義汗流浹出奉為入德之方刻諸廬山之陰末路離岐雖敵爭於無極之辨而中懷慨歎乃時見於喜晴之唫當是時楊袁舒沈昌明于慶元林鄉包傳鼓舞於南臨人知孔孟士識回參大戰陸子豈非斯文在茲斯道已任者乎迨夫有元江漢北征獨傳朱註用主文衡士子趨之若鶩附蠅祿利之誘陸學不明然陳靜明堅守象山之說江東大儒奮興李祝吳舒稱四先生厥後草廬悔心中歲惟陸是程知章句之早誤幸德性之晚精道園

足發伯尚大行顧一傳衆咻未足勝異同之爭也明
興理學首聘君康濟樓居廿載道術以開餘干下啟
子積一齋用衍東厓至於陽明上承陸子正派之傳
仍歸此地鄒東廓以獨知爲良以戒愼爲致羅念菴
求良知於四端求致知於孝弟皆上接孔孟之傳下
衍陸王之緒至於萬楓潭橋梓力詣於微魏水洲昆
季能識其大雙江競流九川交匯見羅青螺文德武
功改齋梓溪致命遂志羅維升劾劉瑾輿櫬以需劉
晴川諫雷殿繫梏而待師泉之族同時九人泗山之
家後先再世以故歐陽南野聚講於靈濟聽者至五
千人實古今之嘉會凡與聞其教者立朝則爲名臣

出牧則爲循吏鄒南臯推東林之三君萬工部死魏璫而獨厲或殺身以成仁毋見利而思義豈比夫章句之學困於口耳實無得於身心莫能見諸行事其甚者似是而非實德之賊其淺者道聽塗說乃德之棄又其下者依傍一家之言揣摹八股之制聊以爲富貴利達之具得之則施施然饜酒肉而驕不得則皐皐然乞墦閒之祭此妾婦之所羞而君子之所鄙孰與吾西江之士守陸子躬行心得之教言皆實言事皆實事先立乎大者嚴義利孔孟之傳不在於是又安所寄哉公子惘然遷延蹩躠循牆而走負牆而退憮然爲閒始徐進而愧且悔曰鄙人所矜以爲華

乃先生所哂以爲穢也今乃知青齊之浮夸不如鄒
魯之仁義也願留受業先生其許之而鑒其意乎先
生曰反身而誠萬物皆備子誠有志目自明而耳自
聰事父自能孝而事兄自能弟也歸而求之有餘師
何必懷資而即次也惟志果而能確何聖賢之不可
至子不必拘於墟余亦且避此位矣

無錫顧棟高震滄辛丑進士署江蘇巡撫長白顧公所
薦深於經學文不多見有爲其鄉人吳鼎三正考序一
首鼎字倣巖考凡二卷援据亦博

春王正月之義後人所累千萬言而不能解者左氏
以一字盡之曰春王周正月晉唐以前諸儒並從左

氏自河南有假天時以立義之說而武夷因之遂謂
夫子以夏時冠周月然猶以爲改月不改時也九峯
又因之以爲時月皆不改自是而後或以周正建子
本改月不改時魯史僭竊或以周正建子皆改也或以
周正建子本時月皆不改魯史僭竊建寅而又時月
皆改也或以魯史本從周正冬十一月爲歲首而孔
子於每年截去子丑月事移在前一年而以周之春
正月爲始也每主一說輒旁引曲證累幅不休而終
無以合乎人心之所不言而同然元泰定間張志道
諱以寧者深知其說之非著春王正月考二卷首卷
採取九經三史以證三代之改時改月次卷作冬不

可爲春辨而雜論曲說之謬誤益其用心苦而奏功偉矣明嘉靖間李川父諱濂者作夏周正辨疑四卷首二卷載先儒謬誤之說末二卷則正說也讀二書始曉然于胡氏蔡氏之謬而左氏釋經所謂春王周正月者眞足一言以蔽之也然于商書兩十二月之證張氏得之而李氏則取趙東山之說謂古文尚書爲不足信終無以塞夫不改月之口且于冬十月漢書注顏師古以爲太初歷後追改前代正月爲冬十川之說吳淵穎以爲難信而李氏無所是正張氏又畧而不言則終無以塞夫不改時之口而武夷九峯之說終不可破武夷九峯之說不可破而左氏春王

周正月之說終不可得而明矣子大年因作三正考二卷集張氏李氏兩家之長而刊其繁冗又益以近儒之緒言而補其所未備而春王正月之義其亦可以渙然冰釋也

歸安沈炳震東甫貢生明太傅襄敏公六世孫詹事太倉王公所薦著有九經辨字瀆蒙十二卷為陸德明張參之學者也中論儀禮一條云儀禮在石碑固多所傳譌即監本註疏亦以此經非士子專習沿譌襲謬亦殊不少如特牲云主人出立于戶外西南祝東面告利成案少牢云主人出立於阼階上西面祝出立於西階上東面祝告曰利成有司徹云主人出立於阼階上西面

祝出立于西階上東面祝告于主人曰利成則特牲南字當是面字之誤今非特註疏石經作南卽朱子儀禮經傳通解亦未及改定則終古莫正矣又爲廿一史四譜五十四卷一紀元二封爵三宰執四謚法汪謹堂學士序稱其體葢出於表歷之流而變其旁行斜上者爲標目舉帝紀之要撮世家列傳載記之綱而類聚區分合於書志譜牒言之法其生平所致力於唐書九深合鈔新舊之書爲百六十卷除其重複補其漏遺最爲明備又以新書宰相世系表舛譌特甚以孫爲子以弟爲兄甚則以甥舅爲父子合二氏爲一族爲訂譌十二卷附後其師嘉善柯煜爲之序畧云

舊書帝紀憲宗以上詳畧得宜自文宗以下多所闕漏非紀注之失職卽實錄之不存也若新紀謹嚴太甚僅如目錄矣謂舊書列傳之闕其說有二如李吉甫傳云父栖筠自有傳武元衡傳云祖平一見高隱傳今皆無之是昔有而今佚之也或唐末至晉其人尚存無容立傳或十國君臣事迹難考亦無暇悉取其人而歸之於唐固不若宋時之日久論定也謂歐陽諸志整齊詳贍非若舊書之舛譌而於四表則杼柚予懷不復因循傳貫如宰相表之有三師三公拙但為兼銜無關政柄入紀而不入表則名實不淆合三省為三格而詳其拜免則職守有據至於唐之方

鎮關係利害表但書地書官而不書人則節度觀察因人而易者何由懸揣乎即其人自有本傳然所貴於表者取其包舉前後指掌瞭然亦何取乎畫地成圖而漫無可考也蓋東甫至此獨出手眼自成一家言亦不復為二書之調人矣

又采撥唐詩中之麗字妍辭為金粉十卷自序云

吾人陶冶性靈恒寄情於唫咏發揮花月端托體於風騷吹影鏤塵實由心匠模山範水嘗尚辭華昔賢每致戒夫文煩往折亦深規乎義儉然而方壺圓嶠以瓊窗瑤柱而增輝西子南威得鳳髻鸞釵而更麗苟非機采張左才窮不有妍辭淵雲氣短所以采茝雜於

楚澤託意美人賦雲雨於巫山繫懷神女拾其香草
允爲饋貧之糧煉厥黃芽洵是長生之藥粵稽聲律
觀止有唐載美蒐羅極於今日長篇短律既倒海以
探珠雋句英談亦傾崑而取琰三珠樹下葉葉都珍
二酉山中篇篇盡寶琢磨梁棟固藝栽五鳳之樓咀
嚼英華亦珍重一臠之味鄙人窺豹業驚詫夫爪牙
賤子祭魚僅貪饕乎撏撦爛熟遂師釀蜜採擷而分
門聊同布丹縈巢翦裁以隸事或笑青唫翠錦嚢佐
碧落之辭或注玉側銀鍘鉥助紅綖之句思來驪背
掞風雪而清沁心脾叫出旗亭挹芬芳而香生齒頰
閒窗點筆詞擅色絲孤館清唫響成獨蛹珊瑚架畔

頓有碎金鑄琱鏤中平添雕玉冋攜香獵豔搜采無窮亦提槧懷鉛取攜最富者已然狐矛千腋巧匠聚以成裘綿出五侯良庖調而克旨駢黃儷白待金針而繡出鴛鴦燕徵含商叶正律而音和鸞鳳入文人之貫串奚慮散錢得才子之鞭驅無非良馬既粘膠而介豆何妨棄大筌蹄笑輿瓦而結繩川自愬於蠡管傳諸好事應致銷乎雕蟲貢於大方幸勿嗤夫芻狗

東甫有集二冊曾攜至京師卒卒未暇鈔撮今不可得見矣其少作在雙溪唱和集中難弟曰炳巽繹旃曰炳謙紉牧皆工詩繹旃著有補正水經

詞科掌錄卷四終

詞科掌錄卷五

山陰周大樞元牧邑廩生浙江總督上蔡程公所薦詩文高勁秀出力追古則

廷試日瘧疾綿月未愈手艱於作書多所遺落不得入等所著有居俟堂集幼工詩餘與秀水萬光泰相友善常自序其調香詞及爲萬作樊榭詞序風艷不減三唐其詩長於五七古五徘七律意欲參取諸家自成一體雖或未逮而志則遠矣

調香詞自序

夫詩之有餘與哲同岑而技不兩美兼之者代可枚而數也自稼軒以詞豪一世前後遂無勍手顧詩即

不勝識者已自其少時決之
國朝先輩阮亭先生詞工于詩陳檢討詩工于詞而
世所稱或反葢詞家兩派秦柳蘇辛而已秦柳絕媚
而蘇辛以宕激慷慨變之近于詩矣詩以風骨爲主
蘇分其詩才之餘者也辛則併其詩之才之力而專
治其餘故嘗謂閒淡歷落之才其人于詩宜詞則閒
爲之而可矣其年詩最風秀有骨力而詞殊非雅聲
無他勁激之調不易摹且當時若陳同甫劉後村改
之諸公其去辛已不知幾里況才併不及者乎予年
十三四卽喜爲詞于古作者特癖陸務觀姜白石二
公秦柳派也而少變其音節舊著調香詞數卷共二

百首丁酉歲病中悉取焚之意不更作偶朋友燕聚輒復技癢亦隨手棄去予友秀水萬子循初最工詞見而稱之顧謂其勝于詩予不信也聊掇拾燼餘什不得一附以近日所作仍其舊名序而存之論風雅之異鑣較矛盾之各勝質之萬子庶不胡越其言

萬循初樊榭詞序

高樓暝色調始倡于青蓮亂石驚濤風尤雄于玉局笙寒水皺何事相關春鬧月來稱名已熟俱綺靡以緣情盡芬芳之搖曳昔多有是今亦宜然循初夙擅環文尤豐秀句會城日暖兒碧玉之千林台浦圓波潄明珠之九寸陳王則誦成于心處士之文不加點

嬌紅顧碧搖綺筆而爭來範水模山繞香藤而互出竹枝楊柳最有親詞蘭畹金荃尤多麗製羅綺嬌春迷輕裾之芳草管絃醉日翳長褎之赬霞紅襟之燕亂飛圓吭之鸝獨囀亦有卓女聽琴悅相如而映戶仙姝解佩欺交甫而臨江眼花耳熱之娛破粉結眉之恨以至空樓煙月瑤瑟宵鳴蕭陌風塵清笳曉咽北梁之晨雨初零南浦之春波自綠兒女景會盡逐才生將使秦柳顧爲扶輪李朱欣其捧帚信知餘正之音趨惟一致風雅之士能無不兼付之玉簫吹入律之齊風唱以丹管抗繞梁之豔響迢如春水思美人者元非累德之詞盡處青山險麗何者併作思歸

之興

詠懷八首

圓履幪渠渠烏兎穴其脇大腹母羣形相資自相冠

變滅須臾間歌哭遲遲奏紛紛竟何為腐肉爭肥瘦

古皐造禮樂欲以介民淳淫哇起琴瑟巧麗還紛綸

刀戟誰所鑄萬鬼嗷煩冤至今秋霜白猶祭蚩尤神

南方有佳人照影鏡湖水湖水凝不流彼穠況桃李

守禮恥自媒朱顏去如駛巧笑競春風娥娥盛年子

浩浩君父恩欲報不能旣無檄歡毛生雲閣在天際

去為南畝氓腰鐮値儉歲服賈問洛陽安得三倍利

江水灌千里春波深復深感君意氣重莫報千南金

一笑豈作傾高懷橫古今薄命妾自悤君心繫人心
夙聞神仙樂涉海求蓬萊天風吹著岸遂上金銀臺
玉女眺清矑手送流霞杯狂歌鳳凰篆聲與魚山諧
仙家日月促浩劫生寒灰翻然舍之去長嘯滄波迴
騙馬作遠遊往來歷鄉縣前日鶉衣兒朱輪侈榮宦
緣草積頹垣昔此叠樓觀陵谷工遷移雲霞工變幻
美惡不自知何況貴與賤
虎豹厲爪牙麀豕供擇肉麒麐不噬人病臥尙卓絲
孔雀饒金錢高飛化鸞鵠鴛鴦駘朱欄驕困頓笑驥騄
大道諒不然物理自反覆脫帽一長嘯且進杯中醁
漢宣帝行燈銅槃歌爲鄒學士賦

周秦以前不易得博古爭論漢時物行燈無槃偶流傳製出河東鑴彷彿曾孫才類武帝雄獨以賞罰叅羣工黃龍五鳳作年紀生平好尙將毋同夜向甘泉祠太乙鳳蓋旌蜺拂雲川銅虹銜燭照天衢影落星河上白日一自黃貂易黑貂諸陵松柏風蕭蕭此燈流落亦何惜玉盌猶聞出市朝土花分紫波分綠更閱千年如電速枯荄墜泥兩不知高岸人間幾成谷翰林先生癖嗜古入市殷勤贖五羖歸來著手日摩挲愁殺肌紅十五女一冊雕龍感慨生轉令舊事憶西京銅槃只是無言語何限千秋萬古情

隆福寺觀市百一韻

天街古刹東北隅義袋丹碧輝琳玎長廊千步直且紆肥酒大肉驕兇徒一月三集作市區問胡為此貪其租紛紛日出誰見驅車牛擔負來蔽途隊分貨別期速沽由來方物集帝都人生衣食那可無食以果腹衣光軀冠袍韡綣裙與褊羅紈綺縠充曳斐別其黑白亂紫朱虎豹狼貉鼯鼲貙千羊之皮千腋狐別有金雀繆以珠環珮簪珥飾彼姝食味適口萬品腴豚肩雞蹠何足懷撥拘飴餹羮雁鳧臙臚千甕酒百甔秋菘春韭筍及蒲櫨梨棗栗落萬株厥包橘柚來荆吳糗餈餅餌雜粉麪冷淘粔籹湖比酥松風茗薦烹玉壺近者尤倘淡巴菰入口煙生一縷孤屬有百

疾藥物扶或進者豕嘗蒿莢其器松柏兼檀榆彫文
彤漆黃金塗北人燔土作釜杅亦雜汝定堆盤甗䏡
煤雕眼及兎鬚剡藤三萬裴几鋪有斎在圖禽在鈒
赤脚之婢長鬚奴爲君擊鐵歌烏烏琵琶箏箋笙簫
竽就中青幕紅氍毹傳彝舊物誇璉瑚大者鼎彝小
者爐一刀一鏡一甑盂歷歷似閣宣和圖或參外貨
匠巧殊中庭卷帙良可吁茍錯諸地藉以芻坐令坌
垢紛相汚故知世俗多輕儒雜沓寺外臨交衢千蹄
馬市混驥驚騾驢驒駱魚駒駼消人已死伯樂徂有
脚千里何爲乎珊鞭玉勒金僕姑壯士來買五石弧
吞刀吐火緣都盧蕃人雜婦百戲俱黃衣道士賣佩

符或矜祿命推榮枯歲除又見書鬱荼騈闐萬足惟
利趨顛倒輕重欺精麤子母出入心計劬傖停鼓舌
爭錙銖古者為市法燃膚負販救敗思有處我行其
地有所須慳囊撲破羞青蚨鄺陰漸轉日欲晡側逢
列肆坐販夫自言八十非故吾當年交易轉輾蠅大
賈不滯小不傾得錢易粟私妻孥即今來去分月旰
餘貨壓擔無人呼我聞此語行踟躕利以剩義貴灌
輸貧不學奇富自數古稱節儉誠遠謨不度其勢議
或迂昇平生齒校昔迎生產益分得不瘠問知淫巧
不中模饒買乏貲困始蘇盡唫蟋蟀歌山樞富者益
肥貧益癯塞諸所有唯浮圖梁指向復思斟斟而況

蚩蚩彼氓愚皇皇求利何足訹有親欲養子欲娛往來親戚歡臘膢不得餓死爭須與高賢在職民愉愉

長州沈德潛碻士麋生兩江總督奉天高公所薦少工詩名滿大江以南有竹嘯軒詩鈔金壇王汝驤序以爲其爲詩也一以淳古淡泊發於自然爲至如風和野花開池靜啼鳥寂獨立板橋望春山面面橫山家無面勢草屋亂西東一徑入花塢衆溪藏竹陰山行不厭深曲折屢迷誤遶岸隨遺薪間雜得前路並坐玩清光慮淪無可屏其登北固山則曰鐵甕日沈殘角起海門月暗莫潮收渡江則曰帆影猶龍銜浪出水聲疑雨挾舟飛象山守風則曰打頭十丈浪花麤倒激蒼崖半岸淫集

中好句不可勝數但隨舉數則何一不天然神妙爲大歷以前諸詩人化境耶新城王尙書寓書尤滄湄宮贊問確士有云橫山門下尙有詩人不勝今昔之感云云辛亥春今少司農鳳臺王公爲兩浙運使時聘修西湖志與余同在志局後以戊午已未聯捷成進士改庶常

賦得羅浮山贈宋澄溪僉憲

吾聞羅浮之山四百三十有二峰峰峰矗立靑芙蓉兩山似離還似合離合卻在煙雨之空濛峨峨鐵橋鎖天半其下暗與地肺山川通天雞夜半叫峰頂海日湧出朱輪紅仙人往來其遊戲或騎哨虎騎蒼龍隨以蝴蝶大如扇更有雌雄幺鳳鳴雝雝世間靈境

可想不可到廣平先生收拾來吳中志書廿卷巧搜

括時成羅浮山志人天靈秘歸牢籠先生少歲稱奇童忠孝

門第聲隆隆文章壇坫執牛耳宦遊徧歷燕南趙北

青齊東抽身乞養就子舍北堂長日春光融晚歲遠

遊適東粵令子出守鄰南雄春秋佳日每乘興過山

水窟構孤節白雲峪縹緲呈變幻靈洲瘦削環玲瓏

扶胥黃木浩無岸天地蕩蕩開心胸欲往羅浮涉溪

水賫糧遡溯朱明宮酒田問紅樹鶴觀訪白松肉芝

擷玉色菖蒲采紫茸軒轅壇邊佳遊月時聽仙童擣

藥聲千春漢時成仙有桂父晉時得道有葛翁常坐

砂牀共談笑議論豈與人間同歸來同年正七十幾

體強健由中充招邀朋舊作文讌座上不數洛社之叟香山翁（唐東江吏部八十六餘多七十外者）嘗筵娛賓試開囊與合放出羅浮五色雲氣片片搖青空我歌羅浮以贈公從茲發軔追仙蹤請公更乘莽眇鳥徧歷洞天福地無終窮

制府來　客述制府始末甚詳因成樂府四解誌往事儆後來也

制府來勢炎赫上者罪監司下者罪二千石屬吏驅使如牛羊千里馳重來奔忙鞠膝上壽登公堂制府賜顏色屬吏貼席眠破得百家產博得制府歡制府之樂千萬年解　揚旗旌麾三軍制府航海清海氛靜

名所到步步生風雲居者闔戶行者側足但稱制府來小兒不敢哭軍中隊隊唱凱還內實百貨裝樓櫓文武郊迎次且不得近前制府之樂千萬年解二制府第神仙宅夜光錦披牆壁明月珠飾鬟鳥貓兒睛鵶鶻石兒童戲弄當路擲平頭奴子珊瑚鞭妖姬日夕舞綺筵賞賜百萬黃金錢天長地久雨露偏制府之樂千萬年解三太陽照冰山傾

黃紙收制府片刻不得暫停輜車一兩千里無人送迎婦女戲手詈童稚呼其名爰書定在旦夕求爲廝養廝養不可得盤水加劍請室閒從前樂盛如雲煙制府之樂千萬年解四

白鸚鵡賦 有序

賦白鸚鵡始見於顏光祿繼爾見於王右丞體物有餘而發觀之意或不足也予補前良闕略全身守道於是焉在至筆不停綴文不加點於古人竊有愿焉其辭曰

惟隴坻之珍鳥寓棲止於幽林緊鉤距而利爪赤丹啄而翠矜秉閒閒之貞性流咬咬之好音何昭質之獻素應盛德之在金則有與玉同潤方雪並潔霜毛不染縞翮難淳既聰明而多辯更流滑而可悅使鴟鳥慚乎機野鶴羞謝乎拙訥雖同族於靈禽實獨標乎清節於是愛爾嬌娥張彼羅網幸肌體之無傷終

性情之多枉翦翅羽之犧犧閉金籠而惘惘歷道里而遠來蒙主人之嘉獎沃清泉以洗濯飼紅豆以惠養了了乎秉清心以抱歌皜皜乎負雅容而無兩爾乃棲傍瓊軒徜近玉堂對晶牀而共耀映銀屏而比光飲木蘭之墜露浥梨雲之澹香眄影流素娥之采囘夢經玉女之房調俊語以諧嬌小誦金經而念空王溯從來知爲黃山之族呼其號則曰雪衣之孃也獨是孤芳自賞慧性寡儔皦皦者太潔嘵嘵者露才機不密者啟害舌不捫者見猜遠故鄉而極目離配偶而傷懷縱投人以共憐自違俗以多乖況乎百舌出而偷聲鴂鳥因而爲媒恐素衣之適以召汙而多

言之實爲厲階也惟是大白若辱大智守默文無玉色之爆口竝三緘之惕啄香稻以悠悠處花陰而寂寂知極元而又元慕上德之不德安歲月於百齡永以全乎夷白

管仲論

蘇明允之論管仲也謂其不能薦賢自代而第云豈刁易牙開方三子不可用後桓公卒用三子致亂齊國因以仲爲不知本其言當矣自吾論之仲無論不能薦賢即薦賢公亦不能用賢者也昔魏公叔痤將死言公孫鞅於王曰王能用用之否則殺之又以其語告鞅使之出走鞅曰彼不能聽君言以用鞅又惡

能聽君言以殺鞅既卒如其言是不能因人之言用人必不能因人之言殺人者也不能因人之言去人必不能因人之言用人者也桓公既不能因仲之言以去豎刁易牙開方三子卽不能因仲之言以進所薦之賢人何則當桓公初立國時其氣方銳其志未盈故能納鮑叔之薦以用仲於罪人之中至節兵薄賦九合諸侯一匡天下公之意方謂我可驅役海內之强侯而七十二國之閒莫有起而爲我難者因亟亟焉聲色貨利之是求斯時圖治之心不敵縱欲之心明矣設於其時復有如鮑叔之薦管仲者而公能三沐而三薰之乎況既耄之年怠侈日甚又不止[illegible]

葵耶震矜之日也由是言之公之不能用賢也明甚然則齊國之亂將竟不可弭乎曰非也蓋弭齊之亂貴乎知本而仲之知本而不在將死薦賢而在乎平日止君之欲以清其心且夫君子之開導夫君也其言之售不售果有一定乎哉當太平無事之時則聞言者格而難入當憂危困迫之際則進言者急而易投桓公返國未幾去奔竄之禍尚邇也奉一國之政而授之射鉤之人尊爲仲父寵以亞卿不啻子弟之聽約束於先作者仲於此能因其君之多欲而防於未然禁其方萌則聲色貨利之念未必不可少戢至戢之既久有漸近自然者矣乃縱酒好色至姑姊妹

有不嫁者仲不聞一言正之而反將順之曰酒色不
害霸也是縱君之欲而使豎刁三子得以乘閒而合
者管仲也乃前則引之使入後則禁之使絕公於三
子固結而不可解矣即有所進之賢安必用以當國
而盡絀三子乎哉洵乎蘇氏之論能窺其本而未探
乎本中之本也使仲果正君之欲於平日而將死之
時又薦賢以自代則君臣道合仲雖死而齊國未嘗
無仲矣亂何自而生惜乎器小之人未足語乎大臣
之道也

烏程嚴遂成海珊甲辰進士令山西之臨縣丁父憂回
籍浙江總督上蔡程公令試一省之士海珊爲第一旋

遺毋喪不與試七言造句瘦硬瀧中舟行云修鯉躍波
雨點大怪禽呼樹風聲寒太行云孕生碧獸形何怪厭
住黃河喑不驕城隅春望云雨方得氣能醫草風自生
香不借花皆有別材

書明俺答款塞事後

一綫黃牆障朔風騰驤鐵馬潰雲中骨堆石勒漏麻
嶺血浴高歡避暑宮樓畝糧增三月龍乘城卒臥六
鈞弓漢家別有遮攔法貢市年年貨幣通
一家兄弟總能兵聯管橫吹鐃樂聲幕上有烏爭夜
遁野中無草廢春耕虜能已費防秋塞上谷虛傳突
騎名差喜紅粧工殺賊不教歸到白雲城

土門

兩山中斷一門通窄處分明甕口封高樹過雲森殿
戟晴風吹澩殷巖鍾弓懸犀衍秋防虎旗閃城頭夜
皋烽屏障幽燕關不細插天形勢埒居庸

曲峪鎮遠眺

地近邊牆畫角鳴朔風割面凍痕生鵰盤大漠寒無
影水裂長河夜有聲新鬼或傳歸遠戍黑雲渾欲壓
空城憑高差喜狼烟息鐃吹飛來列校營

劉土古溝

龍門鬐鬣變日精左手文以名其名提挈五部控屏
晉世尤熒惑曜由并州年任子孤獨官嘘唏縱酒傷

讒閒摧毀宜早斷先機養虎輩知遺後患一朝雲雨騰蛟龍棲冰銜膽老英雄居然帝業紹炎漢玉璽曜出汾河中前都離石後蒲子荒溝廟貌留遺址獵火當年照地來旌旗影繞雲霞紫再傳東市血斑斕墓擴宮燒指顧閒元海遊魂棲泊處蒙珠離國不周山

由向陽峽至黃蘆嶺

鬼斧擘山脊盤迴一徑微縈虛疑虎伏崖峪瀼泉飛馬蹦寘根上人隨鳥迹歸斷煙三十里隱隱見柴扉

會稽徐廷槐筮山雍正庚戌進士改教授禮部侍書課陽任公所薦不工爲俳體試日用山陰王霖雨楓之詩爲考官所糾部議落職然其爲人自佳士文章嶄刻清

屬詩亦摧落凡近與山陰周幾山徐彩至交有詩九首哭之

嚴霜已倒飛白日正西下生命良須臾怛避悲物化
灼灼春前花倏忽驚萎謝江山自嘑嘆風日餘瀟灑
而我同心人一旦爲長夜

結念屬千載感遇惟一言木落歸其本水深洞其源
憶余束髮遊末契託弟昆竊年勞問字挾册忘朝昏
風義師友兼意氣何足論

斯文三百載傑出蓋已寡國初侯魏徒往往推作者
顧視東南隈獵獵等解瓦南雷與西河爲劉祖或左
操戈時入室鬩亦遺孫阿君也肩斯任卓爾稱大雅

前不見古人咄哉漢司馬
諸儒抱夸尚萬里在咫尺茹古而涵今斯人更誰是
四明志刑法閑覽足信史落落數參商棄之如糠粃
誰能丹槧書身作輶軒使巨筆扛龍文雙眸翦秋水
此事應推君不但稱文士
秋滕作佳傳內行獨醇全君家令名子辛苦抱遺編
平生所交親些輓費鑱鐫是用光前烈因之啟後賢
臨文容嗟悼迸淚如流泉
泉聲咽淺灘淚落知幾許同學九人中榮枯各異處
屈指八年間三人已黃土謂夢錫暨水及幾山昨來陶士行謝司
歲臨弔立東序相對惜鬢毛默默無一語遺寒取炎

彈指裂冰紋苔

皎皎燈燭光素蛾相因依將燈照素蛾腰瘦不成圍

當途集鄒枚窮巷嗟斯飢華髮萬千强月旦何是非

宣尼刪小雅亦載萋與菲

天台石梁橋冰雪高千丈中有神仙人縹緲峯頭上

伊誰論止觀中假空諸想慧業應天生沈淪攖世網

適來何容與適去殊鹵莽幾山臨終夢遊石梁下覞寒潭倒影則一僧也

紅鑪燒白石白石堅難磨叱石變爲羊跟蹌雜鼯鼠

洛陽舊家銘蜿蜒蟲雙柱篆刻其漢君葬卒迷幾許

百年洛江中夜夜青燐吐君存名可垂君歿年可譜

文孝周幾山先生足千古

長洲陳黄中和叔廩生江蘇巡撫奉天高公所薦父景
雲少章有漢聖之目和叔能世其學而才藻過之
將有湖湘之行同人攜酒過寓齋相餞分得花字即
事述懷留別諸公因成一百韻
徂暑馳炎服幽懷詎有涯醖慙佳客載座傍綠陰斜
解暍肩冰蹐驅蟲羯鼓撾茂林環蒼蔚怪石聳谽谺
螢點乘新月蟬喧曳落霞雨餘嵐氣潤樹老蘚痕加
簾底窺巢燕城門數陣鴉清言閒嘲訕幽坐雜趺跏
肌冷軒清簟牙香劈翠瓜小蘭迷粉蝶曲徑綴幽葩
蓺劇虛長鑱畦分護短笆納涼重欹牖破睡屢呼茶
餬口蒸奔走離羣幾徴呵去留饒有恨身世可勝嗟

北闕沈唫絕南天悵望遐千帆感流落百尺謝矜誇
鴻鵠棲皐澤騏驎奮渥洼舷仍虛綠綺佩豈羨青綢
袞袞推臺閣紛紛陋笠車迎颸甘退鷁上漢笑浮槎
博物傳亡篋精忠說裂麻
君王自神聖朝宁絕奇衺頻歲流微祲蒼生未害瘥
天心眞降愛袞職豈閒暇赤子哀同雁飛蝗勢倍駕
麥秋已少粒黍穗漸垂芽飢溺憑宵旰瘡痍幸扶爬
鳴岡猶待鳳立仗亦容驊畫省推封事裁冠定觸邪
諸公圖報
主倦客歎無家負米淒涼甚趨庭定省睽沈腰悲落
拓潘鬢惜鬖髿未肯題龍虎遠嗤躍鏌鎁青黃隨斷

本鸞鳳任爭蝸手傀持貴姻吟愁和白華夢殘拋飾
段囊澀倚錢叉捫蝨心仍壯聞雞願轉香咄哉辭蠹
轂行矣掠湘巴旅舍鷓啼鳩征途仗跨騁襟情彌悄
悄襆被祗些些卑涇愁荆國蒼茫鬧楚艖火雲騰肆
兀墟市趁喧譁古驛朝衝霧孤城暮起笳嘶塵撲小
簟慳暑卸輕紗體瘦偏沾汗心煩甚炙煆蕭疎同病
木飄泊擬棲苴路指堆堆堠林羅肅肅置谿深藏毒
蜮箐暗怖高靡蔭借前山榭香來別沼遊舊宮荒帝
渚故壘冷梁漾南味時供食郇酤不易賒獨憐塋郢
雪犨和折楊拳鳴匣兩長劍防身倚短鉈耶鐵分水
陵萍跡寄萊葭賓禮依山倚高風媿孟嘉地偏疑放

謫境困比籠篸舍下處■鵩床頭實畏蛇漏天燕霧

雨下土說泥塗草檄容磨盾敲詩奔按檛奠應傾桂

糈蟲或怕金蟥非水難■蒟瓢漿喜酌椰翦鋤神自

王縶足氣寧汙猶有江山助行隨屈宋銜清湘迤九

曲紫蓋插雙丫潭郡傷登善荊門弔景差衡峯禱雲

霧退谷訪尋隺帝子寃非杳昭君村尚嫁廟傾餘薛

蕩魂返怨琵琶猿嘯騰容谷藤垂絡隥崖滄浪時放

柵罩汕慣烹鮮鳥甲鷗波白三秋石壁擬漁舲揚欸

乃些曲訶嘔啞神女晴環珮黃陵儼笄珈始波漂木

葉晚翠摘枇杷折附懷幽芷忘歸爲菜蝦躬耕希葛

相肥豚托畦夸生理安田舍豐年祝秉秅楚歌時激

越纉樂奏淫哇莊叟聊遨蝀公孫儋牧猳讀騷頻倒
榼點易細研砂樽斝空三雅盤飧飽五茄孏撻黃鶴
壁羞著碧雲騢賢聖時中酒官私付鬧蛙漫聲懲品
目肝肺自槎枒敢訶吞雲夢誰憐頌橋櫨書詞投賈
誼元草俟侯芭池菱宜成服江鯿許釣槎浯溪飛凍
雨岣嶁叫孤鶴綠字終難索蒼碑好待到鹿麋安野
放燕雀狎紛拏塊壘空胸臆浮沈閉齒牙嶺箕幽蔽
日渚雪亂飛蒹鄰惱驅鷺鴨秋收殰兕豝淩雲重草
賦薄痛未虞樵木客聽啼樾山岷課種俞峽中新雨
冷海畔白雲遮北地懷舊友扁州憶阿爺鄉心渺吳
會歸夢記城闕音問傳魚雁交游託豕鹿京華倘相

念雙鯉報長沙

新建尚廷楓嶽師原籍陝西興安以父灤浙江提督廕任戸部山西司主事副都御史奉天孫公所薦詩骨清曠故是逸才

洋園晚霽出門望國西諸山嵐樹葱鬱雲景清麗天風徐來吹人欲仙遂有是詩

素抱積孤貞元修悅靈異萬象川孔昭靜如無所事當茲夕正佳況復雨新霽上天放明霞衆山飛廣翠美哉清虛風而吾披拂是挾儔相與行靈島忽已至石門溪水前鳥雀桃花內雲光滿洞幽棋聲出樓稠三樹浮邱公一罔丹幾字體罔韜瑩神谷鮮鑄鼎廣

十七

黃精食難飢甘露飲易醉野馬馳麝亭麒麟知與來

高歌

江動金風裏天寒玉露時孤帆秋色斷斜月夜光衰
對景愛蕭瑟高歌傷別離無因北樓上長篴使人思

春日懷王義叟

鮮雲覆高嶺望遠獨躋攀日照雪中樹人居川上山
昔言具尊酒期我向柴關道里正迢遞空悲離別顏

野中

雨嶂高花溼風原灌木清野人無瓦屋春色自柴荊
城遠舟航至天開鴻雁生晚晴溪路寂月帶一星行

宋郎中姚秀才招遊西山集龍潭晚歸獨過香山寺

呈操上人竝貽姚宋

翠嶺巒糾錯崩厓莽削成石若人去積山鳥客來驚
日照蛟龍細風吹鍾磬清開樽潭上坐萬木白雲平
宴罷客言醉各乘車馬還獨由春水外笑入暮雲開
石白松依寺天清月在山非移陳賞及自愛老僧閒

王華巖招遊南池晚過望江亭待陳景庠不至

并刀誰使剪吳淞王宰應期此地逢沙外雙飛仙客
鳥岸西孤出丈人峯川懸明月請舟樹天放高雲下
酒鐘不用攜琴歌伐木過江吾欲採芙蓉

郊遊憩叢桂亭酬陸嘉祉

幽草清流不遠郊亭前翠嶂秀娥娟曉風吹水客聲

鏡春日照山僧打包犨動鳥田亂鸂鶒一絲蟲葉下
蠨蛸士衡辭賦非招隱神悅松欒輔桂殺
北山春行書所聞見
懼滑攀危振古節力經勞瘁轉從咨空林古廟忽聞
鐙落日老僧忘打鐘行叩柴扉問導莫坐來山谷類
清冬明朝須掃白雲去盡覽北臺無數峯
仁和王顒晉三康熙庚子舉人少有美才試輒高等處
士陸梯霞先生掌教萬松書院愛其文以女妻之少宰
湯西崖爲陸氏甥風雅絕盛晉三恆爲入幕之賓懷清
堂集中所倡和諸什是也同邑閣學姚公女嫁於湯故
與少宰壻汪豪抱樸同觴丙辰九月後始來京師明年

三月復入溧陽史尙書湖督幕兩試皆不與晉三熟下
兩漢詩調敷腴圓熟格雖不高情寄特勝
朱鹿田工部席上用楊孝廉戒浮韻
恨無獻畧佐
皇風下馬文章上馬弓挾纊不忘邊刀冷擁裘還把
被池烘逃虛愛說徐無鬼命酒愁聽薛小童蛾舞蛙
跳咸自取也曾有句詠禽蟲
竹林二阮奏淸風妙手從無虛發弓迭見新裁拚羣
雛不鬪變慣慼印烘旗亭聲徹雙鬟女雛綺家傳長
鬚童每過元亭思載酒媿無奇問但雕蟲
錢唐周京少穆廪監生閣學仁和姚公所薦

楊花篇

春當三月春風織吹落繁絲復吹白悤悤折綠上林稍又送楊花撲簾額捲簾坐看風中春無情有情來向人十年客路緇塵滿一夕春歸白髮新楊花知是可憐生無人愛惜隨飄零有時欲捉捉不住飛作池塘水上萍浮萍浪跡鵑啼血啼得鵑東一堆雪忽然滾出打毬場撩亂輕狂沒分別陌上人謌楊白花飛來飛去落誰家畫樓人半垂楊樹費盡作風隔絳紗

經行上苑雜咏

西直門通御路長草芳沙軟落花香平原十里青天影看見斜飛鷺一行

暎街高柳逼天青露出西山展畫屏放眼春風一萬
樹漾煙和霧暗金庭
花牆低亞水波清藻底遊鯈小隊行知向玉泉山下
落響潺潺裏跳珠生
折入長林過畫橋御溝東去碧迢迢昨年說有船來
往滿面楊花雪未消
行盡園林荒沼存任人垂釣坐松根問渠指是朱門
迢三十年前絕跡痕
碧檻朱欄賣餅家鬧來消渴一甌茶清甘即是門前
水椀底沈沈散綠牙

詞科掌錄卷五終

詞科掌錄卷六

元和邵岷百峯本吾浙龍游人後遷虎邱爲武生屢游學幕太僕常熟蔣公所薦薦牘誤列附生爲部所駁不準試與秀水張庚皆工五言古詩而百峯登覽之作尤勝

游草堂寺

羈棲苦無歡遣憤思有適出郭緣清溪訪古得遺迹草堂佛日輝茅屋禪燈寂燕語非新巢鳥啼仍舊宅慨彼浣花翁老病殊方客生常賴友朋身自期禹稷遭逢干戈會賫志歸窀穸佳遊溯芳蹤論世堪嘆嗌光芒照千載一飽艱夙昔白骨不復知令名果何益

牛頭山

僂星出劍門薄暮上牛頭力窮巖巒峻目盡林壑幽
爪磴有停蹤傾崖無迴眸翳翳西日迫漫漫漠雲浮
風驚彫虎嘯戍晚飢烏愁左盼秦隴右顧巴陬
艱難思漢將百戰存炎劉誰歟義自昧妄謂國與讎
事往憤猶結悟來悲亦休前登戒徒御逝矣無淹畱

廣元道中

汎舟凌廣淵整轡造脩阪晴沙映綠疇春草相與遠
野鳥傍水啼林花逐風散川原杳何極時節忽已晚
煙生城郭青雲起波浪卷剩壘紀葭萌淌江皷燒棧
形勢驚雄奇客游悵淹蹇縮地歎無方御風故誰語

愧彼十畝詩勞生信蓬轉

五丁峽

晨鞅稅嶇嶔山蹊迭迴復躡雲邁陽岑氾雨入陰谷
嵐迷逕若窮峽轉勝相逐窈窕既循幽玲瓏亦浴曲
青林暎壁丹紫巘蒙條綠鳥哢協悲絲泉流響哀玉
子野多惑聽離朱有眩目靈異信天設開鑿寧茲淑
桃源在人間風塵自追束境過勞夢魂情怡愜幽獨
惜無鮑謝俱述作從所欲

雞頭關

征馬鳴蕭蕭澗水流潺潺水流何嗚咽馬鳴多哀酸
借問客何之言上雞頭關關門開一線羊腸裊青天

上有千仞壁下有百丈淵驚風吹落石洪波盪奔湍危塗無返馭微生寄征鞍靡靡遵本末遙遙至雲端故鄉杳何許天路安可攀悲來但自禁苦意誰爲言側聽隴頭唫感我涕汍瀾

井陘關

井門下太行山勢奔修蛇絕陘綻井底隘道容單車壁色凝古鐵𥔵形遶旋蝸雲端列百雉谷口開雙關關北兩門茲峙二通行旅一洩澗水戍火動蒼莽人煙聚峆岈巖嶅自合沓燕趙徙紛拏取氣矜鬬鼠殺聲喧怒蛙重關昔爭距六合今一家獵獵風中旆悠悠樓上笳成敗雖冥數尚德庶無差

吳江王藻載揚監生副憲奉天孫公所薦詩學齋香巖洋有鷺脰湖莊集雍正壬子清明日遍邀龔穀諸名公集宛平相國怡園各賦七言古詩一首追和宋蘇子瞻明楊孟載兩先生作凡三十餘人載揚爲之倡

君不見吉祥寺中錦千堆太守宴罷春花回又不見西江江上千堆錦按察看花酣墨瀋兩公後先二百春花前都現宰官身二者是一即是二異代風流作替人而今又過三百六十年前少人續惭余小子泉遺徽折節邀我赴余谷相國林亭花亂開羣公車騎聯翩來小部璨璨擊花鼓圍座瀲灩浮金罍浮金罍送白日共惜長安好時節但憑彩筆記重三敢論

新詩誰第一茫茫今古七百年流光過眼如雲煙此
日金盤綵鑑已繼熙寧壬子會來歲茂林修竹孰賡
永和癸丑篇
納蘭峻德克明歲貢生任戶部七品筆帖式副憲奉天
孫公所薦與同官保祿在中皆有詩名南城潘安禮序
其使秦集云覽其感物造端道古噞諷動生千載之思
而風俗政治之大端一篇之中閒見側出和載揚壬子
清明看花詩者納蘭氏居其三
雍正十年歲壬子清明約看城南花吳江王藻招作
會熙寧洪武無等差鬬昔吉祥花第一金盤盛獻千
堆霞娥嵋仙人坐花裏腰鼓鬬似漁陽撾疾風甚雨

寒食過紛紅駭綠空谷嗟西江省掖花開口眉巷楊
子逸興賒盛會上溯三百載綵箋琢句才華貽之
後人作張本人文歲序俱淸嘉是時天子耕帝藉農
曹有事不放衙昏暮歸來見名紙千秋勝事無以加
馬糞王郎旣倡首瑯琊徐庾俱名家蘇楊天人揭高
唱我輩前戒聲淫蛙出城天氣乍寒暖名園纔放千
紅葩西山過雨好巖岫雉堞靑絹雙鬟了入座軸簾
歌板細紅韡十隊啦箏琶酒痕暈漸森森花枝舞
插烏帽斜詩成春杯飲婪尾曲終夕照低簷牙六百
年閒此三會載筆豈可羞畫蛇錫鑾聲裏催歸騎[illegible]
樓暝翻金背鴉

全椒吳鰲青然增廣生安徽巡撫膠州王公所薦詩學晚唐時有秀句五言如鳥歸山影外人語樹聲中霜氣三山夜江聲六代秋迴風幽谷響返照遠江明七言如孤僧影入溪雲亂清梵聲移落照斜古木鷹盤青嶂迴虛堂僧定白雲開皆入吳子華韋端已之室刻有咫聞齋詩鈔陽局詞鈔

和韋左司寄全椒山中道士詩

雲開山氣清不見餐霞客幽澗寒泉流泠泠響孤石落葉動前林野樵歸日夕長唫左司句永懷嘉遯跡

元日憶妹

綵勝颭晴光春風非故鄉念渠頻顧影憶我定迴腸

踽踽嗟胡佽栖栖笑自傷大雷書欲寄愁話與年長
郎伯新離我傳經逐雁臣春迴三輔地酒對五陵人
旅鬢飛邊雪征裘椮塞塵天涯同令節又判客中身

常熟孫天寅雲合寄籍吾浙之仁和雍正甲辰舉人江蘇巡撫奉天高公所薦薦凡六人而雲合與長洲朱厚章二人皆不及試而卒雲合與余為同年歿後詩集散亡其從子實君客京師從其抄撮得數篇

兗州城南讀曾王父功伐樹德碑敬紀

儒生一身天下任文事武備當兼優國家倥偬起倉猝折衝禦侮資前籌於赫吾祖挺奇傑意氣颯爽蔑高秋六經子史俱闇誦旁覽韜略探險謀釋褐郎官

遂青責擒時萬目生深憂紅丸抗論忤時相欲致死地心方休當年熹廟政隳廢潰爛譬似藏癰疣姦民惡類日滋蔓擁護不復加爬搜白蓮妖賊煽徒衆一夕並起山東州鄒滕盤踞作巢窟直趨兗地環襟喉重圍密審布三币飛礮震動轟城樓廟堂乘此共推轂薦引自快平生雠登車慷慨彌激烈開道絕入從偏陬廣張購募明信誓徐出方略森戈矛虞詡縫裳示神怪張綱叩壘申懷柔蜂屯蟻聚頓星散湯湯河濟重安流功高沮格不得上僅晉一秩無加酬喜存公道在民吏備書全績工雕鏤豐碑螮蝀樹道左事閱百載名傳世飄零後裔餘一葉青衫白髮蓬鬆頭

南宮戰罷賦歸去征轅此地來經游驚看鼎扆石碣立下車再拜明雙眸摩挲跪讀至三四滂沱涕淚零難收煌煌大烈在宇宙負荷不克貞貽羞傳言東魯風俗美功德不朽相延佇鬼神千載願呵護覡首不向深淵投

贈余曾三

邊鸞黃筌向何處眞宰無心上天訴紛紛拙手任刻畫坐遺韶光擲奇趣邈來宇內推侔君細膩熨貼纖毫分可憐多用沒骨體辭花標格難超羣吾鄉山水鍾神秀余君筆力由天授粉黛千秋一洗空削盡穠肥標勁瘦晴窗棐几硯匣開信手塗抹如風雷壁間

一一雜花出枝頭兩兩幽禽來不求形似但得意趣散偏能餘遠致溟涬渾參造化先天公見此應生忌況兼楷法妙入神二王虞薛居儕倫獻之不詫烏牸似少保豈愛青田眞平生筆墨自矜重眼視黃金若無用俗人操幣百徧求縑素塵封不曾動與君難弟俱好詩誦余詩句稱絕奇閒來每檢好東絹爲余潑墨兼題余於畫品若未識但喜天眞惡雕刻每一披觀眼爲青古人只恐都無色勸君此藝莫更精少留能事還容寘他時恐勅六丁取反疑妙畫能通靈

錢唐符曾幼魯監生以工部侍郎休寧汪公保舉授七品小京官在戶部監督安倉家詞爲刑部侍郎靜海勵

公所薦丁丙艱不與試詩章脫手清便氣韻尤高初晝
有賞雨茆屋稿韻惟在骨始非俗淸到無言但得香咏
梅句也又有句云秋山到晚露全骨涼月伴人成若坐
又有句云三日不來秋滿地蛩聲如雨落空山皆在人
口居京師刻春鳧小稿錢唐陳楞山以爲操舍自命不
限常律洗削凡近出於自然如春在花如意在琴妙於
造神難以迹尋長洲沈確士以爲如鶴鳴空山泉流斷
察使讀者爽然洒然不自知其矜不躁釋也其爲名流
所推服如此後遊江北有雪泥紀遊稿余爲之序
時有譏訶蘇陳安託李杜者爲賦四絕
浣花溪上草堂春千載溪流絕問津贏得少陵無敵

手不知世有效顰人

幾見鸞坡走馬身也稱樂府謫仙人酒家欲解金龜
換愁煞當年賀季眞

晚遊瓊海鬢毛斑玉局風流世莫攀卻笑明珠混魚
目竟將薏苡瞽眉山

八十耽書老學菴淋漓筆墨醉來酣幾人窺見龜堂
叟誇說詩名過劒南

舟行新安江中

翠重黛掩山無數蛾綠娟娟好眉嫵溪山如此眞大
佳行人指說新安處家家結屋臨江邊門前多種垂
楊柳樓敞靑山四面橫水風吹得全消暑鵝卵紛披

五色陳江行見底清如許天外微雲吐復斂晚涼幾
陣蕭疎雨雨過斜陽沒遠山篛篷低小沿流去飛來
一鷺行近人獨對船窗如欲語

同太鴻敦復竹田聖基麟徵汎舟湖上

今朝出郭生歡喜滿眼西風作意涼綠淨鑑空漚鷺
影清遊客愛水雲鄉秋山近晚寒逾瘦萬葉將疎遠
尙香剩有閒心付邛鑿別時九更戀斜陽

晚登紅於閣

闌干缺角月當樓迎面西風暗解愁醉裏山光盧到
眼夢中葉落不知秋水聲入竹微微響鳥勢穿林拍
拍投獨聽晚鐘無一語只將閒意滿懷收

江都汪祚惇士庚子副榜官學教習副憲海寧陳公所薦詩有情味題家書後寄示兒輩四律曾錄示予

辭家歲月疾于馳又值春深夏淺時座上有花兼有酒客來能畫亦能詩雲霄騰趠開新路風雨凄搖失舊枝（入都後敝廬售去）寄語兒曹添近課每朝攬鏡鑷霜髭

平安兩字路三千翹首京華意黯然似燕營巢常處處送人作郡更年年網疏莫歎魚難餌槌鈍空傳玉待鐫知足愛閑吾素位不圖臨老俗情牽

袞袞諸公意氣新自憐孤館客愁縈庭萱露浥三年淚池草霜淒一片情未必利名俱可問從來美醜難辨評巖阿只合成樗散獻賦無才會聖明

九陌車塵蹴軟紅因循歸計已成空微唫小醉自無
恙小醉微唫書屋篠林篆題齋額也王石面樹皮原不同石面樹皮都尉入畫金壽門
所贈聯句也景物喜隨新節改姓名羞向故人通紫蟄黃
菊秋期蚤輸與江南四月中
南城鄧士錦太初以廩生保舉孝廉任廣東瓊州府額
外教授兵部尚書奉新甘公所薦有來園集與同縣潘
安禮立夫倡酬最多
佛手柑次立夫韻
滴冷曉霜庭琴席晶盤纖纖見高格五指瀟湘袞袞
秋天遺黃金鑄顏色樹下提羅香噴衣絳囊丹綠土
希沁入詩脾倘遂恩華池露浥寒葩靜畫屏影隔

冰花葉海燕江鴻淼萬里美人南畔采芙蓉脈脈相
思洞庭水
錢唐汪援甲鱗先庚子孝廉副憲奉天孫公所薦有夕
秀齋詩鈔

連雨效陶

南山何蒼蔚清朝結煙霧秋雨散平蕪溪水莽東注
荒村各寥闊微茫辨林樹喔喔晨雞鳴嚦嚦征鴻度
羣動不可息達人守元素
獨居南山下衡門對芳沚中流廣且深蕩漾無涯涘
清風起蘋末波濤從此始白露溥蒹葭寒洲委蘭茝
日暮湘靈歸采絃鼓秋水

秋菊飄已華奇芳滿巖谷高齋絕塵鞅賴以慰幽獨
海桑鳴乾條山中新酒熟清滓不暇擇用我葛巾漉
安能事束帶逢人徇寸祿
閒居博流覽避俗寡嗜欲風雨日陰霾勞我南山曲
好讀老氏經委心在知足宏音發鐘呂異光吐珠玉
所貴知者希抗情厲芳躅

歸安沈炳謙幼牧歲貢生東甫第六弟也少即工詩居
竹墩尋從倡酬極一時之盛上蔡程公總督浙江時與
提學奉新帥先生蘭皐雅意搜羅幼牧以五法九政說
受知薦牘列名第五在余與天台齊次風閒余時有王
前盧後之譏其師嘉善柯南陔方寧教太末寄詩有格

如花正爲君開之何羞澀喜其過也後余與厲二太鴻扁舟過訪留止信宿時前輩舲翁先生適里居觴詠不閒日夕今所傳積照堂聯句其一也幼牧罷歸棄稚不戒於火堂爲煨燼累世遺書皆隨之盡難兄東甫又抱人琴之痛幼牧侘傺不自聊賴將遊歷四方以抒其鬱鬱而迄無所合亦可悲已

敎行堂大理雙石屏歌

我觀巨室競鬬富羅列珍玩心無饜紫絲十里連晝閣縹緗八扇圍華欄珊瑚火齊逞無敵水晶雲母還相兼縈華過眼不再見誰陳苦語爲針砭我家舊物傳何代太傅名德垂清廉點蒼兩屏屹相向光彩煥

發驚觀瞻羣峰峨峨雲欲吐亘浪滾滾天相黏空濛
忽訝風雨作深黑疑有蛟龍潛眞宰賦物乃宛肖何
異畫手開生縑不材小子鬧舊事東觀著作谷窺覘
家宮詹公見示明史稿本得閱先襄敏傳運厂百六禍漸釀生殺大柄由
貂璫紛紛門戶各爭勝矛戈相向森鋩銛維公立朝
秉剛直淸霜霍地朝陽還滇南要地重彈壓敕作屏
翰安黎黔無何小醜逞烏合烽火夜警城門嚴推誠
激勵道心腹安衆談笑掀鬚髯三軍效命整步伐五
夜乘燭窮箭鈴牛擒渠魁獻闕下旁追餘孽皆殄殲
邊陲不動報天子安堵如故還閶闔捷書露布傳萬
里帷幄虛席調梅鹽功高位寺增妒忌氣直靡小生

愷嫌公歸載石航高臥大功不伐甘淵淹臣心如水
堅似石歸耕但願腰霜鎌羣狐竄盡大星滅激揚清
濁恩光霑只今空堂日相對摩挲倍覺神光添劫遺
龍漢萬寶竭玉石焚盡崑岡炎此屛何爲得完好寧
異什襲藏重奩先公呼友吾敢玩肅容下拜心彌謙
寶持常須覆深幕愛護更欲垂琺簾一經與屛傳久
久短繁辛苦窮書籤吁嗟同姓盡欣助幸勿稽展矜
脩徵作詩相勗期努力上述祖德慚詹詹

涼枕

藉爾消長夏桃笙位置同勞藤肌滑膩捫竹樸玲瓏
醉面常相慰清飈得漸通帶紋知久睡驅蝨爲蝿烘

汗漬光添潤香消氣更融乍欣飛栩栩轉恨醒悤悤
野客提攜便吳儂體製工高低心自適踪跡影全空
藏巧花千瓣翻新月一弓何曾來暑氣未便怯秋風
莫遣青奴妒休誇團扇功北窗幽夢好端合贈陶公
湘鄉易宗瀛公仙貢生試用浙江曹娥場鹽場大使宗
人府左宗正多羅慎郡王所薦弟宗渚公由監生候選
縣丞湖南巡撫滿洲鍾公所薦兄弟皆遊余邸監生祖
枕公仙子也工書
御製集中有題其墨竹詩
夏日西園聯句
長夏多瀟灑同人與共隨塵清初舞雨慎郡王水落恰

平池薄旭雲端出李鍇眉山殘煙樹杪披陰撲槐暴歷宗盧

公仙影弄柳參差簷乳爭喧爵宗諾公申林音尚囀鶯早蟬

棲葉穩丁贊履仁輕蝶下花遲篆裊蝸涎溼唐虞臣黜載雲奔

蟻陣移舊巢分燕子易祖榆天有細浪動魚兒報午蜂喧

壘祖栻張有知晴蚓上堺瓦溝苔繡駁吳偉雲漢章石徑露華

滋蕉葉翻書卷長住藺谷荷箭孕酒卮松高標落落余洋星源

竹淨綠猗猗映日欄當樹慎郡王牽風荇滿陂檻桐香

拂座易宗沛院草碧侵離勝景能相待李鍇艮辰亦見咨

桂巖同徙倚易宗瀛蘭坂足嬉怡殿所儀鉤絞唐虞臣簷

可巧微紛出染句受栫易祖榆水棟衍衛樓傑勢眞飛

拱易祖栻奇越御倒垂徐御如欲嚙李鍇轇轕總相縈砒

遠通回浦長住廊深枕曲碕碧闌連閣迥余洋丹磴入樓
危宛轉蜂房簇易祖栻紆回雁齒麗削應窮到氏易宗涒
斵看妙工倕可但觀瞻肅吳偉雲還欣坐臥宜高窗開
月宇唐虞臣小簟展風漪瀊潤連圭璧慎郡王斑斕列鼎
彝盤呈紅瑪瑙李鍇屏瑩碧琉璃枕琢支山石李鍇瓶陶
大邑瓷鯨睛供棐几易宗瀛鵬卵出香匜淬劍羞論楚
易祖栻面珠不讓隋鏈輕裝翠羽易祖綸挑雅製椆皮焦
尾龍牙軫易宗涒文枰玉子棊短毫抽兔穎唐虞臣古硯
截雲脂細響拈方絮慎郡王濃香發隃麋可徙心豔羨
吳偉雲眞覺眼迷離丁費賓主欣相接盤餐幸不辭慎郡王
長鑱今共與末塵暮承茲易宗瀛入饌燒青筍行廚折

綠蘡甘瓜連蔕摘易宗君新麥帶芒炊蒲嫩菹長劍李鍇

茶鮮淪二一旗坡仙羹玉糝易祖栻杜老鱠銀絲脆李浮

瓊實易祖楡香芹擷露蕤何妨加不托唐虞臣兼許薦蹲

鴟拗項壺寧設慎郡王團臍蟹共持水晶鹽炸列易宗瀛

桑落酒新治美以為天祿易宗君名猶讓米奇精炙搖

琥珀吳雯倬芳冽壓茶蘗狂看陶巾漉丁煥家教畢甕欹

青州寧至鬲易宗君上若使開村五斗醒能解長佳三蕉

醉可嗤易祖楡此中惟賴飲慎郡王其釣則惟詩七步才

難敵易宗瀛八叉衆所推雕能看纚纚李鍇吐鳳表纖綏

遠溯叢初調易祖楡與搜止始規猙獰雄怒虎唐虞臣天

嬌走驚蝸脫腕大孫錦余洋盤胸幼婦詞微詮何冰部

（易宗涒）驚座杜分司異語得曾有（慎郡王）奇思信匪夷壇
高爭樹幟（易宗瀛）珠在競探驪幽討初無盡（李鍇）遐情詎
有涯清言亦足矣（易祖栻）高論豈卑之義獻評書法（易宗
涒）荆關較畫師（丁鷟）褁緗仍帶骨屈鐵更含姿（易宗瀛）錦
袱珍唐搨（唐虞臣）金錢寶晉碑更窮三要訣（易祖榆）差許
六長窺樹石神倪瓚（易祖栻）煙雲幻郭熙西連還永日
（易宗瀛）展玩竟移時散帙開藤笈（慎郡王）尋籤捲蕙帷史
宬窮品騭（易宗瀛）繆約細追惟假魯存襃貶（易宗涒）因周
見禮儀操戈情未可（李鍇）染筆理奚爲嗜古多成癖（慎郡
王）訴還信有疵浮夸論汗漫（易宗瀛）疎略雜糠粃伯起
覃攻穢（易祖栻）思麻未免私范班才遜下（易宗涒）南北語

無訾元晦成能集易祖楡歐陽見不卑箋裴方正壽易宗
瀛滅昫郤勞祁隋晉文差當愼郡王遴金例可疑四難
誰並攬易宗涒二體各分馳甄別窮莊老李鍇權衡及卜
醫玩占祟管郭易宗瀛發難首黃岐忘我緣齊物易祖楡
知雄在守雌詹言符奧窔易祖栻小道卽莊檤上下會
胡底長任畋漁信莫遺余洋欣然眞有得丁賢樂此不知疲
好古忘朝夕易宗瀛憐才甚渴飢鼎乘桵喬梓李鍇儀廣
叶壎篪儘富瞻傾耳長任寧輸鼎解頤時還呈水鏡易宗
涒安見澀囊錐穆醴叨重設易宗瀛齊竽許濫吹曳裾
矜鄴下易祖栻彈鋏鄗臨淄黍谷陽先轉李鍇金臺價久
齋內園開別墅愼郡王東閣拓洪基諤諤斯爲盛易宗瀛

師師古所期徘徊尋竹素余洋踈散屛旌麾梁苑容叅
席昜祖榆河間許攝齊雄談貧抵掌李鍇莫問夜何其[illegible]
王

長住姓王氏字松儕正白旗包衣漢軍監生任
景陵八品茶上人大學士査郎阿妹壻亦愼郡王所薦

奉天李鍇鐵君先世蜀人故一字眉山原任官庫筆帖
式愼郡王兵部左侍郎宗室德公所薦鐵君家世貴顯
父輝祖累官少司寇又大學士索額圖介壻獨躭清寂
隱盤山廌青峰下號廌青山人又號焦明子自爲傳曰
焦明子有靜癖喜行無人徑嘗犯雨雪歷谿谷中獨遊
以爲樂蛇虎迹縱橫不顧也苦嗜著爲鐵錯瓦缶使奚

所至負從之每茶煙起水石邊樵采者咸知其爲焦明子也淳郡王爲刊其集曰焦明詩文刪稱爲高寒幽窅博奧崛奇聱瑕如佩玉鳴琴奔驟如雲車風馬文眞秦漢以上手筆詩非中晚以下格韻視世之以蔫花爲國妝以紅梟爲法物者超然遠矣

太學石鼓賦

於穆辟雍巖城之東璧池滮滮重屋隆崇布龜龍之圖書列虎象之彝尊設伯夔之頌磬縣晁氏之景鐘法物彝器濟濟乎其中而廊廡之陰則石鼓橫從焉寶有自歧陽來者過而見之曰此周宣王之獵偈也在我西垂久汚泥沙蟠彬斕舛缺齾竹筴初等奎壁

既儕士苴一物之藐歷二千五百餘年而興替之無
常流轉之靡涯也遂摩挲夫沈碧獨向風而咨嗟燕
客漠叟裾裾其衣姝姝其貌聞賓之言噤唫而笑曰
賓何衷之不廣懼將以遺譙也傾收視而反聽請畢
辭以告也周際共和宣烈爲倅本質不拔弱緒載理
文武是紹方召斯委徐方同獵犹出啾六月詠采芑
諸侯用命百神歆祀於是詰戎修武而大蒐於敖勸
成功以老耐共所履者寘式憑大此鼓焉是故其器
則密理貞膚淇工模製雷八而而中張玉五數而圓
剸其辭則倫脊骯髒闊奧深眑車好馬騶鰋鯉薁柳
比類尋聲爰厠雅後其書則揚波振擊鷹跱鳥震頡

體假變遷勢未分拆劃蟲魚是謂籀文當是時也蓋取筬於虞人或用懸諸國門冀致聲於來喆利垂訓於後昆及其替也暴秦隳原隰寢莎枕莽纏冰雪於塊圠辱泥塗於流茫牛礪角而豎歌鴉飢棲而月上汨沒乎陳倉之野與陳寶鳴雞相偃卬者又莫知其自矣若乃離合耀靈瓓彪振茫灘然而興若乎有唐一徙岐周再遷大梁洎宋南轅轝載北行遂叨陪夫俎豆乃作鎮於宮牆視天球於靈臺比欹器於明堂埒丹書於周庭鐫石經於漢庠器就毀而逾珍文已剝而彌章史元歷明迄於今日貴亦聞其說乎夫載道以人惟德繫物自茅之薄神則式之形質之微美則

說之眶鼓是寶維其德也若夫騶嶧之碑琅邪之碣
奉高之封泰山之石非不張皇恢恑隆崛翕赫輒人
往而慮遷讐不實而妄穢貸乃憮然而慨曰嘻鼓之
所系乃如是夫抑吾聞之錄古而遺今士有不貴也
數往而知來理乃爲備也今
天子執中建極材成萬有律度量衡軌物綱紀其損
益因挌皆足以纂前此之未周垂將來之至美然而
範金刊玉宜雅化昭至理若斯鼓者蒙竊未聞其故
何也曳曰貨不闕夫集大成者無專名體無爲者無
私仁乎夫以
睿哲之聖纘綂之純噓枯吹生契化存神固昭至文

於品彙寄妙象於乾坤又何一端之偏指片善之備
論者哉然其衍疇闡卦箴盤銘鑑暢神明於翕闢一
精識於充斂亙萬禩而長新彌六合而無欿較之夫
蹩躠跱跂標仁揭義者又不足與論夫久暫已叟語
未竟賓致齊邀大辯忘言太素不鑿蒙雖僻陋請從
末學

雉子斑

麥壠閒閒雉子斑飲溪啄藪時翩翩南風悠然百靈
化[illegible]冥至道併無前穿牛絡馬小智作湼烏浴鵠傷
其天工僞易伎殊巧廢離真改聽庸人先物性有固
然君不聞雉子斑

飢齧槽

飢齧槽槽剝齒骨肉中乾毛色毀強神獨立或不死

一鳴何傷乃若此飢齧槽風蕭蕭

秋日謁軒皇廟

土德承炎統雷光兆十樞帝鴻闢寶歷少典擴皇圖

盪滌乾坤色昭囘日月樸縮巢淳古闢軌物嗣王趨

聖實維先覺天方剖衆愚道隆九紀著政洽八荒蘇

襄野脅紆駕凶黎敢後誅應龍披毒霧牧馬喻迷塗

俛仰尋姬水傳淵巽鼎湖一邱純質見百尺此崖孤

神鬼呵虛殿山河拱舊都溯時繩契遠徵俗禮文敷

賁壁譌蟲鳥雲旗蕩虎貔樹聲商或奏雲意白仍鋪

歲寧勞積貴秋風拜匠夫莚今傳妙緒無事托陰符

幽棲

沙碧長林幽無人一徑夷闕禽雙墮地交蔓各升籬
心跡行都泯文章老更疑子山他月賦聊足述幽棲

觀象臺二十四韻

肇蹟顓蒙闢昭文象緯懸健行標斡運靈曜示蟬聯
覆冒綱維集盈虛氣朔宜處高凝倚蓋居默等淪淵
宿昔神明洽儀型睿哲傳造機符動靜剖器敵方圓
落下功初述（落下閎爲漢武帝於地中轉渾儀定時節）鮮于治自專（鮮于妄人
始以銅鑄儀）錯銀星度密（後魏鐵儀星度以銀錯之）注水地輪便（張衡以銅
制儀於密室中以漏水轉之）

聖智通幽眇

天工絕後先雙樞交合契都柱直任權梁裹觚稜層

跗平綿構堅石渠深轢聲簡平儀下有小渠有輪置以石渠中候者登梁環迴以視刻度銅蘂徑張弦地平儀張弦以測法稱則密管隸橫簫側弧分

紀限邊渺茫窺日馭毫髮析星躔歲月頒千禩乾坤

蕞一筵世難求髣髴誰足語踦笭灕亢青冥表遷浚

沆瀣鮮山龍迴局曲雲海極雕鐫六合環營綴三辰

執舊沿華林遺製薄梁華林重雲殿前儀有單規雙規以象春秋分日道南北極出入劉曜光初六年造文德巧思偏宋文帝元嘉十三年詔錢樂之造銅儀地在天內不動置日月五星於黃道上為之杠軸以象天運梁末植於文德殿前其精密皆不若時製瞻眺成眞

過祗侗得楚延王藉徒酌古眇古儀二分為一度體月小渠舊設由分為一

度器又過大王謂以三分爲度酌取其中虞喜謬安天弱趚暗宏響秋螂惑大年儻容恣寢伏或擬著新編蘇邕自朔方上書曰以八尺之儀度天地之象古有其器而無其書常欲寢伏儀下按度成數而爲立說

瀆山大玉海歌玉海色黝碧徑五尺深二尺強量容三十石因勢成器外琢諸海物皆凸起元世祖至元二年敕成置廣寒殿今在西華門外

于闐太璞濡深青龍膏髓凝蒼精白虹界天月死魄古斑黝澤同晶瑩乾坤靈鑱倘鑿致九牛汗喘來燕京玉人磨礱靡歲月仰盂呀口如天成剜剔動肉不動骨元氣灝瀚棲百靈神龍攫電野馬走鱗甲張滿飛石鮫海波浴日日轉蹴伏陰標作雲霞蒸潑兢魑魅辟不若規模禹鼎援圖經輪廣丈五深二尺注

酒不啻如淄澠瓊華島中廣寒殿高寒六月留清冰
神物納入諸品卻五山珍榻差抗衡（三年五山珍館榻成亦命置殿中）
此時元氏主中夏薛禪雅量吞滄溟（國人尊世祖曰薛禪皇帝）
東南片水實視此沼吳會見游魚烹時移世換玉云
改塗泥汨沒歸沈冥風飆回首歲五百復以屋瓦誰
經營迦陵仙音若相弔佛燈鬼火同熒熒我聞玩物
有深戒玉杯漆器非儀型天球不渝石鼓臥辟雖東
序長崇徵

冬夜留宿盧蘩精舍聽朱抱光陳行一講易圖夜分
抱光援琴彈碧天秋思雒朗飛諸曲行一起復爲我
劍舞二十四變燭見跋寒月瑩然而霜雞已再唱矣

少作好奇老好古陡見神奇在奥窟鼉龍振躍自然
事妙義乾坤由逆數京兆二君同鍵戶我來夜就雙
林語虛襟遠遇神近交折角曾誰意連拄燈昏夜久
人坐忘陳編未掩清琴張流虛入變兩不測天風雲
海聲琅琅此時萬籟肅不聞一樓一絲呼吸分寒颸
細坼湘水紋恍惚欲下雲中君琴歌既終客起立子
公曾孫劍舞及騰踏步武飄風急迴旋五五後十十
崖倒枯株虎氣吹山劃驚雷龍火帀一片霜稜不見
霜寒月墮地清冰澀始知役神不役氣能使觀者皆
震驚餅能彆然若處子此夕何夕歎觀止機含動靜
艮有以太虛溶溶曙光啟

卷六之終

詞科掌錄卷七

錢唐金焜赤泉乙卯舉人內閣侍讀志章令嗣也詩律精細世其家學戶部侍郎鳳臺王公所薦後官國子監典簿著有蠡測錄其說周禮云大司徒辨五方之物生二曰川澤其植物宜膏物先鄭注云膏物楊柳之屬理致且白如膏後鄭不從其說謂膏乃橐字之誤指蓮芡之實有藝韜者言惣訓水中有脂膏者莫如尊然單指一物未足以槩川澤所生膏物要是生于水而多津液脂膏者其菱芡蒓荇等物皆是也先鄭失之偏舉後鄭未免繫矣又云訓方氏誦四方之傳道鄭注曰傳道者世世所傳說往古之事也爲王誦之若今論聖德堯舜

之道矣此說未嘗愚謂道言也傳道者四方一時之所傳說也國語云古之王者聽臚言于市辨妖祥于謠問誦譽于路蕘四方之所傳道皆足為帝王考鏡故訓方氏為王誦之又云射人王射 句 則令去侯 句 立于後以矢行告 句 當如此讀以則令去侯立于後為句者非鄭元曰令去侯者令負侯者去於侯也孔疏曰負侯者服不氏也王氏曰去侯居之以避矢觀此當于侯讀無疑矣以矢行告者鄭司農謂射人以矢行高下左右告于王也據此則大射禮曰大射正立于公後以矢行告于王是立于後三字當連矢行告為一句又曉然矣矢行之高下左右必從後觀之始為了然又易曉也

遄昌不不得浴湯泉暮抵下口村

軒后服還丹肌膚若皺折湯池一洒濯故皮蛻塵屑黟山我未登懷古增纏結昌不有湯泉亦與香溪埒（黃帝事詳黃山圖經黃山湯池在香水溪中）十年困緇埃夢想心弗輟嘗聞茲泉水濆沸雖遠竭陰火然地中孤陽迸幽穴詭哉造化爐不藉烹煆熱溫隨神濆涌勃作尾閭洩既令積垢蠲漸俾煩痾絕我來值朱夏征途炎景烈思憩靈泉遊科跣慰所悅僕夫鞭頑馬終日驟永轍倏忽下口村使我困澡雪何時解衣來盤礴弄清洌浴罷睎天風泠然追禦列

揮琴峽

蒼山如雲屯兀突失天廣迴峯互開闔變態未易做
軍都古名勝所歷愜心賞逾關更北稅得境洵幽敞
呀然兩厓豁午景高可仰輕車忽如流有地平似掌
孱顏見峭壁孤拔無所黨橫空架佛閣鑿翠鮮寸壤
下有溪水聲鏗若徽絃響成連不可作空山神爲往
徘徊久竚立心寂生虛朗一嘯巖壑開翛然絕塵想

泠陘道中

紆折穿青嶂孤行不厭遙溪流石齒齒風送馬蕭蕭
老屋黏山罅崇崕困石樵此中堪小隱那得俗緣消
路入蠮螉塞人登薄笨車遠峯眞作帶古道石排喬
僧閣因巖構山橋趁水斜十年塵土客今日飽煙霞

煙衢重重峻風林曲曲通山奴收果綠溪女插花紅鳥破嵐光出城闉磴道窄忽聞征鐸響人過翠微中

合市青無極峯峯勢各殊孤雲荒谷老怪樹斷厓枯水淨沙逾白山空鶴更癯平生愛幽賞到處動清娛

病中雜成

世事紛紛了不知病來惟與靜相宜杜門永日清于水熟睡連朝伏似雌小檢方書諳藥性閒煨朮粥養詩脾已成嬾慢人休訝負向嵇康責禮儀

連日淫霖水決渠青苔及礎甑生魚叩門不見來今雨摩腹空思棗舊書深上漏痕時一補病中頭垢書嬾梳安心近得瞿曇法煩惱剛來六塵除

攝生有論味前規伏枕無聊百念隨俳諧人猶爭乞
米官微我更恥爲師鮎魚上竹徒多累虎氣騰空會
有時幸免龍鍾稱四十養將強健鬬熊羆
握臂量臍日幾回倦拋四體倩誰偎偶因艾盡求難
得卻笑醫驕挽不來風慢嬾收忘書暑夜燈頻剔積
香煤明朝病起尋幽去先向蓮塘倒酒杯
過刺梅園尋臥龍松不得恭歸有作
聞昔臥龍松乃在刺梅閣我來對煙草不見龍鬱蟠
道逐白足僧攜余坐荒墩爲言松之狀彷彿如尚存
此松逾百年長養勞厚坤風雷催不起偃蹇臥邱樊
脊身橫廣畝長可千鴟蹲皮皺鱗甲老近視孰敢捫

古釵翠龍葱牙爪時一掀野風拂其蓋響作笙竽繁
低迷黛色黯卑蔭蘭與蓀平原開廣衍入夜郊煙吞
陰陽幾昏曉生氣忽不蓄初時萎古綠頭禿疑遭髡
旋見斤斧來戕賊到踵跟番番蒼髯叟想像增煩冤
茯苓下纍纍環抱千歲根吹雲化仙犬遇客時驚奔
小劫等彈指物理有亨屯逝者杳莫追陳迹空討論
相將陟高阜落日明晚村懷歸山月白涼影隨行軒

錢唐金文淳質甫槃生大學士無錫嵇公試於浙省以
第一人爲内閣郎舉京兆秋試後以己未成進士改庶
常質甫爲赤泉同懷弟時有二難之目深于經術詩歌
清婉秀出爲館閣後來之英做王伯厚困學紀聞爲蛾

子錄三卷又著讀史卮言

伏羲先天四圖說

易之有圖出於邵康節前此未之聞也蓋康節得之李挺之挺之得之穆伯長伯長得之陳希夷以為伏羲先天之圖有四一為八卦橫圖二為八卦圓圖三為六十四卦橫圖四為六十四卦圓方之圖朱子則更挑出方圖于圓圖之外然而先天之圖止四而已夫易理原于太極故八卦橫圖首列太極太極是生兩儀故次列陰陽陰陽有老少而四象生焉故次太陽太陰少陽少陰四象相交而成八卦故次乾一兌二離三震四巽五坎六艮七坤八此八卦橫圖之說

也若夫圓圖則乾南坤北離東坎西兌居東南震居東北巽居西南艮居西北乾南者天位乎上也坤北者地位乎下也離東者日生于東也坎西者月生于西也風發乎西南而巽居焉雷奮乎東北而震居焉西北高而多山而艮居焉東南下而多水而兌居焉其與天地造化之理若合符節又所謂陽在陰中陽逆行陰在陽中陰逆行陽在陽中陰在陰中則皆順行圖之左為陽右為陰自震一陽兌離二陽至乾三陽自巽一陰坎艮二陰至坤三陰此皆陽在陽中陰在陰中故為順行若坤無陽艮坎一陽巽二陽乾無陰兌離一陰震二陰此皆陽在陰中陰在陽中故

為逆行繫辭曰數往者順知來者逆邵子以為此伏羲八卦之位理蓋如此此八卦圓圖之說也然此猶剛柔相推者也若八卦相盪則成六十四卦于是又有六十四卦橫圖其序則一每生二二生四四生八八生十六十六生三十二三十二生六十四始于乾夬中于復姤終于剝坤引而申之則四千九十六卦可推至于不窮此六十四卦橫圖之說也至以橫者為圓則其陽在北其陰在南乾盡午中坤盡子中離盡卯中坎盡酉中陽生子中極于午中陰生于午中極于子中故左方始復十一月也凡十六卦而至臨十二月也又八卦而泰正月也又四卦而大壯二

月也又二卦而夬三月也夬盡即爲乾是爲四月純
陽之月右方首姤五月也凡十六卦而至遯六月也
又八卦而否七月也又四卦而觀八月也又二卦而
剝九月也剝盡則爲坤是爲十月純陰之月夫復姤
各十六卦始得臨遯泰否以下以次而速至夬剝即
爲乾坤蓋陰陽之氣始生甚微漸次而旺此造化不
易之理亦圓圖自然之妙也若乃圓圖之中又有方
圖圓以象天方以象地圓上運行方有定位其次亦
以乾一兌二離三震四巽五坎六艮七坤八爲序首
一層八卦皆以乾爲內卦而又於乾上加乾乾上加
兌以至于坤第二層八卦皆以兌爲內卦而又于兌

上加乾兌上加兌以至于坤爲始乾者自此以上莫
不有乾首兌者自此以上莫不有兌推以至坤莫不
皆然所謂理出自然而非人之智力所能強爲者也
邵子詩曰天地定位否泰反類山澤通氣損咸見義
風雷相薄恆益起義水火相射既濟未濟四象相交
成十六事八卦相盪爲六十四卦圓方圖之說也非
天下之至精其孰能與于此

文王後天二圖說

文王二圖所謂後天之卦也先天主乎相生後天主
乎爲用有體則不可無用故文王二圖其橫圖以乾
坤爲父母乾一陽始交于坤而得長男是爲震二陽

再交于坤而得中男是為坎三陽又交于坤而得少男是為艮夫男本坤體各得乾之一陽而成此陽根于陰故歸之坤也坤一陰始交于乾而得長女是為巽二陰再交于乾而得中女是為離三陰又交于乾而得少女是為兌夫女本乾體各得坤之一陰而成此陰根于陽故歸之乾也邵子曰母孕長子而為復父生長女而為姤陰陽互根之義見矣此文王八卦橫圖之說也其圓圖則離南坎北震東兌西巽居東南艮居東北坤居西南乾居西北其序則長子代父發生于東長女代母長養于東南乾坤老而退居于不用之地也其位則日中于午故離居正南月中于子

子故坎居正北水旺于卯故震居正東金旺于酉故兌居正西土旺中央故坤位西南居金火之間艮位東北居水木之際兌陰金乾陽金故乾次兌居西北震陽木巽陰木故巽次震居東南先天五行處生方後天五行居旺地又先天乾以君言故主乾後天震以帝言故主震此文王八卦圓圖之說也夫先天橫圖以太極生陰陽主造化言後天橫圖以乾坤生六子主人事言先天圓圖對待以立體天地之體後天圓圖流行以致用天地之用而言造化者人事未嘗不出其中言人事者造化未始不舍其內有體者自然有用有用者亦必有體也則伏羲文王之圖其原

一而已矣

封大崟室聽劉仙兒彈琵琶歌

劉仙妙手天下無四弦十指紛披敷春風吹客逢長途猩氊土坑同跏趺簾垂酒滿彈向吾千人圍聽寂不呼撥絃幾點秋雨疎洗心入肺驅煩蕪輕撚緩抑發響初兒啼帀月聲呱呱漸彈漸緊相支扶呢呢私語聽模糊忽然突出膽氣粗偶然閒寂形神枯戛然長嘯鶴唳孤紛然襍沓啾嘈雜繁音促節無停趍悲歌樂笑分須臾一弦有似百指梳十指又似千弦俱嘈嘈入耳雖別偏一聲刀截還空虛微音緩緩絕復蘇一調便可傾百壺忽聞萬馬奔長途千軍手盡鳴

彎弧的然獨彎金鏃鋒淒淒戚戚何縈紆明君出塞

悲穹廬酸風割眸霜剝膚清淚滴滴凝明珠時彈此二調

曲終客散神氣徐燭光焰焰流瓘瑜璀粲逸韻猶未

徂遙空天籟鳴郊墟飲酬更酌一石瓠神飛但覺與

有餘箏琶兩耳平生軀聆君此曲百慮祛如籠放鳥

鑿縱魚禪心忽爲君手渝雍門彈琴孟嘗歔漸離擊

筑悲酒徒子建箜篌淳髡竽舉似劉仙俱不如嗚呼

劉仙妙手天下無

車帆

尺幅當風挂孤轅取路便輪人新製巧舟子舊名傳

窄翦村娘布平分估客船暫扶腰腳健常並鐸鈴懸

望訝舟行陸遥疑楫濟川半竿浮遠道一片舞平田
麥浪青中出松濤靜處牽乍移花影外曾過稻塍邊
似葉纔𨒪日如弓欲上弦縱橫追快馬安穩學神仙江南諺云搖船三樣手神仙老虎狗神仙謂張帆也度柳紛紛散逢橋故故連
不須覘與軏利涉自無前

車縴

沙路千塍遠桄繩一道修不將牽鴨觜偏用絡羊頭獨輪車前有兩角謂之羊頭車倚輻條條直穿衡縷縷柔逢途隨曲
折利用協杼併考工輪人行澤者欲杼行山者欲併束縛人工巧學環
足力道曳將恭似釣背取宛從流草色疑波迴天光
象水浮纔長禁繫馬轂轉勝行舟亦解牽趁日時看

起白鷗參差移樹底界晝斷山陬陸海衝塵度風濤

向晚收一推兼一挽常擁隻輪遊

車篷

輕裝依曲木長路藏方篷一一纏風索條條織露叢

欲空形半偃尊上勢微隆（考工記輪人爲蓋上欲尊而宇欲卑）倚蓋安

承霤當廬亦號穹張時疑覆釜縛處笑彎弓着岸張

融屋容身彌勒宮受人朝舫比聽雨夜船同碎瀨鋪

金日斜穿激箭風曲眠安野叟趺坐便詩翁曉度繁

霜白晴烘落照紅雙輪看並轉一葉訝齊工烏榜江

南夢分明遇此中

車鐸

一器工多聚祥金啓鐸函躍爐纔脫鑄通鼓舊會監周禮鼓人以金鐸通鼓獸滴唫朝雨淒凊答晚霎長鳴當古道餘響落空巖倦客渾無語微颸不厭謝馬頭懸箇箇輪腳聽颯颯轆轆調淸韻鸞和協大咸商聲隨步發金口幾時緘搖斷思鄉夢驚馳出谷驅無風音獨振對日影同銜羈士言難辨道人詢不凡飽聞詩興發覓句整春衫

秀水萬光泰循初稾作浙江總督上蔡程公所薦丙辰入京與京兆秋試循初少年有高才詩骨秀朗小詞溫麗如周秦體行不勝衣而文章氣奪萬夫罷後客津門查氏書傳注緒言一卷漢音存正二卷遂初堂類音辨

轉注辯

轉注之說許氏無明文其言曰建類一首同意相受考老是也夫概曰須則事形聲意類各不同類不同則所謂同意者亦隨類而異于是爲形轉之說者賈公彥曰文意相受左右相注而戴侗周伯琦諸人皆從之爲聲轉之說者張有曰展轉其聲注釋他字而趙古則王應電諸人皆從之爲意轉之說者徐鍇曰偏旁加訓博喻近譬而鄭樵趙宧光諸人皆從之樊沸蜩鳴迄無定論余謂天地之化自無至有自少至多皆有樞機運乎其際其可見者著于文字文字之

源始于一點（即丶字無音說文丿字从此）引而申觸類而長則百變而不窮諸說中惟戴周之說稍近然亦未見其眞也或曰何以明諸家之未當也曰我以考老二字定之也令善之令轉爲使令之令（平聲）長短之長轉爲長幼之長說文明屬之假借矣今必屬之轉注是顚與說文背也又考之苦浩切別無轉音老之盧皓切別無轉韻即或有之亦屬隱僻而謂說文以此爲轉注準乎是聲轉之說有未當也役他爲諧聲役己爲轉注其說起自夾漈原其意似謂以義爲主而以音相足者謂之役他謂之諧聲（如江河等字以水爲主以工可足其聲是也）以音爲主而以義相轉者謂之役己謂之轉注（如童爲幼小之

稺在牛爲犢在羊爲羜是也　以六書中諧聲兼會意諸字盡入轉注其說矯強姑未暇論卽以其說稽之說文于丂字下曰气欲舒出勹上礙于一考字下曰老也从老省丂聲是考之爲義絕無气出上礙之義而曰以丂爲主以老相轉可乎不可也說文長箋所載轉注俱從此論而合丂于考曰丂象气難出老人哽噎其气似之牽合附會遂其謬見如是而可繫天下之字何不可繫乎且夫考老二字自當各相爲證上之與下日之與月江之與河武之與信令之與長偏舉一字亦可以識其爲事爲形爲聲爲意爲假借若鄭趙之言則老字竟爲考之附疣與上下日月等字平舉者

不合論其次序亦嘗曰老考不當稱考考老矣是意轉之說亦未當也曰然則戴周之說果與說文合乎曰亦非也六書故所稱指反欠爲旡反子爲𠫓之類今觀考老二字老之上從毛反毛爲尾之半其下從匕反匕爲人與考無涉考之上從老老無反形其下從丂反丂爲丂呵音與老亦無涉而戴周僅以此說當轉注之全無怪乎其見譏後世也曰子以戴周爲未當又何以戴周爲近也曰天下之理縱橫盡之矣一轉爲萬萬轉爲一縱轉也一止于一而一之變化前後左右復不止于一橫轉也人之爲字增而爲从爲㐺減而爲丿爲乀其轉盡矣而人之類不盡于是反而

爲匕倒而爲止臥而爲尸屈而爲儿拳而爲勹匕相竝而爲比人匕相背而爲北人止相及而爲化尸匕相止而爲尼或離或合各有原委則戴周之說固轉注之一而不可盡廢也曰然則考老二字果何取也曰考老皆从毛是建類一首皆以老爲義是同意相受也由丿成彡由彡成毛由毛成考老是固余一轉爲萬之說也曰然則考何以別于諧聲老何以別于會意也曰六書四爲體二爲用體不可離乎用用不可離乎體昔之論轉注者俱欲于事形聲意外別立一體故其說多謬不知轉注之義卽隨事形聲意而具說文恐人誤以考專屬諧聲故錯舉老以足考之

下恐人誤以老專屬會意故錯舉考以加老之上苟以余言爲不信則假借諸字亦將求諸事形聲意外乎吾知其必不能矣曰子之論轉也明矣備矣注之義可得聞歟曰是亦轉也詩曰挹彼注茲是其義也指事象形形聲會意每一字一體一用轉注假借二字皆用彼以轉注爲轉丶者亦繫也

漢音存正序

天下可傳者形不可傳者聲形千禩萬載石泐水凝有不滅者聲一過即息矣是故聲不傳必待其人以傳而授受之際或輕重稍殊清濁微異唯之與阿相去幾何而末流遂以大判尚書之有今文公羊之多

聲譜其故可知也說文解字一書人多恨其諧聲多謬然就今日而論古昔不知古人之聲何似而欲俯而就今人之範猶以周尺量軒律秦權較夏鈞其牴牾不相合宜矣說文之時未有翻切後人附益互有異同徐鉉校定概繫以孫愐唐韻然後牙齶整齊平上畫一嗚呼漢初音聲在唐時已屢改紐柱自唐以來又復千載猶謂其淸濁輕重灼然可考我未之信也夫漢音既遠無可彷彿其存什一于千百者惟有讀若某讀與某同諸字縱不能遠追永元之世親至萬歲之里拾其緒餘傳其欬唾要其遺蹤絕響常若託寄于副墨之閒則固迺然可想見矣爰縱橫臚列

細與唐韻參校其中讀切合者十之六其異者十之四存之以見古初之音迴異凡近其在律呂亦土鼓蕢桴之遺奏也

鐵簫歌贈惲丞源濬

鐵簫仙人如古鐵袌有鐵簫凜冰雪平生愛簫無若寒寶如三尺青琅玕作聲冷冷滿天地脆質纖條少深致亦有健者超鴻裘仙人覩之皆凡材大道陰陽置爐炭飛羣鼓鞴明星爛逸氣初含雲霧深元聲作出蝹宕散自言夙昔有三簫一簫騰趠歸煙霄一簫嘽噎米時物古聲不合今歌絕惟有此簫海上鑄虛中猶藏鮫宮霧龍伯彷徨聽不眠夜深擊斷珊瑚樹

峭帆亭前月色多酒酣耳熱春婆娑函宮未休清角
動正襟而坐冠峩峩林翁苑尊儀魚躍坐有東吳顧
文學拔劍能爲斫地歌曼聲一起梁塵落仙人仙人
戢爾孤坠之鳳皇莫使叫嘯驚天閽賣餳已過清明
節吳市西南夢正長

橋亭卜卦硯歌贈周四焯

橋亭卜卦硯宋謝侍郎枋得物也周上舍焯于天津
叢祠中得之長尺有二廣減三之一焉有桯文滴題
識又有行草諸書環繞硯之左右漫漶不可辨上舍
將以卜硯名其齋非甚篤好何以至是余作詩識之
寶峯山下兵如蟻赤羽無光鼓聲死天塹長江渡者

飛何況弋陽半溪水壘山先生飲聲泣麻衣草履空
山市賣卜聊從季主謀食薇不索長安米一代冰霜
兩鉅臣信州信國東西峙風塵澒洞乾坤改餓躐量
翻幾終始片石模糊留世間貞魂崛栗呼難起屑係
愛古搜奇僻野廟荒涼駐游屐手拾支牀一片甎中
含南宋千年碧隱隱龍蛇行押署楚公趙識生光耀
聞道蒲輪下碑初剝章實自楚公追舉善無成竟贊
賢珠沈玉碎昭忠赤周侯愛硯勤藏弃不寫煙雲寫
經籍草屋三楹接大河過名卜硯稱安宅成都嚴難
肆己散江潭詹尹無留跡他日山中訪故亭亭邊叢
處殘書積

金吾橋釣魚不得贈余入懋橋

楓溪先生釣魚客一生嗜好惟釣綸潛心學釣五十載以竿為政魚為民窮推淄澠辨涇渭細別早晚分冬春疾徐高下間在髮口不能喻身能臻昔年薄游蒲陽地仙華左右多絲縉支離一叟坐兀傲藝絕通國傾為輩先生從旁奏薄技拋竿亦從清溪濱斜陽未移潮未退大魚已滿雙盧艙道旁觀者如堵壁老叟再拜蒼顏騂一從北來走塵土兩竿如玉常隨身北方荒傖不知釣度關每受封人嗔今年伎癢思水樂抽帆鼓枻來三津三津多魚亦多釣鱠飛如雪堆如銀熏陽路過風日美城東水關無疆垠主人閒風

促治具鍾針削竹昏連晨金吾橋邊汊港曲垂釣終
日無纖鱗滿船賓客咸大噱謂今何拙前何神予答
先生固合道事有偶屈非常伸利鈍恒因攝屣屣驥
馬亦爲鹽車呻區區垂釣猶小者水寒地瘠空勞辛
淛河東西予故里任公瀆逝無時湮他年相逢賦賁
具定結甫里爲芳鄰

宿桃源夜聞巫歌

非歌非謳作神語夜向河濱相爾汝嗚嗚神絃坎坎
鼓鯈魚出游龍起舞涼風洗人若秋雨桂宮之神居
潛淵椒爲屋兮蘭爲橑陰房融融罨朝煙靈旗之來
朱霞翩我亦不眠醒達曙老烏叫悲白楊樹老巫舊

花蕚勝去

火樹銀花曲

春湖薵釀青蒲荷春樓夜植花竿高白玉簫傳尊榻鼓杖輕鼓急花如雨始訝輕冰膈膊鳴旋看列宿辮橫明也如螢玉駢珠裹大有叢鈴碎佩聲看場壓倒人相倚十二闌干鬧笑指竹外靈禽挂綠毛雲中采鳳拖紅尾雲中采鳳水中龍水底雲中一色同太眞枉自然犀照未見陽侯珠貝宮櫻桃風緊迎春小葺五部光族于鳥衚憶年時水暖初晢痕綠到橫塘草夜深重啓藏春塢褡襠叢叢紅楚楚蝴蝶成團宿花兩小鬟私致花前語願為白日酺花轍願作黃金鏄

花骨莫學燈前一晌紅酒闌但剩三更月

無錫王會汾孫服膺生江蘇巡撫奉天高公所薦乙卯舉京兆秋試後以丁巳成進士改庶常己未散館授編脩孫服恂恂如不及鍵戶讀書無間寒暑詩章秀發亦館閣之英

正月長安花

江南淥水春薊北元雲凍陰陽慘乖割一氣誰搏控憒瞶怯何芒力盡餘寒縱杈丫鐵色死黲澹冰花霽明窗溜夜蟾綺疏禁朝晞劇憐枝上春灩灩光浮動喧妍小人態諂劾先時貢溜房石炭燒盎缾新泥壅物情競鮮美冒穢莒蒲供屏風龜甲開帀坐螺杯送

上客炫金貂佳人唱幺鳳燭卸染浮煙溫香雜青夢所悲豔陽節生意憐枯葑蟲聲草芽出膽捂薪芻用爭先能幾何過時轉餘痛幽貞莫怨嗟秋橘行堪頌仁和趙昱功千貢生臨川李公與其從兄鐵巖同官少司農聞其才且賢薦之功千雅詠溫恭築春草園有池館之勝異本書近數萬卷與同里沈嘉轍樊城吳焯尺鳧陳芝蔚九符曾幼魯厲鶚太鴻及弟信意林搜集南渡遺事系以斷句名南宋雜事詩刊行之盛爲海內風雅所稱說其從兄殿成松谷嘗選其警句云嵐對則有堤上風開及第柳山中春到狀元花別拋杯彈驅鴉地高綴金鈴放鴿天太鴻洛花總入南圖去越果新從項里

來國事已荒藍貌鬼南人惟恃黑灰團尺鳬在昔曾聞呼
冷蓋至今惟見說韓黎功千紅頰香孩梳鵶角青鬟嬌女
簇牙魚柳堤紅舫宣魚戶煖殿春燈點盤背意林巧綴則
有醫身醫國皆司命星陷無如奴僕宮讖語何須燮鼎
折元勳一代在春秋欒城岳家昔與張家並今日韓家有
賜田江上竹光方快飲庭前何惜碎生薑功千牆西措大
窮寒甚只讀江東陸氏書儒官諱逝大飛觴祭酒應為
捕酒來太鴻縱有迎康天賜兆鄰緣貴仙庫東牖意林幽黠
則有緣何障子臨秋水一穗疏花上草蟲幼魯趙家小景
佳山水畫上春衣雪色織金錢買得秋多少秋傍玉人
雙鬢來太鴻幞中妝點嬌兒女荷葉新裁半臂紗手把輕

羅襪絮語每逢三月病懨懨摧盡深閨兒女淚玉釵何
處寄相思意林啼痕染就紅心草誰葬金釵萬嶺東尺鬼地
上天宮春九莫牡丹斬插馬頭籃胎仙倚與鳴皐字缺
遺荒亭塑鶴棲功千悲楚則有淒涼望斷中天路朔雪橫
空雁影稀十景亭邊春事散風光老去舊樓臺攢宮已
建容車出萬國齊錚白柰花欒城誰知天上春生曲流入
金源總淚垂遷客磬痕蕭寺壁相逢生怕唱杭州蔚九明
月夜寒彈怨訴琵琶聲咽故宮秋意林木波不斷幽人怨
梧葉聲中蟋蟀燈尺鬼淒涼老抱東都感猶譜金人捧露
盤幼啓惆悵一聲雙淚落無人知是李師師太鴻歌斷紅兒
楊鐵史柳絲風漾不勝春忍聽簫吹南來怨三十六宮

秋草寒功千鉅麗則有一尺繡茵塵不動退朝禹步寂無
聲瓜果進來消永日宮官小殿講中庸欒城潮沙築得平
如席五輅新從大禮來幼魯內門唱徹連珠謠珂繖搖心
促郊行功千因有宵衣難畫錦白麻紅燭敕摘文太鴻嚴正
則有聞說相公多睡語休將心學識蒼生欒城可知故鬼
依新鬼祈室前頭已奉安不計本根江乘鼎坐教保護
劍門山尺鬼芙蓉玉貌攜添綫休遣若王怒淨歸太鴻名孫
死節留餘議難洗當初老鳳毿蔚九風趣則有不信香山
老骨宿玉顏花貌坐進臺從今閤下乘龍登莫解金刀
與別人尺鬼一燕鶴飛消渴荔軟屏風底笑大人意林茵冷
處無新拜號太師竹倚一枝紅郎君可是無金屋畫取

湖山近臥牀太鴻東風過了花飛盡不及銷魂有粉兒蔚九
不道東風花有主空教分帖野貓家功千雄壯則有笳鼓
滿城馳鐵騎伯顏江上看潮回樂城巫師但擊靈鼉鼓更
有何人賦大招尺鳧白骨難爲補天石太行久已不能山太鴻築
蔚九如畫則有劈開磎石尋微徑窗外江光一抹開
得圖蕉香裹住野橋支杖一僧來桃花數萬隨流去恍
在武陵源上頭功千幾處桑麻村舍外漁姑多住藕花洲
意林柳絲高颺紅旗小閣機平移妓樂來樂城
送司空大兒南歸兼欲歸田遂刪之致得元字詩四
十四韻
東甍幾請火紛然離緒紛紛寓附街東西夜行畏蹸蹸

閶闔望未開呵止環衛設出門復入門小坐意爲緩
竹簾一層涼窗燈青餤蒸幽光四更吐仰屋覓霸餞
閑閑蝦蟇椰晨星疎可攄攄衣徑遊前僕夫已鶴駛
朝衫毳褐換布韤塵韠濮誰復識老翁脫簪霜髮截
宦海四十年馬長加叢簪千齒老而傳聲名仗孤拂
分咎退遲頓屋壁且挂舌三朝忠愛心戀戀捐余玦
平生馬少游下澤懷駛軼雲山縱麕鹿風霧御蛸蜊
聱身而倦世未有名位縲險篇滿饑裝賜書百城埒
既有宅相賢更喜一孫鼻我送街道旁掉手再三別
曉色分霧氣行月試軌轍忽忽語未竟過耳車聲絕
雁心淒以耿柔腸鬱且折揚舲下通潞白露涼占節

秋水時正盈一帆迅飄偕畫九賦歸來好景憑寄語
去家十五載親朋幾更遷案詠斑白多七人情款懷
檢點獨無我柴杯攜將屑彫胡炊秋根郭索縛稻蟹
幽若葛嶺妍石泉龍井列新酒斟天時孤懷霜下傑
西郵湖隱深處士山心潔舟以名不繫縈以擬快雪
稼問老農知經課諸孫闢洛社呼幸民論年集耆耋
擲來朝市諠劒首吹一吷得時失亦斛無累懸解斷
賾哉託材輕逍遙散參泭顧我尚淹留涯返感叙舊
忼慨倚歌悲遂勃逐塵嫌倚闕白雲多浮生旅鵠子
他鄉慨悠歎明年歸計決湖頭春水生相於戀鷗鵝
苦寒

上章涒灘歲月正縮其和祁寒實中人誰能不吝嗟臘去春已交屓贔威棱訶靈臺善推測驗應預無訛僉云今寒甚徵訊黃髮皤羲轡卻三卯土囊飈六多大地騁怒虢長空呺鳴鼉哀哉氣淩兢噫歎聲宅波道路遘猛厲仆殞在頃俄高門與陋隅狐態不知他予也羈旅人冷怯方鷙嵯閉關便晝寢齒齘噤朝哦獨坐頻軫粟共飯難撥沙長炕煉不焚（長炕見舊唐書高麗傳）窮室轉蝸螺越絮延熯燃齊紈退總紕綿簾時一揭絕似寒門過如蝟起蹤蹜如牛或寢吪如兔臥置罟如鳥縛媒囮弊裘蒙背擁如黽背橐駝凍筆援澀書如獅尾篆科又如僧託巢偃僂一鳥窠又如師面壁

寂定一達摩僵體袁安室蒸氣焦先窩陰凝乾霊積
老樹堆瓌瑳鬖髿層冰白葦山蹭蹬戲瓆筋挂瓴甋
縞帶膠輪軻凌淋如陸行腹堅曳澤河枯茭經野燒
吹不醒黑鶬草名見管子蠢幕燈檠倚膏脂厚凝鍋夜燭
一再跋冷淚乾銅荷深杯或逡巡醉面難為酡窮薪
火爨傳不灰木巳磨背負獻君暴手燎不龜痾寒只
窮袴爾老無燕玉何入穴伏冰鼠幕蘭閉絲蛾向晚
幽桓怯嚾難挽脊戈春凋陰凍礫生意惜婆娑東皇
候暖律胡能小蹀躞羣物待惱州陽回三變禾圖梅
數九九喜罷消寒歌
仁和趙信意林監生通政司使寧夏趙公所薦與兄功

千齋名稱二林功千又字谷林也

食熊掌

三月電流光繁花日漸老池水涵青銅風篁搖翠葆
小山春事佳開徑石未掃有客初解裝來自嶺南道
山熊蹯一雙遠致豈云少秋時柔更鮮冬蟄舐亦飽
老友轉分腴撫髯喜絕倒謂欒城先生謂余莫輕製其製
亦須考聖惠得膳方酸醎雜清醲奏刀除厚胝瀹釜
脫長爪久漬大如球細膾膩似臘正值牡丹時申訂
集同好配之惟蒓羹佐之以香稻我輩藜藿腸饕餮
性縈繞無故不食珍見美亦難矯醉後尋餘甘煙月
幽巴皎

題陳惟允采菱圖

采菱復采菱菱香不知數緑葉出波平刺船響於雨佳人重芳鮮三五沿南浦清歌唱滿湖餘音婉如縷蕩槳山之陰竟日忘炎苦照影惜朱顏驚飛雙翠羽此中把釣翁時聞更親睹愛住水鄉寬晚峯窺倒樹

夏五雨後同樊樹登隱几山樓望江湖諸山奇谷林五兒客茸城

高樓乍雨歇風急散林渺夕氣生四簷積翠撲雙目杳靄翳湖雲濃秀出浮屋南瞰江外峯巒峯立青玉下視新水色野鴉合芳綠開襟有素期一寫人清穆昔遊半跡遵景光與人逐錦展不可尋掩圖味幽獨

吾念吳淞閒煙波泛晴漾好山各自看歸來話舊[illegible]

詞科掌錄卷八

江都申甫及甫布衣僑寓西安浙江總督大學士無錫嵇公所薦詩章秀拔律調尤妍

送侯元經

侯生得官去顏色慘不懌臨岐爲我言此行類遷謫向來走場屋雲霄期奮翮讀書四十年貧料擲今日窮猿奔山林得木不暇擇念此平生心耿耿未能釋我笑謂侯生君固非失策家貧有老母那得長作客及親三釜養樂與萬鍾匹不聞古毛義捧檄生喜色一第何重輕乃足爲君惜君少負異才一日十行疾下筆不自休詞瀾浩莫測百川歸江海萬怪恣惶惑

紛紛小儒輩鶩顧舌欲出謂宏聘絕韓千里事奔逸
十上竟徒勞霜蹄嗟屢蹶坐看駑駘姿爭先跨足力
況今數年來風氣變已極文章亂眞僞學術判南北
所以科目中拔十纔得一置君于其間遇合奇難必
君今官雖卑薄書亦有職苟有心利民百姓將被德
對竹與哦松餘事寄詩篇俸錢廿千外足以供酒食
醉飽列長筵安坐謝耕織貧不勝前時騎驢滯京國
大夫且加餐長途多跋涉士生不逢時低心莫稱屈

春初四絕句

客裏歌場冷似冰春愁如酒力難勝黃塵十丈京華
路舉扇何能障茂宏

不成空過蚕春天柳勒餘寒未吐煙賴有知音共陶
寫廢琴重理十三絃
彩毫休憶夢中春輸卻瀛洲九斛塵博得神仙須惜
憐故應與爾各知津
一官東埜貳酸寒憶侯元縉不信詩人遇最難今月花前
定相憶三年前共仕長安
次韻舒雲亭即事
春風吹得帽簷斜半日郊行興最賒花片有情能逐
馬柳絲作態未藏鴉青山近郭尋詩路紅袖當壚賣
酒家不信閒愁都無限也如孤客在天涯
歸安姚世錄念慈一字改之乙卯副榜貢生同鄉兵部

侍郎吳公所薦病不得試丁巳補考已擬進呈以卷中塗抹過多報罷詩才清雋律絕尤見擅場後以西林中堂薦與修三禮

古劍

月鍊何磨劇苦辛五山精氣尚兩眞何曾會作酬恩語贈有寒光冷照人

齊金楚鐵擅名高碧血模糊[illegible]戰袍不躍不鳴兼不化問渠何處異鉛刀

光閃芙蓉鍔冷秋摧剛到底不能柔最憐鐵繡銅花後生氣猶然向斗牛

短匣埋藏可奈何洒酣聊復一摩挲搬痕如畫英雄

老不爲重添血淚多

食魚客舍富盤餐長鋏無勞一再彈看到匣中三尺水九龍夜吼萬星攢

山陰沈冰壺心玉廩生太僕常熟蔣公所薦周充牧鴻爪錄云心玉頗涉獵書傳詩雖多非所工也嘗盡擬古樂府一卷桑主事弢甫攜入都以是知名得膺薦牘及廷試最後納卷被斥落或言其史論中欲黜蜀帝魏及進金元而黜南宋當事惡其偏謬故也今錄其爲人題照一首

五十之年鬢已禿自愧生不長鹿鹿縱橫几案走書無跳擲雙丸去何速此時回憶少年時彷彿[illegible]入[illegible]

鄉曲況復陽春二月初憨綠嬌紅紛在目臥起忽聞
啄木聲投我錦裝與貝軸中有神仙風度殊濯濯亭
亭拔凡俗茗椀琴囊位置宏板橋曲院春光足
新建曹秀先冰持壬子舉人官中書舍人戶部侍郎臨
川李公所薦丙辰先成進士改庶常不與試

聖主躬耕耤田詩

農事祥關萬井春綸成無逸上
楓宸周詩下豳邦家綫月令三推典禮尊擘祀卜年
長卜豐耆躬元日擇元辰齋宮瀨轉排
天仗笮劍龍城川露新
耕織蒸本各綸閭我

皇繼述啓苞符星明五穀開銀甕露浥三危浸玉壺
太史簪毫書大有老人鼓腹向康衢薦馨明德昭全
盛清廟生民播遠謨

錢唐汪沆師李一字西顥諸生少從樊榭厲君學得其詩法文辭清豔博極羣書上蔡公補試全浙之士以景陵瑞芝賦春雪詩評一一十一史浙江通志序受知有集曰小眠齋稿

西溪

無多漁舍夾溪斜小艇沿流不下叉一鳥背人飛過水忽驚吹起白蘋花

從唐璈乞蟹戲賦

蛤蚌郭索名百種未箋爾雅先流涎年來絕有畢公癖登盤不羨侯鯖鮮雁飛八月穲稏熟橫行介士來沙田一朝失勢擁泥草磊磊落落紛鉤連憶昔傾脂河倚棹自炊楓葉臨清漣桃花醋冷蜀薑嫩尖團大嚼矜便便歸從西泠臥晼晚充廚入跪無山綠蘇堤趙堤亦產此小邦郳莒難隨肩昨朝霜信到門外新橙透甲香縈簾持螯左手計未得清夢已落鴛湖邊人生適意杯酒耳挂颿直欲衝秋煙故人倚餉十筐惠破航急洗開風軒

秋夜懷衡洲先生

迢迢清漏隔簾遲人定堂空枕獨欹雨響敗廊聞葉

脫螢飛高樹覺星移三間照苦憶東西屋十首甘輸婢

僕詩安得橫塘同小隱秋風臥老槿花籬

小吳軒曉望用淸遠道士韻

佛屋晨鐘號落月淡天漢高柯滴殘露似聞蒼鼠竄

山僧促我起忍寒事幽討宿霧隱短堞一髮尙漶漫

逶迤射朝曦河流明斷岸遠煙澀不飛幾點帆影亂

亦作匹練橫山腹互其半蒼茫彈指生霏微過眼散

乃知起滅因浮漚同震旦下士未聞道卽景慚染翰

玆遊冠平生奇絕發三嘆譬彼優曇花一現莫可贊

靈峯閣

秋風戰敗葉蕭屑墮巖罅霜落山轉佳愛此變不借

懸崖徑逼仄十步五欲下樹頭見僧雛招手笑相迓
登登躋傑閣目眩發奇詫但聞大浪喧不辨千濤瀉
寒潮疊殘陽破碎光倒射壯觀恣幽情願戀山中駕

甘露寺

昨宵三詔洞今指北固山山勢崱屴若斧劈脚雖未
插心則孱呀然一徑出山麓步可容足線而曲前牽
後接彎環登漭瀁長江排逝駛眾迴路轉得寺門佛
燈晝閟松陰昏赤烏遺刹歷下飆迤花鐵鑊嗟無存
老僧面襤衣色壞導我扶節到上界多景樓上斜日
明沙鳥風颿淨如畫由來京口紛戰爭至今鼓角帶
邊聲射堂喧蹄簇上馬甘露寺前人不行名山會須

展再蠟叩齒三帀禮公壇天風吹衣袂下山去回首蒼茫白雲合

泛舟遊阿育王山雨中望太白諸峯

四明山水甯三佛寄高躅擬著消摟衣偏遊期未卜倩我同調人喚船在蘆洑孤槳蕩寒煙微雨溼修竹冥濛瞰前峯數朵青可掬蓊然雲忽歸又見太白麓昕背祓酒眠悵抱苔毯縮解醒藉名山杖若鳥出谷矯首窣堵波瑞光千丈燭持帶謝塵緣願就諸天宿

姚江待潮

泛船桃花渡卸帆龍泉山山雨江上來吹我衣斑斑此時坐愁絕懷我山中客雙桐蔭一簾倚闌自吹篴

或愛水滿湖縱艇掠飛鳧時憩綠陰下醉聽提葫盧

我家小園亦不惡新抽三竿兩竿竹況有枇杷繞屋

垂摘來大可療詩腹胡爲錚跉逢底獨自眠芳茗一

勺思無緣（潮水鹹澀不可煮茶）觧擬觸硬不得前乳竇峯石齒

齒合潤橋水濺濺十束香茅吾老矣

題商編修盤樵風涇圖

前年曾買山陰櫂萬壑千巖看總好橋名夢筆記江

郎寺訪天花恍值老眺奇探欲十旬留梅雨濛濛樹

喚鴉此時淋漓亦復領幽渚柯亭日泛川清遊彈指

成陳迹漫說人生幾兩屐錢唐東望莽湖生小築難

營一區宅揭來騎馬向燕市雪花十月飄瓊蘂欲出

翻愁塴堁泥空憶烏篷濕煙水寶意居士今翰林寓同靜幽常相尋籠鴉采笞有微尙攤鼻燈前動越唫越山如髮樹如薺極目鄉關路迢遞爲倩僧繇老畫師寫將別墅明窗底圖爲張大飛編修作竹垞松篠地百弓樵風涇口石帆東向青遺構依稀在坐看側南北風編修別業係倪尙書鴻寶舊址生年滿百亦轉燭杯笑春蘿門裏縛世間得失盡雞蟲當杯且惜聽絲竹況開林館塵埃少卻借符皮樸未倒對圖何異刮金鎞頓使翳人豁懷抱西陵渡口與從興遊爾他時賦遂初醉醺酒醲三千斛乘興能來僕道居

閏重九集秋白山房看菊

海國霜清秋意酣登高隔月事仍諳不辭瘦木符重
佩且喜迴蜂菊又簪宛委書林通窔窱流蘇錦幔結
鬘鬟屏分左右盤雲閣墩占東西鬟翠嵁萼吐豈會
緣七七徑紆試共覓三三玲瓏璚紫參差苗絡索金
英交第探霍靡扶闌姿不澀葳蕤嶄嶄態尤憨竹雞
冠紫附金坼擬荔支紅色作儞綢繆網垂似髦高
擎瑤琖大如甌味適萍實盆筐架氣敵芝房門座酡
冀英藥殊州德梓栟櫚節襄川樹谷彼名種溢蒙泉
譜益算勤齊鄧縣潭序屬元冥猶自拒川水冀北半
江南致梨亦數嵩川會鍾呂居然瓦釜參梁翰有人
凌傅卞研經無席奪衡評離根采可裝耕枕架上方

宜鈔玉函皺皺鴟夷浮綠蟻霏霏雁檳巽黃柑循環
彩局分曹射的轢鐙輝市地涵劇愛冰絃翻側盤底
須擲鼓奏都曇伎指露重沾裾潤哦月鴻低接翅餚
殺粉爭看闘壽客哦珠俱合紀載譚得開笑口休相
避使作遨頭亦自堪醉忘嚴城催曉漸懶呼列炬送
歸驂倘遲二紀修前約應憶花糕此宴既萬年青載今丁巳至

丙子又闘九月燕都游覽志九月開花糕宴

病齒戲成

天鼓難鳴忽動搖搖將如意嶸峯敲禁方未見飛盞
撒幞夢空傳活玉巢豈為梅酸常作樤非關樓擲漫
相嚮平生自闘無恩怨齷齪何緣此日交

呻唫伏枕過蘭秋餐骨蟲多未肓瘳頬似含哺疑不
吐涎如逢麴櫱頻流涙言乾肺猶能噬乞得黎祈暫
可羞齒折舌存君悟否人間名實判剛柔

雪中儉堂主人出滄州十年陳醞會飲分賦得求字

酒經列品逾千種我未徧醻徒共搜遐來酒國第甲
乙南數越州北滄州譬之嵇詞阮旨各有致二者妙
理當於象外求直沽地接清風樓鯉魚灣水綠似油
紅砂大甕家家窖昨朝雙鴟遠自五壘城邊寄恰值
雪花門外吹瀌瀌手皮皸瘃毛蝟縮霜稜勁撐鐵貂
裘故人與發瓮前浮闢舒盎盎春意柔不速之客周
南張北中央劉爲言灑藏剛一紀二十三務無此精

而劉趙珣熙寧酒課滄州二十三務杯傳到手不復留泥飲爭效巢
鶴囚醉鄉自昔矜上頓麴部便可營糟邱人生何必
萬戶侯釀王亦足傳千秋坐聞枯樹鳴寧戚義和叱
馭無停轍仰屋著書非良謀何當移傍瓠河古驛住
日夕酩酊臥看青天鷗
罷後客津門查氏賓主留連極文酒之樂守令聘修郡
縣志乘採其風土謠俗為雜事詩百首其最佳者
海門百里莽無垠往籍爭疑僞不論指出逆河歸宿
地笑他梁公總唐人
藍田雨過稻花香吠蛤聲中趁夕涼喚作小江南也
稱僧衣一帶抱迴塘

虎旅雲屯脫棘袍唐皇曾此駕征艘權僧不省興亡
事自補袈裟擅襦禰
中春積雪一灘明好趁東風蕩槳行試問熬波人在
否暝會啼上角飛城
綵絹葉葉接檐牙子夜風吹蠟葉斜白病踏殘歌吹
冷長街拾得七星花
冰泮河干一水通家家櫟末引錢龍爭致煎餅靈辰
會頭倒翻移明庶風
驛路垂楊色作勻絲絲如線拂河濟舒來只欠蘪蕪
綠九字空嗆潘舍人
河東關曲水拖藍五五三三燕子龕好是一層樓上

望遠帆如鳥屋如蚶

宣城施念曾得仍拔貢生試知廣東興寧縣巡撫昆明楊公所薦丁巳補試令祖愚山先生己未中詞科詩名海內得仍守其家法格律清遒悤促別去未暇鈔其集有爲予題松吹書堂一首

松風吹屋角謖謖來清曠繞屋帶平岡激流漱迴浪廓然塵境空緬尙太虛廣中有讀書人自在羲黃上萬卷羅胸中從來鄙章句自赴鶴書徵早接鸞坡步蕭灑謝風期不易煙霞素展卷憶山居松聲覺在樹

常熟趙永孝漢忠一字謹凡文毅公曾孫也雍正甲辰孝廉詹事太倉王公所薦潛心理學有何論微驗百許

秋夜

景物秋宵靜不喧幽人延竚慣遲眠一庭月漾清光
潤萬斛珠凝碧影圓仙掖暗滋涼似水天香徐泛夜
如年但參鼻觀聲聞寂無隱林中恰悟禪

當塗吳鏡顏長康熙辛卯孝廉任江都教諭年近七十
矣闢學桐城方公所稱

送道士王崑霞遊采石

瓊花一株天下無蕃釐自昔稱仙都名花雖萎服丹
客餐金吞玉掩五銖我識黃冠有王子丫髻唐衣五
雲履不向人誇七九還手把丹經吾所喜慣愛華陽

足養和更饒結習有詩魔百年三萬六千日拚與磨
邊醉裏過勝情還復愛山水跌蕩吳頭與楚尾閒損
吾鄉有洞天躡屩行縢從此始笑我老猶牽世網羈
屐入生能幾緉送君舟發竹西庭夢裏家山心憐憐
我友昔年方外交友鶴州十了懸壺錢結幾閒茅去去長
江在腳底風晨月夕同推

寄贈壇塘菴僧蕙谷

十年夢結在名藍占盡晨煙與夕嵐世外因緣畱錫
住定中消息許龍參青蓮遲我三生話黃橘分人一
味甘多累不堪牽世網周妻何肉負顏慙

長洲沈虹徧梁康熙丙午孝廉任句容教諭江蘇巡撫

奉天高岑所鷹著有蓬莊詩鈔

枯桐

枯桐既已焦中郎斵為琴嘗其爨時不異於束薪
聞聲獨見賞作合眞有神飾之以朱絲徽之以黃金
手揮發五弄拂拭時相親良材豈自厭直由知己伸
向非蔡中郎吞聲委灰塵賞音世固稀湮沒安可論

支研法螺菴作

尋山值杪秋巖壑邈幽妙術苔絜絕壁水痕排乳竅
古洞落葉塡危石枯藤繞翠柏際空青丹楓明晚照
日落嵐氣陰潭影清復曜行行訪招提山徑何窈窱
入門寂無人林邊歸鳥叫殿閣隱層阿環立千峯峭

我來無支公誰可永談笑孤埜步月明時聞山鬼嘯

贈彭二基士長歌并送其北行

我聞太史公遊歷徧名區文章有奇氣下筆驚羣儒乃知十年讀書如蠹魚不如窮奇覽勝恣所娛可以佐我胸中書惟君浮長江臨鄂渚過岳陽涉南楚指乘鶴之仙人懷望岑之帝子憑屈賈之遺墟訪仙佛之故址（漢蘇耽仙人唐無量壽佛皆郴人）日月出沒洞庭之波樗蒲清照湘江之水（湘中記湘川清照五六丈下見底石如樗蒲）衡岳連綿雲陣奇嶺嶠氤氳滃燦起紛薜荔與杜衡雜蘼蕪兮蘭芷擴開見丨　朝拓心思于萬里更從二酉探祕文不避五溪淫毒親乘舲舸兮上沅辰灘高水險石犖

峋雷祠青漲皆名[illegible]驚殺人喜君相逢在此地紀遊得
馨新詩句況君所遊皆我曾歷處讀之親切愈有味
短篇奇古逸氣饒歌行奔放風格老更出當年燕趙
詩悲歌慷慨傷懷抱花前月下縱談論金壺玉盞齊
傾倒有時攜手登山坐翠微同聽泉聲與猿鳥樵徑
無人日暮陰共嘯劃然崖谷杳歸來對榻不知疲話
濃午夜還疑早君今復何往跨驢上荊襄上荊襄度
大梁從之入帝鄉君才自足珍廟廊絲綸世掌傳鳳
凰承明金馬增輝煌余亦東歸別意長遙憑著作勸
寄將

雲峯老僧歌

路入雲峯已半山老僧款款開竹關雲峯高出白雲上尙有雲截峯腰𡶶徑危磴險行蹤踏策杖攀躋汗如液時時喘息抱長松往往欹身倒磐石來此連傾數碗茶忽覺精神抖擻加山風爽人來四面林鳥怪客獃一譁老僧自云力猶健入山住山足吾願飢來餐有纓絡粥山中糧盡以米少許雜草煮食爲纓絡粥常時劚得黃精飯洗鉢烹泉擬玉漿翻經拂石即禪牀麈尾有意閒投迹花鳥無名睡覺香一龕古佛時相伴百顆輪珠持不斷咒力能將猛虎降心淸不怕山魈見有來歲月任如梭那問寒暄人世何雪積斷巖知臘近樹榮幽谷識春多潺潺碧澗流相續蕪蕪青峯看不足但覺

衰顏自減紅還椷白髮欣微綠芒鞋時復踏層苔箬
笠常敎拂翠堆瀑布巖前聽水去石梁橋畔訪仙來
此身自喜無拘礙坐臥住行多自在客來茶話亦悠
然正欲登臨觀鬆雞言罷翻身徑入雲亂峯深處渺
無聞相從欲作遨遊侶鸞鶴飄飄覺得萃

自笑

飽肆塵飛怕軟紅侯門手炙畏炎風意錢未解呼盧
雉躍馬無能拓臂弓不奈州成消渴飲況闘拳喚蹴
鞠翁長安道上人如蟻自笑區區百不同

自檢詩篇漫題

落拓浮生喚奈何不堪觸境復成魔義山哀悼情常

結了美飄零感最多得意長唫偏下淚無人簇拍忽
高歌誠知性僻沛閒事卻悔年華任擲梭

武進吳龍見恂士增廣生江蘇巡撫奉天高公所薦入
北闈聯捷成進士派戶部貴州司額外主事詿事降調

駕幸國子監行釋奠禮恭紀十六韻

首善宮牆峻方秋祀事虔省齋陳鼎俎釋奠燦几筵
璧水和鑾下圜橋綵仗連玉墀明燎合金殿曙光懸
肅拜鏘珩珮高瞻振鷺延尊師惟主鬯慕道有加籩
降灌行清酌升歌動曲懸馨香浮簠簋俯腯薦牲牷
肸蠁躬和集居歆袞黼前六成迴武舞九奏協虞絃
苗裔元公恪趨蹌庶尹賢受釐天益縱稽古聖重宣

遣眷周廷仰斯文闕里傳峩門黃屋麗石鼓翠華妍

毎憶

臨雍日兼懷

講學年不才慙頌禱紀盛附瑤編

錢唐盧存心敬甫廩生副憲海寧陳公所薦著有白雲集

代簡

有客回橈語水濱因風一紙獻雙親白華采采來千里預借梅花十月春

進賢饒允坡右蘇拔貢生提督學政翰林侍講周厲參蓮先生所薦嘗攜其集至京師山陰周元牧亟稱之歸里

後不可得見矣從其鄉人錄得無題二首非其至者
輕楊柳線綰朱櫳初日高樓燕語通鏡裏含情傳彩
筆池邊催舞倚翾風蘗蕪關能珠盈裹金鴨燒殘蕙
滿叢不是繁華兼寂寞那能待笑倚牆東
羅帕冰文煖半消碧桃花下坐吹簫乍逢蛺蝶歸開
院又報流鶯度綺寮好夢慣從媒雉卹佳期猶愛彩
鸞招春山自隔河源路其雨參差逐恨遙
江陰翁照朗夫監生南河總督大學士無錫嵇公所薦
德性醇謹篤于氣誼少以所業質蕭山毛檢討檢討序
云意充而舒度遠而不拘于偶其才思縱發所至開道
實無不足而又又見其有餘見實如此壯歲歷遊大幕

章奏尤工錢唐沈垿云豈有後山四六之工乃無子蒼
二三之嘆非虛美也詩名賜書堂稿

清溪夜歸

雨歇生微涼清溪有餘勝粼粼秋水平濯濯夜山淨
野人愛延竚月色淡相映得句獨歸來寒蛩滿幽徑

同張匠門王石谷倘湖晚步

結伴尋秋趁小晴幽溪寂寂少人行友如作畫須求
澹山似論文不喜平乍老寒花深淺色欲殘清磬有
無聲爲耽此處林泉好遲袚還來坐月明

行路難

坂九折山九疑駈馬去將何之坂九折猶可陟山九

疑猶可躡濁流湯湯猶可揭谿谷有形入易覩羊腸
虎口長如故對面存心行路難幾回會勸公無渡公
無渡行路難無形之山十八盤無形之水十八灘屋
樓隱見鱗回淵蠶叢屈曲藏重繇見玆淚出不敢彈
吞聲躑躅摧心肝行路難公無渡歸去來恐遲莫酒
可沽詩可賦粱鴻之妻王霸兒食有粟兮衣有布歸
去來公無渡

沈歸愚席上送邊壽民歸里

男兒七尺生世間過與不過俱等閒操觚不得擬高
第抱卷卽當還故山安能終歲事趨步向人俯仰低
心顧淮南客子胡爲者十年寄跡燕臺下金粟箋帋

不肎過落落自甘交分寡日之夕矣突無壓禿穎一
枝長自把頭年聞說栖偕爐硯山壘海供吹漁三遥
紫闌潛入畫半庭紅葉間臨書公卿見之互招致一
笑已攜南來車東陽瘦沈吾老友丶一生少可而多否
名場結納多傳流獨喜稱君不去口朝來握手殊歡
然貰文適得三百錢欲令一識天下士特爲道酒花
之前羈旅相逢倍傾倒醉中便乞揮蠻箋知君老大
不稱意聊假筆墨爲游戲點染無非一刻功流傳即
是千秋事金瓶牡丹世所妛君謂老草無人知玉版
拓本世所徇君書瘦硬無官樣吾儕獨具好古癖片
楮分來空叫絕舍眞取贋自古然物到違時無氣色

君今四十猶飄零雙鬢漸驚辭故青當筵忽爾動鄉思金昌亭下先揚舲吳儂家住楚江側九畹名葩向曾植要博秋來幾度看及到花時長作客感君知我遙相憶寫出數莖當贈別臨岐展此重徘徊料得故園花正開人生勝事不可負我亦掉頭歸去來

程蒓江寓閣秋眺同用柳儀曹與崔策登西山韻

松篸宿雨收萬象豁清曉空翠忽飛來遙岑隔林杪便娟數煙鬟望中皆了了地幽池館閒天迥川原小游目超人寰冥心契物表清磬時一聲泠然出深篠頓令諸妄空永謝六塵擾頹齡不行樂雖壽亦云夭因偕靜者遊得共探元眇少焉羣籟息月白夜逾悄

三度此淹畱相識到魚鳥歸來有餘戀尋山夢猶繞

迎笑亭寫望亭在靈巖山太湖諸勝皆萃於此

滿亭飛翠撲輕裾大好風光畫不如數摺晚山迷樹一竿秋水上鱸魚室藏烏喙人安在舟載蛾眉事恐虛轉眼霸圖消歇盡而今贏得話樵漁

官署茶花次宋彊齋明府韻

陽和二月中衆卉紛紅白燦燦黃金花亦藉春風力本爲畦中種忽向階前植託根苟獲所退處殊自得微雨一以滋遂堪供小摘官廚乏兼味惟茲充晚食歲事既屢登一飽有餘適自公來濟川民久無此色因之和清唫聊用紀芳蹟

涵秋亭懷師十五南塘

疎林過微雨返照明殘滴獨立野亭中蕭然起寒色

澄湖落雁斜古渡啼鴉寂不見遠歸人楚天濟秋碧

宣城梅兆頤怨漪諸生安徽巡撫泰山趙公所薦

喜胡象虛至志喜

卅載同心友

皇都喜盍簪君尤荆樹合我共酒杯深仕宦讓年少

閑遊愧鬢侵儻居惟隔巷秉燭路堪尋

桐城方觀承問亭少被家難謫戍出塞遂習邊情過赦

還里復從平郡王至大營奏授中書舍人詹事太倉王

公所薦試前一日

上以題密授平郡王時問亭方客王所恐被嫌令勿試
時桐城方氏舉者凡三人南堂辭不就有名辛元者以
經解背謬置劣等問亭有用世之才辭藻煥發岦其一
遇而卒不得當人以爲恨

西關上巳

曲水依芳淀高嶮朗玉宸新晴元巳日舊事永和人
岸草遊痕淺宮花晝漏匀良辰在休沐祓濯亦閒身
故國幾千里韶光暮復晨京花遲閏歲江柳暗深春
蠶女衣相浣漁舟水正新青溪與三泖歸路兩無塵

詞科掌錄卷之八終

泰和梁機仙來辛丑進士改庶吉士未散館改知縣又改儒學教授大學士高安朱公所薦仙來弱冠即負異才父弓以庶常授武庫司主事仙來來京省謁處士北平王源或菴愛其才即有婚姻之約少刻有北遊草趙遊日記

迎暉樓小賦

西崦入兮晼晚美要眇兮修遠枹津鼓兮堂堂輿玉仗兮齊張擫朱管兮要之鬱以薰兮下裳懷椒糈兮瑤席安虹幔兮象牀起鳳彝兮其來暗佳期兮辰良碧城兮珠宮帳駊騀兮渺茫傳天門兮廣開啟魚鑰

兮黃閶來吾道兮玉轄雲之君兮紛紛而延望迴絳
雪兮三疊拊璈石兮八琅鐵修娥兮行列紛總總兮
葆光明眸兮善睞萼綠華兮蘭香跪隴辭兮貝闕軿
北斗兮金漿高余冠兮連蜷蹇將肅兮穆皇貽班龍
兮明珠繫嬋娟兮瑤纓君欣欣兮醉止將以遺兮樂
康排閶闔兮鳴虬與汝遊兮滄桑令赤烏兮匆迫使
顧兔兮安翔霓爲旌兮羽爲蓋星有闌兮夜未央展
轉兮五史望夫君兮徜徉

井陘山中即事

悴極愁無地寒雲冷遐矚徐硐嵐光迴向背磽确隔
半裂欲不流石門倚且復作經危磴沈驚峭懸遶曲

樹古冬青爾林虛天風謖匀響驚馬蹄移陰就靈谷
色冥鳥性怡若靜幽鹿伏登登望不窮隨聲落澗瀑
取淡泉斯膏破潔冰思浴振衣狎清暉澄懷滌芳淑
百五見煙霄尺水知龍宿秦客空花迷毛女徒松服
驗神入飛潛驅妄警羣欲水田陰漠漠鴈翎影翩翩
山上雜英香山中酒應熟拂巒指前林取醉下平陸
地僻喧塵寂村幽野趣足四面樵唱來落葉紅如玉
稚童負米歸小姑提筐掬漸繞青旗亭徘徊蘆荻屋
微火溫樹煙短籬蔭苦竹不用酒壚黃沽取巖頭綠
習靜豈殊觀息機媚幽獨

臨川張錦傳與輝附生江西巡撫滿洲常公所薦同里

李進士紘南園雜著中載其文謙賦

歲既晏客言旋南園先生惜短晷之易逝感聚散之無端乃班席而論道送將歸以贈言逮文字之既終命置酒而爲歡於是名理充酣羣疑霽晰俛仰上下傲倪今昔飲酒欲半有方內之士執爵而言曰渙乎茲遊洋洋然樂則樂矣抑吾徒之竊竊爲先生弗善也蓋吾聞之德以功而益彰體因用而可見聖賢時人之耳目修齊治平之開先也維先生之始載抗志泬寥沈涵于九邱八索湛嗜乎三略六韜抉懸門于揚馬賈餘勇于劉曹辯屎滑稽之炙轂思邁雕繪之令[illegible]數妙譽于當路想風度于同朝泊其擬巍科登

顯第四海之內謂睎皐夔而躡周召矣先生去而不
處邈秋風以長懷託蓴鱸而興思詠鋤三徑肅治間
居葆光而用晦蓋一紀于茲矣且夫情懷獨往景物
易戀習能移人安則爲宴昔之時野馬吹息迷陽載
塗樹噪鴟鳶壇穿蹤跡方是時豈知有南園乎日月
幾何而山川迴換柳長成圍池平似案松偃婆娑之
輪梅横詰屈之榦草凌冬而青葱花匪春而漫爛當
人境以結廬與俗塵而隔扞羌生態而寫心孰在彼
而不嘆錮煙霞于膏肓渺珪組乎河漢曾無勞于匡
襄誠何美乎屬鍛雖已精而益精將持是而爲算末
入逌爾未之應也授筆士子參于末塵乃選而稱曰

允矣客之言是也然而未諒士固有被策樹勳勒鼎
書帶榮名以爲寶者亦有瞻慈依愛凊夏溫冬悅親
以爲好者一卷一舒抒其所抱叱馭回車何必同道
哉客試觀先生眷睠之閒知先生之挾匪慕榮而熱
中豈玩世以冷眼直以太夫人躋耄耋之年愛日啟
處唯恐非遑安能離膝下之色養爲寵利之皇皇哉
況乎仲氏矢心謀
王猷而鞅掌叔兮竭力念白髮以承顏實忠孝之相
資報
君親以無慳故乃拔蓁莽淪水泉嘉樹立美卉攢侍
問退日盤桓或咏詩或撫絃俾吾與諸君子得從容

請業於斯園此其意都不在乎山水之閒也而顧以退休之風規概南陔之志意客胡慮之不完乎卽起且歌曰積景兮停妍惟幽人兮憩軒彼眷生兮引望念高堂兮永矢弗諼竟歌四座屬饜引滿相奉以斯言爲有當也

歸安孫見龍叶飛少司寇屺瞻在豐弟子也與竹溪沈幼牧皆少宗伯巖存巷我斯之塏康熙癸巳會元改庶常出令青浦以事去總督奉天高公合兩江士試于白下題爲時雨賦叶飛爲第一

紫薇花賦

三殿香風微馥九天丹誥初封梟爐煙之細細韓花

影之亟重茲花也種來天上名出璇宮生自文昌之
府移從太乙之東對金闕以舒英偏能迎日傍玉堦
以吐豔最愛臨風旣擇地兮茂育亦歷時兮蘢葱際
春陽兮布綠當晝永兮呈紅劵芳者越十旬而外爛
漫者約百日之中夫其繼紅榴於中夏接丹桂於三
秋已落重開含葉共飄花相續將殘更放新枝倩嫩
葉交抽嫣紅隱翠淺碧藏緅不粘皮骨自得風流一
一柔條常臨西掖雙雙老榦竝對南樓彼其光風影
宕晴露熹微麗景當軒遙傳天語繁英滿砌屢拂朝
衣鶯聲則恰宜新霽蝶舞則時愛晨曦貞不淡芳菲
之聞客耽玩賞以忘歸是蓋質本天成豈有資於受

采姿凌凡豔原無意於爭朱隣太液之恩波並紅蓮而舒翠幄映上林之瓊樹偕碧柳而耀金鋪儼同袍之相對識蹢蠋之堪娛當夫晚露輕煙畫出綠陰片片曉凝清露滴成紅雨絲絲色借蒲萄花下進涼州之醞光流銀漢籐前傾王母之巵擲錦灑以彌鮮畫歷南都之粉黛楚雲飄而增麗直登北地之胭脂達夫之庭院雙開韋曲數並冬郎之籬邊倘遊豔遜偏奇宜其名高雞樹植近龍墀而從止佛家聖境之栽長留瑞竹仙子天堦之憶最愛靈芝觀於泥金之詔初來薇省之香正密絲綸閣下夢照黃昏盧白堂前株横落日到粉廊而沐猴半鉤則初上花梢臨玳瑁

而微嗌斜影則猶餘卷帙鴛鴦綢綺暈淺色以裁成珠貝沈煇染輕綃以製出搔麻姑之仙爪態搖曳兮呈妍拂少女之祥飈條參差兮互糾對數叢之明豔兮籠裙而如襯霓裳散六瓣之氤氳兮倚檻而如飛絳雪襳褷弱影時悠揚於鵁鶄陰邊膩滑纖肌長沐浴於鳳凰池側奪得宮袍之貴殊勝綠衣分來金帶之光堪隨黃色簷外則明霞璀璨蔚朵齊煇天際則異采繽紛千葩似織喜上苑之託根煥文章而華國豈若桃李無言而自傷朱槿朝榮而夕悴薔薇則狂蔓之長牽海棠則妖姿之逞媚所可羨其得地之榮而同其耐久之性也哉對花欲舞把酒當歌歌曰遲東風

兮豔陽婧淑景兮舒長伴紫垣之曉月兮豈復使紫
塞之秋霜獨笑當風樊川罔寄懷於比興長唫對月
香山更相賞於篇章
華亭王祖庚孫同相國文恭公孫丁未進士知山西興
縣捐陞主事山西巡撫滿洲碩公所薦
哭葉少文同年
吾年十九歲庚子瘧鬼為祟苦欲死君精扁俞謝艮
方藥之十月初且已與君締交數往來扁舟常艤赤
松里可憐王粲好遠遊五載流光如電駛執徐之歲
返故園大母顛牀不能起君聞放櫂促歸師横鴐風
濤破卯水先生高義逼古人視人之親猶視己相逢

翦燭話西窗訊君別來何所似濡忘誤我廿年餘毀

之無憾翻可喜飄然意氣凌青雲蕭艾何能掩蘭芷

玉堂學士僉使君徧植公門桃與李明年

天子闢賢關摶空鵬翼乘風始我亦追隨宴曲江君偏

絕跡長安市杏林仍著衛生經不隱風流實在此落拓

江湖數十年功侔良相垂青史昨烹赤鯉報南音忽驚

跨鶴緱山峙流光荏苒易白頭無端六十如彈指雲霞

零落心煩冤涕泗闌干不可止況我索米滯金門莫

致生芻薦清醴憶過徐生郭隗臺感君惠我尺幅紙

早來繙得篋中書筆蹟猶新所墜隨君今閱世成古

人祗此交情猶可紀東野古劉叉古心昌黎有言差

足擬吁嗟乎蜀鵑莊蝶若有情一朝物化如脫屣魂兮魂兮靡所言但使修名能立何必紆青紫

後以需次選入閣學張天瓶薦校書武英殿己未仲冬

皇上大閱南苑獻賦一首

皇帝御極之四年歲在屠維協洽中冬三日大閱於南苑禮也臣聞之易曰弧矢之利以威天下詩詠車攻馬同洪範八政終之曰師周禮大司馬掌九伐之法以正邦國恭觀依古聖帝明王罔不經文緯武赫聲濯靈虞舜之舞干羽大禹之誥戎兵殷宗之撻伐鬼方姬后之徂征淮甸稽之遐牒皇哉唐哉欽惟

皇帝乘乾出治握兌脩圖典學懋勤孝思丞則紹

列聖之洪基善繼述而康黔首聲教所及淸和咸理
屢茲太平之年不忘講武之事簡徒衆示訓練亦王
者綏遠敉寧之要圖也書云帝德廣運乃聖乃神乃
武乃文非我
皇其孰能與於斯於以勒諸金石播諸管絃以彰覲
光揚烈之宏庥宜示永永永不亦偉乎臣欣逢
盛世快遘
昇平媿乏班揚之麗製臯乘之妍詞足以頌揚
聖德於萬一竊自附於歌衢擊壤之義臣謹拜手而
獻詞曰
星纏於火律應葭飛慶倉箱於蔀屋獻豜縱於甸畿

收虹霓之彩影散鷹隼之豐羣稽彼禮經載獮狩之
令典修茲戎政布
聖武之雄威於是簡車徒建旂旐甸帥清塵野廬灑
道詔司馬以戒期敕虞人使樹表沃壤平其如砥高
臺曠以延眺雪霽兮青映遥山沙淺兮黄含細草楓
染霜兮斑斕樹連雲兮繚繞瞻旌門之從隧仰行幄
之奐安
萬乘臨而雷震雲屯六師陳而馬騰士飽乃降乎彤
階出乎紫城華蓋順動
帝車啟行鵷鷺扈
蹕兮蹌蹌濟濟鼓鐘振響兮鏗鏗鍧鍧從龍雲合拚

日霞生期門羽林靡橈旂旗既星羅而棊布材
官技士帶干將秉玉戚亦岳立而山横我
皇迴拔金鐙佩寶鍔御雕輿陰華幕常佾秉鑾而陪
乘太僕攷駒而控絡五輅飾金玉以和鳴九斿揚日
月而熀熁虎衛洸洸龍驤灼灼搖乾盪坤竟澤彌埜
馬銜枚以聲寂士兜鍪而氣礴百爾竦聾
一人儼恪以涖乎
南苑而大武之樂作爾乃啓門綿舉授律揚旌挺鉞
搢鐸吹角鳴鉦將鷹揚而率衆軍櫛比以聯營黃鉞
霜戈映蒼崖而翠霧集朱纓貝胄燿赤日而紫暉明
掣電馳驅捺勒奔霄之勢震遙砰礚連機飛礮之聲

月滿唐弓截蛟楚水星流夏箭搏虎吳亭偏伍後先
按魚麗之開闔止齊步伐兮箕翼之虛盈割陰陽於
昏曉兮夫何左拒右盂之疊更也鼓風雷以下上登
夫何六花四獸之軒轟也於時奮
神武而調弓燿
德威而穿葉得心則朔月規圓命中則騶虞節協鑾
吹鏗鏘鼓鼙鏜鞳霄塄雲然而陽開飈塵帥爾而業
合孫吳對焉而神愉頒敉臨之而心懾鄉尹銘功文
學案牒莫不抃舞乎
昌期鋪揚乎大業乃
聖天子抱沖嚴和儲精凝神義正必先乎仁育秋肅

必濟以春溫沛大澤布湛恩勞爾卿士惠我黎元戢
甲櫜弓三軍挾纊升歌嘉頌太史書珉撰文兮八紘
樂業奮武兮九有尊親玉衡正兮建皇極金鏡調兮
宜子孫飛英聲兮登三咸五介景福兮億禩萬年

太康車文彬若拔貢生左都御史興縣孫公所薦深於
經術五經皆有論著嘗爲井田三圖論古今溝洫之制
甚備洵中州之翹楚也聲律本非所長廷試遭斥落士
論惜之

黃河賦

憑虛公子與安處先生友善惟暮之春春服既成邀
遊大梁攜手摩肩興會湧沸乃茲陟乎鐵塔之巔四

望茫茫俯仰地天凝眸於北覩彼廣淵氣淼渤以霧杳時鬱律其如煙浩浩蕩蕩金光徹天憑虛公子喟然歎興而視歸乎安處先生曰美哉洋洋乎此黃河也覩廣輿之巨險思神禹之殫精登高以作賦是惟有望於先生安處先生曰唯唯探乾一之滋息索坤六之汪洋終歸墊於碣石始發源於崑崙渾渾泡泡白色浩膠於地斯潛千里而遥越葱嶺而湧出分二派以瀵超合流泑澤跡遁蹤消登不周而東望益又河之所伏流也遵積石而西瞻是乃禹之所始繇也汩沙潄壤濁色蒼茫爾乃奮神力於北塞折降城而南薄龍門之未闢呂梁之未鑿騰孟門以直上而懷

褱者不知其幾千萬落及其由疏鑿而至華陰也伊
洛總括瀍澗聯緜涇渭茲吞漆沮流連於是乎門立
人鬼之名派開馬釜之泓網絡羣流商攉涓澮表神
委於大壑混流宗而東會納二瀆以漫漭沸四岳而
漰沛滈汗乎赤縣之域經營乎元冥之外所以作限
於華裔壯天地之險介至夫河下龍門如自天落絕
岸萬丈壁立赧駭氣怒發而風噴聲轟出而震懼駭
浪暴灑驚波飛薄迅濩增澆涌湍疊躍溲滅瀟溳瀧
鱗結絡碧沙潰滙以往來亘不俾矶以前御潛演之
所汨派奔濟之所礇錯長波浹渫崚湍崔嵬盤渦谷
轉浚濤山頹天墜駭驟以岸起洪瀾涴演而雲迴魚

則鯈鱅鰋鯉叔鮪王鱣鮹鰊鰺鮋魴鱧鯩鰱揚鰭掉
尾噴浪飛涎排流呼哈隨波遊延其訏也介鯨乘浪
以出入飛魚凌空而往還或鹿觡而象鼻或虎狀而
龍顏何羅十身而犬吠譙之水之所入也鰼鰼十翼
而鵸鳴鶡之水之所翕也決決之水注之人魚兒聲
而四足也陽山之水會為鰼父之魚魚首而身畜也
其獸則有䝟山之橐駝邽山之窮奇敦薨之旄牛偷
山之熊羆邊春之山幽鴳文身而善笑崑崙之峯開
明九首而高居其羽族也欽原枯木鶉鳥司服群[illegible]
載蛇竦斯人伏塗由歸山有鸛六足滲水入河有[illegible]
朱目丹鳳孟諸乎翱翔青鳥玉山以往復潜為雷夏

十二

之澤在其涯靈祇龍身而居淵金龍之池在其濱奇虺變化以遊川俯而矚之紫貝朱宮河伯之神之所宅焉仰而窺之常服玕樹三頭之人之所篆焉冰夷倚浪以傲睨宓妃含嚬而縣眇撫靈波而鳧躍吸翠霞而夭矯宇宙澄寂八風不翔舟子于是搦棹涉人于是儀榜漂飛雲運艅艎艫舳相屬萬里連檣漕運達河或荆或揚泝洄沿流為漁為商徐而不颿疾而不猛鼓帆迅越迫漲截洞淩波縱柂電往杳冥劉如晨霞孤征眇若雲翼絕嶺倏忽數百千里俄頃飛廉無以睎其蹤渠黃不能企其景於是漁子蘆人擯落河山衣則羽褐食惟蔬鱻筩灑連鋒罾罾比船或揮

輪於懸碕或中瀨而橫旋忽忘夕而背歸咏採菱以
叩舷傲自足于一嘔尋風波以窮年爾乃川流之所
歸湊雲霧之所蒸液納隱淪之眞列挺異人乎精魄
播靈潤于千里越岱宗之觸石詭變儵怳祥符非一
動應無方感事而出經紀天地錯綜人術妙不可盡
之於言事不可窮之於筆若乃河精上浮於長天陽
侯遯迹於大波神彪獻書於洛汭龍馬呈圖於孟河
壯古冶之殺黿終成氣乎太阿奇白魚之入舟端靈
應乎倒戈美河上之仙翁懸神使之嬰羅煥大由之
流形渾萬盡於一科保不虧而永固稟元氣之和也
考川瀆而妙觀洵莫著於河也憑慮公子於是目谿

神爽懷抱灑然攝齊而進傴僂而前曰若是乎先生之賦也肆好其音穆若清風屈宋之所不能過而班馬之所不能宗美矣盛矣雖有作者又何以加此於是安處先生粲然而笑謂公子曰善歌善繼者古之人也有和有唱者人之情也如弗哂之何弗賡之公子于是再拜昌言乃賡載歌曰河水洋洋兮奔赴大壑晝夜不舍兮鳶飛魚躍在川觀之兮云何不樂又歌曰河水洋洋兮於海朝宗狂瀾既迴兮百川而東我思明德兮萬世禹功

揲蓍堂賦以參天兩地而倚數為韻

昔在上古庖羲氏繼天而王都於淮陽之宛邱幽贊

於神明而生蓍參天兩地而倚數觀變於陰陽而立卦發揮於剛柔而生爻窮理盡性以至於命所謂探賾索隱鉤深致遠以定天下之吉凶成天下之亹亹者莫大于蓍龜葢以開天下之物而成天下之務也自是以來億萬斯年文周紹之於前尼父明之於後而曲暢旁通於有宋洛陽之邵氏然後神物利用之遺如揭日月而麗中天矣謹按路史註云宛邱城北一里有八卦臺而寰宇志則謂之爲八卦壇一統志則謂之爲揲蓍壇葢同實而殊號者也癸丑夏督學王公大人觀風問俗考次諸生以揲蓍堂賦命題葢其堂如有紀有堂及大人之市大人之堂之解亦不

離乎臺壇之意歟大哉休命諸生寡昧其安足承之雖然發蒙榮及又何敢不俯首勉爲以奉君子之明訓也其辭曰稽庖羲之聖德兮偶天地以爲參乃幽贊於神明兮泉如醴而露甘爰生神物之異兮叢盈百而焉簭稟五行以爲象兮妙太乙而獨涵備陰陽之萬變兮具開物之指南龜在下而不去兮雲在上而相弇爾乃緬然以深思效法以紹天龜用五以稽疑蓍用二以鉤元仰天若而面稽乃築壇而布筵登降壇只法象森然察陰陽於俯仰觀造化於方圓爾乃本中宮而定數析陰陽以爲兩得人道於掛一象三才而不爽寒暑往來於四策氣朔盈虛於指掌躬

天地之終始盡元會之來往化而裁之以參天而兩
地變而通之乃蓍神而卦智或成天圓之象於三三
或著地方之形於二二或兩二而一三其得河圖東
方之位乎其陽之稱乎或兩三而一二其得河圖西
方之次乎其陰之試乎誰謂陰陽之道遠而誰謂幽
隱之不可以窺之旣極數以知象仍變動而不居於
是乎參伍錯綜率是法以爲倚引伸觸類感歎妙而
玆起窺月窟於乾一之變兮終於夬而壯趾見天根
於坤兩之化兮成於剝而艮止析觀一卦之變兮六
十四而可紀統觀全易之化兮四千九而未已通德
類情兮法天地以爲數彰往察來兮開物而成務

人謀鬼謀兮合貴賤而通故潛天潛地兮偕古今以披霧不占險以濟惡兮道中正而可慕必潔靜以精微兮惟寡過以爲度小人悖凶兮偭規矩而改錯君子修古兮來吾道乎先路亂曰烏虖壇兮萬象含兮卿雲曇兮樂湛湛兮謂壇嵩高包地天兮謂壇蒞大藏山淵兮日月於斯而出入羣瞻仰兮風霆於斯而周旋驚鼓蕩兮萬古斯壇亦孔固兮天地鬼神永呵護兮士有纍纍瞻寶璐兮懷古君子應神溯兮

黃河下流說

河之上流古籍彰明罔有變革而其下流則舊跡數更古今懸殊茫茫廣野蕩難言之矣書曰東過洛汭

至於大伾洛汭者今河南府之東之鞏邑也大伾者今大名府之西之濬邑也曰至於則其間順北岸者若溫縣武陟順南岸者若汜水廣武河陰滎澤迤邐而東北若衞輝之新鄉胙城皆河之所經歷者矣繼之曰北過洚水至于大陸洚水者枯洚渠漢之信都今眞定府之冀州也大陸之地其說非一而蔡九峯以邢趙深三州爲是文按輿圖邢屬順德趙深屬眞定而邢則在冀之西南趙則在冀之西北不應至于之文趨北之例惟深州在冀之北似爲是焉耳然自大伾而過洚水猶隔廣平一府而經不之及者以無名山大川可表識故也繼之曰又北播爲九河同爲

逆河入於海蓋河自塞外而來盤束萬山之中匯合
百川之水自鞏洛以東已出險而就平地大伾以北
地勢益復廣衍大陸則又鍾水之區乘建瓴之勢沮
洳之鄉奔騰橫溢必不能免禹因而疏之順其性之
所便殺其勢之所趨從其地之所近而九河以名此
在洚洞之時最爲當機而扼要而禹平成之烈蓋莫
著于此說者曰河不兩行者也蓋其性急則通流緩
則淤澱既無東西皆急之勢安有兩河並行之理兩
且不可而況于九乎何居乎禹之疏爲九也曰河之
不兩行也謂其上流則然耳若其入海之處泄之愈
速則河益通利而又何害哉蓋入海之宜速泄也下

流速泄則上流不壅河之利也若未及於海則流分
而力弱無以刷沙適以壅之乃曰河不兩行耳可概
論乎哉至于九河之下爲逆河者以自此而下海潮
逆入名雖爲河實卽海也海水內吞九河外灌不惟
借水力以刷沙而海之潮汐亦可借河力以敵之禹
之以水治水所以爲不可及歟稽其入海之地則碣
石在焉碣石者在今永平府之昌黎此可以爲古河
入于北海之証也抑九河之名見于爾雅九峯信從
王橫之言謂九河皆淪於海此說似未可依何也大
陸既爲邢趙深三州之地其去海岸已數百里又東
至海中始敘九河則大陸與九河相去千里矣如是

之遠而絕無表識斯於禹貢之文殊不相似是知九河去大陸不甚相遠其去海濱不甚相近安得至有九河苞淪於海之事乎按書疏曰漢溝洫志成帝時河隄都尉許商言古記九河之名有徒駭胡蘇鬲津今在成平東光鬲縣界自鬲津以北至於徒駭其閒相去二百餘里是知九河所在徒駭最北鬲津最南蓋徒駭河之本道東出分為八枝也商既上言三河下言三縣則徒駭在成平胡蘇在東光鬲津在鬲縣其餘不復知也爾雅九河之次自北而南既知三河之處則其六者太史馬頰覆釜在東光之北成平之南簡絜鉤盤在東光之南鬲縣之北以迹求之古河

北流衡漳注之河既東徙漳自入海安知北流之漳
非徒駭河歟踰漳而南清滄二州之間有古河隄岸
數重地皆沮洳沙鹵太史等河當在其地滄州之南
有大連澱西踰東光東至海非胡蘇河歟澱南至西
無棣縣百餘里間有曰大河曰沙河皆瀕古隄縣北
地名八會口縣城介枕無棣溝茲非簡絜等河歟東
無棣縣北有陷河闊數里西通德棣東至海茲非所
謂鉤盤河歟濱州北有土傷河西踰德棣東至海茲
非鬲津河歟土傷河最南比他河差狹其為鬲津無
疑也蓋平原迤北清滄之間雖為樹藝城邑相望而
地形河勢高隱曲折往往可尋但禹初為九厥後或

三或五變遷多寡有不同焉爾此古之黃河下流北趨以入於海之大畧也自禹至明四千年來河之入海自北移南不可勝紀而其大要可考而知周定王五年河徙砱礫入海此河入海之初變也則已南矣史記元光中河決瓠子東南注鉅野通于淮泗越二十餘歲塞之築宮其上名曰宣房綱目元光三年河徙頓丘夏決濮陽考頓丘濮陽瓠子皆大名府地則縈陽史遷其說一轍而頓丘濮陽瓠子之不同者所見所聞所傳聞之異辭焉耳初無害乎其爲同是河入海之再變也抑又南矣元封二年既塞宣房後河復決于東昌府之館陶分爲屯氏河屯氏河在東大

河在西兩道竝行東北至章武入海章武在今河間府之西北此河入海之又一變也則又南矣元帝永光五年河決於清河之靈鳴犢口入於博州而屯河水微始壅不通意大河之在北者如故以下文神宗時有河決澶州北流斷絕之文故川以知此時大河之在北如故後二年又決於濟南府之平原則東入清齊以入於海而下流與漯水爲一意入青齊以入海者卽前之入博州者而大河之在北者猶如其故此河入海之又一變也則又南矣博州者東昌府也青齊者青州府也漯水者河之支流也出東昌府之東武陽至濟南府之千乘以入海者也宋神宗熙寧十年丁巳河大決于澶州曹村之澶淵

北流斷絕河道南徙意北流之斷絕者乃漢宣帝時
決館陶與屯氏河竝行東北之大河歷元帝之鳴犢
平原兩決而如故者至今乃以澶淵大決水勢南趨
其流乃始斷焉耳于是東匯於兗州府東平州梁山
張澤濼分爲二派一溢于泗以入于淮謂之南清河
一由汶合濟以入於海謂之北清河北清河者濟之
故道也濟之故道者濟水始發源於河東郡之王屋
山門流水既見而伏東出于孟州濟源縣二源東源
周廻七百步其深不測西源周廻六百八十五步其
深一丈合流至溫縣歷虢公臺西南入河既復出河
之南溢而爲滎又與河竝流又東出于陶邱北陶邱

在今東昌府即漢之所謂館陶又東至於菏菏者菏澤在兗州府定陶縣東濟陰縣南三里地有菏山菏之所出匯而爲澤故名菏澤濟流至于其地又東北至於兗州府東平州壽張縣安民亭合汶水至今青州府博興縣入海禹貢濟水之道如是蔡註滎波既豬之下則云今濟水但入於河不復過河之南鄭康成謂滎今塞爲平地滎陽民猶指其處爲滎澤焉四書釋地則謂四瀆水之易變者莫如河變而至於絕者莫如濟余嘗討論濟瀆至於五載始得訴以二言曰新莽後枯而復通唐高宗前通而復枯咸川天數夫豈人謀蓋後漢郡國志曰濟水王莽時大旱遂枯

絕者此初絕也酈註水經條曰其後水流逕通津渠勢改故杜釋春秋郭註山海竝云今濟水至博昌入海者此復通也章懷太子賢循吏傳註曰濟水王莽末旱因枯涸但入河內而已似不知有中間復通之事者此絕也方氏曰濟水之絕於王莽時者今其源出於河北溫州猶經枯黃河中以入汶而後趨海淸濟貫濁河遂成虛論矣按自禹貢以下衆說不一然皆不相背戾綜而論之未枯以前雖曰逕通津渠勢改然杜郭皆云至博昌入海則與禹貢之北東入海在博興者無異蓋博昌卽博興也方氏所云出枯黃河中以入汶而後趨海者與此亦相符旣枯以後

則蔡註云濟水今但入河不復過河之南循吏傳云
但入河內者但入河內之沁而已是則濟之通枯與
異特其流有長短之殊而當其通流入海之時道路
初無二致則得一言以蔽之曰濟水者由鄭以東貫
乎滑曹濟鄆齊青以入海者也此濟之故道也南清
河者今泗水淮安府清河縣之清口也此河入海之
又一變也則又南矣然而是時淮僅受河之半焉至
金世宗二十年河自衛輝府決而入於渦河以入於
淮於是一淮獨受大河之全以輸之海意自是後由
南清河以入海者道路變更而由北清河以入海者
遂浸淤浸此河入海之又一變也則又南矣元世祖

九年二十三年二十五年及大德元年及仁宗七年大定一年前後河決四十四處順帝命賈魯爲總治河防使河復故道意此故道指由南清河以入海之故道也河道又北轉矣洪武二十四年河決黑洋口東經開封府城北五里南行至項經潁州潁上東至壽州入於淮以入海而故道遂淤意此故道亦指由南清河以入海之故道也河道則又南矣永樂九年詔修沁河決口命張信宋禮等治之河復故道意此故道亦指由南清河以入海之故道也河道又北轉矣正統十三年河決滎澤東過開封府城之西南又東南經陳留入渦口又經蒙城至懷遠東北而達於

淮是時開封府城在河之北也河道則又南矣天順五年河決開封府城命工部侍郎薛遠築之成化十四年河決祥符又決延津宏治二年命侍郎白昂導河由壽州以達淮此與洪武二十四年河決黑洋口之入海者畧同崇正十六年河復決而入於渦此與金世宗二十年河決衛輝府而入渦者亦畧同至我皇清順治元年而河忽自復其故道意此故道亦由南清河以入海之故道河道又北轉矣夫自禹導河入於北海定王而後漸移南行不知凡幾乃決衛入渦以來屢向北移元河決而賈魯治之河復北明洪武河決而宋禮治之河復北崇正河決順治元年無

人治之而河忽自北此其故何哉蓋東方之與東北高下非甚相懸而大河之性猛悍湍急所向輒摧趨北而東則北不可當趨南而東則南不可禦唯一聽其勢之所轉而非人之所能謀也抑以物極則反者造物之理也定王而後南而復南不啻再三及夫自渦達淮又自項城潁上達淮南行之勢可謂已極倘復恣意南行不復北轉則將達江漢而會瀟湘荊揚之地化為滄海矣故或南或北迭為進退乃物理之必然者耳至於所以治之之術則神禹之治也尚矣今日之河防孔固慶安瀾者莫過是矣然水旱之憂堯湯不免其或氣化不齊而有潰決之事也則治之

術其最著者莫如漢賈讓之上中下三策宋張商英之治河五事元尚文之不塞蕭口歐陽元之詳記元法坤瓊山之評騭衆說布在方策可班班考也近世治河率用歐陽所記元法而瓊山之論則以尚文之法為蘇民之要術然尚文以為陳留抵睢百有餘里河之兩岸南岸高於水或六七尺或四五尺北岸故隄其水比田高三四尺或高下等大概南高於北約八九尺隄安得不壞水安得不北則是尚文之意以水之趨於東北為便利者矣復以賈讓商英之說參互求之商英所陳治河之事五而導河東北之說居其二一曰行古沙河口一曰自古漳河入於海是商

英之說亦以河利趨於東北與尙文之說符然則治
之之法宜遷冀州之民之應當河之衝者決黎陽遮
害亭放河使北入海則河西薄太行東薄金隄勢不
能遠泛濫期月自定如曰敗壞城郭田廬冢墓百姓
怨咨然禹之治水山林之當路者毀之故鑿龍門闢
伊闕析砥柱破碣石未嘗稍爲姑息況夫頻年治河
動費萬萬則以治河之費賞所徙之民尊古聖之法
定山川之位此功一立千載無患是誠治河之上策
宜爲賈讓之所首陳焉者也不然則多穿漕渠以溉
民田分殺水怒以平河勢雖非聖人之法或亦補偏
救弊之術歟至於明之侍郎崔巖於祥符董盆口寧

陵五里鋪開地四十里引河旁支由亳州達鳳陽以入淮濬孫家渡十餘里由朱仙鎮至壽州以入淮都御史詹翰請開趙皮寨之支河都御史吳松請開孫家渡之支河之數子者皆欲分殺水勢以倣禹之疏九河者也不知於此而開支河不惟上不得與疏九河者同而下茲不得與開漕渠者等何也此正所謂河不兩行急則通流緩則淤澱既無兩道皆急之理安有兩河茲行之勢故分殺之法止可行於下流入海之地未可槩施之於上流蓋下流之入海愈速則上流愈益通利上流力弱則無以刷沙適以益之此支河之說無益有害有如此者若夫廣開渠渚以激

匯而殺河勢者則衆渠分流勢可稍殺而渠衆而小亦不致有中道壅潰或致蕩析之患即有淤澱溉田非通而塞則疏濬亦易爲力以之溉田而殺河或未必無小補焉耳

汴水說

水之難核其實者莫如汴以古今之互異也稽之古曰汴水起自陰溝過陳留及濉陽東流入於淮泗以達於海考之今日是即今之朱仙鎭以下由陳蔡會沙潁而入於淮者也於是據古者譏今曰朱仙鎭以下之河乃宋之惠民河也而奈何指爲汴乎據今者譏古曰朱仙鎭之河倘非汴河而由是河而上之何

以不見復有一河別行陳留以及於濉而名之爲汴河耶由是附會其間者袒分左右屹立而不相下勢如健訟焉不佞則嘗學斷斯獄矣蓋汴有源焉有流焉有古今變遷之互異焉固非可以一言盡者也今予爲之探其源索水經汴水出陰溝逕浚儀縣北又東至梁郡蒙縣爲濉水餘波入濉陽城注曰陰溝者蒗蕩渠也蒗蕩渠者昔在禹於滎澤下分大河爲陰溝出之淮泗厥後稱名不一曰鴻溝曰蒗蕩渠曰浚儀渠曰石門渠是名雖異而實即陰溝派出於黃河者此汴源之著於水經者然也又考一統志曰汴源出開封府滎陽縣大周山東南至中牟縣北入黃

河此又汴源之著於地志者然也然則其孰爲是歟
曰是嘗考於子固曾氏之書而知其說焉子固書謂
陰溝之水東注至敖山之北而兼汴水夫既曰兼則
明乎其爲兩水之合流矣是可知汴源之出於大周
山者其說無疑及其至敖與陰溝合入第見夫陰溝
水勢之盛故即指汴爲陰溝而不窮其源於大周而
水經亦因之而誤著焉耳予繼爲之窮其流汴合陰
溝逕浚儀至蒙縣而入濉陽城中者誠如水經所云
但語焉未詳其東流入泗以達於淮而放乎海又不
可不知此汴之流也惟如是故不但煬帝幸揚州由
汴而至而宋都於汴江南淮南浙東西荆河南北六

路之粟亦皆自淮入汴以至京師此其流之確有可
據者也乃今之汴又與古異則其所以變遷互異又
不可以不辨夫今自朱仙鎮以下見惠民河而不見
汴者以汴入於惠民河也何者自朱以上汴之正流
由開封城南朱仙鎮東流逕陳留雍陽以至淮泗固
可以輸江浙六路之粟矣而陳蔡之粟之所以至京
師者則道由穎水穎出少室山東逕鄭州又東逕襄
城縣又東逕臨穎穎縣至陳州南周家口西孫家嘴而
沙水自魯山縣來合流爲一由是自周家口至穎上
穎州以達於淮宋之輸運以達汴爲至京師轄爲貢
以達河爲至京師也假使陳蔡之粟直由穎水而達

則發臨潁襄城郟縣由於京師西南相隔遼遠直抵至京師倘舍潁水不由而陸道挽輸則費用浩繁而民不堪命矣于是因雙洎河自西而來由扶溝逕西華縣注周家口之潁水乃下自周家口之潁河溯雙洎河逆流而上至扶溝縣呂家潭去京猶遠于是北向浚儀掘地開渠直抵朱仙鎮汴水東注之處而陳蔡之粟始得達汴以至京師而民之輸運者不至苦于奔命故命之曰惠民河也當是時也汴之正流自注於東以達於淮而惠民河者僅入於其中焉耳自是以後汴之由朱仙鎮而東者浸以淤塞絕而不通而汴之全勢乃皆奔放傾瀉由朱仙鎮以下而盡

入於惠民河矣此人之所以見惠民河而不見別有所謂汴河遂以惠民河指爲汴河也然汴既盡入惠民即以惠民爲汴亦可也此古今變遷之互異者也由是言之則稽古者以由浚儀而逕濉陽爲汴者未可厚非也特泥古而不酌之於今也據今者以由朱仙鎮而行惠民爲汴未可厚非也特知今而不本之於古也惟合古今而觀其變遷之故又何聚訟難明之與有曰言汴之上流者往往言濟水滎水京索須鄭諸水謂與汴水相出入何也曰濟溢爲滎之餘波自陰溝初分即合陰溝至廣武而東而濟自絕也滎水者大河之北有丹林丹林之水出焉南流注於河

絕河南出至滎陽而入於汴也京索須鄭諸水皆在
大周山之東而入於汴也此皆不可以亂汴之上流
者也曰言汴之下流者往往言濉水沮水濉水謂與
汴水有異同何也曰爾雅曰水自河出爲濉則濉卽
陰溝後合於汴非卽汴也汴合陰溝而至蒙縣爲濉
則汴卽濉也而以濉別爲一水爲汴之所入者非也
沮水濟之支流出東汶陽郡沮陽縣與濉異也而以
濉出芒縣卽沮水者非也曰一統志云汴出大周山
而言至中牟而入黃河者又何也曰汴水正流初不
入河以河汴堤壞汴因得與河合志乃指此以爲言
焉獨不觀漢明帝永平十三年河汴堤成分流復其

故跡乎則又安得指其壞亂之形而遂爲不易之典
哉

詞科掌錄卷九終

錢唐王延年介眉丙午孝廉仁侯常熟將公所薦史學洽熟以建安袁氏作通鑑紀事本末不言田制漕運所託始又唐不載府兵之制皆爲缺漏并取陳邦瞻馮琦所續者悉爲補編余嘗爲之序方丙午發解介眉引杜詩雲帆轉遼海之語謂海運不始于元爲虞山將文肅公所擊賞既從吳門馮太史在史局草創儒林忠義兩傳既應制府彭城公聘修浙志沿革離合之表分斷特詳遂爲全志之冠所撰述最富其辨北岳當祀恆山云北岳所在三代以前雖無明文而自漢以來歷代沿志並云在上曲陽初無異辭漢書郊祀志通典諸書

元年祠北岳常山於上曲陽地理志恒山北岳在常
山郡上曲陽縣西北有祠幷州山藪道元水經注長
星水東逕恒山下廟北又東逕上曲陽縣故城北本
岳牧朝宿之邑也古者天子巡狩常以歲十一月至
於北岳侯伯皆有湯沐邑以自齋潔周衰巡狩禮廢
邑郭仍存秦以立縣縣在山曲之陽是曰曲陽有下
故此爲上矣隋時改曲陽爲恒陽故地理曰恒陽縣
有恒山唐元和郡縣志恒山在恒陽縣西十里漢以
避文帝諱改曰常山周武帝平齊復名恒山有恒岳
觀在恒陽縣南百餘步又有恒岳下廟在縣西四十
里唐書地理志元和十五年復更恒陽縣曰曲陽又

更恒岳曰鎮岳有岳祠沈括筆談北岳一名大茂山岳祠舊在山下祠中多唐人故碑皆王存勛滅燕還過定州與王處直謁岳廟是也石晉之後稍遷近裏今其地謂之神棚新祠之北有望岳亭新晴氣清則望見大茂山胡渭禹貢錐指曰大茂山在今阜平縣東北七十里接曲陽界乃恒山之脊俗名神尖石晉與遼分界處今阜平曲陽縣皆大茂之麓以其爲北岳之絕頂傳祠在其下故昔人舉北以表恒山也漢唐宋以來諸書所載大略如此今定州曲陽縣有舊北岳廟纍朝碑碣具存自明一統志以水經注有嶂縣南面元岳之語遂謂恒山在山西大同府渾源州南二十里又有北岳廟在州南五里云即舜時巡狩處蓋皆流俗傳會其實自明以前無此說

[illegible]嶽曰近志渾源之山與在曲陽西北者[illegible]實一山然州距大茂約三百餘里雖或峯巒相接未可牽合為一乃明宏治六年兵部尚書馬文升竟據此具疏請改祠北岳於渾源州時禮部侍郎倪岳持不可而止按文升疏云宋承石晉割賂之後遂祭恆山于眞定府曲陽縣是蓋以雲中爲契丹境故不于渾源而于曲陽遥祭耳不知宋人之遥祭者乃北嶽而非北岳也顧亭林北岳辨曰五鎭惟醫無閭最遠自唐于柳城郡東置祠遥禮而宋則附祭于北岳之祠烏得援以為明證哉萬歷十六年大同巡撫胡來貢又議移祠于渾源禮部尚書沈鯉力駁其無據復罷　本朝有請祠于渾源州者禮部尚書王崇簡未暇博考遂主其議迄今未有正也

漢唐兵制論

漢唐兵制皆三變而興衰正同漢兵三變者何初用

郡尉兵後用京師兵其後又用州牧之兵也唐兵三變者何初用府兵府兵廢而爲彍騎彍騎又廢而爲方鎮也高帝定天下京師有南北軍之屯郡國則因平地而用車騎上郡隴西北地諸處是也因山阻而用材官巴蜀三河潁川諸處是也因水泉而用樓船廬江潯陽會稽諸處是也列二軍者壯京師之勢因三地者均守相之權武帝時八屯置而重城門七校增而先中壘征伐復有伏波下瀨横海浮沮浚稽祁連蒲類渡遼破羌等軍士卒奔命不暇昭宣後雖南北二軍亦用以窮追遠討而郡國可知矣光武用兵以少而精擧兵以簡而當養兵以薄而難南北二軍

俱有所省罷輕車騎士材官樓船士暨都尉左右將軍官併邊郡亭候吏卒雖其後邊郡仍置都尉而征討實專仰禁旅逮京師單弱乃大發四方兵講武平樂觀果何益哉應劭云官無警備實啓戎心其論省兵之弊切矣此漢兵制三變之大略也太宗置十六衛將軍內統北門百騎七營屯騎曰北衙禁軍外統關內天下諸府番上宿衛者曰南衙衛兵天下十道府六百三十四關中二百六十一皆隸諸衛上府千二百人中千人下八百人有統軍別將折衝果毅等官有事命將四出事解兵散于府將歸于朝士無失業而將不擁兵其思慮深且遠哉高宗武后朝法寖

弛明皇時左右屯營欲避征戍多納貲隸軍而府兵不免離徭千里番上宿衛因逃匿耗散張說請募兵宿衛號爲彍騎天寶間法又廢而朔方河西隴右河東諸節度宿重兵肅宗藉以平亂其有功行陣者除方鎮河朔世襲傳至廣明天復梁晉燕蜀吳浙荆湖閩廣分裂爭雄讀陸贄李泌杜牧諸論慨焉太息此唐兵制三變之大略也總而言之漢之兵制變于武帝而成于光武唐之兵制變于明皇而成于肅宗其始何嘗有狹小前人法度之心特以太平數傳思補其偏而救其弊多難中興欲因其利而乘其便而孰知事勢積漸遷流而不可返君子合觀漢唐兩朝而

知典衰之正有相同者當其興也高祖太宗乘秦隋之弊立兵制爲子孫計久遠漢之南軍一唐之諸衛兵也漢之北軍一唐之羽林軍也衛尉中尉授之酈商周昌一左衛右侯之授之秦叔寶尉遲敬德也將侯入北軍以安劉氏一桓彥範之帥羽林以復李氏也宋昌鎮撫南北軍一葛福順之統領北門四軍也自武帝攻攘胡越郡國困於征行明皇開拓西北精兵成戍邊陲光武省兵肅宗姑息鮮卑西羌朱泚李懷光之患遺於前黃巾黑山龐勛黃巢之難起于後外兵益強禁兵愈弱于是制西園入校尉神策十二軍統之以親信宦官蹇碩竇文場輩然事勢積漸遷

流已久欲一旦握操柄以威天下是乃支撐大廈不
用良材而用朽木固無俟袁本初崔昌遐之借兵以
除內而已知爲衰敗之徵矣
滋陽牛運震階平雍正癸丑進士山東巡撫臨洮岳公
所薦山左碩學無在其右者既不被錄海大司農爲悼
惜者久之
問山東分野奎婁胃魯徐州角亢氐鄭兗州虛危齊
青州陳卓所分州郡躔次如平原清河實兗土也稍
得清河而入昴齊得平原而入危則從國不從州東
平泰山濟北濟陰陳留齊宋魯衞錯處而概以角亢
氐屬之則又從州不從國其說安在唐僧一行謂山

河之象存乎兩戒以南北河爲占其占十二次以雲漢終始言之其亦有所本歟若乃以十二國占者以天市垣占者以北斗占者以五車占者以五星占者以干支占者齊魯之所當占者可指陳歟禹貢職方區域不同青兗徐三州之沿革其說云何青齊十二之雄也山川形勢關津要害安在以及古來用兵戰守機宜抑孰得而孰失耶海畔之營汛星環河上之堤工林立何者爲備倭之遺壘何者爲防虜之故城抑何策而濁流安瀾于邳徐何道而橫波不衝于曹單其設置區畫俱有要道歟其悉著于篇

按周官保章氏以星土辨九州之地所封封域皆有

分星以觀妖祥所以布度分紀畫州繫象然古星經
亡分度不可攷其大畧乃散見于左傳國語及呂氏
春秋參爲晉虛商主大火害在鳥帑周楚惡之星孛
大辰四國當災他如彗出東北齊侯懼焉熒惑守心
宋公徙之古星土稍稍可參互史記廼定星野角亢
氐兖州虛危青州奎婁胃徐州餘各以次列而漢書
天文志地理志並守其說至魏太史令陳卓以國配
州分州郡躔次廼詳密顧嘗以山東按之東郡任城
入角齊國東萊畄川入虛危則國與州悉叶矣平原
清河古兖土也趙得清河而入于昴齊得平原而入
于危則以從國不從州東平泰山濟北濟陰陳留齊

宋魯衛錯處而概以角亢氐屬之則又從州不從國愚以爲古者列宿隸野蓋取班布齊均星氣自然脗合國與州俱非所論也按古星度角亢氐爲一宮虛危爲一宮奎婁胃爲一宮宮度竝三十上下故其所隸區域截長補短廣狹亦不相遠東郡任城兗之中界故東郡入角一度任城入角六度而國與州適協淸河平原兗之邊幅一以近趙而入昴九度一以近齊而入危十一度實未嘗從乎國也東平泰山濟陰諸郡列國司錯太半兗土則概以角亢氐統之故東平入氐七度泰山入角十二度濟陰入氐一度濟北陳留入亢九度而亦未嘗從乎州也齊國濟南東萊

留川諸郡青之正域故齊國入虛六度北海入虛九度濟南入虛一度東萊危九度留川危十四度而國與州適叶至若東海瑯琊諸郡青之南界而稍入于徐則移屬于奎婁胃東海入奎一度瑯琊入奎六度高密入婁一度城陽入婁九度膠東入胃一度此五郡者徐僅十二焉魯無百一焉國與州又安所據哉且衰周七縣不能獨當鶉火魯國六邑顧乃遠隸心宿三國分晉獨趙有分星國州之論鄭蘇諸家辨之已鑿然則所云鄭兗州齊青州魯徐州者標星野之大要耳當以所分郡邑爲斷不當問其國與州也抑又有說焉古今建置不一而宮度星度自西法入中

國而多改陳卓起壽星宮于軫十二度終于氐四度
西法則起于翼九度終于角九度陳卓起元枵于女
八度終危十五度西法則起斗二十三度終危初度
降婁宮陳卓起于奎五度終胃六度西法則起室十
度終奎十一度首尾乃差至十餘度且西法以恆星
內轉觜參倒錯改角十二度為十度則泰山入于何
度耶亢九度改為十度三十八分氐十六度為十七
度五十分則濟北陳留東平濟陰所入不當稍闊耶
危十六度改為二十度則平原菑川濟南東萊得無
錯移減奎十六為十一增婁九為十三則東海琅琊
高密城陽諸郡又安得壹仍其舊所躔哉推步占驗

原相表裏以今歷度占古分野百無一合近代觀象
玩占天文管窺諸書列載郡國幷詳州縣分度最密
如滋陽曲阜二縣迺占心三度或可衷斷以合西法
之躔度歟唐僧一行以爲山河之象存乎南北河兩
戒十二次以雲漢終始爲占蓋原本史記而推廣之
史記天街爲日月五星中道華夏占于街南畢主之
夷國占于街北昴主之一行亦據南北河爲中道南
河爲南關曰越門南戒主中國北河爲北關曰胡門
北戒主夷狄之國占法略與天街同史記謂中國山
川東北流其維首在隴蜀尾沒于勃碣一行以雲漢
起于箕尾分爲二道合于天津沒于天稷識脈絡于

兩戒嶽襟帶于四維其首尾並合史記所指者乃以
十二國占者牛南十六星也齊一星居九坎之上左
趙二星鄭一星並平列於齊之上左各以其變占其
國以天市垣占者天市二十二星也齊東海並在東
垣占如十二國以北斗占者史記所云用昏建者杓
杓自華以西南夜半建者衡衡中州河濟之間平旦
建者魁魁海岱以東北也北斗第一星主徐州常以
五子日候之甲子爲東海丙子爲瑯琊凡五郡第五
星主兗州常以五辰日候之甲辰爲東郡陳留丙辰
爲濟北戊辰山陽泰山凡八郡春秋文耀鉤以三河
雷澤至海岱以北屬機星蒙山以東屬權星抑可參

考焉以五車占者咸池五帝車也五星昭列三柱鼎次齊魯之占則在天倉五車之東星也所謂主魯衛主歲星神曰雨師者也至以五星占者則歲星主泰山青州兗州徐州以干支占者則甲乙海外內丁淮海岱申齊酉魯或又曰甲齊乙東夷剛德之合乙酉主齊並雜見于甘石星經漢書淮南子諸書所以紀天官者蓋章章矣禹貢職方並列九州然幽并不紀于禹貢徐梁不隸于職方蓋禹貢主于治水故略高平之地而并幽并于冀并營于青詳下流之衝而營紀徐兗職方主于辨方九州班布疆域均齊故北屆于幽并而南僉于徐土沿革雖代殊山鎭川浸[illegible][illegible]

掌指也按禹貢濟河惟兗州東南距濟西北距河又以沇水得名當是東昌曹州之交也九河既道今黃河故道在陶濮雷夏既澤今雷夏澤在曹州海岱及淮惟徐州東至海北距岱南及淮實今兗青地也大野既瀦即今鉅野東原厎平當今東平若乃沂水流鄒郯蒙山峙蒙陰所謂淮沂蒙羽尤釐然可按至職方氏兗之故地北稍蝕于冀而南大半呑于徐故河東曰兗州其山鎮曰岱澤藪曰大野川惟河泲浸則盧濰略如今兗州也青弱半入于徐蓋今青徐之交故止東曰青州其山鎮曰沂山澤藪曰孟諸川曰淮泗浸曰沂沭是也而禹貢全徐盡削若乃青之北界

幽州逼焉河濟之川蓟時之浸則又半割青土而邉
諸陶青兗南走北退徐則交輸青兗此青兗徐三州
禹貢職方建置沿革之大經也東省古十二之雄也
泰岱爲五嶽之尊沂山居四鎮之首北維則脈萊岱
而遁走梁父徂徠夾谷宮佛長白直互渤海以界青
濟中脊則起繹嵬蓮龜尼昌平日基橫趨蒙山以限
青兗南絡則棘沂山而卻行馬陵瑯琊九仙穆陵沿
海曲環極于艾羽之罘牢盛岠崍以障青而抱東萊
其中雲門大峴重巘劒棘長城巨防天險齒列若乃
名山大浸萊則膠水萊水灌焉青則濰水淄水溲焉
沂界兗之南絲泗穿兗之中腹汶則襟濟之南浩浩

灕池腰分爲洸以帶兗而合于泗末注清河以環濟而達于海會通河則南分于清口直走山東右界北入天津以爲終始山東之大絡東海瀠溟鬱沸包括山東大半兗見海于沂州青見海于日照萊見海于高密濟見海于利津霑化登之蓬萊文登則三面踐海如吐長舌焉蓋統山東形勢青州爲最顧其要害乃在穆陵青石二關穆陵關爲大峴之咽喉青石關爲益都之屏蔽穆陵車不可軌青石人不得騎以穆陵爲城則青州如在檻中以青石爲梯則青州如在天上扼險爭要尤以青石關爲第一也昔卻克攻齊振鼓怒馬三周華山以實勝者也苟偃伐齊曳柴揚

旆左實右僞以向巫山齊棄防門而御道以虛勝者也韓信下齊七十城制勝在破屯田于歷下耿弇擊張步決策在先開祝阿以乘巨里次搗臨淄以孤西安劉裕伐南燕公孫五樓請據大峴而慕容不聽所謂坐失大險以開敵出下策者也若乃道濟量沙濟南慕容白曜疾趨無鹽善于用詐用奇尤合兵家機宜操勝算者也古來戰守得失此其劃然者矣至若海面禦寇最爲危道愚以爲勤巡外洋不如嚴守內洋又必水汛陸汛呼應通靈首尾率然乃萬全不可動登州之營以控北山之險陸地則有黃河口劉家口蘆洋西莊馬埠諸寨司應之水面則有奇山福山

崆峒田橫沙門三山諸島所錯落盤踞應之文登之營以控東海之險陸地則有寧海威海與淮黃埠諸衛所應之水面則有九峯赤山竹蓬諸島應之即墨之營以控南海之險陸地則有膠州雄崖逐猛古鎮左右相錯如咽喉關鎖以應之水面則有浮山徐福大山乳山諸島應之三營鼎峙相為犄角形勝調度雄且密矣嚴出洋之禁勅會哨之期募通番下海之人備策淮口以防倭犯萊之門北應天津以塞虜過海之路庶幾確盡情形以中爲一之計黃河之害有三一曰沁黃交鬭之害一曰決漕之害一曰通淮之害按沁出沁源縣其流悍疾徹黃既會黃于南賈口

而交怒闘而南則河陰滎澤等處必決闘而北則武陟脩武嘉新等處必決前明引沁入衛之議旣不可行計惟謹木欒之堤以防其漲開蓮花之口以洩其濁寬濬河身以殺其怒庶幾緩沁之闘而黃乃安漕河借汶泗之清者七借黃淮之濁者三然伏秋大漲黃水多帶泥沙以淤漕又支流横決以衝河身爲漕計惟謹鎮口古洪內華三閘以時啓閉嚴天妃通濟等五閘以助節宜復修塔山堤以遏衝漕之路洛河縷堤月堤遙堤格堤皆修築如法庶幾禦黃之暴而漕乃利黃之合淮也始于宋澶州横壩之潰成于曹村之決迨明河決崔鎮淮決高堰而黃淮遂并流不

可謂議者欲借淮刷黃而黃河身高黃強淮弱病在清口之淤淺欲援黃入海而雲梯關塞黃流不絕如綫病在汕刷之力分所以高郵寶應七邑坐受黃河之毒夫導河所以濬海而固堤所以導河大挑清口資黃以受淮之地修高堰歸仁堤以東淮而專其力淮黃合而北歸自張其控海之勢復爲之暫塞清江浦以防其內奔姑置草灣河而專修雲梯以還其故道仍接築淮安新城安東諸長堤以防其末流則全河之力悉趨大海下流之積沙既去上流之淤墊自通復何曹單邳徐之憂哉凡山東天官地理兵形海防河工諸事謹按之傳記稽之圖志合之當世之務條

具如右惟執事裁擇

洙泗源流攷

按禹貢古注泗出陪尾博物志竝同山海經泗水出魯東北地理志亦云出卞縣北水經云泗水出魯卞縣北山注云在卞縣故城東南桃墟西北諸澗志記泗源竝不相遠惟水經載洙源甚迂迴又云二水分于魯城北北爲洙瀆南則泗水據今水道不合按洙小水以春秋故名酈道元或履測未周且桑欽酈道元邇漢後魏人水淫土而善變以今方域通志括地志蓋山鎮奠而水道多改況千餘年哉疑耳者信諸目請以所至見裒爲泗水出陪尾山之陽山陰有湖

曰雷澤山下黑虎等四泉發動雷澤之氣山上泉林寺水經所謂南側有一廟栝柏成林是也寺左右別有縣泉數十脈灌下山合流爭出汴橋口又西有泉數十自南北來注之北有泉數十南來注之卞縣北而始大磬折者蓋六十里過曲阜城北水經所謂西南逕魯城北是也水至五里別爲洙水又繞孔林之北西過龍灣洙水東南來合之洙水出泰山蓋縣臨樂山蓋古經云據蓋縣今新泰臨樂山一名艾山實沂水所出洙蓋沂之支流也淸脈透動西南至于卞縣合于盜泉旣注泗亂流而西衝魯故城而環分泗水出其北洙出其南從征記洙泗二水交于魯城東

北十七里兗州志乃云城東北五里兗州志皆是也
洙中穿孔林句曲至聖墓前爲水堂有石橋跨之西
出稍北就合于泗水據陪尾在泗水東南四十里泗
水距洙源當得百七八十里洙帶孔林之中去魯城
二里泗抱孔林之北去魯城八里洙泗南北相距當
五六里所謂洙泗之間也上分者城東北五里下合
者孔林之西龍灣之東去城當十餘里又水經注洙
水西南枝津出焉合于沂水今無其道恐湮也洙泗
合而南流弦行二十里至滋陽城東水經所謂西南
過瑕邱城是也分爲二支一道黑風口穿滋城而西
北受闕黨七泉水直趨杏林閘達天井閘入運一道

金口壩水經注所指瑯邪石門者舊水沂水東來注之洞泗水橋而西復折而南蓼河臼馬瀦河注之瀦河者水經瀦水也匯爲南旺湖由魯橋師家莊入運考泗故道南過平陽縣西又過高平又南過方與屈東南過胡陵入淮今泗下流蛻高瀕下澂舊遷新水經道竝不可脈尋又水經注洙水南至高平合于泗水西爲茅鄉城洙水者別名洸水也與出臨樂者同名異派故不可濆蓋泗長而洙短故泗經而洙緯始遠而終近腰分而末合神山貫邑南北犂然歷歷展蹟索地者固可掌指焉

歷山辨

按史記舜冀州之人也蓋耕于歷山鄭注歷山在河東郡皇甫謐並以爲然據漢河徇遵故道當在陶濮閒武帝時河決定陶今館陶也金堤魚山遺蹟鑿然周官職方河東曰兗州鄭氏之云河東殆目今東兗交乎然廣輿記括地志時時迺有雜說歷山在山東者二一濮州其一別在濟南在山西者一蒲州歷山所謂舜耕處者面洄水之東小山俗呼歷山且稱諸雷澤嬀亭以文之寔內乃有四歷山考援神契舜生姚墟雞泌路史雷澤縣北六十里有小山孤立謂之歷山山北有小阜屬池爲姚墟今曹北濮南有雷澤故城山阜猶如古記曹濮地近冀州姚墟實惟舜發

祥地雷澤在曹負夏屬衞陶耶亭在館陶西南舜生遷徙來之地竝不甚相遠且山有豢龍井又鄭所謂今有舜井者也據此則象耕鳥耘之跡在曹濮閒無疑歷城古歷下史記晉平公伐齊戰于歷下是也而曾鞏曰非歷山蒲州以媯水而誤因非古河東也泗水風俗依託動引聖跡酈道元辨之已繫不更論史記蓋云舜冀州之人也

刱道博山縣記

古者建都設邑皆脈河山量形勢均道里所以序正職官便安民人甚茂美顏神旺鎮也當青濟之交爲孔道熛火熾生谷量馬牛農桑之業山阜泉衍蒸蒸

古號莊嶽之閒者也然地占青之右界而隸于益都道遠且若百姓納租質平者不便且客民雜處須聽撫丞甚難正中蒞土者具覽其狀謂可縣得請于朝迺置縣曰博山割益都萊蕪淄川三縣鄉社以佐之時東服土斷濟兗並建置茲縣亦以次舉鎮有舊城沿襲革局不為改井以病民役省人說惟綜古齊太公因飭之政蓋希其事且茲邑俵三縣之邊幘不為緊縣有博山以鍾其美有顏河以洩其惡中平若桑厥壤可游古人興事慎在大始自茲以來勸息農利通化商功面重阻以講武備廣學官以授文教永永年代以為國家奉法順流之邑不亦昌乎其惟吏茲

之君子

滿洲吳麟子舒姓吳查拉氏康熙戊子舉人原任內閣中書舍人與修明史禮部左侍郎滿洲徐公所薦與西林相國交好今爲明史綱目纂修官奏授中書

江源記

滇蜀之水以江名者甚夥而金沙瀾滄綠江最著其源皆在西南徼外前代圖籍無考也近自西域用兵征哨所及其略可得而記焉金沙之源有二一出唐武特盖古烏斯藏地西僧號達賴剌麻者世居之境內有山狀類牛水從其尾流出名烏蘭穆蘇西南流六七日程名穆魯烏蘇入巴薩巴薩者西僧所屬之

城名也又名巴除入雲南麗江府是爲金沙江歷鶴慶武定至蜀之馬湖口昔南詔蒙氏有國時冊爲四瀆之一即此也一出呼湖諾爾即唐人青海地有山名馬爾雜爾柰泉水出焉爲雜馬木特河南流入唐武特之襄塘名亞龍江入打箭盧名密尼雅克除番人謂河爲除其地有密尼雅克山故名焉自是入蜀之建昌廳井衛名大沖河至三江口入金沙江打箭盧者唐武特之東界去麗江府四千里去西僧所居詔三千七百里詔即廟番音之訛也東至亞龍江四百里江以內即中國地盧居番漢之衝頗饒給中國商販多集焉其西南九十里有嶺曰居拉諸爾泉出

曰綠河再東曰鰲江入建昌之大樹堡曰大渡河與川江會自建昌陸行至雲南武定府經火燄山渡金沙江多瘴氣春夏時晝不可行途中往往有唐三藏釋遺跡意當時取道於此而番羌好佛故附會爲之瀾滄之源亦在唐武特之察木道西北名阿克河流爲阿木除又積魯池在察木道東北流爲雜除二水至察木道廟前合流爲拉克除察木道廟者西僧別部所居也有弟子萬餘部衆五萬餘廟在山上山出金銀銅鐵二水合流其前折流入雲南之永昌是爲瀾滄江自騰越州入於緬大約西南徼外國以什數而唐武特爲達賴刺麻所踞故其國最富其地北接

青海東界滇蜀土著而耕有城數十有名桑阿緯宗
者與緬近其俗僧多民少女多男少女之無夫者多
有夫者少夫死無再嫁者婦女衣用倭緞有裙無袴
首飾以木板尺餘穴其中蒙以赤皮綴珠玉其上不
盥沐以餳敷面商賈䀹婦女男子服亦用倭緞以刀
爲飾土官亦然惟冠以白布爲之似古內臣紗帽狀
土產麥青科棗柿常食所重者蒜最珍者敗肉及碎
骨和米麵煮湯俗皆生食惟僧以熟皆以手惟僧以
箸凡人死富者則折而盛於囊妻子隨哭置河次石
上倩善剮者并其骨碎之以食鳥獸偶不食卽云死
者有罪譴復誦經懺貧者則棄之惟僧得火而瘞此

亦積重之勢致然也自中國至其處有三路一自西寧鎭海堡經古爾板索羅木其北五六日程卽河源也南渡穆魯烏蘇抵詔凡三千六百里路雖平而多瘴氣行者多食卽腫頭目死尤不利于牲畜漢書西域傳所載大小頭痛山赤土身熱坂必其地古今氣候信不殊哉一自建昌抵打箭爐前所云三千七百里至詔者是也自盧至詔有大嶺百餘多茂林路皆在山半率用偏橋棧道極險一自雲南麗江府三百里至楊大木經家大木拉李城抵詔凡四千里家大木有地名中甸者西僧掌土地官居之滇軍所需馬皆買於此自此至詔路險如打箭爐此其大概也在

昔乙未歲哈密有警未幾唐武特被兵
聖朝仗義萬里出師克復其地時余在中書頻見軍
中奏報故得知其山川形概後於一友人處得行程
記一帙詞雖不文然與前所聞者足相證據暇日錄
之成篇并其風土識之以見
聖朝之廣大且以補桑欽酈道元之所不逮未必非
他日職方之一助也若水之不入中國與其地之無
關于衡要者則略焉

吳江沈彤冠雲縣學生潛心經學長于古文闇學桐鄉
吳公所薦擧于有司之辭不終試事

周禮遂人匠人五溝異同說

周禮遂人治野夫間有遂遂上有徑十夫有溝溝上有畛百夫有洫洫上有涂千夫有澮澮上有道萬夫有川川上有路以達于畿鄭注謂萬夫者方三十三里少半里九澮而川周其外是五溝之法與匠人殊匠人云耜廣五寸二耜爲耦一耦之伐廣尺深尺謂之畎田首倍之廣二尺深二尺謂之遂九夫爲井井間廣四尺深四尺謂之溝方十里爲成成間廣八尺深八尺謂之洫方百里爲同同間廣二尋深二仞謂之澮後之儒者多言遂人不與匠人殊如陸農師陳祥道薛士隆陳君舉陳及之黃文叔黃文點諸儒彤沈潛反覆而知後儒所言者近是蓋田野之分界方百步爲夫夫間有遂遂在方百

步之外也方三百步為井井九夫以一夫為之遂徑溝畛故得十夫十夫有溝溝在方三百步之外也衺十井為通通九十夫以十夫為之溝畛洫涂故得百夫百夫有洫洫在衺十井之外也方十井為成成九百夫以百夫為之洫涂澮道故得千夫千夫有澮澮在方十井之外也衺十成為終終九千夫以千夫為之澮道川路故得萬夫萬夫有川川在衺十成之外也凡五溝廣深長短縱橫稀稠之數度一皆匠人制之是故方百步者三而皆有遂焉即匠人田首之遂也方三百步者十而皆有溝焉即匠人井閒之溝也衺十井者十而皆有洫焉即匠人成閒之洫也方十

井者十而皆有澮焉卽匠人同閒之澮也衰十成者
十而皆有川焉卽匠人山閒之川也匠人自其閒而
言之遂人自其偏隅而言之言殊而所言不殊也是
故十夫有溝成之隅也百夫有洫成之偏也百夫而
方之卽一成矣千夫有澮同之隅也萬夫有川同之
偏也萬夫而方之卽一同矣蓋卽偏隅而全體見焉
由萬夫以達于幾皆如是爾然則同得十萬夫成得
千夫何以言成九百夫也曰九百夫者成田里之數
若其地固千夫也故爲洫涂澮道而有餘也然則夫
閒有遂其于井不爲隅乎曰一夫井之隅也言夫閒
則非隅矣然則其不言一夫何也曰遂在方百步外

不占一夫之地故不得言一夫有遂也於以知經之命辭也嚴

服問

由斬衰三年而至于緦麻三月凡五服由父而至于高祖由子而至于元孫由昆弟而至于族昆弟皆各四世世世四而服五不盡相當夫聖人何以不使之盡相當也曰此聖人所以隆天下之父之術也夫服本於齊衰期而輕極於緦重極於斬如欲其盡與世相當則必無所加于期之上而爲父與長子並如昆弟之期乃得于祖大功于曾祖小功于高祖緦于適孫大功于曾孫小功于世叔父大功于昆弟之子大功

而不異于他旁親支庶之服之各以其次顧誠如是
何以極隆殺之中而大伸孝子之志故聖人參伍上
下稱其情而立之文父至親也至尊也不可以齊衰
期故特重其服而爲斬衰三年祖至尊也不可以大
功九月故其服以齊衰期曾祖至尊也而疏不可以
小功五月高祖猶曾祖也不可以緦禮窮則同故二
祖之服皆齊衰而三月傳曰長子者正體于上又乃
將所傳重也正體而傳重亦不可以齊衰期故服以
父之服適孫猶長子也亦不可以大功故服以祖之
服曾孫降庶孫一等宜小功也然曾祖齊衰三月不
可以過其月數故又降一等而緦麻三月世叔父亦

父也不可以大功故半父之服以服之昆弟之子亦子也不可以大功故以殺子之服服之殺子之服半適子故重世叔父之服者不以世叔父而以父重昆弟之子之服者不以昆弟之子而以子重適子孫之服者不以子若孫而以父祖重祖之服者不以祖而以父故致隆于父者在重父之服非重父之服而遂已也故其服與世之不相當者乃不可使之相當者也服術固然也曰子之言信足以明制服之義矣謂服之本於齊衰期也亦有徵乎曰有記不云乎至親以期斷象天地四時之變易而萬物更始焉加隆也而倍之則再期矣由九月而五月三月使弗及也再

期之喪三年也故期者服之閒而服莫不自期而推然則至親以期斷之說然歟曰此乃謂爲人後者與父在爲母者爾非謂子之于父也然子之于父倍乎期而三年則其本服亦以期知父之本服期而隆父之術人皆可得而明也已

安溪李光型儀卿雍正癸丑以性理
召對
欽賜進士試用知縣署河南彰德府管河同知戶部右
侍郎仁和趙公所薦儀卿潛心經學與兄檢討光墺廣
卿齊名鄉人有二李之目儀封張司寇撫閩時爲序其
經說有易通正洪範解詩六義說文王世子解天問解
在河南時著農書輯要以教民其序云
昔先王之愛農也至矣故於舉政也曰農用入攻于
興事也曰不違農時夫以春之時與農則得耕以秋
之時與農則得穫而猶以爲未也天生時而地生財

既不奪其天矣又必使盡地之利而後止于是又教以耕與穫之術筆之爲書如夏之小正商之區田周之草人稻人是已今觀土訓所掌舄澤墳壚赤緹勃壤斥鹵埴泥厥有土化之術牛羊麋鹿貆狐犬豕其溲滓皆得而用之其于耕耨芸耔之力也恐其過勞而憔悴則勸之以曾孫田畯又爲之逆暑迎寒葦籥土鼓以樂之迎祭貓虎以助之先王之愛農如此其至也人皆有愛其力而不黽勉者況其術之良達之則歡棄之則飢乎自阡陌一開本賤末貴古制不可復矣後世覽氾勝趙過之書如齊民要術所傳者其耕種農圃雞犬桑麻燦然在目苟得一二痌瘝之儒

相與採擇而講求之則先王敎農之遺意猶可復明
攷周公當日所以治洛之法乃知西門豹史起特隂
用其術而不言耳何則中州沃野千里其土平衍不
分高下瀍澗伊洛繞其南漳滏淇洹亙其北苟不知
行水以去其害則田在水中耳按鄭注周公畿輔治
田起數邱甸縣都及于公卿大夫之采受田則一用
其力與用其息不同夫邱甸縣都之民其夫家每歲
出稅于官而已公卿大夫之采其夫家歲惟用其力
使日治其溝洫畎澮道塗以衞我田疇不役不稅無
他事之苦是故下地之稼有瀦有防有溝有遂有舍
有澮涉揚芟草而無澇暵之害若彼出稅于官之農

惟塗手霑足熙然聽春雨聽倉庚之鳴息然及錢而理錢鎛之具婦子盈寧飲蜡伏臘而又何事焉今日者民猶三代也治過成周也獨念農書未講地利未盡孰能仰師周經憑弔西門史起之烈以爲編戶津梁乎

錢唐程川鄘渠拔貢生籍本歙縣來家于杭浙江總督上蔡程公所薦纂輯有朱子五經語類及五經文類

豳風七月篇說

詩大序云一國之事繫一人之本謂之風則豳風七月篇者一國之風也其體全乎風也宜矣故蘇氏轍曰以非天下之政得爲風不得爲雅自鄭氏誤解周

禮籥章所謂祈年於田祖則吹豳雅蜡祭息老物則吹豳頌而孔氏安國竟分首章爲風六章爲雅卒章爲頌鄭氏至於以四章半爲豳雅三章半爲豳頌以爲一詩而兼三體然而春晝逆暑秋夜迎寒擊土鼓吹豳詩集傳以爲七月之詩不聞別之有所謂雅與頌也凡七月之詩周公陳王業之艱難上述公劉后稷之化遠歷夏商千有餘年之久使成王知故國衣食之原故孔叢子紀夫子讀詩曰於七月見豳公所以造周也然其詩雖出于朝廷士大夫之手而鄭氏詩譜猶謂之曰風之變孔氏穎達亦謂之曰豳之變風安得遽以雅頌目之蓋雅頌之音爲清廟明堂之

什朱絃疏越一唱三歎饒有遺音而七月一篇其曲寫民閒求桑納稼之勤為裳授衣之情烹葵剝棗之勞春酒介眉之樂躋堂稱壽之義所以言農桑衣食之本甚備皆小民意中事耳安在其為雅為頌也且朱子云樂因詩而作詩不為樂而作故詩以體而分體不因人而別寧必以周公所作即為雅頌之音乎是以夫子列豳風於十五國風之末居於風雅之閒范氏祖禹以為風之所為終而雅之所為始於是終之以曹次之以豳反之於周公言周之所以盛望有為東周者耳故不先於二南不以周公先文王也不合於王風不以周公合衰周也不然雅頌也而夫子

列之於風必不若是之謬也說者又引篤公劉一篇以爲同述豳公爲諸侯之政而召公所獻者已列之於雅則周公所陳者不應專列之爲風然而金氏履祥不云乎公劉以備燕饗之樂故列於雅七月以爲矇工之誦故自爲風此其判然大著者也於是有爲調停之說者則葉氏適之言葉氏之言曰豳兼有風雅之制以爲風則其辭作於朝廷繫於政事以爲雅則又紀風土焉故列之於風雅之閒而嚴氏粲則曰雜乎風之體者爲雅之小由斯以言則葉說乃依違之論尤不足據矣且公劉之詩何嘗不言風土而專次之於雅則風雅之別自有其判然者而欲以風混

雅其可得乎於是求其說而不得而支其辭以爲解者有三焉王氏安石之說曰豳之詩自有雅頌今皆亡矣夫笙詩雖亡尚存其目今不見其目而臆謂有之其說虛而無據又說者曰豳詩吹之其調可以爲風可以爲雅可以爲頌則體不定乎詩調可變乎律何詩不可吹也安必在乎豳又說者曰楚茨大田甫田是豳之雅噫嘻載芟豐年諸篇是豳之頌謂其言田事如七月也夫其事如七月而欲引以實周禮籥章之雅頌則其爲鑿也益甚矣雖朱子之答潘氏恭叔未嘗不借許其說以甚鄭氏一詩三體之誤而答吳氏彥章則曰鄭氏不達周禮籥章之義生此鑿說

答楊氏道夫則曰先儒因此說而謂風中自有雅自有頌雖程子亦謂然似都壞了詩之六義此其尤深切著明者也或者又引此爲周不改月之證然公劉正當夏時謹守侯度自應遵用夏時周公追咏其事安得廢夏時而用周正惟是劉氏瑾曰凡詩中月數皆以寅月起數不特此詩爲然故朱子以爲改月則與孟子春秋合以爲不改月則與詩書合以爲兩邊皆有證據而亦不欲以七月之篇定爲不改月之明證也且七月之首章於二之日曰卒歲於五章十月而曰改歲考之夏書有怠棄三正之語則呂氏伯恭以爲三正並用殆或然歟總之詩以言志而篇已七月

之篇幽民之志也而周公代言之雖公爲成王而作
乃言外之志也則蘇氏轍以爲幽公之詩乃一國之
風周公之詩乃一人之事其專謂之風也固宜
歸安沈樹德申培麇生浙江總督大學士無錫嵇公所
薦竹溪沈氏風雅自閑學心齋先生首倡輪編輪翁繼
之一門尊從有端文揆會素菴允相摩仲楷世同叔楨
國楨廷樹槐殿擎柱臣及東甫三昆弟人人有集標映
一時於時申培尚在髫年故倡和集中不與省試河圖
洛書辨小阮篇師翰編恒稱之
天下有三大端象數與理而已矣蔡西山云天下之
萬象出于一方一圓天下之萬數出于一奇一偶天

下之萬理出於一動一靜篤而論之物生而有象有象而數因之起有數而理因之彰則天地開又祗一數而已矣河圖洛書者數之祖也蓋自伏羲時河出龍馬背有旋毛有虛有實一六共宗二七為朋三八同道四九為友五十居中伏羲則之而畫卦此河圖所自昉也神禹時洛出靈龜背呈斑點有陰有陽戴九履一左三右七二四為肩六八為足五居中間大禹則之而陳疇此洛書所由名也二者皆數也而亦有不同河圖之數五十有五備數之全洛書之數四十有五缺數之十河圖之數主乎十洛書之數主乎九河圖體方而主靜洛書體圓而主動河圖以五生

數統五成數而同處其方一生一成之義也洛書以五奇數統五偶數而析居其隅貴陽賤陰之義也且河圖左旋相生四九西方金生一六北方水三八東方木生二七南方火是也洛書右轉相克履一六之水克右肩二七之火戴肩九四之金克左足三八之木是也又河圖者陰陽生成之合洛書者陰陽奇偶之分河圖對待以立體洛書流行以致用此皆河圖洛書之所以異也若論其同則河圖之數雖全而不用十洛書之數雖缺而自含十河圖之數主乎十錯綜十五洛書之數主乎九而亦縱橫十五河圖體方而用仍圓靜中有動洛書體圓而用仍方動中有

靜同處其方者爲五方而自可析爲四維析居其隅
者爲九宮而亦不離四正河圖左旋相生而又兩兩
相克西方四九金克東方三八木北方一六水克南
方二七火是也洛書右轉相克而又兩兩相生戴九
之金生履一之水左三之木生右七之火是也且河
圖陰陽生成之合氣合而質自分洛書陰陽奇偶之
分質分而氣自合河圖對待以立體而體必有用洛
書流行以致用而用必本體而況求子于木則金生
水水生木木生火火生土各有其胚胎歸貞於元則
一還九七還三二還八六還四各歸其原本則河圖
者伏羲則之以畫卦而亦未始不可以衍疇洛書者

大禹則之以衍疇而亦未始不可以畫卦所以劉歆
云河圖洛書相爲經緯八卦九章相爲表裏此則同
之謂乎而更有異而同者大傳云參天兩地而倚數
蓋天主圓圓者一而圍三天以一爲一故三其一而
爲三地主方方者一而圍四地以二爲一故兩其二
而爲兩二與兩合則爲五五者河圖洛書之中數也
是五也易見之則爲太極陰陽之宰萬化之樞範見
之則爲皇極天地之中人物之紀同一五而又有不
同然而太極皇極雖有天人之分而爲極至之理則
一而已此又同異中精微確至之說也若邵子皇極
經世書於圖書之數闡發最精謂只是加一倍法朱

子極稱此言爲不易然此說第可爲畫卦言而非爲
衍疇言至洪範中所云卜五占用二雖以龜爲卜仍
只是畫卦中事二者又皆不可相通然則圖書之脗
合無間者又惟居中之五乎五者理與數一以貫之
者也而皆因象起此理與象數三者爲如鼎之立云
閩縣陳繩[redacted]廩生福建巡撫奉天盧公所薦中允黃
之雋石牧督學閩中時有國士之目

周易程朱傳義異同說

仰觀俯察盈天地之間者無非一陰一陽之理是理
也夫豈住內住外之空就能就所之說哉蓋實有其
象也是象也義苟應健何必乾之爲馬爻苟合順何

爲坤之爲牛拘者不可言易按文索卦屯之馬無乾離之牛無坤乾之六龍疑震坤之牝馬疑乾其故又安可解耶自有易來理與象之說紛然顏延之庭誥云馬陸取於物荀王得於心其說以荀王爲長李泰發亦云一行明數而不知其義管輅明象而不通其理自輔嗣出而象數之說又隱然義理象數必兼綜條貫乃善程子曰得其義則象數在其中若然專主理乎朱子曰易爲卜筮而作其辭必根於象數若然專主數乎此後學所以岐傳義爲有異也然而不移與今夫嫗育奠曦娥代蔭揚更溫涼易孚甲焉生亭毒庶品新新不止密密相嬗其間得僅以象名之耶

抑亦得僅以理名之耶矧夫人事變動出入終始違近逆順安危之間寧有不體用一原顯微無間者耶程子嘗言理本無形因象以明理見乎象由辭而著朱子稱其破先儒膠固支離之失而開後學玩辭玩占之用秦漢以來承三聖者惟此憶程及朱子之所取宗者乎然朱子之言象又須善觀訓如詩之比興固非若漢儒附會互變納甲飛伏之說則尤謬其自言有云象有本畫自有者如奇陽偶陰是有取諸物者如天地雷風是有聖人借象以明理者如即鹿載鬼是若邵子則以意象寓意言象寓言像象設象數象則如七日八月之類是雖其說之或歧議總之包

含能周假託不迹故一卦一爻孕意無窮吁傳以闡幽義以微顯交錯相須易其廣大悉備乎程云易重一斤朱云如鏡相似衡平鑑明其理同也

廣昌魏允迪功夏雍正癸卯孝廉兵部尚書奉新甘公所薦長于考證辨著甚多今授內閣中書舍人

太白書堂辨

幼時誦杜少陵詩云匡山讀書處頭白好歸來意謂匡山即匡廬也及覽地輿記成都之彰明有大匡山意又謂太白蜀人也讀書處或即指此而考范傳正李白墓碑云白讀書于大匡山有讀書臺尚存天寶年間祿山反永王璘辟白為僚佐璘敗當誅白繫潯

陽獄子儀請解官并上所賜銀印以贖之詔流夜郎會赦還潯陽時宋若思將吳兵赴河南過潯陽釋囚辟爲參謀曾文定公翰林集序亦云永王璘節度東南白時臥廬山璘迫致之而廬山志載五老峯下李白嘗至此愛其險峭嘆曰天下之壯觀也因卜築讀書焉至太白所作廬山詩甚多其送從姪耑遊廬山序中丹液未就白龍來遲諸語尚有惓惓不忘之意則黃鶴註之臚列證佐以爲讀書堂專指匡廬山而言者亦非無據楊氏彰明逸事云太白客居徂徠山甫從嚴武成都太白谿流落不能歸故甫詩云云說者謂子美之居嚴武幕也武屢欲殺之太白爲作蜀

道難有錦江雖云好不如早還家之句或者白以此寄而子美郎以此答耶不然范氏所爲墓碑相距太白時甚近而所指大匡山讀書臺尚存者又何謂也杜修可引范碑解子美詩意蓋以此歟夫固不得因黃鶴之辯而輕其說也矣

廣昌黃永年靜山乙卯舉于鄉撫臣復以宏詞薦明年丙辰成進士任刑部福建司額外主事善古文刻有初學文類與說三篇氣勢凌厲有西江前輩風

周禮九夏左傳三夏說

吾讀周禮鍾師以鐘鼓奏九夏王夏肆夏昭夏納夏章夏齊夏族夏祴夏驁夏識其名數而已孔氏疏曰

王夏惟天子得奏其肆夏諸侯通用之故左氏傳襄公四年穆叔如晉晉侯享之金奏肆夏之三鄭氏曰肆夏詩也與文王鹿鳴俱稱三謂其三章也以此知肆夏詩也而外傳復益以繁遏渠之名呂叔玉曰肆夏時邁也繁遏執競也渠思文也以肆夏繁遏渠分繫三詩而未嘗指繁遏渠更爲二夏由內傳肆夏之三之文合以鄭呂之說意三詩乃肆夏之三章同爲肆夏周禮九夏之一云爾獨韋昭之說不然別繁於遏以肆夏更名繁遏爲韶夏渠爲納夏以謂爲九夏之三杜預左氏傳註從其說是以頌一章當一夏得毋泥于穆叔三夏之言于周樂歌鍾師次叙來奏與

周樂每一奏凡三章三章既卒然後始變而樂乃一成以小雅鹿鳴皇華四牡南陔白華華黍魚麗嘉魚有臺大雅文王大明綿觀之皆然聲音節奏必如是始暢鄭氏曰夏大也九夏樂之大歌九也夏爲樂歌之大固不可以詩一章當一夏矣又按儀禮大射燕禮肆夏納夏皆可通用昭夏惟奏于牲出入天子所以享元侯五等侯賢元侯五等侯自相享似用之非其地吾所以疑韋氏之說不可通而據左氏肆夏之三之文以爲是肆夏之三章周禮九夏之一云爾其穆叔之言三夏三詩皆肆夏即皆可以夏名樂崩詩壞學者抱殘編斷簡徒以其意考論先王之遺制爲

從而盡徵之而盡信之吾又以掩卷而深大息也

餘姚邵昂霄子政拔貢生浙江總督上蔡程公所爲長於天文歷算著論甚多省試洪範五行聯珠獲售者八人獨子政作爲奧衍

蓋聞鴻氣太素之化兩儀爲包幕所涵中精太乙之合五運以靈長首慶既膏澤以居神亦淵泉以通聖故本原萬物之準能潤者忘善利之功江河百谷之王能下者表智仁之性是以咸池浴日先應綠甲之圖砥柱浮天乃受丹書之命

蓋聞緯露垂文司馬執本朝之矩重心協節司徒歛赤后之泉故商鶉宋咮之墟相士以大辰祖火帝嫣

臣唐之世重黎以南正司天炎於鼎而煬和則惟民被養上乎山而有耀則遺野無賢是以伯翳司虞掌火贊八年之烈祝融應瑞降崇開四百之傳

蓋聞蒼狍出震長鳴占候歲之司祇谷開寅聳駕啓行春之憲故遊郊集椒龍鱗以木德爲符考室吹銅甲乙以青宮肇旦句芒必出于材所以曲成松柏有心居體貪其直榦是以辨星辰而植社用分東陸之山攻雲甬而乘舟遂刻青邱之岸

蓋聞昆侖壯武之都剛惟秉德西北庚辛之位乾乃爲金招搖指而帝以參伐張其令閶闔轉而樂以無射中其音故既取其從在治則民惟所鑄亦資乎革

占子則豹變斯欽是以勝術有常高省致康歌之頌鉤鈐藏首司空膺師旅之任

蓋聞明堂黃戉之精大輿紫軸之氣四時並王苞物資泰媼之神八位承乾敬天表忠臣之義故爰稼爰穡致役者德盛於所歸知始知終不居者功成於所寄是以中邦作貢合墳爐埴壤以成成盡野分州統侯甸綏要而布治

中西歷算論

歷算之說尚矣自軒轅命容成造歷隸首作算而顓頊運天定爲歷宗唐虞授時齊政至以歷數傳道統三代之時所傳六家歷夏小正周髀諸書雖簡存者

其詳概不可得聞矣迨漢太初中始更歷法登諸漢志嗣後改憲者七十餘家創法者十有三歷其閒如三統之積年日法四分之歲實小餘乾象之歲餘衰率楊偉立起虧之法虞喜覺歲差之移姜岌以月食檢日度何承天以晷景測日正祖沖之之定極星劉焯之列日纏張子信知交食有表裏五星有順逆一行定九服交食軌漏之異徐昂悟交食有氣刻時三差王朴變五星之法姚舜輔悟汎餘之差至郭若思以晷景實測爲主則尤集中歷之大成是皆載諸前史班班可考者也而論者以太初大衍授時三家爲最著夫太初謂律歷一源三統與其爲術已疏乃

據其術以推今之氣朔則相距千八百三十一年而天正冬至後天一十四日四十刻朔日後天六日四十刻其日躔宿度亦退三十度有奇疎闊至此而積年日法諸術獨傳範千餘歲且至史家併律曆為一志則皆以律為曆誤之也若大衍以蓍策為曆與河圖之數大衍之策一一附會以求其合其談理似優而究之為合驗天不數十年而輒不效獨郭若思作授時曆一以至元辛巳為元用句股實測弧矢之算今考其創法之原凡八事曰弧矢割圓曰句股測晷極曰弧背求矢曰黃赤道差曰黃赤內外度及去北極度曰白道交周曰日月五星平定立三差曰里

差漏刻蓋其測驗之勤立算之巧洵無出其右矣然
而緯道未備不能究五星之細行而於交食則猶有
失推者揔不若西歷之精密爲無加也明洪武閒得
元人所遺回回歷法以之設科存監參校薄蝕凌犯
其法用小輪以圍七曜之軌道有緯度以齊五星之
躔行蓋昔與西洋本歷同傳于厄日多國實中國所
未有也至萬歷閒利西氏東來而西人之歷始發其
端其後得湯道未羅味韶舉西洋之測算就大統之
型模以成新法歷書質測通幾度越千古我
皇朝定鼎稍以改憲須頒始行時憲歷說者謂時當
午運天學大明洵不誣也我

聖祖仁皇帝以天授之姿大成之聖
御製曆象考成一書則又彙西洋九萬里之絕學集
中歷二千載之大成此固唐谷周臺不足方其推步
鮮于洛下莫能擬其測量者也今以其法言之天體
分為九重而地球中處則東西南朔非有定所也地
球分為五帶而日輪照臨則寒暑晝夜亦無定時也
地為九天之心而天復不同心則朓朒躔離皆可以
小輪而定其贏縮也天有高下之數而星復有高下
則疾遲遠近皆可於歲輪而定其順逆也立小輪以
圖諸行而交行高行可互見矣由地平以測升度而
斜升正升又不侔矣且以地度應天度而里差視差

之立術同科以黃道準赤道而恆星五星之東行不異乃至歲實有消長之辨午中有黃赤之殊七政之緯度彌詳交會之差分益密遲動疾動自動總挈于宗動之天視行實行自行悉範以平行之度談天至此誠爲百世聖人莫之能易者矣顧稽彼歷之源流亦是增華者愈密意能闡以前雖崇歷學立術猶疎自多勒茂用曲線三所形量天乃設不同心圈及諸小輪以齊七曜之行立法三百餘條爲歷算推步之祖及第谷別創天體更定新圖而歷學益加密焉而要其測算之術則必用三角八線以圖齊斜而切線割線大線則均以正弦爲主取正弦之術則又以句

股爲宗雖直線之本三角與曲線之弧三角不同而凡正弧餘弧垂弧次弧諸法總必以八線爲用是仍以句股爲宗也夫句股卽三角也然句股之所量在邊邊之大小長短無定三角之巧乃限句股于圜體之中而所量在角旣因弧以知角復因角以知弧而天元之體正斜反側八線犂然各相遇而成句股卽不必創制渾儀之下可以不窺牖而見天道類有此具焉耳顧句股之法本吾中國所自有周髀載商高告周公以句三股四絃五之術爲算學之宗近世如李冶之測圓海鏡顧箬溪之弧矢算術周雲淵之神道大編唐荊川之六論皆精於句股之學者若前代

祖沖之趙友欽所定圓率徑一則周三一四一五九二有奇與今西術所得之數正同由是言之則中國未始無割圓測圓容圓之術法也且非特此也岐伯曰地在天中大氣舉之即今地球中處之說也周髀曰天象蓋笠地法覆槃北極下地高四隤而下即今地圓之說也北極左右夏有不釋之冰中衡左右冬有不死之草即今緯度五帶之說也他如漢人有海外星占一行有鐵勒晷刻程伊川知天地無適而非中郭若思悟地乃圓體皆與西歷之說脗合是西人之矜爲獨絕者大約皆中國所自有特前無師承後無傳述故語焉不詳行之不著耳且西歷亦未可概

論矣即其占法分天爲十二重歲輪不相侵入而能徹照又有水火土氣通爲一球向右旋轉而左旋之天不動歇白泥則以太陽居中而地球旋轉于外又米葉大更造蛋形圖以解天行根本及第谷則以地爲恆星日月之心以日爲五星之心夫此種種之說有是則有非當無盡合天行之理然以施之推步驗之乾象固錙銖脗合不能使人不信從也至其入中土之法利西氏發其端湯道未竟其緒南敦伯攬其成亦既不遺餘蘊矣然順治開博樂尼亞穆如德更撰天步眞原一書則改小輪之行爲天心圖行改歲輪之行爲太陽天行其歷算等術又與歷書不同由

斯以言雖西歷亦豈有一定之法乎哉至如近今歷
算家咸推宣城梅氏其所著火星本法交會管見及
白道交角諸法誠足發前人未發之蘊若度釋例諸
書則誤處尚多又其書止以新法歷書爲科律而測
驗之學無聞焉是當更爲討論者也

詞科掌錄卷十二

仁和金德瑛汝白原籍休寧雍正丙午孝廉官中書舍人太僕寺卿常熟蔣公所薦未及試丙辰以第一人及第授修撰入直南書房是舉有兩狀元金壇于振鶴泉及汝白也汝白讀書精細通鑑點勘皆徧五言清微朗潤希風錢劉

觀舟下劒滿諸灘

曉行空翠中有與自答與忽聞長灘聲浩浩響終古空谷晴殷雷白晝洒飛雨石質本強梁水性尤易怒朝東激使迴離立互撐拄叱之或是羊蹲處眞成虎曲折布爪牙洪河臨一縷舟師識竅窾神定楫徐舉

無厚入有勝妙選成風斧一葉下懸流後仰前若俯
覓刹失聲渦回顧砂何許不念波濤驚卻笑登陸若
由來安則遲快意須險取吾今悟生理捷徑甘讓汝

小清涼山房圖詩

路出郊西近身依尺五天當年勞卜地選我問流泉
散帙臨窗下羣峯隱几前轉音門外絕兀坐意悠然
文史充官事川巖奉宴居偶然騎款段是處看芙蕖
靜與竹梧對涼生夜月初披衣緇未染直說愛吾廬
少憾閒中願猶餘物外情山容多蘊藉歲序易崢嶸
勳業知何與文章敢自名候蟲侵夜急時使壯心驚
三詩長託迹來去分無違春淺柳迎馬宵樂花打衣

圖成他日在屋老昔人非唯有槐龍翠朝朝蔭板扉

山房秋夜

夜凉長對短燈檠玉露侵衣鶴警聲月使持螯還減興卻因見月易生情風傳遠柝聾山應霜殺空原萬木清賸有千秋糟粕在鬱盤胸次未能平

九日瑞閣登高分賦

今日之日古所稱恰過蓮雨逢新晴名園咫尺可登眺去意遙曳風中旌直廬少待官事了聯轡奚奮飛鳩輕到門檢點幾叢菊黃白亂插籬間英修廊邃館窈窕入蘂園竹塢迤邐經已忘揖讓哂惡客詎分先後宜徐行行延石磴小憩息坐愛松根森脊冥一重

一掩嵐氣密千樹萬樹虬枝撐丹楓烏桕爾何物霜
不能萎翻鮮明是耶非耶墮幽谷天風頂上波濤聲
俯循畧彴傍池面點點枯瘌苔苔紫浮䌫隔水重回
首橫林展出如丹青此時洒欲傾湘醽主人鮮鮓並
復烹肩髀殺截堆盤盛蝟毛象箸交籌觥五条三洛
試手令雄談媛語羣奴驚自然淸音醒客聽不用簫
篴琵琶箏君家構園六十載石上甲乙留先銘某邛
某水舊時事一一溯說都有情僂指他園多易主風
景竟爲誰。人營嶺南江東燕薊北二十八宿分天星
何緣合併數晨夕異鄉豈得非弟兄似此可彿酩酊
醉任爾西日銜盆傾不知玉關珠宮畔放蕩乃有五

狂生堪笑劉郎屑屑尋故典我今索醉但借重陽名

梁溪俞瑤星得古錢二枚愛之爲圖題詩余亦作一首

士不適用如古錢持以入市成棄捐風塵知己得迂濶拾取似怵他人先一長而橢一規圓孔綠出土光殷然當時契刀金錯刀網利欲奪造化權矜身千剸不足惜遺器乃爲人所憐譬君呂黎蹈僞術皆古亦取揚雄篇況今散擲百世後遠勝爭奪千年前俗子鑿此頁可悟金藏于山珠藏淵不然中心著滓穢絕口阿堵夫豈賢

武陵胡期頤永叔任臨江府知府被劾落職寄居無錫

之西門大學士嵇公江蘇巡撫滿洲顧公交薦之竟爲部駁不得試永叔家世通顯祖統虞內秘書院學士父猷徽江蘇布政署直隸巡撫兄期恒甘肅巡撫舉主錫山中堂則其姻家也罷官後家益貧落所向皆不得志在都時與大興薄學士海倡酬最密

題松吹書堂

鬱鬱兩高松盤空作風雨下有澹宕人倚松聊結宇淸陰和幽韻嫋嫋音如縷有時發長嘯九天鸞鳳舉有琴不泛彈有瑟不泛鼓祇此松籟鳴希聲追太古歲寒君子交舍此更誰伍

歸安王起鵬翙如拔貢生署靑澗令陝西巡撫滿洲顧

公所薦雍正庚戌予下第將歸時翻如方以廷試來京
師朝夕過從有和全謝山韻送予二首
燕市悲歌憶漸離客愁無賴又臨岐黑貂雖敝猶存
舌青雀將歸已放眉晚色郵亭籠短帽秋風江店冷
殘卮憑君別着新詩卷好去窺園當下帷
西子湖邊舊主人荷香柳影總比隣湖聲夜雜窗前
雨木葉秋添澗底薪寸草目將娛白髮三年姑去避
紅塵畫船蠟屐閑來往更著陶家漉酒巾
錢唐桑調元弢甫癸丑進士任工部屯田司額外主事
副憲海寧陳公所薦少有儁才賦鎮海樓詩多至四百
韻

太極似何物對

太極似何物乎太極無物亦無似物於物而不物物非太極也不恒似而時似非太極也天下無獨必有對唯太極無對故包乎萬有不滯於有立乎至無不淪於無無而孕有斯非窅無有而體無斯爲妙有夫子言易有太極有而不有周子言太極本無極無而不無有而不有不有者乃其所以爲有無而不無不無者乃其所以爲無無者有之對有者無之對凡物之所謂有無非太極之所謂有無也必求有無於幽化有無之際而太極之有無可會矣故朱子曰太極之妙不屬有無不屬有無此其所以無對也邵子謂

道爲太極而程子有唯理無對之說邵子又謂心爲太極而朱子有惟心無對之說然則太極之爲無對也昭昭矣無對則不可以物言不可以物言則不可以似言竊嘗觀太極之圖太極不可而圖也不得已而强圖之稱太極之名太極不可得而名不得已而强名之故觀其圖稱其名者必探其不可得而圖之妙與不得已而名之精斯則聖人之意也夫書不盡言而圖已盡言矣圖不盡意而圖已盡意矣是在善會者自得之以物喻物物而不化以似擬似似而不眞而況以物喻無物以似擬無似者乎張子曰大易不言有無言有無諸子之陋亦謂有生於無及有物

先天地無形本寂寥等語毗於有無之方所故曰爲隱耳若有無隱顯通一無二何必不言有如孔子言易有太極是已何必不言無如周子言太極本無極是已且極也者本借屋之脊棟以取義而特繫之以太明乎尊而無對非凡爲極之可比也然則極固已借物之似以爲言矣極而繫之以太則仍無物之可似而已矣夫皇建其有極會其有極歸其有極見之於洪範無極二字見於老子知其雄章汲冢周書有正人莫如有極道天莫如無極之語柳子曰無極之極康節曰無極之前陰含陽也有象之後陽含陰也其言有言無意各不同而夫子與周子之言則固不

毗於有無之方所而相爲表裏者也且構形似之語以形容太極者昔人亦不乏其說如橐籥元珠磨盤水銀果核水車川月等語不一而足曷若無形而有理一語之爲明徹也夫既曰太極矣并不必實指之爲理而不得不以理言者亦不可圖而强圖之不可名而强名之之意也而又何物之可似乎哉

河開雪一百韻

皚皚河開雪介我泣沾袂問我泣何爲欲語咽嚨嗍往在赤奮若我行向神都大雪過此開不知我父祖我父堂前寢我身天一隅我父目不瞑我足泥中趄我夢連夜魘我口緜驚呼我肉熱以沸我汗襟背濡

我頭涔涔然我心割昆吾彷徨關遠道燕趙齊魯吳
誰知恨綿天我死有餘辜父老不能養父衰不能扶
父病不能侍父逝不復甦哀哀父逝月我弗號庭除
含飯無由視窆生不肖軀生慚高子羔死則隨皐魚
無益縗麻服三年隙過駒天地識我悲雪擁前年塗
良友識我悲爲我減朝餔從弟識我悲淚絲迸清矑
門人識我悲環唁擁我輿稚兒識我悲竟日停嬉娛
僕夫識我悲相顧聲嗟吁征馬識我悲踢行三踟躕
我悲何能休音斷松間墟攬涕登高原萬里開輿圖
何方見我父凝想霜創鬢凝想成狂癡泣血亦已徒
欲從黃泉下省我父起居卻念老母在鬢白顏亦癯

常常依膝下胡為復馳驅我父抱醇德潛光居草廬
至行比曾閔青竹叜特書十三喪母氏撫入敕中廚
大父染噎疾關鬲阻不舒父為炊白粲肥豚與之俱
膏滑進一飯疾篤終難袪肉糜與肉汁手自熬風爐
窮思到羊脂一匙伺所須如此四寒暑精誠繫曦車
終焉抱鐕哭淚血竟已枯此宜請於朝旌揚闡八區
餘生出苫塊忍痛邀天衢
皇帝新嗣位孝治媲周虞覿邀錫類
恩天褒鑴琪玗我師高川公大筆韓歐如衢哀求表
墓千秋信不誣何嘗礲山骨圓首而方趺眼前見突
兀丹篆光臨墓衢寒首北路微志緣區區同雲[illegible][illegible]

暗舞岸瀰空虛弭節古衝瀆蒼茫混河渠出門昧莆北車轍交盤紆依稀回首顧故鄉想枌榆支河合海凍廣俯連沙鋪幾尺馬鬣封一夜寫黃壚荒寒沁中野無復溫衾裯回憶十剛臥壙側茅爲詠諸生雪涕對塾舍延春燕蓼莪爲之廢拜奠羅樽壺我饋粥于是苴杖經臘臈晨昏墓門繞寢門意不殊前年初負土穿塋恨難斷竹復續竹銜尾羣鼠遁去年颶風作新柏搖根株號林百迴旋迸立冬榮敗依墳墳土噯匪獨歆一盂別墳墳土孤嘯若定省疎得別過野牧跡踐狩與揄得所叢啼舞類引猘與狐況此芬霧下叩瀧形模糊離灘數丹尉重壓寒柝無年時慟哭

地寸寸滋青膚今晨淚亦赭坏土塵沾污復念我老母望遠倚門閭慈母手中線密密縫我儒慈母眼中淚點點滴我裾正慮此遠遊霰雪行崎嶇素華被原隰寒色淒有餘禽獸號曠野不辨日已晡我體劇骯髒母心憂飢劬杳杳思人馬云何不堵痛我年生非弱四十昨已逝母愛若嬰孺梨棗私阿奴阿奴去暇時送之踰戶樞雖有弱弟存顏足承怡愉顧獨恤阿奴氣味苦于荼劉攜阿球出如分掌上珠短小未勝衣趨令涉崎嶇淒淒遊子意悵轉縈蜘蛛阿鍾少多病彳亍憐惷愚參差小兒女纔得雖呱呱病婦在床第何以奉老姑仰觀道傍樹上有孝烏雛雪中出覓

食歸以奉老烏覔食亦不遠歸飛不須臾毳毛爲護
覆煖似貂襜褕我生不如烏咨名識字夫我欲竟此
曲此曲悲鳴鳴泣語爲人子勿似不孝孤
酬和馬墨麟醉歌行贈予及孝長韻兼贈孝長
問奇跡斷眠衮墳誰能索莫潸書龕春風泱漭踏何
處人海細瑣堆螺蚶搖鞭直排我友闥有客先到嘩
高談杯前喜我影參入不須呼月剛成三小奚揚揚
添滌器凹金彎角窪癬楠無事齊拚作牛飲無功之
鄉添遨探狂言帀歲扃龍嶿只緣拱揖簪朝簪今夕
主賓認我輩驚瀾陡覆滄瀛泝鬱甚汲黯氣不滅飢
死臣朔心猶甘公孫主父是何物字渠青史名奚斯

況復縱縱橫驕酣汚吻莫洗湘江潭落筆恥矜賦草
就運籌當使羌苗戢來怪維心清脫穎欲嗤名士投
夯函胡雜蹴飛軼紅土馬上虛抱西山嵐曹司則曾
若山重日旅而進同遭遭東閣聯和冰雪薄官梅作
坼香芭合帳望千秋高韻歎誰發詩興勞研覃劇喜
故人唫卷積墨香浮案餇仙蟫扶輪更得好吟伴一
時大雅變騁驂嗟予年來兔管禿强與此事中饑懿
還輸詩思括奇險青天萬仞開魚鱗折戟可曾邀杜
甫植榫忽復逢劉恢文章嶄奇交磊落彼已俱覺敢
鹽諸互古聲光三不朽狂思籠取何其貪精神强并
耐繁錯春帆休颿湖波藍人豪詎爲富貴縛拳來書

髹榫槐郎推遷難綏羲和馭出處肎放乾坤擔禁樹
鶯聲已可聽邊攜斗酒兼雙柑嵩筵姑一大酩酊燈
見髮影青秘穆詹荀林中此撥去我徑倒榻留花南

贈別王近顏明府

十年不對面相見無怍色相見復相離慷慨情何極
此意誰足當實惟君也得君從天長來意氣如弦直
風塵月晴射清濟初相識同車上京華傾寫赤胸臆
子誠掇皮眞我亦謝雕飾才地雖差池古義同匡飭
諸生上
雲陛斑心見嶷嶷
特詔令海豐孔宇宣臣力上官擯蟲沙觸忤怒不測

一官倣倔然凜凜萬夫特遭逢眞知己冠佩親拂拭
寶劒豈終埋貝錦無停織勞苦性所甘馳驅指西域
軍需咄嗟辦沙磧徧跋涉氣振塞垣表奇才破偏側
九重聞英名快介羣喙息重起收吾民曰汝爲汝翼
天地有炎火專川待螟螣當其族生時嘉苗根節食
君如寒潭清忌者中以墨忌者自不仁翻謂召杜刻
浮雲蔽白日不獨我心惻連年走甘肅恐君瘦且黑
堂堂八尺軀轉覺神充實下馬作露布上馬能擊賊
强項未足奇奇才老經國君今往赤縣求瘼低憑軾
何以恤氓蚩何以勸稼穡何以鋤强梁何以理溝洫
遇民則柔克遇吏則剛克君才夙有餘聽事斷不惑

天下仰望深吾弗能默默吾有一寸心感事意不愜喉中物難探微願終抑塞錄錄復錄錄素飽行自勧詩人多夸語自比契與稷衆論雖不許忠愛固天植我仇嫉軟媚我疾犯剛愎遲迴聖明朝忍遠北山北愧無分毫補洪爐負陶埴老母髮垂霜烏烏情孔亟決計采陔蘭庶用供子職君爲親民官利弊看興革丈夫輕別離何者長相憶古人亦有言努力崇明德

爲謝梅莊侍御題首夏軍中學易圖

百年萬事總儆覷赤肝陡激誰得已芒芒慘澹須扶撐開闢及个幾男子寰中磊落若其一匹馬當年穿

塞出恢台纔斷一河冰凌兢猶凍層空日尋常蚓蝻
牛馬毛軍營六月圍豐貂材官羽騎若虓虎到此意
氣何由驕惟君剛耿不動傀靦若等閒茲一役把來
先天後天圖坐偏西山北山石聖垂象繫韋作編斯
文憂患意不刊我知君憂亦復大於山勢與杭靄齊
巑岏澆以蒲桃一斛終難寬悶君何所憂所憂不在
飢不在寒不在七尺埋置塵沙端亦不在家山萬里
雲漫漫亦不在賊火夜半星攢攢是時首夏當純乾
一陰欲進方磐桓快心一夬忽復姤排之不得空長
歎春明春樹連天綠鶗鴂春向牽端復春雨迷離一
片雲孤臣淚盡蒼梧哭屈軼神羊安在哉惠文冠在

拂黃埃賜環湔祓

新恩重誆忍長崟歸去來況復天門九重蕩蕩開守

關虎豹無疑猜此時奮舌動天意斗樞旋轉乾坤迴

君莫謂封狼之皮已寢處四海蒼生各安堵憑城怙

社者何物誰其掃清了斯舉我心惻惻我顏憮我歌

慷慨君試聽陀羅之海不足驚

寄餘姚趙明府

古治何以隆鄉里有選舉徵辟布郡縣漢治猶近古

所以傳循良前後炳接武逮乎科目定賢儁格斯阻

大哉立無方萬世存良矩洪惟

憲皇帝旁招際海宇諸公草茅來盛治同斥悑節拔

遺
今皇羣黎熹得乳惟百艮有司一指爲侯數吾姚俗
喬樸頑口喧郊墅問侯何能然春陽一氣煦以殖我
田疇以穀我士女
瀕海是邦立文獻猶可徵古老互光焰照耀金鷄騰
元精鍾不竭士氣方雲蒸侯賞漢賢良德教由之興
論士先器識斯語千秋稱文章有根本匪漫渲剡藤
樂育出膠庠幾輩清竹登登山睇在昔徽昂樹習膺
城東建
聖廟歲久頹阤稜我欲躬土木欣築先馮馮芹芽長
石池規新惟侯能提唱重斯地覆構聳層層

明府當世賢行事越意表進請揚幽潛一舉光吾道
餘姚有布衣（先師勞麟書先生）經行鴻搜紹講壇風雨秋闈
修以終老清名動
天問遺書爲世寶䏙䏙孝感公（孝感徐大司空爲題二石）特筆照
穹昊一碑卓大塘一碑壓宿草故里與幽宅光俾日
月皎徐侯闡之起（徐太平明府以卓異入覲力趣勒石）謀置匠斲巧
旌彰倚明府風聲樹不小小子他日歸當滌觴清醥
客從海鄉來語侯清且良窮海得父母赤子骨開張
今年沙隴熟有穀堆滿倉如甕縚上繭如膚陂頭羊
花利復三倍老幼采擷忙顧惟桑梓私疴飯欣不忘
迢遞閒得所加餐快中腸寒宗執本分耕讀業有常

誰與敗我類治之義所當兩年倚金華望雲思彷徨

遲須一壓受清謳寄海鄉

浩歌行送徐明府復之太平兼呈朱二兄

自古豪傑有本性錚錚百事雄鬚眉宇宙相望若傾

蓋徐君磊砢今見之屈君爲宰履吾浙牛刀恢恢烹

伏雌山岷濃積蔽芾蔭珠光倚照靈巖詩大雷春雨

忽移灑車過婺隴江雉隨此來報最掖庭上赤子得

乳

天容怡倘方賜衣映冰雪重臨亟慰邦人思

闕下難遮去鳧影春前定占遷鶯枝國家升擢樞柄

在國士証計官崇卑苦心彌縫復元氣要使晚近澆

淳熙羣公委佩自都雅親民獨恤民寒飢盛時不作
春陵咏有感亦放華星辭更喜天台之山靈且奇琪
花翠羽紛葳蕤千峯盤鬱萬瀑噴黃巖已過纔坦夷
君治之邑適在此刑疇澶漫山透迤夢中攜來得五
色豈徒滿縣爛斑爲我有故人往司教秀水朱子齋二兄與
君膠漆誰能離兩賢希有天作合邦中有父更有師
吾輩豈肯蝗麋粟行處繫心於職司朋友名成指千
載日夕相與陳民規我來識君憶我友曾經草屩踏
嶮巇窮冬風雨泥滑滑獨馳疾赴千里期我友招君
識而大拊掌謂我衝寒繭足成一奇噫乎我膽亦復
紅如曦交無新舊惟取義不虧論心慷慨一言足古

𢥠須問心相知升沈離合等閒視何者可勒青竹鐫
瑕疵感君氣誼堅相辭遂我素願感不訛我有先師
傳寶學河東餘千續以東海匯亦有孝懿公欽慕題
兩碑懸思鐫摹了斯舉君直任之無然疑高義奚趣
百朋錫羽翼大道非君誰君行語友並神王眼中已
似突兀見此巨石蟠靈螭乃知文人循吏未足盡君
品偉哉轉與高名垂霜風滿郊木葉盡抗手論別記
此時抗手論別記此時他年相見添霜髭

送謝梅莊之湖南糧儲道任

亮節重忠孝二者常難兼斯言不謂然血性從閫峴
一麾之所擁神天通幽潛仕可為親養請外復何嫌

塵勞任州縣臣子心歡恬
皇帝以孝治盛事史筆拈不見謝侍御
恩命方新霈有友愁獨處風詩稱葛蘞
葛蘞實蔓生君行我獨處欲別三踟躕覺爲失儔侶
人非麋鹿群焉用此常聚卻憶未別時日夕話聯武
況君遂孝養外臺良得所此別歎何爲深衷鬱如許
問我鬱何爲逆淚不得語
得語者外臺視糧擁鳴騶視糧良獨難何術平徵求
可憐辛苦粒貯之如山舟是月日夜分送子於道周
所甬而正概丁寧干政修行部棨棨亭爲酬元道州
爲問邦伯內得有此人不盛世無揞克我心滋懷憂

懷憂心孔多反哺我我所切我亦中原烏反哺何獨缺我固無處號我聲用塞咽我哺自可反不哺復何說翩翩南飛烏老烏顧怡悅得食哺老烏念之我情熱我歸雖無食重與老烏別趨歸苦相依覓食向風雪蕩蕩中原天南天路闊絕交語立須臾哺貴白且潔

梅莊西北域記云軍中烏比中原產者大啼亦飛墳斥之烏乎烏乎汝即不能不啼其俟反哺畢乎此篇中語意之所本

錢唐金虞長孺康熙庚子舉人以保舉令湖廣之孝感邑人大司空涂公薦于朝旋丁外艱不與試長孺于書無所不閲文筆高秀為吾鄉人士之魁從人視學粵西有雙江臥遊草詩極清雄

謁伏波祠

天邊銅柱古苔封疊鎌依然漢殿容不分乃公輸鄧禹豈知兒輩有梁松桄榔葉黑靈風颭薏苡花殘瘴雨濃二帝遨遊歸太晚隔江先報馬頭鐘

南征一曲武溪淫淒絕騷人弔古心畧革動名誰得似跕鳶風景客重臨尋山何作論兵勢萬里常懷教子箴畢竟何如乘款段拜來牀下獨沈吟

遊立魚峯在柳州城南峯洞口有亭榜曰水天一色

花朝風日淸且幽散髮偶作城南遊使君種柳舊官渡一葉窮破春江流江光山色暖相映造次不及停雙眸綠坡徑訪立魚處逝欲選勝窮其搜山靈愛客

遽倒屣峩峩碧玉簪當頭同入指點向予笑茲峯詢美魚則不初疑禪界涌孤塔漸歷海市登危樓巖扉東啟納萬象水天一色相句留入門四壁皆綠淨亦有礎柱如雕鏤窒西南隅窺奧窔洞罅穿漏風颼颼滿頭鍾乳骯欲墮失足坎窞深難求誰將巨手擘西嶂翁忽倒影青紅浮陰生乍恐奇鬼嚇靈境悦靚真仙儔芒鞋各各鬭輕健西東下上不復謀峯迴路轉幾散聚何趣曲澗詩泡漚最後一洞須秉燭若瞰谷井綆必修石鼓砰鍧石船大豈無神物司干掫吾儕斯遊亦云樂見險不止山應愁茀巷咫尺且登眺昔有古佛無比邱殘鐘一叩衆山響柳江萬戶皆清秋

顔闞龍潭更幽邃盡往觀者山之陬潭陰冷浸太古
石坐覺凜冽思添裘魚峯反立碧潭下髣髴鱗鬣爭
螭虯乃識命名良有意向入魚腹空嘲啁風煙變化
白日遊眼前好景誰能酬歸舟更出城西路試把新
題謁柳州

遊七星山棲霞洞放歌

大圜懸鶴空所依谷神不死爲其谿芒芒桂海別有
尾閭穴火敦之腦同端倪我行西南萬餘里稍謝兩
屐曾經奇房顔到處供點筆眞宰不受訣詞欺龍湫
春暖立魚動只尺小貝風煙姿謁柳州立魚淵相逢遠下米
氣升絕歎氣母團結能如斯豈知瑤參碧筍一一吐

靈怪向者失之靚面眞罨癡彈丸江頭新雨濺花橋在東江門外偶踢胭脂泥東風吹我落天半捫參歷井縈滑如餹餅北斗何年墜地化爲石寒芒老傍樓霞棲我聞名山福地五千四百有七十未覩藕絲一孔幻出恆河沙等之須彌山外裏山人不到洞中覓洞仙應迷危峯倒插靈劒名江小遠勢直壓屏風名巖低攀躋分寸始陟碧虛頂巷出背坎交重離將入棲霞先入碧虛洞洞後通明有梁虛亭在唐鄭冠卿遇日華君吹笛處也過此仍宿焉矣遥探巖竇轉偪仄漸入佳境殊委蛇山𡶇貫剪導我以先路列炬三五爭喧豗自入七星觀元帝殿側小門皆行幽隧中惟碧虛巖一段橫絡山腹耳土人執炬前導直至曾岙巖止約三里餘此山從無蟲蛇惡物與瘴癘惟有陰厓蟙

蟠拍拍沖人飛鐙聲三弄何處月華館寒香一炷稽首元元詞洞口鐫篆曰元元棲霞之洞唐時祀老子」此遺像尚存雙門窈窕鏁金闕洞中之景山一天門二天門一八村巢簾攢丹梯天柱毬場戲馬足空曠繪壁舞鶴工雕幾打毬場白鶴洞遙憐夔罔苦徵役搆此萬間廣廈將貽誰仙翁懸榻如有待蕊榜姓字猶依希仙人榻仙人榻棊盤幾閱爛柯劫藥竈未冷雕胡炊棊枰不仙籟羣眞楚楚雜坐臥雲幢羽節紛葳蕤衣白仙人補陀住亦復偏袒相追隨諸仙佛像甚多六十變相尤數見皆酷似禪板聲清粥魚濁雲板不木魚不扣之有聲魔女側塑像峨眉因思渾沌始開鑿象教不設交南陲云何早現種種相毋乃山鬼能前知靈蹤幻景置勿論化工肖物誠匪夷

煙中指點萬蠕動羽毛角觡兼鱗鬐赤鯶飛趁雨工

雨（鯉魚躍龍門懸石壁上鱗鬣飛動如生為諸景之冠）青鳳下豖（鳳凰倒挂）芝房芝

（靈芝地）弄雛獅踞驖獰遼（白獅顧子）攫珠虯怒撐之而（龍戲珠）

其他脜鳴汪息難僕數辨厥土物尤夥頤蝌蛇俛首

大於斗鸚武曳尾求其雌（蝌蛇出洞鸚哥石）離支側生儼包

貢瓜犀菌耳璣細復不遺（荔枝元眼香蕭瓜子等石皆極纖巧）畫地作

餅安可食且向蝦蟆潭外（即瀨了潭別名）觀魚池魚池一望

淼煙海魚網挂壁久不施（魚網石在魚池上亦極肖）淋漓卻似初

出水鼻端拂拂腥風吹仙之人兮田且漁縱橫方對

如新犁驅龍汲水灌瑤草千頃化作汪洋陂（仙人田不知幾

頭時有積水不能過）我無雙翼那得渡以火來照光熹微明夷

入腹理當出況此深入胡不歸蟻旋螘轉姑左次繞
遍天心月脅窮尻脽洞至此有兩岐左向即蓮山南曾公巖路也其右惜為水阻不
可知山靈狡獪更莫測傴然戶室當中迸始信神仙未
必常不朽不見玉棺冷貯王喬屍所謂肖蓋棺也肖物之奇此為最
人間樂事安可極火傳薪盡將何之漫漫長夜幾時
旦前徒忽告東方晞東方明亦肖絕將蓮曾公巖矣初疑名爽差辨
色榑桑喔喔鳴天雞少焉石壁盡赧駭金篦刮眼大
地皆春暉向來三里似足抵千里浮生半日可作窮
年推曾公巖畔息微倦游仙夢醒不識今何時塵衫
不脫底滋味空許金堂玉室頻覘窺安得乘回風載
雲旗鞭赤豹兮御文貍出入不假青鸞憑攬盡八柱

連蜷枝天槊滿向斗柄挹元精錯落星光馳笑喚五
雲閣吏躋我棲霞詩
登獨秀峯反愍讀書巖下
峩峩玉笥斑斑獨秀如卓筆其高六十尋而袤五之一
秀色殊可餐陡峻罔無匹我來峯下居靜對便終日
亦知登陟好柰乏乘脩筋今辰鼓遊興拉伴翩輕疾
王城西北隅林壑擁深窈攝衣請先登蹈險氣不休
盤盤三百磴一一透空出巍然北極宮元都尊輔弼
敗壁舊鐘鏽壞像雜琫珌舉目但泥土攀躋竟何必
旁有兩巿亭位置頗閎逸憑欄舒遠眺恰直斗杓七
棲林古都會萬戶見墉櫛襟帶水迴環劍銳山崒嵂

勝概羅心胸塵聚算幾蝨指點臥龍臺風煙亦蕭瑟
嗟哉奧姓王不及營巢鳦雲根劇未平山鬼瞰其窟
蒼茫發遐慨往事安足詰長嘯歸去來下視貞股栗
光搖雲棧雲步窘漆城漆圈豚劣容趾跛鱉屢縶膝
三休始畢降喜若稅羈桎翩翩單袷衣背汗雨交溢
卻訪讀書巖清風吹不窒流連五君詠微尚猶可述
千秋獨秀峯得此更超軼況當人文會巖下即今貢院汲古
賴修繘誰磨一片青演孔刮老佛巖有張眞人像及釋迦文佛圖而顏
公五君詠漫滅久矣因戲押昌黎句

補清風集詩呈座主臨川中丞

監德在斗光蒼蒼地靈人傑應壽昌匡山太白斂芒

角列宿不敢夸文章當陽寶鏡洞八荒卿雲漫漫升
巖廊三公前席掌邦政實佐九伐恢
皇綱維公簡在
帝心久如禹益贊皇賡颺中樞轉斡廟謨協坐令武
庫弛天槍仍歲西陲有征伐畿赤輓載連燉煌指麾
兵食見萬里度支借箸籌神倉翩然玉節下通潞搜
粟都尉無畱行長安喜得晉公米漢相力辦關中糧
六卿自古分厥職霖雨舟楫誰胥匡天爲一代蘊全
德聖作百度憑司方一十六載徧臺省外旣敭歷中
還翔紛綸經術經世務大手筆事尤專場生民淸廟
詩穆穆召誥說命書皇皇秋宗典禮炳金石柱史執

法凌風霜南狐東馬不竝世一品獨運精思堂河嶽
英華饒腸胃乾坤鑿度區毫芒丹青妙化難悉數蠡
測巨足窺汪洋憶昨爾橫秋月涼玉衡天半森高張
芒寒色正麗奎壁螢爝許得依崇光閶闔晴開詄蕩
蕩丹梯有級愁初桃玉河三月春書長蘭杞出水揚
芬芳東皇太乙主行德六相首卜蒼龍祥飛霞之佩
雲錦裳羣眞位業披琳瑯孤南老人將進酒更敕鳥
嗉陳壺觴願公弗祿壽且康鼓煦呵春玉座俯佇見
爕理追軒唐置樽衢室樂未央

咏江晚棹

碎蠹書帙不足窺船窗弄水船頭嬉山雨晚晴月澹

澹江光秋冷風差差烏鬼避人出復没王孫逐伴歸何遲山多猴玉溪詩老舊遊處想見閣筆微唫時

君山行

朝亦行洞庭莫亦行洞庭洞庭何所有一抹君山青君山十二峯纍纍列翠屏誰敷此山主云是帝女靈竝坐鼓南熏舞晚凡鳳翎宮車晚廵狩耄齒踰百齡如何忽投袂遠逐蒼梧靲生爲天下母逝比一葉萍斑竹含雨淚傳會頗不經湘纍偶寓言未許癡人聽楚俗信禨祥妄黷明德馨遂令山鬼祠幻作妃后形巴歈譌宛轉神保通丁寧彷彿容山幽玉珮風泠泠流傳旣云久千古醉不醒詩壁逞浮艷刻畫尹與邢

君山一□何冤禾墮煙霧冥我過黃陵廟肅若登虞廷
敢犯綺語戒歷劫千天刑矧涉千里波憚赫同滄溟
驚磯犬牙錯暗窣蛟涎腥君山縱奇秀照水如娉婷
但取眼界豁無俾耳食熒詩成發長慨皓魄生前汀
寄語洞庭客視我君山銘

天花歌

文谿沈武霧布山澤氣通嵐與霧隕霜陰始凝集霰
歲云莫平生冰雪青作緣除是天花不肯睹今此郁
郁紛紛蕭索輪囷非煙非塵非祲非氛一日二日三
日至五日不知雲者爲雨雨者之爲雲但覺玉樓銀
海爭鮮新先是十日月南至夜半子初雷在地大雪

飛來一尺強盡道豐年好祥瑞此物毋乃雪之餘瑞之類抑吾聞之雪六出而成花雹三出而成實等是水氣團結成化工一一勞翦刻未若此物倏忽殊形模昨日所見今則無作如纓絡垂纍纍又如鄂不直舒舒大者緣蔓小穿篠屋角蛛網懸流蘇或云玉瓏鬆霧淞花詠曾南豐或云樹木介兒諺傳自王荊公之二說者將奚從細看非介還非淞霧淞最纖弱當晝仍銷融木介光邋遢詎爾嶙峋攢燦兼蒙背憑渠緇徧天官書五行志此物不關祥與異自古天翁多玉戲世人那得知天意喚作天花亦復佳仰天大笑天花墜

詞科掌錄卷十二終

山陰王霖雨豐康熙乙酉舉人閣學桐鄉吳公所薦試日與會稽徐笠山聯席笠山不工爲排律卽用其詩爲考官所糾部議徐革職王補官日罰俸一年今官南宮令

題查蓮坡花影菴無題詩後

京城三月多名花紛紅駭綠烘朝霞紫絲步障遮白日黃金鑄屋藏嬌娃想君生長長安陌慣見傾城傾國色日醉佳人錦瑟傍不惜將身爲花辯胡爲昨朝翻被愴結菴乃以花影名得非紅薹故饒舌阿師與花豈有情師聞我言一笑哂我御因師發深省須知

有影原有花不如無花自無影昨日讀君無題詩前身是花更不疑新詩亦復花影似道是無題還有題明日從師訪菴主試聽寒山下轉語請君放下明鏡臺請君參取菩提樹

送沈確士歸吳

湖水悠悠深復深湖煙湖雨晝陰陰名山已足千秋業白鳥難忘萬里心世界總輸波浩蕩生涯莫問事升沈明朝我亦西陵去獨恨無人和越唫

鄉夢連宵已入吳今晨歸興滿菰蒲水如鶯脰連天遠人似蛾眉絕代無倦客空餘長鋏在輕裘不怕峭帆孤惟將卷裏芙蓉句試得偏舟過太湖

題畫集杜

不願論簪紱應耽埜趣長神仙才有數邱壑道難忘

喬木村墟古名園花草香分明見溪畔漁父濯滄浪

客居愧遷次悵望好林泉寒食江邨路朱樓綠水邊

寒溪花淡淡石瀨月娟娟可惜歡娛地淒涼憶去年

遠林暑氣薄秋興坐氤氳川合清江曲柴門老樹村

人間長見畫幽處欲生雲直作移巾几非君誰與論

逆旅招邀近清談纔已大茅齋付秋草碧海挂新圖

樓雨沾雲幔江波近酒壺青山若在眼空翠撲肌膚

常熟瞿駿雲墀庚子副榜貢生肩事諸城劉公所薦不就試雲墀未弱冠遊京師期登第後始歸娶而卒不得

過所聘妻至五十尚未嫁鬱鬱以卒終其身竟不娶矣居西城晉陽庵臉四十年晚節益窮尚耽吟事亦可哀已

暮春有感

不須燕市動愁歌到眼風光自覺多灼灼繁花明曉日溶溶太液漾新波詩唫自傳追高會序有蘭亭憶永和陳迹蒼茫無限感夲餘文字任摩挲

春光未肯到禪林老樹號風刺氣侵何處池塘芳艸合誰家庭院落花深酒杯還向愁中把文字多於夢裏尋穀雨乍過三月暮那能久客不驚心

新建裘曰修叔度康生順天府府尹高安陳公所薦丙

辰先舉京兆秋試後以已未成進士改庶常

過峽江縣

孤舟來去此栖栖野鳥逢迎盡意啼兩岸人家浮水面四圍城郭擁山臍深巖雨過濤聲合古木風多日影低回首西峯一惆悵隔雲遙指未全迷

秋屏閣

秋屏遺跡枕龍沙滿地苔痕一徑賒老樹綠遮深院閉夕陽紅繚短垣斜斷碑無句瑩芳草野鳥多情惜落花爲問舊遊何處去令人搔首向天涯

昔賢曾此獨登樓往事偏供弔古愁人世蒼茫悲戲謝古今詞賦幾傳留雲來極浦迷歸雁日下寒流點

素鷗還指檻前山色在畫屏千疊未全收

山陽邱迴爾求歲貢生侍講勝戒先生之子著江蘇巡撫滿洲顧公所薦年近七十試卷塗抹過多爲考官所糾置劣等歸以詩自娛有才子目謔曰杜杜已未庶常刻其詠物詩數十篇

綠陰

片綠迷濛似有香虛簷初變嫩風光鄰枝待合情先待獨樹成圓意儘涼晴卷茶煙縈曲檻漸和苔色上回廊一庭淸韻忘遲暮時復鉤簾問夕陽

書燈

枯坐閒哦頁惜陰蘭膏續注貫辭淫殊緣記事垂深

紺花學修文吐碎金作滅漫驚山鬼出半明猶帶草
蟲唫多君風雨寒窗畔長句殘更鑒苦心
無錫杜詔紫綸少從鄉先輩嚴中允蓀服顧舍人梁汾
遊工於倚聲康熙四十四年
聖祖南巡以諸生進迎鑾詞
駕幸惠山又進梁谿望幸詞
召見御舟
賜綾詩一幅已而被召來京一日傳待
詔者八人入南書房命寫
御製金蓮花賦各賦紀恩詩一首紫綸獨進一詞拔置
第一旋

命纂修歷代詩餘又

命修詞譜辛卯舉京兆秋試壬辰

欽賜進士改庶常假歸以原品休致著有雲川閣集大

學士嵇公所薦未及試病卒

花朝集王氏清聽軒爲郭于宫賦

蓬萊無仙休笑人翡翠共賦蘭苕春暖雲搖綠相鮮

新眞珠船灔波鱗鱗蕩漾春心動春酌絲肉橫飛歌

闌作拍手擊碎珊瑚聲玉山旬線呼狂生香霧迷漫

隔簾看細數春星夜將半前度劉郎斷不歸樓角風

燈忽零亂

沈恪庭前輩作憩山石門圖爲余贈行跋云石門在

惠山絕頂惜去二泉遠不免有山無水之憾因以天台石梁匡廬瀑布參之聊補造化所不足余爲作歌報之

生長山水窟偶緇京雒塵故鄉風景入夢寐山紅澗碧相鮮新朝來便擬拂衣去谷路還愁隔千里獅峯先生眞好奇豁我心胸畫圖裏九峯蜿蜒落眼前擘開玉寶華山巔（惠山古華山也見陸羽記）縈迴絕壁驚潺湲水簾倒卷眞珠泉（邑志石門舊有水簾洞飛瀑濺激俗謂之珠簾泉）煙巒隨變幻霞光赤城散宛在雲花亭石梁吵天半欹如飛瀑下激玉聲淙淙流沫三百丈噴水香鑪峯靈境東南盡羅列廬阜天台九龍脊肇能縮地笑移山手可翻天

巉鍊石山重水複望中迷一抹空青了無迹白雲招

我歸去來他日相期共登歷

登太白酒樓

長嘯一登樓四顧天宇窄九關不可叩七星安可摘

淼淼蒼波沈遙遙蓬山隔豈知風塵表神仙自天謫

結念青雲交排名金閨籍落筆沈香亭風流渺今昔

逢時雖蹭蹬放浪從所適何必乘雲螭迷漫逐煙客

仙令得賀監魯酒觴太白嗟余千載下頹然撫陳迹

痛飲復酣歌狂生多落魄

海寧查祥星南康熙戊戌進士改庶吉士散館授編修

原品休致以刑部尚書錢唐徐公薦丁巳歲補試今爲

律例館纂修官查氏門材甲于海內查田喜獎借後進查浦持律甚嚴星南少從查浦授詩故所作皆見矜慎

煖炕

寒氣侵膂急吞爐獨盎然爇薪牀上臥宿火地中然傍葦編長簟平匀細壇微溫方及席餘煖漸緣邊讓客登高坐驅人泥早眠擁衾蹲踞好舒足欠伸便竟夕容高枕中宵減薄緜地鄰溫室近境與醉鄉連醒訝循牆縮酣驚負爇蠕忍心抛睡鴨適意笑銜蟬一榻微陽轉周身宿疾蠲只疑春已近豈識境殊懸試遣重簾揭無多一穴穿酸風仍刺骨細響切鳴弦壘砌由人巧推移奪化權長登暄暖坐不隔豔陽天

黍谷臨時驗春臺舉室遷平生多慷慨此念實盤旋
合眼三冬過擁衣一足拳鶴鶴營熾炭慚愧數餐錢
吳江连雲龍耕石雍正壬子副榜貢生兵部侍郎歸安
吳公所薦才氣高岸遊道最廣諸生謝給月俸表其手
筆也為京都賦數千言句甬全絲衣錄入詞科擬言試
後遊滇中入慶國公幕不復應制舉矣

壬子除夕

萬戶千門足貴遊青袍今夕也淹留文章千古海鳧
雁身世一番風馬牛客裏歲華拋燭跋醉餘鄉思攤
刀頭椒盤狼籍緣亂串彈鋏何曾到五侯

癸丑元日

雲山萬疊縱春游毎到今朝感去留可但翻風悲宋鵠眞成喘月笑吳牛三年北走我行脚千騎東方人上頭江水已波江草緑故園歸作醉鄉侯

嘉善曹庭樞古謙少宰蓼亭之孫雍正癸卯副榜貢生閣學桐鄉吳公所薦古謙烏衣子弟帬屐風流在羣從中允爲韶令天資敏慧悅學不倦故所就大可觀

太極圖賦

原夫祥呈河洛瑞啓龜龍一畫兆天地之奇文千聖開陰陽之祕鑰自大洞演三五之說上方肇太極之名魏伯陽之參同旁通其理陳子昂之感遇直著于篇以至鶴寺懸僧華山處士演暢固非一說授受亦

有數家顧皆老釋之元宗無關聖賢之道妙乃文垂大易義創元公本動靜之根荄發乾坤之體要理原一貫位次五圖闡苞符未洩之奇運神明自得之用晻風弄月機不滯于圓融魚躍鳶飛道自察于上下爲溯心源于濂洛試宣妙蘊于簡編辭曰

鴻濛始判絪緼肇開爰本一極以建三才混灝灝其蘊結兮元氣爲之胚胎也紛總總其亭毒兮萬物爲之滋荄也一翕一闢一往一來本洪鈞之鼓盪驗太和之宏恢乃靜契夫本體遂演圖而可該其爲圖也運之于無窮之于有藏蘊未萌離玦作剖淵涵渾淪孕育紛糾錯累白以相雜苞陰陽而無偶冥心洞觀

精微幽[illegible]為品彙之根柢實造化之樞紐晰晰焉盱盱焉固妙理之能尋而無端倪之可叩若乃蒼蒼昊蓋浩浩方輿觀仰察俯質異形殊用藏于實體立于虛析為萬而莫外統于一而咸俱何聲臭之可擬豈跡象之能拘動而為有而不滯于有靜而為無而不淪于無至其二五凝合運行不已循之無端引之無緒如蟻旋磨如車激水其圓融之體如月之映川其鼓動之機如弩之發矢若其包羅今古洞燭幽明二氣合而兩儀立五行布而四時分蠢而為物靈而為人飛揚升降精氣游魂皆一極為之渾合于無垠流行宇宙綱紀人倫皆一極為之變化于日新緜緜兮

兮兮絪縕兮煴煴混成乎天地之始運用乎形氣表
先爾其不著丹臺不顯實籙名莫聞于寃委之真善
尚晦于昆侖之玉羲文周孔之未宣馬鄭衛劉之表
籙創厥奇文卓彼先覺發闢奧于希夷辨異同于朱
陸啓月窟與天根意幽深而縣邈亘山峙與川流理
周帀而躁踔當蜚赤鳳以成書借青藜而照讀

徐孝子歌書負骨記後孝子爲潛帥徐清獻公

大孝格鬼神此理自古然吾鄉南州公至行金石堅
有父客遠方弱息方孱焉十年未旋里飄泊兵燹間
存沒兩不知道路縣風煙一朝傳凶問沈痛摧腸肝
不得生者存誓得死者還萬里蹤跡之崎嶇越山川

長途事徒跣希裾戀戀顏方其別母時猶未加冠弁
縈縈一孤兒出門行槃跚浮江涉舴艋惡浪驚潺湲
重林轉深入層崖怯發盤荒村暮夜宿纍構陳盤餐
餘生痛孤露遑能惜飢寒晝思夜乃夢恍恍魂屢遷
山路風雨冥有若導之前幽宮荒榛蔽叢木陰厓攢
向曉忽驚寤孤燈明殘蟬詰旦投西村瀕危出艱難
飢席突拱覜震筵倏驚翻空山循人跡扣門肅衣冠
長跪前陳詞語言雜辛酸丈人肯其處荒岡有新阡
歷歷儼夢中纍纍覆山根凶飈皆白日滴淚朽青表
穿土引白骨捧持氣哽咽負歸具棺槨竟多重謀姦
至今靈驚陰基碣高雲端吾歌紀軼事聞風廉廉頑

述舊抒懷呈史太司農

平陵甲第盛峩峩瞻高閣華纓映彩組繡戟開瑚輪

奕葉五世光天復挺偉人凝然山嶽峙爲國柱石臣

秀鬱巖前松瑞應人中麟華年驂飛黃高步凌青旻

擘溟舊修翮橫海遊蒼鱗當其翔紫霄高用榮靈椿

家聲詎墜頌嵩岳篤甫申廿載承明廬玉堂典絲綸

六卿一一歷銀艾纍纍新明良賡喜起樹覺邀

主恩既逢唐虞朝自許皐夔身嶙峋仰鈞軸品物歸

陶甄南溟收翡翠東粤採珠蠙炎第上體開桃李頻

添春至今蓬萊仙半出歐陽門數捧英蕩節座集蓮

花賓雙旌指西晉六蘇張南閩兩江開蕃府地接萬

里閭況公桑梓里貴錦來宜句公以江南人節制本省賀我朝異數也
春風鼓洪濤秋雨浴朝暾忠勤事櫛沐萬里勞駪駪
先皇倚股肱謁
帝朝紫宸南臺肅風紀驄馬行邊巡截樹明駝使諭
蜀西入秦負弩集羌洪再關歷洮岷下
詔莞軍儲飛檄清妖氛爲著方行績不數韓范勛司
我掌九伐屢晉台階頻度支領三司復覩瑤樞分河
東畱使相分陝雄名藩驚聞攀龍髯戀
闕心殷殷恭逢
聖明主籌國思老臣拜手颺陛楯鳴珂肅趨晨皤皤
一元老碩德

三朝會（時公以大司農遷朝）華星仰天漢伏道謁車塵夙昔
有所懷賤子聊員陳先公居政府十年歷寒溫在昔
宵詹公同館通慇懃乃以異姓好而有骨肉親庶幾
永金石因之申婚姻倏忽風煙馳歲月蒼黃奔刻舟
尋故劍感歎殊升淪皇皇撫堂構執經懸清芬巢轂
顧羽翼凌空思騰軒駒癖無爪牙屢步奈嚏迍家規
守文字凭案徒敦敦前年到京師不鼓窺成均蹡蹡
步通坂壁巖覩天閽褱有寶劍篇慨慷雜悲辛孤羈
寄廡下款曲因重伸芝蘭況嘉植醍醐更奇珍對之
道悰愫尤足慰夕昕但惜蠢與愚程材終輪囷撫時
已荏苒感舊空嶙峋我公嚴廊望古道存衣巾磨礱

及鈍質培植施孤根顧肎棄樗散而勿加斧斤後堂
深穽篠東閣敞橑棼幅衣肅再拜用以獻惆悵
仁和汪臺抱朴麈生閣學同里姚公所薦婦翁湯少宰
西厓以詩名海內得其家法絕句特工
東阿
水沙清淺馬徐過刺眼桃花可奈何蕩漾春風吹月
上一宵鄉夢在東阿
宜興史鳳輝南如己酉孝廉官中書舍人兵部侍郎儲
寧楊公所薦
家鄉蚤春四憶
蚤春獨步玉冰姿靜㒊亭亭特立時帶雪倚藏蕤

破忽寒臨鬱夢初垂喧風每借銀鞍訪仄逕猶遲翠
羽知正是巡檐思索笑山翁忽報向南枝
一奩明鏡透春光夾岸垂條隱隱颺拂水數枝舒眼
小傍橋幾樹展眉長溪灣短慰蜆漸翠堤畔閒尋折
嫩黃嘗待酥風日駘蕩輕桃幟酒共顛狂
銅峯環翠界銀條遠近寒林雪未銷一葉舟藏雲鬟
隸中金龍寺隱樹蕭騷潮漾時映斜陽淡綠歷恆隨楚
渡遙渾似山陰思訪戴春風擬放剡溪舠
國香幽徑發芽初樵子擔攜共雪柵丹舌名標西子
吐素心質擬玉人游排同茗碗供清賞貯向蘆簾伴
懸居門傍橋南試新枝紫萼縹葉秀扶疎

桐城馬樸臣相如壬子孝廉官中書舍人同里工部侍郎張公所薦相如才氣豪邁所至傾其坐人與方南堂貞觀爲石交爲詩懶自收拾所作隨手散去有弟曰蘇臣字湘虎亦美士

自題

二十年前舊馬卿絲鷹櫪驥可憐生形神寧道子非我鬢貌今分弟與兄芳草綠迷千里夢海棠紅惱一春情不知意氣衰多少興到猶能酒膽橫

仁和袁枚子才稟生廣西巡撫奉天金公有國士之目力薦于朝子才在諸徵士中最爲年少兼有美才一時名滿日下後以戊己聯捷成進士改庶常

平西賦并序

昔者寵午姦兵于建武元昊僭竊于隆慶是時天子
神聖海宇敉寧卒有武功撻伐之事我
朝行王道之儀得三神之懽遐方異國罔有不庭乃
西夷不靖
聖祖已平服之今復自干天討行能悔罪稱臣朝貢
較之舞羽而格者何冊冊然在昔漢唐則有司馬相如
揚雄韓愈柳宗元之徒作爲封禪羽獵淮碑鐃歌以
垂萬世夫隆運罕覯大雅之事雖讓于古故聖人之
武功畢而詞臣之文字起用以揚厲誌休舞焉乃爲
之賦其辭曰

惟
皇朝之垂統當九五之鴻禧膺金輪于七曜受玉燭于兩儀德無微而不達惠無遠而不施隸祥柯與靈山版烏桓與月支爾乃恩浹邊陲柔懷異國大宛侍龍而抗逆先零狎威而反覆高羅肆志于涼夏樹機盜兵于西陝猙獰貪水之驛跗舞榆林一曲譬之鯨躍海波螳當車幢越人參步以射天猖氏聚巢而抵觸且復張羅爲營穿沙作屋跳梁玉海匿形幽谷以爲方城之外非兵威所能加雪山以西非大聖所能牧也是時
聖上方且揚大烈敎鴻猷燭三才涵六幽喜入荒[illegible]

其樹樂萬物之同遊戲九鎮以開關何小醜之勿收
計何煩于聚米策早定于前籌且夫維州之地僧孺
主棄者非上算也西夏之役韓琦主戰者乃良謀也
豈特遠撫長駕詰爾戎兵戢將欲博恩廣施而被絕
域以隆休也于是
皇赫斯怒爰興元戎陳師鞠旅詢謀僉同制神鉞于
貴九逵飛旌于蒙公暴銀蹄于瀚水尋玉箭于盧龍
太阿拂斬虎之劍烏號掤落月之弓虎帳偃千軍之
草鸞旗捲萬里之風朱竿遮星雲罕流虹金鱗日映
玉鐙霜容靜若海涵動若雷攻金鼓之砰訇者震乎
九天之外烽煙之燹爆者起于千山之中軍方下乎

太廟而氣已壓夫崆峒矣由是出涇源之地進西渾之掖探居延之城馳上航之驛將勇而飛騎堅而鐵雲羅四張天網布密石磧移校龍沙蹀血廬傾帳遷漿盡酪竭大軍在前分兵搗穴或開其謀或乘其隙山戰地戰而悉擒左視右視而莫敵金矢之所指戈鋋之所及莫不逆者破當者滅淫夷者數十萬人俱蛾伏鳥驚而不敢惕息蓋羽檄之馳捷書之至者尤纍纍數數而不勝指屈

天子于是愀然而思惻然而興曰茲之誠首而面縛者夫亦朕之人民也與其深入多殺殲焉乃止曷若持軍曠久冀其自新與其星流電擊封狼居胥曷若

屯田持糧儉以七旬且夫苗民逆命而益彰堯舜之化神爲鬼方難克而無損高宗之中興焉茲者挂其戾氣發其天具宜以神武示以恩綸俾倒戈而服罪悔過而來賓效葵心之向日遊聖世之如春不愈恢丕天之大澤而上體

祖宗之深仁乎于是飭彼虎臣兵威莫肆固乃營壘堅乃兵器斥馬服之謀用充國之計矢如蝱而不必射戟如林而不必刺轉肅殺之天心示招攜之雅意敷感豚之誠懷俟獻琛之自至雖官軍成泰山之形守盧有瓜剖之勢然稱戈比干以待其來者三年于茲而無倦志猶念將士勞兵卒苦不能挾纊勞軍巡

焉親撫乃復賞以肉糈賜之大酺狐裘見授于全臧醪酒重投于越士或㩲息以擊刁或醉飽而講武雖奔走于戎行亦牽牛而服賈德之所周恩之所普身濡頤飲者靡不投石超距席戈枕弩不特玉沙千里壯士伏地以長歌即椎髻萬人逆黨鬪風而亦舞蹈時雨于西陲尚何稱于三古于是望聖德之隆感施恩之厚悔前愆之莫贖欲自新而恐後弓投于野戈離于手書降于旗歸馬于廄衣釋其甲飯得其口載筐具壺扶老攜幼或抱賧布而趨蹌或持明珠而輻輳通犀翠羽之珍肉黃乘龍之獸魚目鳳足之寶奚息滿胸之酒莫不欣然稱貢再拜稽首取荒城而甘

在版圖遣子臣而入覲我后
天子于是憑玉几坐明堂列翠屏酌瑤觴垂龍袞奏
金商賜以未央之亭宴聽以鈞天之成章示以上林
之囿獵錫以太庫之琳瑯浴以仁義之膏澤薰以明
德之馨香藏鎧仗于雲臺班王師于邊疆淨風煙于
塞曲掃慝氣于欃槍于是人懷賜核車載指南相與
融融洩洩歌舞以還日出之鄉若夫單于有渭橋之
謁突厥有明光之降坦謀獻城于唐土德明賜姓于
趙皇卒皆耗斁中國蝸蹶不遑安得昇平樂業而坐
致此煌煌也哉于是西越流沙東窮海澨南至朱垠
北至幽里白狼槃木之鄉黑齒金鄰之地靡不梯航

絡繹重譯至此意奪神駭足趣首企或受吏而念東風或來王而測海水是以封起白雲庭降甘醴銀甕色明金船氣紫珠囊玉檢之文七鳳九麟之美猶且聖不自聖治益求治宵旰輟食鷄晨勤事不矜八駿之蹄不逐雙龍之尾御魚牌于符畫辭文屈于交趾視天下爲一家共萬類以爰喜披皇會之昌繁接素符之降祉夫是以超古軼前而獨有其萬紀也歟

銅鼓賦并序

蓋聞寳以德興玉聲收之建武物因人至龍泉佩自張華況乃鐵海遺籤陰山神物雖陶鎔于丹竈已藏迹于青洪銅鼓者漢伏波征交趾之所鑄而武侯擒

孟獲之所遺也然而代遠年湮星移物換商山宛在
誰能復聽鳴鐘泗水依然不復再擎古鼎此皆神靈
呵護必待傳人而亦德政薰蒸始邀瑞物大中丞金
夫子三江沐德百粵銘仁福雲隨銀甕俱靑甘雨共
金船並紫于是耕夫始獲漁父全收一則進之
闕前聿昭祥化一則置之纛下用肅軍門目覽手披
丹砂璀璨神移心注紫藹輝煌因思雀籙雞碑久費
書生探訪何幸聊蒼洞壁忽爲文士觀瞻不揣淺殊
謹爲之賦其辭曰
當夫月華炫羽霓彩飛精採赤瑩于蜀壘求銅精于
灌城倣爾雅鍛麻之制依周官磬晉之名于是蒲牢

起制金鐸揚聲光分雷琥氣並沈明軍魚麗而齊擊
陣龍騰而偕鳴協始興之聖鼓像羅浮之神鉦天吳
爲之震盪木怪爲之羣驚陶鎔于三十六爐蛟龍捧
炭威揚于千八百島金鐵皆兵爾乃九乳依然水沈
千紀歷唐宋以長淹含盈虛而不滓歲遠則蠵觜生
若年久則蛟涎滑體星形月魄似藏羊館之珠鳳鹵
鸞儀如學麻姑之指汾陰懷德若同沈詔以齊浮濤
水知恩不聽琵琶而亦起其狀則體如坐墩面同博
局雪嶺點砂鄧環砌玉腹自臍以內空腰較首而微
束勢躍躍乎嶔岑紋縝縝乎沈綠舊紐拖襟餘蟾瞪
目或褰縐而成削或霜皴而雷剝八面七星之迹誰

知九敲三撾之技不復金砂潑碧想見南郡之銘銅
詞鑄淵停彷彿雷門之石鵲其色則丹螺獻甲鼇背
成峯花既繡而復纈紋已直而猶縱遠而望之若朱
雲礲碓下寶鼎近而察之若綠羽璘璸于萬重鐵樹
珊枝直奪雨工之巧碧文圓頂似勞織女之縫翠生
波而欲滴玉結乳以爲容刷墨抱珠于縹錦白象側
字于芙蓉其聲則鞺鞳爲音砰訇作韻霜降鐘鳴雷
出地奮漢宮擊瓦而屋塵皆飛黍鐸驪山而草木悉
震發清機于地籟依稀仙閣高鳴振元氣于鯨魚恍
若鈞天可近求取水于臨平已聞聲于鄰縣于是盛
以檟架閒之軍府共鸞書緗軸以齊函儼龍篆蜺旌

以爲輔樓車鼓鐸驚雙鷺之蚍門碧玉浮金考籥章于毛上彼夫穆滿遺東于黎野祖龍失珠于青城寶璽不傳于吳非玉杯僞設于漢廷曾若茲之溥江安獲粤閣鐫銘既不殘而不觖亦全貌而全形太學鼓中昌黎未詠龍荒石外山海無絕同與玉牒金泥共祕珍奇于天府直勒商盤周鼎永爲明德之香馨

秋蘭賦

伊三秋之淸節挺九畹之芳林鍾冷豔之絕質稟明潔之貞心舒細葉于野澤垂縹帶于夕陰立西風以未敗倚幽谷而不禁爾其冉冉披霜亭亭委露綺石稍歛寒煙深護芳覓體而誰知臭同心而莫訴惜衆

草之就衰歎佳人之遲暮寧不服而自芳忍悲秋而改度苟不植于當門夫何憂乎失路若乃一水盈盈含情脈脈魚子流丹玉魷凝白謝楊蕙于沅江友芙蓉于木末値天地之蒼涼抱素心而始出泣三嗅之馨香感半生之蕭瑟況夫地多黃葉人在白雲山逃公子而隱湘君望洞庭之黯淡對哀雁之紛紜亦復柔情幽鬱嘉氣氤氳桂椒同出蕭艾爲羣無靈入夢有用懼焚能無根拔刃而早摧香入室而不聞乎則有餐菊之儔製荷之侶望光風之泠泠聯紫莖之楚楚或折佩以表潔或浴湯而孤處翦露眼以欲啼靜風琴而不語歌曰採蘭兮山之服芳菲菲兮何幽英

華靡絕兮秋復秋美人萬古兮多離憂

賈誼祠

白石蒼煙塋廟荒少年我亦到瀟湘浮雲天地空蕭瑟春雨文章恨渺茫七國迫讒流涕淚百年誰敢議明堂漢朝人物傷心地愁下南陽吏洛陽

行役雜詠

男兒年二十漸衰殊玉顏況乃遠行役風霜悴其間飲酒未及醉半吞白日還所著一尺高不供史家刪勉旃崇節業銀管長斑斑吞亦鍊玉液金骨列仙寰生人皆山水且共耐清閒

看山有所得日暮聊爲文厭聽舟人子村語徒紛紛

醞釀非素樂典墳情所忻萬謀穽一字迫如臨三軍
無心推篷看不意與月見欣然臥以觀星溢惟斗柄
始之肌膚寒久乃心肝映白雲如覆被人面漸貼鏡
萬里湛清帶九天涵綠淨狂癡不能還吾亦見吾性
南遊過楚江西征臨越甸當塗想分割龍津憶征戰
或嘗駭裹臺或起明光殿平陂開歌舞危巘收組練
亡何歲似流悲哉日似電白骨埋中原朱碣罷華宴
史冊尚流播山川滅閒見秦宮無遺瓦漢苑少殘箭
荒煙廢冢傾衰草流螢徧黃雲自南飛白石但西瞑
閒寂窮游志衰颯窮遐眺慨然至于今數者凡幾遍
平生豪橫心雖悟不得遣

旅次遣懷寄示諸同社

纍者氣不羈束之恆怏怏頗欲扶大雅聲律日跌踼
摛文憐清哀逸情耽豪宕琴樂殺鞠通書字摛脈望
皺陽逼歲景睍日引惆悵史遷窺崆峒屈平叩元閶
風雨入其腸所就多雄放大江既失派百川誰導漾
慨然投吾筆飛劍凌滄浪碧海酉未破泰山泥可量
狼石黃雲浮龍津黑水漲誰英柔岣嶁元氣抱芒碭
風曳舟如顛雲樹同揖讓偉哉山川勞叕巧鬬新樸
朽木鬼魅形野花兒女狀怪石插天屏巉然自闢創
被髮列水陣唐突與舟抗拗怒怯用工經營想天匠
乃入瑯環尋乃至玉洞訪藉欙作齒幄折竹為山杖

秦瓦寘著鼠漢碑沒古壙野兒跼土語老僧持茶餉
啜井取咄泉抱甕沽春釀露冷碧鳥啼日落魚曲唱
臥月如貼玉背花勝挾纈夜橫青山枕曉揭白雲帳
精神交煙水晷刻相淫盪歷歷奇怪景証之詩書上
魂夢入大荒淸氣頗來往日月有根柢乾坤空依傍
異哉黑風至巨波遂相妨雷硠噴銀屋訇澎歘五兩
舟子蹶以驚而我恬且曠浩詠吞魚龍咸怯哥者妄
望空志多闕歷險氣愈壯祗恨久織路三月未入廣
寧近入巨河客價登小舫已經蛟涎滑兼之盛陽亢
屈曲柔腸骨逼迫窮俯仰闊而因大幽焉能伸骯髒
陰市昏旦迷寢食寡所當壞柳生蟛蜞潛苞隱霧瘴

金靄長濛濛刀水日瀼瀼健兒不慘戚路岐亦惆悵
豈爲魯連書射之解燕將豈爲昌黎書投之唐宰相
心事塡蒼生浮雲非所尚悠悠世相嗤區區天或諒
先憂而後樂古人豈余誑聊復自經歷豈緊在得喪
遊子自憔悴故人應無恙筆鳳下肺騰叢蘖抽心長
胡牀諒思伊甯樓自憶亮寶匣猶淋漓洌惝何倜儻
已爲黃鵠遠或伉鸞鷃謫當歸若相寄璣珵鬱無貺
手勢縹緲何目極天涯嶂生平越鳥心舉坐猶南向

詞科掌錄卷十三終

詞科掌錄

附餘話

（二）

臺灣學生書局印行

詞科掌錄卷十四

武進楊煜曾吾三監生與修曲阜盛典兵部侍郎宗室德公暨通政寧夏趙公所薦吾三世胄清華曾祖修撰廷鑑明崇正癸未狀元祖諭德大鶴有盛名于時父編修祖樹與兄學士椿先後在詞館吾三偕從弟述曾並舉大科爲海內所豔稱

大庾嶺謁張文獻公祠

溼雲濃護千峯頂磴道盤空山瞑瞑呼嗟天險由天開橫截百蠻此五嶺開元宰相曲江公金鑑千秋推骨鯁淋鈴夜雨忠魂隨羽扇秋風賦心冷慨然欲建隨刊功五丁鎚鑿闢靈境海南鄆貢輸中原國賦常

究金萬斛巍巍石碣盤龍螭萬古豐功勒鐘鼎我行
其巔恣睉眺仰接天光俯雲影諸峯羅列拱靈祠九
頓階前發猛省張公張公真偉人我欲希蹤抱忠耿
肩夫牛喘足不前廡下徘徊心凜凜蠻煙四起蕭然
合悅惚神來芴囊磬

採樵婦

婦兮行採樵跣足走長道壁立千丈峯下上賭輕嬌
采采趁斜曛丁丁破清曉樵擔壓柔肩餘勇負襁褓
良人捷賢書厥婦長荷篠嗟彼婦何辜服勤苦無了
我憶江之南生小尚窈窕畫閣繡簾垂梳裹百不擾
羅襪步淩波銜珠鳳頭小所天力經營褒手恣安飽

天道常好還輪回墮嶺表雪鬢履嚴霜無因謝衰老桃腮暴秋陽誰與惜姣好寄言吳中女逸樂非可保

華陰廟登萬壽樓

百二山河入望寬飛簷縹緲倚雲端星辰近摘天邊易呼吸遙通帝座難紫氣銷沈餘老樹黃流縈繞見長安欲知涇渭微分處更上三峯頂上看

涇陽道中

池陽經月鎖空庭此日郊原望杳冥渡水忽驚萍浪白出山遙見麥畦青村墟歷落千家火煙樹周遭幾曲屏莫道灞陵春酒綠離人馬上只長醒

和新城尚書鳳翔府韻

渭水無情日夜流南山拱處古皇州野人塢下風依
舊鳳女臺前露未秋斜谷戍關空設險陳倉賣酒且
澆愁亂鴉殘日頻搔首新月窺人吐半鉤

題侍御張公奏毀魏忠賢墓疏後即用紀事詩原韻

君臣炳大義萬古垂宏綱豸冠本觸邪白簡飛嚴霜
鏟薙洗餘孽俞允遭明良勝朝數閹禍魏閹尤飛揚
神廟事頤養坯土成崇岡乾兒義子輩蔽日傾苞桑
清流盡一網荊棘生平康爪牙布蛇蝎羽翼添豺狼
哀哉大泓疏史冊何煌煌死事十三公鬱鬱森高卬
羣邪工鍛獄贓坐梏琅璫東林遇斯劫小頡逾時頏
胡爲碧雲隈生壙環雕牆豐碑大書字鐫石千緡償

張公領春薦柘府騫孤凰繡衣列畿甸西嶺餐晨光
停驂咨父老聞見非荒唐鷹鸇必有逐何暇分存亡
建言陳國紀葵藿傾朝陽瀨維纖渠魁漏網潛諸郎
儼若衣冠葬翼翼封如堂譬彼百足蟲雖死未即僵
歷久惑視聽定案翻低昂腥風起窟穴毒焰薰穹蒼
除惡不務盡胡以扶陽剛鴟梟墮其巢狐鼠決其藏
豎黨盡怵息漸海傳封章諫院踵賢達執法謀偕臧
羨公有卓識一疏長流芳耤勸持斧者捷發如機張
信豐黃世成培山雍正壬子舉人兵部尚書奉新甘公
所薦中乾隆丙辰進士授禮部儀制司額外主事

題芍藥圖

維揚瓊花不復開過客猶繞瓊花臺當時好事傳遺韻繪出春光如灩酪燕都四月開紅藥園丁嗜利掘戴來帶葉披枝而恐晚酷遭蘇刈猶蒔蕁豐臺道上車馬塡樊闐槐根曾一飯此會于今已六年眼中彷彿登千畹溪君命駕出郊關獨背紅塵向青嶽新詩逸興豁余胸恍並乘風歷仙苑何能種植伴漁樵臂韝解帶園纖條珍護相憐風致饒丹青一藉神手描天涯詞客早同趣捉筆寫傚成風謠嫣然一笑如在目一幅清芬放晴淑思從借觀欲無由折贈空裣吁且樂不識瓊花如更生貌來孰勝應相角

題趵突泉

我觀趵突泉遙思星宿海黃河之水天上來原從地底行重陔爾雅河濟兩四瀆濟源沇水出王屋潛行出沒注青齊歷下城西一發伏聚爲三竅湧空飛數尺奔騰萬馬速雪浪衝天吼作堆珠破瓊苞放千斛乍如灘響倏雷鳴倚檻恍疑風雨趣容與漸次轉漣漪澄映鬚眉靜可矚此脈潛通渴馬崖更源黑水陌厓隈昔人已著浮糠驗隱現詭譎成漩洄我聞清濟勁如駛物性如此何疑猜九州湧泉載匪一行遊目擊無等儕造物騁奇事多怪海潮騰沸恣砰湃還如地氣有吹噓血脈壅泄時飛灑茲水下行畜洪力并口突出形擁髴天涯川澤共精靈濟水河源氣一派

燕都雜詠

西直門西渡翠華圓明別苑曲欄遮微風飄絮河橋
柳赤日轟雷石路車亭館碧交雲木地麥畦青抱野
人家近天山黛陰晴在長映仙宮作彩霞
朔漠邊天候不同蹄輪堀堁翳虛空委雲隔日初感
雨點葉崇朝盡墜風消渴熱來冰可沃御寒燒得酒
如烘紛綷縩葛騰光彩猶自褭繇紗袷中
寧鄉王文清延鑑雍正甲辰進士原任岳州府教授湖
南巡撫滿洲鍾公所薦熟精三通著有考古源流二百
餘卷循例當外補兩中堂薦修三禮奏授中書科中書

岳陽即事

搔首當年攬大荒棲遲自笑鬢成霜燕公一去樓空
鎖方朔重來酒又香秋水蓼花涵雁影東風澹蕩起
湖光微官不縛山人性消受淸閒得草堂

贈君山如一上人

不與神仙共岳陽一龕獨在水中央偶因菊綻知秋
老僧爲道開覺性香衲破只栽雲葉補廚茶聊煮石
花當黃金擲與東流去笑問東流底事忙如十年拾遺金不受

滿城屈復見心號悔翁布衣刑部右侍郎武陵楊公所
薦不與試乙巳丙午之間來遊西湖居紫陽山道觀以
所註漁洋秋柳詩䄍澗吟流刻江東瑞草集古詩闡單
少力惟律調近熟晚遊京師弓刀術衞之徒皆從受業

頗有詩聲遂自尊倨論詩則詆訶老杜注騷則掎摭紫陽每爲士夫所鄙其流傳之詩有不必爲之題如書中乾坤等水中雁字多至數十篇有不可通之句金壇史公度曾舉其楊花詩予存其可通者

乾坤浪迹與誰同飛絮淒迷正滿空皎潔有情明曉日顛狂無主領春風漫天亂颭青雲路市地橫翻白雪宮忽向直西重同首絲絲俱在別離中

天教唫起謝庭來嫁與狂風自有媒若不沾泥縈嶺樹如何賦客見詩材邀憐流水同紅葉卻妒芳暉委碧苔欲問飛仙藐姑射能歌春興共徘徊

拊手如絲如玉塵白花誰稱掌中身月痕笠借嬋娥

影水面應呼洛浦神儘使芳香難比潔堪羞桃李不
勝春只須雅淡輕盈態任是無情亦可人
錢唐王作人育才工書法初以諸生直武英殿議敘官
德清教諭例當改縣丞
憲皇帝特旨授黔陽令以事落職復以司泉王柔舉起
復候補太僕寺卿常熟蔣公所舉今署直隸新河令有
才詩不多作所作亦不肎輕以示人予五弟爲其愛壻
屢索不可得僅見其黔江秋泛一篇
越水吳山是我家依稀風景尚堪誇豈無峭壁排雲
陣亦有飛泉散雨花白鷺曉停菰岸冷黃鸝晴喚柳
陰遮如何兩滯黔江上一葉孤舟泊軟沙

滿洲黑瑪石夫姓葉赫覺羅氏葉河人歲貢生禮部左侍郎徐公所薦家居教授雅有儒風

秋懷賦

飃高天之風兮送鴻雁以偕來鳴嗷嗷而相過兮生凜秋之悲哀羌獨居而無聊兮心鬱結而弗開望于古而不見兮耿悠悠之予懷懷沈湘之大夫兮胡一心其孔悲麒麟摧傷兮鳳凰之德衰行唫于澤畔兮容枯槁而憔悴感憤而作離騷兮誰則見而知之賈生去爲王傅兮遠俟罪于長沙長沙之卑溼兮非洛陽之故家嗟吾君之不見兮何鵩鳥之飛來雖宣室之有詔兮虛前席以奚爲董子下帷兮將奈何空榮

落之三歲兮園不過用春秋而策天人兮逢聖主乃
作相於膠西兮驕王之下騏驥而駕鹽車兮首能不
俛劉更生操經術兮善說詩食君之祿兮臣側宗支
著五行之傳兮禍福章章時勢不兩大兮匪劉則王
昧死而上封事兮徒自折其不偶郭有道之瞻烏爰
止兮于誰之屋將介走波波兮支大廈以一木彼炎
炎之將熸兮火德斯微人之云亡兮天不念吾之碌
碌陶潛歸去來兮託田園之將蕪爲折腰而不慣兮
涵濁酒之半壺西山之義士兮吾取以爲模晉臣皆
變而宋佐兮慨形影之太孤李白悵浮雲之蔽日兮
不見長安昔諷君以昭陽飛燕兮謬中臣言劒門之

烏啼花落兮君王行路難臣若宮袍而殉流波兮葬
采石之深淵杜陵竊比稷契兮人皆以爲笑思致君
于堯舜兮不能易此素抱感賢路之崎嶇兮經昭陵
而痛哭作八哀而懷賢兮撫中心以自悼蘇子瞻之
愛君兮每託諫以文章上書反覆而詳盡兮不憚曲
折與亢長寓風人之義以規執政兮雖江湖而不忘
乎廟堂何姦臣之多嫉妒兮前王呂而後蔡章一謫
再謫之無已兮遠投儋耳萬里之遐荒朱子之正學
兮實孔孟之遐紹道學何可惡兮見惡于羣小遂僞
徒漸及僞師兮謝一網之計巧君子念身雖退閒兮
猶帶侍從之號禍苟不我舍兮縱閉門塞竇而又焉

保讒夫昌兮道之阨也季通之不錯兮不媿為男子
之特也青田疾惡若讎兮敢告君彼小犢必僨犢而
破犂兮君胡為用此亂臣終中毒以殞身兮作銜冤
之鬼彼姦邪之為逆兮亦赤族而滅淪嗟從古之聖
賢兮敦君父之彝倫抱忠孝以涉世兮苟有志而不
伸思誤適之無極兮維彼路岐一變之不可復兮莫
若染絲信守株之無所利兮畏失足之莫追聽秋風
之落葉兮厭鬧蛩螿之鼓吹世既莫我知兮我本無
可得人之知亂曰秋風至兮天地淸秋露下兮草木
零秋月照兮山川明秋蟲唫兮多苦聲秋客感之兮
何以為情不及彼鴻雁之飛兮天上征

弔金臺賦

金臺之說不一或言在易水或言在幽州陳拾遺薊邱覽古詩曰南登碣石館北望黃金臺邱陵盡喬木昭王安在哉今城北爲薊邱城東有土阜曰金臺則在幽州爲近是然時代旣遠荒榛蕪草不免疑似用作小賦弔之

都城之東林木之中荒邱纍纍野草芊芊照千秋之皓月噓萬古之悲風戰國蒼茫縱橫紀載燕子曰平有臺斯在風雲激昂山川精彩世代雖移人心不改賢豪過之而情傷英雄思之而淚灑撫玆廢地念彼當年建臺築館禮士迎賢君臣之謀旣合庶民之趨

亦先諏月吉審方向集公輸命大匠文石億計豫章千丈方斤斧之聞聲倏雲霞之列狀參天承露月構星羅層臺突兀仙館婆娑實實枚枚北倚黃花之寨煌煌熀熀東連滄海之波既崇既宏亦壯亦麗燦爛三辰崢嶸大地錯落珠璣紛紜丹翠工告畢而落成王齋心而求計夫乃負師席升郭生左金右幣鼓瑟吹笙人君屈北面之膝處士獲高座之榮觀者爲之變色聞者爲之動情因而慕義來歸盍歸有樂濟濟喜臨紛紛願託將展一籌之素抱不辭千里之匍匐罔不接之臺下禮之臺端吐握相見慷慨交驩卑臣未策于賜下爲若釋憾于齊田于是撫人民修國政

養士氣繕器用睦鄰好約合從觀時察勢因會而動與國之師大集同讎之義欲伸風雨合而旌旗會雷霆迅而車馬臻則見燕之師衆齊之郊戴捲席破竹摧枯拉朽一戰而臨淄殘再戰而湣王走汶篁薊植齊姜燕有然後封爵賢士雪恥先君敘下城之績表高臺之勳散兵而列邦咸喜獻馘而祖考同欣嗚呼臺之功亦偉矣臺之名亦大矣歷漢劉經唐李世多變更址未傾圮抑鬱騷人文章才子每感慨而頌昭恆欷歔而弔隗茲且春風細柳衰草斜陽陣飛鴉鵲野牧牛羊蹤湮跡杳躊躇徬徨瓦礫安存金碧不光徒壯心之未已知駿骨之焉藏無聊之極爰為歌曰

古人逝兮霸圖歇荒原隰兮奇蹟滅往來人心兮高
臺崇太息流涕兮沾巾血

養士歎

我觀戰國四公子盜用國財致多士食客動稱幾千
人朝歌夜宴朱門裏彈鋏歸來猶浩歎美人一笑便
誅死成功相報者爲誰請爲四君試屈指孟嘗惟有
一馮驩稍能揚譽主君耳毛遂自薦平原前劫楚成
盟成一事可憐七十老侯嬴畫策刎頸酬知己朱亥
奮椎亦尋常狗盜雞鳴徒堪鄙春申養士云更多但
見三千躡珠履聽信李園將盜國覓無一人諫之止
嗚呼齊得管仲即稱霸燕用樂毅便雪恥六國合縱

雖亡棄四君衣食空耗靡所以當時魯仲連千金不
受蹈海水
長洲韓曾續古雍正丙午舉人宗伯慕廬之孫戸部左
侍郎湘潭陳公所薦
答姚舍人見寄
有憶元興言頗爲才堪憐雖逢百元愷二十當求賢
誰命天下士疇設捕禽肖萬目不失一盡取置王前
古云良有司稱職此維先瑛完成玉韞波漫失珠圓
百圍深山老百鍊大冶堅塵俗染疵纇時亦多逃禪
穀食誦人世尊乃試學仙名乎賓之賓頂踵并痳焉
華也根以茂榦殼交摅然時和歲云樂齊民葆其天

能者乘榮世蒙生得終年蚍蜉亦爲爾蟜動俱生全吾契思廉氏纔搦中書椽摩厲久積銳屈折衂逾銛一再弋不獲低首就剸甄仍循趨走吏秩滿竚一遷展入盡酉退直政事堂偏餘暇劇監詠逸興恣騰騫時時發璀光須韻應揮弦辟以詩代柬千里獨懸懸投之無以報所願有棄捐當官勖勤慎位卑敢自牽倘得乘一障守土姓名傳刺史洵足榮五花都槧鉛如何惘時藝逐逐鬭媸妍

吳縣倪承茂稼咸監生精學家巷著錄甚盛與長洲沈確士齊名第不工詩耳江蘇巡撫奉天高公所薦後戊午舉于鄉

進善旌賦

古帝王勵受益虛受人勤清問廣咨詢工瞽之嘉謨悉擇芻蕘之一得皆陳將以助高深于愚賤資啓沃于臣鄰故有獻而輒御無含意而不伸豈不以善本大公人思自效拒之則壅遏而不前引之則爭先而入告所以盛朝無監謗之條夏禹有懸鞀之召懷善者罄其所藏取善者聚于所好夫乃得集益之方而盡聽言之道也粤稽虞帝濬哲文明在野有恬熙之樂在廷有喜起之賡天工亮而百揆時叙庶績熙而兩大平成若無藉于輿人之誦寧有賴于補牘之呈而且聞善等江河之決樂善如飢渴之誠既達闢門

之聽復設進善之旌招之使來故殷殷以相待誘之
使盡故款款以相迎仰聖主之虛懷貴而能下想皇
衷之吐納滿而不盈原夫旌者文明之德其植也有
山立之形其揚也耀羽儀之色嘉持論之足欽幸美
言之可式非秘之而不宣寧蹈之而緘默覩干羽之
當前驗德音之不忒我
皇上睿智性成聰明廣燭析理于微茫審幾于幽獨
猶必采衆庶之箴規納臣鄰之忠告好善之意彌誠
樂善之懷益篤宵衣而覽封章問夜而披奏牘蓋不
必設旌以來之而善言日進固已接虞帝之心傳中
天之芳躅因爲之頌曰

一大有道兮惟時惟幾朝無闕政兮諫草常稀我

皇咨諏兮審厥從違謙尊而卑牧兮儁實光輝覲扆

廷之進善兮同

聖德之巍巍

秀水錢載坤一雍正壬子副榜貢生浙江總督上蔡程

公所薦

練時日 擬漢樂府

練時日從上辛皇仁冬賞百神膏烟熅靈之游橫八

極眷泉州靈之東雲龍雷孔翠張聲以飛靈之下赫

婀娜祥風瀏湅川灑靈之來駿嶽瀆紫倏熛雨風肅

靈之至青靄亭協氣構牲粢馨靈已坐浩歌舞嚴壇

熙備得所金支樹纖阿通樂廣樂陰陽箫靈安留燈
融融四序序匹乃宗丹之帷春䰀𩮀童男女綽𩋆采
申桂椒脩歆飫優明靈惟縕豫景星爛甘露瀼舊國
光永未央
秀水硯維詰宦臣增廣生淳郡王禮爲上賓集名緣溪
詩稿出入韓李頗極雄放小詩如雁横孤川飛南北魚
嘖寒沙趁夕潮（京口閒坐中秋）春同好友將離我心逐飛花欲
上天春（遊）市樓過社人稀飲村舍將殘鳥亂啼（高樓春望）家山
夢斷眠客好高館花飛聽轉愁（春雨）致可誦也奉天府府
丞山陰王河薦于朝格于部議不得試
貞雞行

吾宗有賢弟居在村南街家畜兩黃雞乃一雄一雌
朝食或共啄夜棲或同塒有狸賊其雄雌者鳴聲悲
羽毛獨憔悴矜顧常寡儔一雞色純白朱冠維綏綏
瞋睛相磔裂終始不肯偕童奴見之怪欲以釋疑猜
卵生轉使伏一一不能孳始信微物內有此良足奇
養逾三四年委蛇忽如遺主人憐其貞掘地埋枯骴
吁嗟婦人德從一古所推奈何多失行人而不如雞
短歌紀此事聊爲告節婦
濟陽歲除四首
舊邠土迹亦雖殘膴膴周原四望開八校旄旄遊御
靜者陵風雪禮官來官傀歲老先時將城所將尚游

暮催幸託承平贍氣象獨憐皁帽尚徘徊
直走三韓路向東無邊沙草感飄蓬天寒鷹隼逃長
白水落鱘鰉下混同
先帝巡方來警蹕遠人問俗見淳風鄰莊處處堪漁
獵景物依稀識沛豐
縹緲蓬萊雁影愁青州盡處是營州山形近北環龍
塞海氣經冬少蜃樓控引中原分兩戒鬱蟠王氣聳
千秋朝鮮歲有朝正使鴨綠寒濤日夜流
危樓急景下觚稜徼外竒寒得未曾客子手皴吹宿
火戍兒鬚斷拂堅冰雪埋虎落人參伏風偃貂叢漫
醉凝南望鄉關驚歲晏一樽相慰有親朋

蜀道難贈馬墨麟

世人皆云蜀道難蠶叢魚鳧誠巑岏五丁斧絕壁三峽飛驚湍其上猿鳥鳴其下蛟龍蟠危峯千仞惟雲煙天梯一綫誰能緣崎嶇杜少陵悲歌李謫仙我讀二公之詩已蔪絕何況星飯水宿跋涉於其閒乃有

馬使君奉

命諭蜀符昔賢歷陳倉抵散關劍閣盤迴以造天長風吹谽樹欲傾枯藤絡石馬不前揮鞭叱馭若坦道始知忠信可以忘險艱朝入成都城莫出成都郭乘軺指岷峨持節到邛筰僰童巴叟野似鹿瘴雨蠻煙毒如藥鎮撫惟悲羽檄馳巡行但喜祆氛卻七年歷

徧西南陬山川嶮巇曾不憂訐意官海風波浮羊腸詰曲乃在人心頭一官坎坷西曹裏直道難容古如此所幸遭逢

聖天子平生心跡于今理嗚呼世情反覆隨雨雲區區蜀道之難何足云

石將軍行

石將軍高嵯峨防風遺蛻二丈多身被煙雲帶薜蘿千尋猛氣凌巖阿森然欲逼揮金戈是何造物巧琢磨一方永鎮煩撝呵鐵騎當年紛鸛鵞曾來村落驅幺麿中郎殺賊傳恐訛虛崇廟貌當陽坡漢中郎將孟溢破賊張純于石門士人立廟祀之據北平古今記云係柳城之石門非此也石將軍即在廟側嗟爾將

軍起何代興亡閱盡王侯輩蓋世英雄血戰勳弓藏鳥盡人誰在祗此精靈長不銷攜持半壁關門遙有功不言何所驕形模偉岸空蕭條年年獨立棲風雨來往山前肅行旅深林豺虎寂無聲沽得村醪還酹汝

午日奉陪淳郡王遊千頂山

山中夏多寒五月裘未脫客居僑重午汎蒲少舊醱梁園偶清暇遊興勢莫遏陂陀遵逶迤賓從般轇轕歇鞍在山麓策杖漸木末衆勇早先登我懦遲未達俓迷巨石凝澗仄蒼蘚滋仰攀怯猿狖俯蹴背蘿葛稍行氣力微屢憩喉吻渴樵夫笑相指邂逅卒導前跋

直上千仞顚始得兩眼豁平岡遡仙臺老樹接僧闥
聞鐘心始定題壁句可掇層霞近如絢空翠濃似潑
人倚諸天高鳥下自里關長城月終古大漠但一抹
巉絕疆閾險劃然中外隔遥唸極夾猶異境恐包括
平生好泉石幽討志不奪如何千金軀亦復勞鞿羈
邀陪勝情倦歸路夕煙撥茲遊良已疲數日猶蹩躠
歸來唸
歸來乎靈泉之鄉田數塍蠡湖之濱屋幾椽五年作
客歷關塞蕭條生計餘荒煙丈夫不能致身廟堂上
奔走風塵空莽浪雪深遼水踏層冰雲斷燕山愁列
障栖栖彈鋏王公門斂眉俯首尊復論有家十口隔

吳越錯落何以慰羇魂歸來乎窮邊草木不見春荒村熊虎常咬人麻鞵那惜腳跟破辱食何辭腹中餓銜寒十月天雨霜江南葉落鴻雁翔到家顏色已非故稚子老親俱斷腸拂我衣上塵理我牀上書急須買一斗痛飲聊爲娛小庭梅花況復舒後園茶甲還堪鋤疎泉支石芟榛蕪洒刪詩侶閒招呼及此不樂胡爲乎醉倚闌干看明燭畢生窮達誰知足

苦雪吟

乾隆二年月在子積陰連旬勢未已頃具乘時黑龍奮義和弛馭赤烏死已愁溢岸雨灘灘更苦彌空雪纚纚細如塵沙大如掌乍綴乍急隨風靡朝疑稍霽

當戶明暮復無聲滿庭委何來沴氣塞宇宙但有重
陰淹刻晷凍雀山頭那解飛餓夫道上誰能起余時
放舟舊鄉去擊水衝飈日幾里擢殘竹木壓篷席蟄
伏魚龍困泥滓舟人僵立鐵作衣客子愁呻冰到齒
荒村酒壚久冷落窮舍茅檐半傾圮場前有穀難舂
揄官裏無糈急鞭箠或云此是豐稔兆維倉與箱致
可喜或云此是陰抗陽補救氣化勞變理側聞
聖朝憫黎元能令海宇除痡痯予飢予寒動得所時
雨時暘應足紀柰何天道渺難測肅殺過甚於胡底
吾欲排雲款天閶屏翳風伯煩勑使掃清千疊煙霧
迹驅出兩輪日月軌坐看萬類皆熙春煦嫗敷育從

茲始

夜紡解

嚴闥霜逼紅釭淺隔簾影吹金鈴犬紡車伊軋千迴轉一縷柔心抽不斷錦衾角枕閒舊香風吹指澀抑復揚桁上無衣盎絕糧睡穩勿驚兒女傷辛勤夜半未盈把別院時聞歌鼓打

舂米行

雀飛忙穀上倉誰家相杵聲低昂年豐妻子飯不飽賃舂寧惜筋骸老從朝丁當至日晡簸之蹂之喘未蘇主人猶嫌力作寵糠粃一半抵青蚨為言主人莫相賤古來賢達傭中見濁跡塵埃那得知請君試讀

梁鴻傳

賣菜謠

賣菜翁朝朝負擔來城中日未及午筐已空一日失利心煩忡嚴冬紛紛雨雪作壓破短衣赤雙脚往來窮巷賣無人土竈煙銷啄飢鵲天寒何處開朱門羊羔日暮閑金尊發盤誰識蘇鹽味日食徒供萬錢費

宣城李希稷貽牟縣學生安徽巡撫泰安趙公所薦

貞靖王先生頌 并序

節彼東山泗玆西浦金小農逃喧之地史廷直歸老之鄉則有懷才遯客挾策逸民家本燕山世授琅邪祭酒居鄴鍾阜時爲不隱扶輪原其學有根本行在

倫常履薄臨深舉足不忘翁嫗甬濡霜降含涕而奉
烝嘗合既析之諸昆一門輯穆完未婚之弱息三黨
雍諧由道德而文章本學問爲經濟若水利鹽鐵等
志江防海錄諸書靡不動關世務切中時宜誠人事
之津梁日用之模範也爾乃深慙御李不屑依劉
御隴上之鶴書閉門不納避江千之車馬鑿坏而逃
矢志自三十以來結願至九旬而外粹然全璧生稱
維國之琛展也完人歿受易名之典時則文孫若晴
江前輩者孝友性成表揚念切追維祖德編遺傳以
成書悽惻人琴彙贈言而滿簏循環雒頌撫卷咿唔
景星慶雲悵先覩之無自泰山北斗快嚮往之維殷

爰深惟其軼事謹按狀而頌之其詞曰

峻矣高風淵乎遂德(叶各切)得學禮耕體大用備倫理周詳六親攸託著書經世詞麗金臒乃宅清溪卻軌謝客(叶克各切)志厲千秋胸吞六鑿天半維霞雲中維鶴高不可躋潔誰與擭靖取介終貞取清白(叶僕各切)謚以發潛幽光孔灼

青浦胡鳴玉廷佩纂生江蘇巡撫奉天高公所薦

蕭孝女刲股詩

忠孝由來不惜身剝膚斷體是完人病痊轉恐芳名播卻說長桑術有神

至孝堪推巾幗師銘椒頌菊詎稱奇人間不乏高堂

病脅吞聞風不俛思

青浦葉榮梓孝常廩生江蘇巡撫奉天高公所薦

董孝女刲股詩

深閨至性少人知大阮高蹤動一時脆弱那堪胷白刃病瘳端賴得瓊飴忠能移孝原無忝女勝生男匪所思彤管他年編列女上書不數太倉兒

晉江陳一箴幽憂歲貢生前明相國洪谿之曾孫也福建巡撫洛天盧公所薦著有香雪齋集

洪範說

洪範之書始于大禹備于箕子因武王訪問天道遂而陳之以盡其蘊從未聞有爲不經之說者自漢以來爭

重圖讖諸儒說經好用緯候之書遂以洪範九疇爲出洛書故孔安國謂洛書者禹治水時神龜負文而列于背有數至九禹遂因而第之以成九類劉歆謂禹治洪水錫洛書法而陳之九疇班固漢書五行志謂洪範自初一至威用六極六十五字爲洛書本文此皆以臆見穿鑿創爲異說求之六經俱無其文不可爲據其在易之繫辭傳亦第曰河出圖洛出書聖人則之何嘗言龜負洛書且何嘗以洛書即爲九疇諸儒創爲異說亦以洪範自一至九其數適與洛書相符禹又嗣興而治水土故以洛水所出之書附會其說直以古聖王所以爲治者不出於常而出於怪

不取於理而取於數此其說之誕妄不足信不待智者而決縱或信之謂禹必因洛書以第九疇而天下始治獨不思三皇以前不惟未有洛書幷無文字而天下亦未嘗不治由斯以觀則禹之第九疇而治天下其不必藉洛書也明甚蓋洪範九疇禹所自著不過言治天下之大法自一至九靡所不備非有取於數之九而爲之箕子所言天乃錫禹洪範九疇者豈必索之冥冥之表誠以洪範九疇莫非天人至理禹能以人合天心通造化隨所措施罔不咸善實有他人所不能得而禹獨得之者則以爲天錫也尙宜今試即九疇觀之聯絡通貫缺一不可有天地即有五

行故五行爲初有五行卽配五事故五事爲二一身修而後及人故八政爲三敷政必能合天故五紀爲四順天以立標準故皇極爲五體常貴於盡變故三德爲六德繼時而事必辨惑故稽疑爲七質於神而必考之天故庶徵爲八旣驗得失於一身復示勸懲於天下故五福六極爲九然九疇竝陳皇極居中實能統括上下爲守常制變之主其前四疇乃皇極所由建皆經常之疇法天以治乎人後四疇則皇極之所出皆權變之疇卽人以驗諸天大禹所第之疇至矣盡矣蔑以加矣箕子雖推衍以詳其目要無出於九疇之外是豈不足爲馭世之大法豈不足爲天下萬

世法復有勵精圖治之主能以洪範為法知其非出洛書則諸常不語怪任理不任數策勵奮興期於有為何至異貺古聖王而徒因循自諉使治不古若哉

擬陶淵明讀山海經十三首

棲遲衡門下不為世網攖華簪非所戀守拙事歸畊今日農務畢愛此風日清淑傲倚南窗時鳥哢新聲牀頭酒初熟提壺聊自傾醉覽山海圖奇恠紛縱橫精神鶩八極邈邈胸中生曠然欣有得何慮復何營

帝臺觴百神廼在鼓鐘山大燕鈞天樂異響在人間瓊漿下萬斛可以駐顏安得赴高會逍遙往復還

招搖山突兀儼然雄山首靈草號祝餘青花狀如韭

採食可不飢辟穀訪王母何須戀微祿折腰米五斗
棋子如鷄卵五色狀紛糅縱橫方罫中千年長不朽
云是帝臺局遺此苦山首不知天帝尊何人爲敵手
芘湖多怪魚厥名爲儵赤毛而三尾六足仍四頭
鳴時音似鵲食之可消憂我有琴書樂於此復何求
海內崑崙墟實維帝下都方廣八百里萬仞勢崎嶇
九井復九門百神在八隅何當從之遊此心抱區區
丹穴出鳳凰女牀棲鸞鳥毛羽皆五采先爲文明兆
見則天下寧所關實非小我欲覓靈禽乘風躡雲表
虖勺山中木造化窮至理其上多梓枏其下多荊杞
良楛判高卑不以惡亂美譬彼宵小流勿使混君子

衣冠而帶劒號稱君子國好尚無所爭威儀常抑抑
猛虎亦馴服日旁斯人側德化及禽獸美哉此異域
迷穀花四照吐豔及芳非得此能不迷臨事獨知幾
我欲紉爲佩光焰映裳衣迷途實未遠用以覺昨非
有鳥類青鳧半體信異族相得乃能飛比翼仍比目
雙棲共一身依依難獨宿其名曰蠻蠻飲啄崇吾麓
流沙三百里遂至洹山陽凡木不敢生其上有三桑
蒼老無枝柯挺立百仞長應爲擎天柱支撐在湖方
林氏之國中騶吾大若虎五采鬱相鮮奇文勝織組
日行千里程乘之遊寰寓珍獸世所稀八駿何足數

詞科掌錄卷十四終

詞科掌錄卷十五

仁和周玉章璥大諸生浙江總督上蔡程公所薦旋舉京兆鄉試後丁巳成進士入詞館精史學能文章篤於氣誼詞賦迥異俗蹊

侯彝門四十初度相與感懷話舊

簡書魚蠹案乾螢襤褸寬衣不換青巧畫蛾眉仍見醜獨彈古調欲誰聽策名纔得升三舍旅食猶能教一經鴻爪偶留沙上跡便令人識草元亭

相看四十嘆頭顱伏櫪歌應碎唾壺嗷餅有名終是畫博梟每下不成盧窺來東閣重悲李夢繞西湖待隱遁襆被京華無長物酒酣示我袞中圖

髀肉全消馬足塵一番挫折越精神身宮磨蝎焉能
祟口角雌黃莫認眞白紵新詞留客和青蘋舊物與
兒珍鯉魚風便吳江水弟子寧惟原憲貧
彈鋏歌魚笑不爲也從假館尚烏皮舊交萍合來燕
市初度星周憶楚詞海鳥乘風終颯沓嶽松經雪不
雕披青蓮好夢憑君證萬八峯頭一杖藜

霪雨不止小窗撥悶東沈桐鈹二十四韻

霪雨昏兼晝沈陰曀日霾可憐貧士計長廑老農懷
刈麥時方近盈車願恐乖饋應騰米粟市獨富魰鮭
井罷垂長綆廚多束溼柴柵因攔鴨樹葉爲飼蠶措
瀰漫浮萍影離披偃只蕃塗歌泥滑滑橋沒水湝湝

盡日長扃戶無人肯叩齋蟏蛸低網牖蠹蝎亂跳階
幾見鳩呼侶希聞鳥哢喈落紅多濺淚芟穢復生荄
衣桁寒侵澗琴絲緩失諧芳州開白楊翠巘阻青鞵
眞覺愁如海空斯酒似淮無憀尋筆墨欲爾憶朋儕
短句緘筒寄奚童冒雨差放懷知作達對景定增佳
素璧橫何鎖烏欄落折釵文偏工點竄詩不費安排
雅韻推君最窮愁豈我皆何當聯几席渾似隔天涯
巨浸聊投蚓（北史以蚓投魚）清吹鄙聒蛙報章行見慰霽色
轉南街

桐城姚焜鸞伯雍正甲辰舉人揚州興化縣教諭江蘇
巡撫奉天高公所薦

題二我圖

莊謂吾喪我蘇謂我忘吾子身尚云多何況兩形模不知靜者心要與達生殊三才可以兩一身何必孤以我還觀我辨晰奪離朱世人常重外無端縱褒誅未知肝膽地已爲楚越區開鑒拂塵埃朗然照眉鬚止水觀渟泓不隱尺寸膚君看鏡水形豈是夢幻軀相視而莫逆焉用他人俱爲語學道者靜觀二我圖

祁陽鄧獻璋方候麇生湖南巡撫滿洲鍾公所薦今直武英殿

秋日早發尉氏縣

尉氏征鞍早行行入畫中深煙連斷岸斜月淡疏桐

噓背霜華冷雞聲夢境容東偏村落曉柿葉爛秋紅

寶應郭東元城廩生甚負時名署江蘇巡撫滿洲顧公
所薦

無題

天上年年度鵲橋深宮何日守宮消臂横翡翠無雙
鬢帶約芙蓉第一腰魚鑰東東時又晚羊車轆轆路
偏遙茂林免後貲都盡同病相憐是阿嬌

南城梅枚功升康熙辛丑進士河南儀封令河東總督
平越王公所薦召入先試卷封內閣陞泰安知府卒官

勸耕

老農田舍上樽酒拜鑑輿長吏

恩初渥
朝庭租半除打場平似掌積穗整如書婦子嬉嬉樂
淳然若古初
江都許佩璜渭符監生任河南衛輝府管河通判河東
總督半越王公所薦旋升同知先試毋夫人徐爲漕帥
清獻公女有才學
硯北
構軒依硯北小隱擬牆東香瀉紅蘭露涼生翠樾風
游心耽竹素息影謝喬蓬吾道惟虞喟儀豪若太空
薦
海城陳景忠又方監生兵部左侍郎鎮國將軍德公所

題處士吳桐蒿遺照
日之出露瀼瀼日之入齊彭觴不見君子斯慨慷山
有原兮江有脈生無近名卒乃章式此儀刑誰存誰
亡
興化李光國定齋拔貢生宮詹覺羅吳公所薦
咏史
視臣如犬馬勿爲齊宣病羣小徒實繁誅鋤誠難竟
彼已禽獸心人道胡能正穿鼻加羈絡帝王識物性
豢養鞭箠之亦可供使令商鞅嚴刑罰御下一大柄
劉季營天下太公可入釜大哉重瞳子不肎殺人父
圖帝雖不成此義足千古

秦楚大亂後九土宜休歇漢文幸庸才遭此自藏拙
采繒奉匈奴卑辭答南粤大度包遐荒情親國威褻
勿云捐細故高后愛狎媟所以賈長沙涕流言激切
孝武能雪恥萬里縱斧鉞勒功狼居胥瀚海烽煙絕
天產霍嫖姚中道恨夭折駿馬馱明妃又向紫臺別
淮陰漢之傑將兵誰與倫鞅鞅羞絳灌實乃重其身
谷風嘯雕虎雲氣噓龍鱗國士本無雙肯伍屠狗人
豎儒盡信書動必引經術緬思蒼頡前豈少聖人出
拘牽生利害事業百無一縮首如寒龜屏氣訴蹇澀
反讓市井徒彈射多膽力古來震世功朴誠能樹立
霍光若好學未敢廢昌邑嗟爾揚子雲高文美新室

王莽用僞學能竊漢天子雖爲當世嗤志猶不小耳
江河日下流古僞失其旨傾身謀孔孟不過博官仕
手把六經文鞭箠供役使聖賢良難爲久假滲漏起
何如東陵盜眞氣貫終始
商道尚嚴厲賢聖六七作周自成康後中興不古若
忠厚藏僾柔積久必孱弱震怒出雷霆天心匪酷虐
子產鑄刑鼎萑苻無剽攘西蜀諸葛君關中王景畧
亂國用重典救時投要藥安得此數公經緯互參酌
腐儒慣膠柱祇可束高閣
春秋號博物吳札鄭國僑二百四十年屈指亦寥寥
後世盛文采普天產英豪胸羅瑯環富下筆傾波濤

駝裝走都會多似九牛毛乃知古無書謬云秦火燒
太沖真鈍漢十載空推敲
楊廣梟獍性焉能無疑猜雖殺薛道衡心實知其才
漢高遇儒者如火然死灰天性不愛文帝業從此開
王朴平邊策粲然如畫沙多方以誤之利在先乘瑕
江淮得門戸吳越一矢加囊括桂廣地飛書召三巴
席捲下隴蜀幽燕墮鳴笳唯并必死寇勁鋭相紛拏
力竭終內附四海爲一家香孩剩六字銖兩不能差
英雄有實用空言何足誇
司馬受巾幗用柔以制剛可憐沓沓夫緣斯學包荒
好官自爲之千年蘇孫香寄語長樂老笑罵豈尋常

春秋重斧鉞庖丁善刀藏爾輩身名泰安富壽且康
新臺刺燕婉不爲倚門倡
從來君父恥十世許復讎二帝未生還終古枕戈矛
雖屬草莽臣甲兵宜日修金革代衽席韜略爲衿裯
摩厲以待用鼓譟學春喉南度不講武戢冠談鄒魯
逍遙禮法場主敬竟忘變此豈鄉鄰鬬閉戶甘巢由
務華絕根本大海覆輕舟
奉賢葉承點子異監生刑部左侍郎靜海勵公所薦詩
不多見後客甘撫元公幕與慈谿桂孝廉庸倡和嘗錄
示妾薄命一篇
憶昔牧羊西海曲風鬟霧鬢爲誰沐行行血跡未曾

乾溟凝象光綃一幅可憐點滴盡成珠莫抵石家珠
半斛涛蜃迷空忽墮樓揶堪重舉傷心目君不見秋
風嫋嫋洞庭波至今紅透湘江竹

新建夏之翰知畏雍正壬子舉人光祿寺卿南昌劉公
所薦古詩淳古有眞意雜著原本經術不事塗澤客惠
邵王所旋以憂歸

日月五星隨天左旋說

或問天左旋乎曰然天左旋也日月五星右旋乎曰
否日月五星隨天而左旋然則歷家曷言乎日月五
星右旋曰歷家不識歷識截法耳歷家曷爲乎識截
法而不識歷曰截法易識而歷難識也歷家之說曰

七政之中月行最速太白辰星次之日又次之熒惑又次之歲星又次之塡星行最遲本遲者反速之本速者反遲之皆以右旋之說誤也是七政背天而馳也儒者之說曰七政之中塡星行最速歲星次之熒惑又次之日又次之太白辰星又次之月行最遲速者速之遲者遲之皆以左旋之說得也是七政順天而運也夫日月五星之於天猶子之於父臣之於君也豈有天左旋而日月五星故逆之而右旋之理乎特以其行或遲或速而皆不及天行之健雖以塡星之速於行繞地左旋一日而一周若無不及者積而至於一歲之久則亦不能不退移一度積二十八歲

遲至十八宿而乃與天會歷家見其退以爲東行則謂之右旋也云爾然塡星之退非一日一月之間可見者一日一月之間可見者莫如日月之行最遲一日常不及天十三度十九分度之七假如今夜月在角宿明夜則退十三度有奇而至亢宿又明夜則退至氐又明夜則退至房又明夜則退至尾積二十九日九百四十分日之四百九十九而與日會與日會者十有二而乃與天會歷家見其退以爲東行則謂之右旋也云爾其於太白也辰星也熒惑也歲星也皆見其退以爲東行則皆謂之右旋也云爾蓋日月五星之退非退也皆以不及天行之健不退而

若退也非東行也不退而若退若東行也然則日月五星果非右旋也若右旋而實左旋也然自右旋之說泥於歷家之目執於歷家之口斷斷有辭矣而左旋之說則得于儒者之目通於儒者之心橫渠張子發之晦菴朱子闡之魯齋許氏奉而行之自明太祖與儒臣論左旋右旋之說儒臣言左旋太祖言右旋因以月之東行貫之自是而後歷家更有所藉口矣嗚呼七政在天光照萬古左旋則順右旋則逆言左旋則是言右旋則非言左旋則名正言右旋則名不正欽若昊天歷象星辰帝堯首重之在璿璣玉衡以齊七政帝舜首重之左旋右旋之順逆宇宙是是非

非之大者也豈可任其顛倒紛紜而不爲之擇一定之理究一定之象哉或曰日月右旋之說朱子曷爲取之註十月之交之詩曰此姑依歷家之舊法爾非定論也朱子固已自言之矣曰然則日月五星隨天左旋將爲萬世不易之論乎曰然羲和復起不易吾言矣或者唯唯而退因爲之說以述問答云

義冢辭

城之陰兮沙積山哀墳寡兮作纍田豈北邙兮夾松栢蘽梩掩兮愈棄捐冢纍纍兮鴟尾銜櫬疊疊兮魴鱗緬槨枯薄兮風雨蝕柩束解兮螻蟻賊髑既盡兮骼如霜羣烏啄兮噪夕陽道傍過兮心盡傷呼將伯兮

爲墐瘞嗟世人兮遭百罹生榮獨兮死悽愴居何方兮長何所姓氏泯兮知爲誰死者聽兮我有言魂逍遙兮無煩冤陰陽移兮命遭露百年逝兮誰復存號旻天兮徒悲切九閽邃兮不得聞陳椒漿兮奠桂酒收爾骨兮共培塿大隧穴兮馬鬣墳魂其安兮若比鄰

過愬雲菴聽心公談秀峯諸勝

秀峯老人匡山居翩然瓢笠來洪都嶙峋鶴骨自峭異清談揮麈如貫珠闡先奇秀夙所慕十年寤寐徒區區案圖苦索不得一揣摩彷彿終模糊公乃爲我細剖示拂几聯席重披圖一經指點倏有悟峯巒綰

地來須臾仰觀瀑布百千丈晴空隱隱轟雷車老龍蜿蟺勢拏攫涎沫噴薄驚天吳香鑪縹緲雲氣動青煙朱火何其殊雙劒嶟崒插霄漢鋩鍔無乃沖天衢奇峯巨壑互拱峙翻疑人巧天工俱造物設施類有意象形直欲傾公輸踞高俯瞰華物眇江湖望裏如盤盂探幽選勝殊不易狹仞未足盡一隅泉傳三疊自今古得其二者始髣髴後人踵事搜未備靈境恍惚知有無我聞公語妙無匹身雖未至神已趨鑣翻豁眼試異茗習習兩腋清風徐期以明年秋月滿買舟直下彭蠡瀦借公一枝棲鶻鶴拳蹐日月窮朝晡飛入雲天一長嘯欲與五老相招呼

病中登舟次日舟未發適家書至喜甚枕上口占

病亟轉牀席滿質分凋謝所悲有老親永永辭膝下弟妹忽棄指兒女待婚嫁生還意外事登舟自疑詫黃河漲秋汛濁浪怒湍瀉喧豗奔魚龍洶湧流日夜練心浸太清臥穩昔牿暇忽聞家書至靜中喜生乍奉之重璣琰萬金未爲價中有老父書教訓深懇藉上言身康強下言早歸舍弟書感桃李妻書惜蘭麝亮兒年十五反馬始學駕亦附札數行文勢頗脫卸每書喃喃讀津液如啖蔗好風東北起破浪更何訝爲我語長年揚帆下前垻送我早南歸沿途看穲稏

邗溝行

邗溝清黃河平邗溝濁黃河酷遂占奠位四瀆分滔
滔各自趨海門懷山襄陵雖降割四瀆不聞互齧呑
天有分野地有紀南條北條異源委順其常性皆安
流機巧誰開爲禍始句吳夫差築邗城溝通江淮二
水幷是時黃河未南徙舟楫便安人所爭小利之門
大害伏千古留作揚州茇自從河徙入淮流代變潰
決勞隄東河岸聲鼓萬逆逢濁波斜射清口紅淮水
緩弱本難敵咽喉況泚邗溝東淮勢日弱河日橫河
伯驂螭邇洄泳只今邗溝溝水渾草茅臣觸憂時政
水流習坎熟路開海口漸壅大汛來挾淮灌江事可
懼三瀆混茫非常災我

朝至德天厚眷懷柔四海長清晏書生空抱杞人憂

曝背欲獻

天子殿遠慮終須戒不虞同時巨公意弗殊奏章猶

記李敬達議論近見胡環隅李公已逝胡退老忠謨

長存照蒼昊區區但願邗溝清執政報國無草草

番禺鍾獅作部雍正壬子舉人廣東巡撫昆明楊公所

薦

梅關道中

峻嶺梅銷道重門百二關路衡雲際上客自日邊還

佳氣趨南盡

神京拱北環關從文獻後冠蓋滿人間

觀音巖

混沌何年鑿天然闢梵宮境懸人迹外路斷翠微中寶炬紅流月霜鐘石寶風我來逢伏暑寒已九秋同

滇陽峽

再振梅關勢巍然東衆泉北門多鎖鑰客路盛山川壁夾千峯翠舟通一線天正憐啼鳥好帆發疾於弦

滕王閣

傑閣仍秋渚雲光尺五懸江湖常作帶吳楚遠連天檻滴千峯翠窗飛萬井煙子安今已矣誰續一燈然

奉新甘禾周書雍正丙午舉人大司馬汝來之子少有詩才臨川李侍郎素所激賞順天府尹高安陳公所薦

三十初度書懷七百字

季秋月始交溯越遇二日厥時吾以降成數符陽實
駒隙三十春靜念神飈忽非無瀟灑志居諸忽飛瞥
妄欲窺羲軒竊自景僾臾頗荷皇天慈百順萃蓬室
老祖八旬餘精悍見華髮父誠輔時英中台參密勿
長年寄語兒學業當矻矻余惟螻蟻輩敢希鸞鳳質
冉冉負壯時幽居抱內熱不畏取笑劇漫將昔學述
少年守章句不移窮本末假如兩目明在天即日月
天地入吾身五行齊一轍羅紋掌白明虛白輪不涅
古人大小言妙道盡囊括剡彼六經義覼縷焉能說
爻變理最深何事古易絕九六每爻圖今圖僅七八

所以象爻言動處人不察宋儒紛傳正妄免繫與拙
河洛先後天浮議挪能奪陰陽進退用積歲此玩悅
蝌蚪既辭平口受反艱澀以玆斷僞並款識辨古物
逸書今尙存難信歐陽筆天文典既垂職方漢初揭
人理萃筭疇何時默參微三經具兩周分之殊難決
風東與雅西先儒亦胡鵲小序聖賢編義深孰莽滅
如彼刺幽多毛衞或竄掇蟲魚草木名所事犀構蝨
尼山據事書褒貶乃自出安得若後儒瑣瑣陽秋舌
三傳今雲霧高閣供蠹嚙異同可互求得失庶齊別
至若三禮書今古多違捩縱令纖悉通已覺贅疣綴
況乃後儒修篇章每割裂攷古推康成未可任譏貶

窮經貴致用豈徒虛陳列生爲堯舜民獨恥效跛蹩
哀哉閭閻風浮靡失其節先民月齊禮存是志所切
善俗書早頒拭目觀化達治民即治軍三單在胸穴
如何天下雄里巷無練卒強鬭地水虛弱勢風山法
是用做古遺比黨辨旗物當今堂廉間計慮周窮髮
賸有草野心漏萬爰舉一吁嗟踰十年獻纂曾無術
五度走長安九試皆乖刺豈無青歨儔頗欲相煦沫
鄙人輕躁進一往事中輟去年歸舊廬自分甘蓬蓽
敢心循典墳浪流列莊列手不停丹鉛口不離觥凸
今年頗蕭閒輔補邑乘缺繆爲同輩推料備閟史役
馬齒及茲辰虛聲徒忝竊不見鷹離鞲猶然蟻營垤

誓將養修翎千里期一抹亦有所居堂軒窗新爽豁
南榮蒔草花中楹列卷帙安得邀解人商量到經筏
出門報稱難入室道情劣嗣汝尙勉旃前修挺砥砫

雜詩七首

僦居郊宮時皓皓流秋月及此逢長至庭中積白雪
迴迴洪覆功變化轉眉睫營營良足鄙悠悠詎不察
守志不溢飽從人邈傾軋學道苟無成愧此元鬢髮
隨時尙勉旃碩果叢芽茁
蘭蕙生山下背日吐奇芳不如山上苗忻忻向太陽
我遊
盛明時奮足思騰驤旣阻青雲興慺慺心永傷尙思

迴神龍九陰揚燭光

淺淺城下水安能運吞舟餚珠入沙石誰謂光猶浮

巖霜擲紈扇酷暑棄[illegible]裘平居不畜士緩急孰相投

如何雙蓉□不遇壯武侯坦坦雪廬臥時哉聊優游

昔者耽深思近復慕枯槁害馬漸驅除心王得大寶

衆星玉李懸披衣喜及曉清氣釀白光高意凌八表

逸魄乃勞魂始信眞人天書卷或流連杯棬亦草草

作詩不求工聊以抒懷抱

瞿曇鏡喻心坐照無凝滯洛中論性殊穀種取生意

熒熒木火然燦燦金水麗陰質體陽精萬物本一帝

紛擾自弱鄰鴻鴆為可制徒歆華轂燭不識椎輪貴

園中蕉白青窗前草還翠取月向雲閒此志何能遂
迴遊生晝夜剛柔道咸有我觀猶龍公道德不離口
祇言黃裳妙遂謂亢龍醜不知抱天和二者皆時側
千秋忠孝人夬夬非咸拇心迹倘依違百事狼回首
知足語艮然姑與術不厚吁哉此一言萬代藏狗苟
華蟲聚陰岡欲獲我無罟文豹來神皐欲取我無弩
車敝馬又嗜言涉齊與魯人生天地間有如遠商賈
咄哉蘇季子金盡但悲苦黃金雖滿籯賤之如糞土
寧與雞狗伊不與龍蛇伍

洛陽張雒闓礪山廩生河東總督平越王公所薦常事
聘士周南書院辛酉科舉于鄉

潼關

門開四扇敞高樓到眼山河萬里收西北憑誰可筦鑰中原祇此是咽喉算來險路稱孤第數遍雄關讓一頭聖代于今無阻隔莫須牢鎖帝王州

華山

巨靈擘破翠重重一朵青危色更濃撐碧落寧煩二柱鎮黃關止仗三峯刺雲倒卓吹毛劍銜山高騰露骨龍我願身生雙羽翼排霄直跨玉芙蓉

西京懷古

何但東遷失故疆黍離歌後勝興亡識傳玉璽遺秦

玉淚滴金人別漢皇八水晴波雲汨汨五陵秋色月茫茫尤憐夜雨淋鈴月陳鑑人纔憶姓張

龍門

斧鑿長留禹古痕地喉劈破引星源雙崖左右朱宮峙一瀉東南濁浪奔雲臥旋疑歸闕寨檣浮直欲溯崑崙非魚我信知魚樂愛趁桃花過此門

太白山

太天一握勢飛揚雙倚直看入混茫地底怒翻晴霹靂峯坳冷貯古冰霜如禽如獸不疑迴無草無花水自香為語青蓮攜好句應來此地問穹蒼

南豐趙寧靜方白布衣江西撫臣欲薦之不果兵部侍

郎宗室德公薦于朝出為浙閩總督攜入幕

送錢唐吳子廉北上

道林玉籍之散仙身齋丹鼎心芝田韓祖蘇孫衣缽

穰周情孔思過便便不用捧琴價已重未經抵鵲神

乃全諸生祭酒十數載四科行應兼才賢傾囊倒捆

萬千卷諸以僉右安以紋了政青藜幽恍忽康成書

帶紛葩妍應駕小千太乙編直追漢上河上篇漢庭

文采豈外獎曲江座頭殊中權麟閣詩名龍門策惟

曰欲至於萬年先憂後樂綷進退置身擬在岳陽顛

稽山西嶺廬西澗元祐嘉祐寧齊肩我來蓮府相觴

附更與玉季重周旋君今再賦上林苑底續詩籤茗

梳繳枋榆來決洵知妄天風六月看鵬騫

新建凌之調惕園丙辰進士工部額外主事通政寧夏
趙公所薦

少保馬文毅公棄草辨疑

闢昔顏魯公忠烈炳天地下筆儼端人書法絕韶媚
昭代馬公起遼陽毅狀剛風事一致胸蟠百萬氣吐
虹節鉞巖巖蹲作鎮屏奇桂林表裏倚長城戶慶更生乘
謐避魚出沸水鳥靜塵粤人安堵聲遠彼物敎地大
芽孳生無端變起蕭牆內逆將何人孫延齡危大不
掉萌異志是時三桂叛湖南延齡附起張聲勢攻殺
都統肆攙槍執公四室遭幽縶公身信是百鍊鋼多

方焬誘鋒益厲後先不屈殉以身合室完操天日皙
當其困守圍城中瀝血三疏字字淚閒關伏闕骨肉
分一臠忠愛神所誌兩賊相猜不克終逆孫就縛吳
旋殪拯民水火民見休赫濯公靈實默庇氣作山河
枕臺隍妖氛盡掃兩儀位丹書鐵劵奬忠魂事蹟永
芳蘭臺記辨疑一錄傳公神歷劫彌光人嗟異鬼神
呵護蛟螭盤筆墨俱挾風雲氣經天緯地是雄文發
篋風生使人畏公能辨疑始無疑磊落軒昂昭大義
凜凜如生手澤存百世奉之爲重器

送朱桐岡之任迤西巡憲

十年謙草凜風霜豔說天門九采翔鐵柱于今威六

詔青蒲在昔勳三光地臨緬甸關邊壯業溯昆明劫
末荒奮武揆文資遠計勳熙名萬里正悠長
阜囊猶貯舊聽章白馬今看擁赤幢捧日精神懸
北闕爲霖舲濟到南邦離堂琴瑟雲千嶂使節山川
雪一腔此後同人相望處天橋玉案景無雙
南海勞孝輿[redacted]拔貢生與里人羅天尺蘇珥齊名廣
東巡撫昆明楊公所薦羅天尺有癭暈山房詩勞爲之
序
余嘗好浪遊妄欲跡遍海內與天下士交箋未燥即
從先君薄遊瓊南望洋而嘆讀海外文謬計有所得
甫弱冠杖策踰嶺渡河倘佯江淮間氣愈豪則益自

書而猶以未得交當世鉅公偉人爲歉久之間見稍
殊衣輕而策肥者卑不足道其高者或標榜聲華自
爲位置大都皆羊公鶴也則又悔吾之遊爲無當未
幾鱣門夫子視學吾粤以古學爲斯文倡吾黨二三
子若羅子履先陳子海六何子贊調陳子聖取蘇子
瑞一輩皆從之遊余亦勉自淬厲私幸向之奔走四
方而不得其當者今且庶幾乎遇之詎謂見後旋以
憂告二三子追隨絳紗春風鼓鑄之餘雖齒及余余
實未嘗承聲欬也事竣弗獲祖送每誦二三子胥江
驪唱輒嗟嘆不能已已而有冶溪陳學士者爲鱣
門鄉人與履先爲忘年友以聲詩擅唱於五山之麓

豪嶮達境外余將褰裳從以爲未得侍鱣門得見其鄉先輩如見鱣門焉又以衣食馳無隙暇去年秋風報罷二三子各不相聞屐先方落拓爲磨鏡遊詢之冶溪已逝然後嘆十年前之奔走四方而不得其當者今既得於當前而且兩失之也今年夏有省志之役與屐先褰事於粵秀山堂討論軼事發爲詩歌屐先更出其近草示余商榷雌黃皆出二公手訂鱣門之言曰詩與爲贋唐無寧宜宋牧齋所謂精求於韓杜而佽助以眉山劍南是惟吾子冶溪之言曰自科舉業興人鮮實學五都之市碎胡琴者純蹈虛聲今羅君不僻處天末赤幟將樹君所矣夫鱣門分尊嚴

而言質固然獨怪治溪以大江鉅公不稍自諱其言與余向者之見畧同乃知吾黨固不可自薄而余之先二公爲可憾履先之前後得二公爲當世子雲洵足以樂乎此也顧治溪已矣金臺珠海又復萬里而遙履先且何以爲情乎不寧惟是迴憶數年前與二三子酣歌縱論時曾不轉盼而風流雲散聖取薄宦于江浙贊調雖捷去將卑棲於桂林若海六瑞一輩俱不得志散居鄉塾而余獨與履先棲遲省會以手腕供人役一燈相對中夜悲歌抑獨何哉抑獨何哉

詞科掌錄卷十五終

詞科掌錄卷十六

上元程廷祚啟生原名默廩生安徽巡撫膠州王公所薦著有讀易管見一卷春秋識小錄九卷凡三種曰職官考畧曰地名辨異曰左傳人名辨異其論晉軍政最詳曰案晉軍政凡八變自莊十六年王命曲沃伯以一軍爲晉侯藐然小國也其後閔元年自作二軍一變也僖二十七年作三軍復大國之舊二變也明年增置三行蓋晉欲置六軍而避其名故曰三行三變也僖三十一年罷三行而爲上下新軍號爲五軍四變也文六年舍二新軍而復三軍五變也成三年始作六軍晉至是僭王而無忌矣六變也成十六年罷上下新軍而爲四

軍七變也襄十四舍新軍復三軍八變也僭王之舉與廢任意晉之戴周亦徙以空名耳然襄十四年之復三軍非有志于成周之禮以新軍無帥不得已而舍之豈自知其僭越哉及暮年權歸執政范中行氏見逐于時晉僅有四卿而三家分晉之勢成矣又曰桓六年晉以僖侯廢司徒杜曰廢爲中軍是時晉未立中軍杜云然者據其後事而言也又孔穎達云司馬司空本是卿官之名但晉之諸卿皆以三軍將佐爲號其司馬司空皆爲大夫之官案此則晉廢司徒而諸卿皆廢矣春秋改周之官制者又莫如晉也又曰晉人以卿爲軍帥故僖二十八年日趙衰爲卿爲新軍帥也然亦有爲卿而不

爲軍帥者僖三十三年曰襄公以一命命郤缺爲卿亦未有軍行文十二年趙穿曰秦獲穿也獲一卿矣杜曰晉自有散位從卿者是也又曰將中軍者晉國執政之卿文公以前又謂之中大夫僖十五年晉侯許賂中大夫杜曰謂國內執政里丕等其後亦曰元帥見僖二十七年一曰正卿見文七年又稱將軍見昭二十八年皆將中軍者也又曰案春秋置六軍者惟晉其外見于傳者吳有中上下三軍又有右軍爲四軍如仍有左軍則五軍也至楚亦惟中左右三軍齊中上下三軍又魯亦非次國然止有二軍襄十一年季武子欲弱公室作三軍至昭五年而舍之又曰春秋備六卿者晉宋鄭也

他國否然晉置六軍時至有十二卿復有散位從卿者
又異乎天子之置軍設卿矣有賦頌五篇名曰日下新
章

躬耕耤田賦

昔耒耜之利肇自炎皇而稼穡之功興於后稷始開
物以成務爰總大而立極凡以政本於農民天其食
率萬國以效勤先兆人而致力故神農之後譽降於
邃古而思文之君帝獻其明德也至於雅頌之所紀
狀書傳之所上下或王獻已茂時乾乾乎農桑或帝
業方隆益勤勤於耕稼其在禮日孟春元辰天子躬
耕帝耤但農祥之辰正實田功之肇興躬耒耤於萬

乘畢震動乎羣蒸故九土闢而民罔或懈千倉盈而歲無不登此聖王先天下以勤而固本之至教也至若禮神祇於郊祀奉孫嘗於春秋羞豐潔以篤其慶獻精誠以降其休旨酒嘉粟而嚴假𥱧盛苾芬而上浮此聖王合天下以敬而奉先之大孝也稽之時義大矣哉惟我

皇帝茂育以阿海爲念好生以萬姓爲衷味旦必察於雲物夙夜常祈乎歲豐同日月之明耕藝咸照合乾坤之德作息皆通克享天心允綏神賚風應律以候和雨常甘而不逮閭閻揖讓於乾饑鐘鼓和平於祈賽閭巳家給舜廩之富人足堯倉之有弛密網於

春塘棲餘糧於秋畝倉庚鳴而求桑清霜戒而獻酒
太素不雕自然不剞珠沈於淵金捐於阜尋結繩之
餘風追大庭而爲友然
聖上猶慮太平生逸豫之漸安樂開玩愒之門乃訪
之舊章憲前王以立制爰式諸下士迴曠代而垂恩
所謂正末者必端其本而澄流者當清其源也若夫
太皞司辰句芒整轡冰開太液之寒柳弄建章之翠
金堂則細草方新瓊苑則流鶯初至二儀訢合以絪
緼萬象和同而嫵媚正國家和令之初也
皇王行慶之始東郊既修敬乎青祇元日復竭誠夫
靈時爾乃太史覘土膏之性音官陳風動之期司空

掌壇壝之令農正修布殖之宜百僚卿尹嚮臻於青
甸都人士女望幸於翠旗羣佩玉之鏘鏘綵華服之
猗猗晴光敷藻於羣動條風助暄於春儀於是
六龍夙駕千門洞開鉤陳暫轉天駟初迴旌旄從霄
漢以至鏞鼓與星辰下來載蒼靈於副車贊青雲乎
華蓋野潤山明地平天泰容容裔裔暉暉藹藹
大駕幸於
天田祥光被乎遐邇既膏既沃我疆我理溝渠交錯
經緯上象乎天文阡陌葱龍錦繡下蟠乎地紀據天
下之上腴洵域中之至美我
皇乃俯

睿慮於東作洽
聖躬於春疇循剢耜以容與撫洪縻之綢繆三推而
舍畝終於兆姓五九以班序逮乎諸侯大禮於是乎
聿皇率土於是乎勤修及其謝夏迎秋我稼既臧穫
穰
帝耤濟濟
神倉靈祇之所爰侑禋祀之所敕匡薦嘉德以合莫
燕皇天而克昌然後知億載之大孝謨無加於
聖皇也夫王者孝治經有明徵迨我
皇之首出實克隆乎斯稱事親則愛敬交盡撫世則
德教兼宏海內之濟和偕湑醴以茲獻通生之茂豫

與籧篨而同升況乎
一人有慶兆民攸賴體太上以作勤詎吾人之敢愒
由是東臯如鶩南陌爭犂華陽青黎國收再熟之穀
海濱廣斥地無不宜之禾尚伐華而獻豐年之頌濬
江海以藏華黍之歌姬旦豳風未足遽陳其王業虞
廷韶奏何能髣髴其太和

西垂大捷賦

惟神克武惟天爲威故雷霆之震八方無不讋而風
雲之勢所向無不歸我
皇帝之撫方夏也盛德符於五帝豐烈邁乎三皇包
括配乾坤之量昭明侔日月之光濁浪息則江海如

鏡靈風舉則龜鼉成梁東南一尉不聞乎烽火西北一候但覩乎冠裳自烏弋黃支之國窒桐蟠木之鄉莫不隨安瀾而納貢識暖氣而來王乃有青海羅卜藏丹津也者氣假蟲沙魂遊鹿幢輕於西海飛鱗細若條枝鉅卵衆不盈於一旅兵未習於多算敢懷齊萬之凶坐肆先零之悍惑蜂蠆之有毒包虎狼而爲心陸梁乎稽遁鼠肩乎阻深此天地之所不載而人神之所弗任者也於是

聖皇赫然勃怒百靈梱幅憤小醜之敢距惘遐氓之不安兵可百年而永息危無一朝而或縱爰

命守土之臣肅將天討之重於焉以對萬方於焉以

隆
皇統乃有召虎對揚王休厥惟方叔克壯其猶既敦
詩而說禮亦茹剛而吐柔啟營門以拜
命宣臣職而分憂天廣其心神贊之謀爾乃彎寒月
以作弓淬天山而為鍔治兵於軒帝之邱飲馬於太
蒙之谿朱旗飛則山岳俱搖雄戟耀則星辰盡落馳
雷電以繽紛流虹蜺之揮霍祥雲蓊鬱夜僂虎旅之
營嘉氣絪縕翻覆龍驤之幕正合奇勝皆本乎
聖籌三令五申悉原於
廟畧秉機而運所向靡前川流猋發雷動天旋勁風
之卷秋葉烈火之燎春緜賊雖衆其焉用終折箠之

所鞭鉦鼓鏗鍧羽鐵紛拏聆春霆之相激覩白雪之交加兵氣橫於月竁陣雲靄乎天涯落鉤爪於褰磧斷鋸牙於平砂窮搜煩蠢之府顛覆水草之庭長蛇抗軍而碎骨封豕觸刃而隕形戈鋋所加青海之浮雲似絳旌麾所指交河之流水皆脈欃槍滅而列星靜旬始消而天宇寧克定流沙不清西海邊人鼓舞以樂生軍士謳歌而奏凱似草木之遇陽春如陰凝之發爽增於是羣公卿士進而言曰昔軒皇上谷之師尚須九代殷后鬼方之克猶待三年功有俟於戡定事或難於聖賢今役不盈旬勞無再舉創建曠代之奇恢宏萬年之緒而

天策不待問於容成
神謨實獨操於
當宁校往昔而論功稽前王之光宇詎有
昭代之聲靈與我
皇之神武哉
天子鬭之猶讓而未遑也乃
命禮官歷吉擇良致燔瘞於
天地擁神休乎昊蒼奉牲玉於
太廟告成功乎
先皇鐘鼓殷乎洞庭之野威稜震乎弱水之陽備乾
坤之瑞應總社稷之嘉祥功烈盛矣誠章彰衆然後

定功須賜或封或遷爵以勞錫賞以賢宣德洽於依
依楊柳之歲恩深於遲遲春日之篇於時人神歡娛
宇宙清朗無雷納贄而稱臣不夜聞風而稽顙京畿
表裏人民少長行則摩肩車或連幌觀訊謳於殊方
樂凱歸之兵仗莫不抃舞乎昇平優遊乎浩蕩美
帝道之允昌詞
皇猷之克廣其凱歌曰
天兵奮兮神威騁絕流沙兮勝雄闘殘賊殄兮窮奇
誅頼長臣兮泰
聖謨丕崑崙兮定金樞萬邦寧兮永無虞
有岫雲閣詩鈔皆近體

廣陵懷古

名都形勝豈徒然獨眺寒蕪立暝煙百二關山通紫禁三千江路入青天佛貍風捲鷩沙際龍馬春歸野渡邊羽扇何人揮正雅綠楊堤上月初圓

將離開罷客揚州芳草迷藏訪舊樓水調歌殘空灑淚中原鼎沸不關愁秋風弔古無螢火夜月思君剩玉鉤猶有墓田斜照外飛花片片送行舟

畫舫笙歌醉綠汀隔江山色向人青二分明月腸堪斷一覺芳春夢不醒梅影瘦殘官閣冷齋鐘零落寺門扃竹西漫說當年路曾記樊川載酒經

吹笙何處怨夫君帝子樓空甲乙勤繁露祠前猶舊

德甘棠壕畔有清芬瓜洲高擁江開浪北固晴飛海
上雲賦能無城風雨過教人重憶鮑參軍
鎮洋張敘冰璜玉子孝廉湖南巡撫滿洲鍾公所薦著
有孝經精義一卷後錄一卷或問一卷餘論一卷以五
引詩書屬五孝節首益字此字乃釋詩語而斷庶人節
之本無關文义隨皇侃加開宗明義等目非是皆發前
古之蒙丁巳有
臨雍詩百韻未及獻
一畫開天後尼山集大成百王循軌轍萬禩儼牆羹
日月光重日乾坤元抱貞太和景運介
當代聖人生出震符先握乘離照繼明道將時並泰

福與德俱亨直契時中祕還深好古情生知天所縱
博學藝難名併作經綸展俄看敎化行巽風翔蔀屋
解澤被庠黌優禮申蕭帛敷文偃甲兵已欽皇極建
早覩泰階平訪落懸金鏡修常產玉瑛歲陽三改律
春仲載鳴鶊
紫禁煙花繞青郊茸甲萌上丁初
詣奠下泮復
親耕加獻崇明德增推軼舊程經筵中
特御華蓋迴高擣杏範歌雖露陳書得潤璜名賢師
善卷舊學式阿衡淑氣囘三輔儒風溥八紘
聽雍遵經典

法駕備晨征靉靆祥雲覆曈曨旭景晴句陳森羽衛

棨澤建干旌拂露花迎珮籠煙柳囀鶯三英飄翠蓋

九曲颺朱纓鳳輦徐徐動春雷隱隱鳴槐街風綷約

璧沼水澄泓釋奠咸容肅升階步趾輕降儀物莫逮

精享意彌誠薦幣殷圭璧寧芬雜芷蘅更張九奏樂

何假五侯鯖雅曲聞韶濩清音掃篴箏逢逢鼉鼓吼

噦噦鑾聲喤幬舞疑飜鷺排鏞正發鯨

天顏深有喜神格靜無爭闕廟儀方畢

升堂經此横虎闈乘素席龍幄啟朱闈精一宣天則

中和醒世醉遺編迎刃解彝訓軌峙崢十丈紅塵去

千所寶鏡呈質疑容弟子問難及公卿同與追渠閣

敷陳比邇英壁書兼鄭孔葩傳覈培嬰羲畫程朱合
轔編啖趙并禮家煩聚頌纂疏劃開盲大義昭如豁
微言善若泠金臺紛戴維石鼓響懸珩夾道聲無雜
圜橋塵轉清絳雲扶繡幕麗日煥雕甍春几尊三老
鋪筵介五更散金光有爍酌醴色微赬冬節春嘽煦
秋霖夏屋帡生徒增白龍枝含虞千檻玉液恩波泛
金莖仙露盈芹芳應普掇杜楊更添摯在昔膠庠地
常多弦誦聲養賢儲國器造士作周楨椽楛騈靈囿
葭蓬茁鎬京思皇膺濟濟求友聽嚶嚶西美音誰嗣
東周夢忽驚辟廱長寂寞闕里獨崢嶸繡紱披麟角
祥光降水精杏壇滋雨潤木鐸發聲鏗六籍賁刪定

三千遠攬嬴師門標祖範學的樹侯正洎漢知崇祀

由來盡奉盛褒從列代益典自

本朝宏

聖聖燈傳燦心心月印瑩生民俱未有道脈自相賡

累葉仁漸士純熙澤徧氓盈疇蕃黍稷滿沚育莪菁

甘雨時時澍薰風戶戶迎茲逢

新命申益復恒先庚崇聖及黃屋興賢錫大烹靈宗

皆與祭未裔盡稱觥況荷

宸心眷重頒

睿藻垂兩聯分嶽峙四字矗天晶鸞鳳章騰彩蛟龍

勢攫勍文明敷外炳和粹釀中翊英偃環遐壤風行

自近城探書采禹穴覽史坐皇宬士服迷方困人知稽古榮昭回賁草木揖讓革笞揚不斂田開耤無分庭內荆民心歸洳穆帝眷倍紆縈瑞麥抽青穗嘉禾冒綠莖慶雲輝爛錦湛露味流漿萃上騰三祝鈞天振六龢河清興作頌鳳翔叶吹笙身幸勳華覲衷惟精白盟載天遊蕩蕩匪石矢硜硜水性原宗海蘭香備滿阬乘除上下含信斯經長縈濫廁呦鳴鹿思羣彩翼鵬承風已解慍望

闕若登瀛

日表宮陵漢

天光晃奪睛擬金始奏奮戞玉飭歸琤大德何從繪

俚言恐逐僉婁心惟抱赤遠向太陽傾
陽湖劉鳴鶴皐聞廩生禮部侍郞提督江蘇學政桐城
張公所薦試後留京師館於畢禮部家後從尹大司寇
之川陝有呈司寇詩四十韻
天上三台朗人間八座榮德門自高大勳閥獨崢嶸
分虎河山誓從龍帶礪盟沙堤塡舊路槐蔭振新聲
早歲雞林重英年鳳苑傾編書著東觀承旨對西淸
蓮燭宵光撤花磚日影迎集賢推徧望廉鎭藉持衡
藩屛依邦幹經綸倚國楨烏翔飄寶蓋犀擁帶珠纓
甃子波無漲桃花浪不驚安民養嘉穀鋤梗截長鯨
造士端模楷司文集粹精儒宗仰山斗吾道賴干城

江左恩膏沛滇南德化行望雲懷養志愛日表陳情
聖孝光隆治
宸衷感至誠省親欣奉
詔夙駕慰趨程入覲
慈顏霽加恩樂事并箕裘在補袞鼎鉉佐調羹
帝簡明刑輔朝欽弼教成白雲肅秋憲丹筆藹春生
皐禹心源接韋平德望宏兼銜辭馬部講幄授梁楹
宮錦添斑彩天漿介壽觥青精霏玉屑沆瀣浥金莖
純孝大人格榮名日月晶明良昌運會作述篤忠貞
晝日勤三接几筵邁五更進思資啟沃退食凜持盈
相府還生相卿門合作卿金甌書字卜玉案草麻呈

慷昔蒙栟櫚會叨庇學費遴材徵下邑采菲列微名
分隔雲泥迴心依蓼藏縈十年思御李一日慰瞻荊
垂盼青光炯常看紫氣萌吹噓九鼎重感激一身輕
仰荷甄陶徧還沾瀸澤私門牆忻有託延望近三旌
桐城江其龍若度增廣生安徽巡撫秦安趙公所薦三
禮兩漢書皆有論糾注家之繆

皖山賦以青冥皖公山巉絕稱人意爲韻

溯長江而西眺聳皋峯而獨踰禹貢則揚州隸籍尚
代則皖伯儀型山因人大而得號郡憑山勢而稱靈
天柱峻雲中以縮篠灊峯峩池北而嶄嵚拱雪山之
崱屴聳霍屏以婷嫋襟江帶湖砥柱兮峩頭楚尾方

壺員嶠睥睨兮蟻垤苕崋碧岫天開磊磊金莖之掌
晴嵐地蔚珊珊雲母之屏曉來江氣連城白雨後山
光滿郭青爾乃作鎭名封示靈蒼冥號舒國則五嶽
同稱彙秩宗則三公齊等俾几兮仙女崖中巢嶫兮
香爐峯頂露凝而泥土香月出而劒光炯鱗角幽邃
以透迤虎頭礓砢而溟涬人煙小逕乎鳥道高原迴
金紫擁漢皇之仗旌旆高懸石函留道士之書煙霞
常煩雖恒山猶難爲頡頏卽泰岱亦莫與比竝者也
觀夫礁石屏巖奇峯結撰兮娥無庸其劃劙女媧不
用夫削劖一峯擎日月時時聞虎嘯龍唫千仞瑣雲
雷日日覩玉柱金板斜陽映閣山當寺爽氣怡人微

綠含風樹滿川韶光到眼輔投子栲栳之崢嶸皐司空浮渡之巉巖實屏翰乎三江乃藩維於六皖萬象之瀰綸極佳四時之幽光無限則見春風拂拂夏日曨曨石樓之藤蘿萬丈水簾之煙靄千重鶴語應松聲楸梧葉暗蕭蕭雨鮮文連竹色菱荇花香淡淡風池開而圍成玉鏡山蛸而繡出芙蓉九曲嶺頭髣髴明珠之宛轉七星池畔依稀北斗之紛叢洞裏春光問煉丹之左子嶺邊石色對試劍之趙公及夫秋風起兮秋草碧秋雨灑兮秋水澱楓落黃沙二十七峯齊出雁來南浦一十四水如環鐘梵煙雨之側人家橘柚之間山巒疊羽人之笏螺髻梳毛女之鬟人渡

吳塘蒹葭欲白虹飛鹿洞芳石皆斑有家皆掩映無
處不潺溪蟬鳴而韻生樹樹蛩鳴而響落山山看孤
柱之巘嶭罨翠嶂之從巉入天堂而千林灼爍上天
池而四壁空嵌或睇遠而矚近或愈得而目瞻曉霜
濯潛陽之樹落霞襯彭蠡之帆遙撘匡廬之鄣鬱俯
視九子之嶔巇浪湧海門飆小姑之紫珮弦調江上
潯司馬之青衫至于節屆歲冬時當凜烈冷葉盡飛
搦風初颶或俯瞰流泉或遠瞻晴雪波凝彩以飛花
石帶玉而成凸望白鹿而如來眄黑虎而若滅三台
則大獅俱皜左障則西竺盡白水晶則光徹雲中盆
池則影橫巖穴地留三祖入傳亭上之衣巢挂青松

鶴化山間之碣雪竇之瀑布瑩然山谷之鳴琴清絕時而飛廉怒號屏翳徐應雲靉靆而欲霽雨滴瀝而相稱淋灕沆瀁瀼潏汀濘殘煙染白雲而時畱新水洗丹沙而更瑩蓮峯露溼風來菡萏之香桃洞雲封人迷武林之徑隱隱而樹沒山南默默而僧歸禪定白練接澄江容天山清磬櫺皮廢荒寺難尋題壁之詩石徑掩蒼苔莫認真人之磴訪丹竈而徙深招隱之心覓書臺而空有乘槎之典若乃雲歸洞裏雨歇江濱水光千里抱城來蒼煙欲滴山翠萬重當檻出曉黛如薰散青霞而綺麗露碧嶂之嶙峋滴水洞中巖溜而凝冰如柱照陽臺上暉落而春景成茵雪霽

萬里月雲開九江春聽六鐘而猶在覩四鑊其未淪
日照金雞之唱風吹鸚鵡之塵酒島流霞如見泛觴
之高士詩崖漱玉常來作賦之才人山無地而不韻
景無時而弗新乃為之歌曰巉巖皖公山上與天柱
蔚叠巘鬱嵯峨日月為虧蔽奇峯出奇雲秀水含秀
氣偉哉青蓮詩洩盡煙霞意山與人不磨赫赫千古
事

休寧汪芳藻蓉洲貢生教習期滿官江都令以事落職
兵部侍郎懷寧楊公所薦部駁不得試蓉洲工四六少
遊京師出入吉水李醒齋德清蔡方麓兩宗伯之門輦
下廿時酬應之作皆出其手所刻有春暉樓集十許卷

十五

紅泉山莊賦

攷昔右丞搜輞水之奇舍人選樊川之勝鏡湖則愛遊一曲栗里則喜開三徑釣魚臺迴煙月陶情放鶴亭空林巒適性或擬避秦之地記仿徵君或顏寶晉之齋帖摹大令彈箏竹下鄉最重乎七賢掬管花間樓早題乎八詠丹臺石室來青之閣嵐深茗椀酒鐺滴翠之軒塵淨爾復溪名錦繡洞號薔薇鉢錫之潭潀漾篔簹之谷清奇用偉則遞傳書府張芝則夙著墨池思邈保眞跡寄湘江左右少陵樂志居隣瀼水東西螢渚表勤修於車允鷗亭鼓天趣於稚圭碧藕村前亭臺錯落白蘋洲上樓閣參差清節標大夫之

里聲華高僕射之陂舒城則文翁之莊縹囊屢展茂苑則張融之宅湘帙常攜或嘲月唫風兮梅之塢或浮天釣雪兮蘆之漪是知曩哲卜居多向碧水丹山而寄傲高賢築室亦從煙汀月嶼以棲遲者也則有四姓義宗兩江端士鮑氏則世典司隸韓家則家膺承旨靈分金粟葰鳥工文秀孕瑤林雕龍擅技烏衣之質翩翩黃卷之辭亹亹過鯉庭而辨稻無慚名父之兒出鶴廳而抽箒不忝難兄之弟早面壁以下帷每鎔經而鑄史抉奧擿精伐毛洗髓臨文則句遒龍門染翰則諸工鳳尾但搖兔穎纔成鄴下之篇爭購雞林便貴洛陽之紙匹誼明道董仲舒自是眞儒茹

古舍今李巨山足誇才子愛組織於文章之圖沈酣
於典籍之場傲蕭齋而蝕豕求別墅以徜徉水淡天
明點綴乎蘅皋竹圃山幽境寂位置夫硯匣筆牀等
王祐三槐之屋同景仙萬卷之堂斯則先生所署紅
泉之山莊也爾其地屬溧陽星分斗野平陵舊治裁
棠尙憶乎李衡石犀高峯鑄劒曾邀乎歐冶大巫山
外曉出岫之雲橫長蕩湖頭駭撇天之浪於是室
卜函山之麓窗開洑水之濱四嶺吹嵐作濃作淡千
帆送雨倏合倏離瀑瀉懸崖疑落桃花之片片泉流
仄徑恍裁霞綺之絲絲亭倚芙蓉之岸橋通楊柳之
堤橫門穿篠曲檻紛披修廊宛轉短彴逶迤張葱倩

之綺疏月痕頻上鏊玲瓏之桂榭花影初移戶外則麥隴千村稱畦一色重岡複嶺曉迎排闥之青萬頭千堆夕漾嵩堦之翠煙蓑雨笠龍潭起欸乃之歌繡陌錦阡牛背來咿啞之篴紅塵滾滾頻看估客之忙碧浪悠悠誰是漁翁之逸蕁邛鐙於郊坰羅煙雲於几席案中則古歡並列妙蹟常盈入趙松雪之軒圖書緗爛過米元章之榻翰墨縱橫帖洒硬黃箋鍾繇之篆隸幀畱潑墨傳曹霸之丹青爐燦金猊爇龍涎而香噴硯珍銅爵銘鳳味以光呈嶧山送逸響於焦桐豐城燭異彩於青萍左太沖之筆札盈前非徒作賦手士治之縹緗儲左不妄有名鄴架則千疊牙籤

丹黃徧及曹倉則五車玉軸甲乙分明坐蔡閣以攤書才壓東阿八斗倚芸齋而把卷樂遊南面百城得意忘言既一塵之不染放懷抒抱更四季之可賡當夫春風駘蕩春日妍和春山似畫春水如羅園開異卉庭長柔柯煙籠百尺之絲低聞鳥語霞映千枝之粉尙織鶯梭書帶之草葳蕤秀凌曲砌騷客之蘭郁鬱分透崇阿玩辛夷而製曲覽豆蔻以成歌玳僧高唫御愛芳辰之麗珠簾頻捲爲收花氣之多可茲漲綠之桃塢何姝謝謌之竹城若乃草閣蕭疏藥欄低亞芳皆深淺任紅雨之亂飛繡逕迂迴喜綠陰之徧砌泉飛戶巾竹抽簷下香波淡蕩花濃苜蓿之池翠

色籠蔥葉密葡萄之架芭蕉雨滴堦足迎涼菱芡風迴瀠堪消夏流金爍石世多交扇以來遑洗李浮瓜此則披襟而甚暇杯斛琥珀飛逸興於大蘇筆架珊瑚發清謳於小謝既而涼颸初拂暑氣旋收纖翳皆空星消銀漢三更正寂月潔瓊樓桐蔭座闊而翠密微栽屋角以紅稠叢發小山一輪香滿花飛夾岸五色煙浮閘北坨之繫英頻敲銀鉢賞東籬之細蘂交錯艇籌斷續砧聲頓擬擣衣之曲清淒遂韻近聽放棹之謳遠岫霽多蠟阮乎一雙之屐寒潭潦盡汎志和片葉之舟至若晰晰風軒迢迢雲館銅龍漏滴而背長銀鴨火添而夕暖焚膏繼晷彌師陶侃之勤握

繫懷鉛敢類嵇康之懶庭前松勁犯霜雪以無妨簾外梅芬調酸鹹而未晚一年好景飛觴於橘綠橙黃七字新詩滌筆於冰甌雪椀對燈藜而夜氣常清照書廚而寒光最滿千林葉染愛停杜牧之車六出花飛快授梁園之簡夫此覽山川之佳麗撫節序之妍新地在雲煙紫翠之間得白門之佳境人超榮辱窮通之外實青蓮之後生既閒曠而寓目復瀟灑以出塵一片清空湖光瀲灩十分明媚山色崢嶸不羨竹溪幷蘭渚奚誇金谷與玉津使非骨具煙霞號煙霞之總管焉能居全風月作風月之主人況乎雅負鶯才尤推仙吏領瀛海之簿書勤天津之撫字冰清玉

白差比丰裁錯節盤根益彰利器處膏不潤守楊震之四知與物無欺臻曾恭之三異種平仲千尋之栢正氣堪師澂安仁一縣之花和風遠被杜公爲毋悉戴愷悌之仁賈氏名兒雖忘生全之賜福星偏照乎茅簷異績早書乎

楓陛而乃纔覘行義遽賦遂初萬姓攀轅爭借寇恂於北闕一官解組偏追孝緒於南湖節表留犢之廉眞同飲水志慕馴鷗之逸舊有結廬行將理紅泉之別業而終焉以自娛然而門第高華芳年強仕夙精葩翰文之儒術未展李元紘之經濟雖復耽情煙水之[illegible][illegible]意林泉之美鼓虞絃於玉案讀周易於棐几

或鑑彝鼎之藏疊石蒔花或方盤谷之居採山釣水人謂鄭虔雲霄瀟灑暫尋高士之遊我知安石東山終爲蒼生而起

任邱邊連寶趙珍拔貢生直隸總督彭城李公所薦研辨經史篤學不倦北方學者未能或之先也著有隨園草

閱兵賦

乾隆元年歲次丙辰之三月宮保尚書制府彭城李公閱兵東郊連寶時有事於保陽得從旁而快覩其盛因綴文以賦之其辭曰

律中夾鍾時惟二月春氣煦和萬族充悅康侯順序

以蒐苗連帥稽時而校閱爰乃考車攻諏吉日拔騶虞覽駟鐵除㸑相之閫掃長楸之埒薙宿莽之鬱蓊澆清泉之甘洌雲堋受令而已成暈的先時而早設於是伐鼉鼓擊鯨鐘建魚須豎翟光華蕤綷縩和鸞玲瓏暘夷映雲而晃朗兜黎龍日以曈曨勃盧干背而山立祀姑風卷以龍翔桓桓赳赳有濆有洸健如貔貙勇似梟羊夫何總擠以轇轕兮倏欻儵眒雲迅以飈颸又何方攘以雜遝兮偞傂參差魚頡而鳥盻近而聆之笳簫金鼓自應倫而按節遠而望之旌旂旗纛但蔽霱而韜光於是演鵝鸛排魚麗模鴻儀之規極率然之勢既臂指之遞旋亦絲繩之互繫萬馬

不鳴聆礟石之奔轟千夫注目逐旗旛之指視但見其浮浮霱霱綿綿延延其蟠也如山其流也如川其舒也舟行其疾也禽鶩或敦剛而虎伏或蜿蜒而龍盤忽師然而陰閉忽雲然而陽旋忽狎獵而鱗接忽瀑渙而波翻忽前缺而艮斷忽復續而震連動如脫兔之輕趫靜如處女之婉孌順乾坤而開闔極奇正之循環孫武見之而褱美穰苴覩焉而遜賢雖竭筆精於嚴樂窮墨妙于雲淵亦不能得髣髴於形似慕十一於萬千洋洋乎眞宇內之大觀也哉無何而陣雲已散霓旌半貊就班按部獻技分曹盤地軸而植蔭軋天倪而建標懸絲毬而的爍綴流蘇以飄颻

策郭家之獅子勒唐室之卷毛嵌珊瑚於寶鈑飾珧琄於星鑣暫連蜷而鳳翥忽濩畧以龍超纔鳴鎗之作響已流矢之旋飆驚拉攙而木折訇雷硠以峯搖劃神珠之墮落脣馴鴿之翔翺睫未轉而變色目纔瞬而易遭白姿加額而頷俛黃葷拍手以喧囂朋悅而歡聲震地交揚而贊口翻潮俄而馬怒已䟕步拔旋呈兵以頞接牌以騰稱仿犀渠之古制錫騰那之今名飾勠形於林漆取堅緻于剡藤人如貀狀身似彪形裳繪皐比之斑駁冠依於菟之崢嶸進圓光而外掩握把鼻於中横佯蠖伏而蛸綰欻鵲躍而龍興逐塵蹤而暗轉覷敵綻以突迎驚石矢之騈集觸羽

鏃而壽崩任戈矛之銛利但膠漆之鏗鍧類猿猱之
捷矯如玃狖之輕靈俄項翻而腓豎疑擢轂而折敧
廻圜圓以徑轉仍淡泊而神寧斂餘威以擢立儼鵠
峙之亭亭他如許少秦成之輩期門佽飛之朋或施
衡狹角觝之技或逞投石斷鏃之能莫不邀緜縉於
錦市叨刀貝於銅陵心以競多而轉細語雖得雋而
不矜於此見
聖朝風俗之美於此見我公訓練之精條理不紊舉
靜不爭文武為萬邦之屏翰經綸為盛世之干城允
矣君子展也大成又豈徒耀武而觀兵也哉
隨園賦

遝子趙珍本無園也而有園且以隨名之客有罵之者曰有是哉吾子之飾詐以欺愚幻誕而不經也且夫漢代以黃金爲屋魏家以白玉爲堂典午之層樓杰閣祖龍之畫柱雕梁斯固比擬之絕非其類抑亦筆舌之莫得而詳他如沁水有公主之園清漳有王孫之榭石季倫擲金谷之名區王摩詰構輞川之精舍西園之翰墨專美於曹東山之屐履擅場於謝稽之古而皆眞傳至今而莫假卽如隱士盤桓之所碩人薖軸之宮陶彭澤柴桑之村但餘五柳杜工部浣花之里僅存四松亦莫不踐之實有其地尋之果得其蹤此豈可名之以烏有號之以子虛作海市蜃樓

之變幻爲鏡花水月之朦朧者哉今吾子年雖耆耋
弱則甚奇塵滿范丹之甑鶉懸原憲之衣張子高無
畫眉之婦楊子紗有種豆之妻朝隨許家之馬磨晚
泣王氏之牛衣上鮮寸椽之蔽體下無隙地以卓錐
夏則薰蒸於燠宇冬乃戰栗於涼居園乃設之爲有
名則美之曰隨試問湍流激水在何所茂林修竹在
何時矗然者何方有樹岈然者何處爲池任亭臺之
自幻靡影響之可稽無而爲有予將誰欺遂子乃拊
髀而興扼腕而歎曰隨之時義大矣哉吾子奚足以
知之且如茫茫宇宙大如許也靄靄園林雖繁數也
務殫其力爲囿圃也苟非其人猶囹圄也是故李白

長唫據天姥也何氏名闓瑪什甫也主人來少客來多畢竟林塘誰是主也吾嘗翱翔於田竇之庭委蛇於金張之館覩北坨之靜深覽南㮾之鑿嶐眄陽馬之逶迤睇陰虬之仰偃採芳蕙於百畦擷幽蘭於九畹憩湘竹之檀欒蔭梨棓之疎散陟飛閣之崢嶸入邃房之婉轉檢牙籤而邈覩披緗帙而細覽泛白墮之螺盃毀盧仝之蠏椀當是時也主人几坐而無言客子悠然而意遠居然風月之別屬乃更主賓之頓反則是神州十二大界三千興來游衍到處流連又何必破滄江之剩水開碣石之殘山而後爲有闘也哉客乃躍然曰隨之爲義顧如是耶非余昧理懵學

者所能及也願子究隨園之大觀極隨園之曠致開
我之茅心而廣我以宏志余告之曰隨園之始剏也
經營於溟涬之墟結構於漭泱之野徵材於汗漫之
場取鍛於混元之冶女媧煉石以植基盤古椎輪而
運瓦斬東海之扶桑以作欞斸西漠之若木以爲廈
於是種以三珠之璨璨樹以八桂之森森神邛之建
木蔭垂萬頃崑墟之木禾長可千尋爾乃充以珍禽
物以怪獸鳳凰爲園內之雞獅子作闌中之狗池沼
蓄水擊三千陸息六月之鯤鵬樊籠閉左覆王公右
覆王母之希有鶴鶴之凡鳥不得而遊麋鹿之俗獸
不得而薮爾乃豎以千丈之貞珉惣以萬鈞之琰琬

靈鰲贔屓而莫逃鼉龍蹲踞而欲顫倩象罔以書丹假鴻濛而立傳鄒史籀蝌蚪之文蒼頡鳥魚之篆秦程邈循口而不能讀漢揚雄眼花而不能辨於是招飛瓊而開宴邀玉女以投壺左列虎頭之王母右侍鳥爪之麻姑河伯獻化龍之赤鯉海若貢警乘之文魚白虎鼓瑤瑟而颯颯紫鸞吹碧管以鳴鳴於是瓊液薰心頳容發面洪崖左拍浮邱右按御風以行泠然而善長嘯作歌聊以當亂歌曰天地迴薄兮浩無方乘羊角兮上翱翔下瞰蠓蠛兮何擾擾歌聲振野兮紛𣞻琅騰蹐太清兮不可攔又曰天運輪兮地轉軸上翠幄兮下華褥祉以康兮興且穪奚不足兮

紛追逐歌舉答乃逡巡而起躊躇而退命酒獨斟陶然盡醉

日出入行

天地一大車輪子中貫元精輪不已周匝三百六十有五度上下九萬二千有餘里不知何人操丈引量之聽說紛紛殊可鄙春夏秋冬分四時我問天公天不知乃知二十四氣成一歲都是妄庸人所爲西方去一兔東方來一烏昏昏悶悶人自老不識不知順大道大道原只在昏悶可恨無端鑿混沌

耳鳴篇

韓公昔落齒作詩詫妻子我著耳鳴篇亦復如公然

韓公昔落齒年方踰三紀我著耳鳴篇三十有三年
耳鳴何所似聽我求其端當其初起時勢如迎風蟬
捫之聲暫歇不捫響仍存當其捫既緩益從不如前
前鳴如風蟬呼吸有迴旋後鳴無已時泉流聲濺濺
問君何由爾翻覆使之然妻子前致辭謂君一何愚
執此杯中物喪爾千載軀我笑謝妻子爾何太區區
我非不惡死舍此無可娛人生一世間但求有可娛
茍其無可娛可不有此軀且從閻西方有人常不死
問彼胡由然惟其無有耳無耳故不鳴不鳴故不死
人惟不無耳故皆有鳴理耳惟不無鳴故皆有死理
先師亦有言自古皆有死自古以迄今死者焉能紀

問彼胡由然未必盡由耳死不必耳鳴耳鳴不必死
問答遂成詩陶然又醉矣

冬夜讀書三十韻

人嫌冬夜長我愛冬日短道心逐書消俗腸憑夜斲
墐戶折風刀窒隙拾月卵焚香驅穢濁數息調驟緩
酸醎生櫞栟苦馨臭莽椀抱膝覓新唫爐筆竄舊纂
冥理探幽竅古義抵微綮實塞人迷方機發灰動琯
似遠忽乍親將來還中斷眉蹙方詰屈顏霽已平坦
儲初慘中韓契終踰總管韜精雄禮箴論態門輸款
斑管絕疑讀牙籌晰瀏算稍披支髒腮助剪嫩餅饞
唫并慷新歎傲睨抒俯懣只尋匆已而寸進又岦但

離羣絕屬攀追古務刻遺畢集收柄舌牛女欲嗽鹽
煖酒日孤斟裏書不再攤膏油費夜煎妻孥糾晝懶

雜感五首

同雲色沈沈陰風鳴策策雪霰隨風零稍稍入窗隙
燈暗催照帷火寒不煖席中有兀坐人慘慘心不懌
趨時志不停謀道身則瘠二者將奚從交戰令心窄
守賤非近遭歸愚亦前書千秋鑒此誠顧領奚足惜
時事何莽莽中心亦怏怏嘉遇不一來駛年動屢往
撫事抱冥悲觀生淡奢想我自復益今意氣頓殊曩
取酒澆我愁我愁逐酒長由來近日愁非酒能滌盪
羣儒動言命此亦難究擬命或隨所遭不必盡經紀

蠕蠕涸斷蛆營營緣樹蹬土蟄得考終難喙獲凶死
苟預定其然造物亦勞矣夫豈殊是非應難判臧否
福善而禍淫此理更奚恃
蠕蠕涸斷蛆營營緣樹蹬問彼胡由然彼亦昧所以
旣在天地間勢自不能已蠕蠕復營營竭蹶以待死
土蟄與難喙聽其所遭耳
霜風刷林木一夜淨如掃中有枯死蟬軀殼尙完好
精魄化異物但虛存其表爲爾深沈淵中心憂如擣
逝者盡如斯從獨俯潸天
武陵陳長鎮宗五貢生入部侍郎湘潭陳公與廣西巡
撫武陵楊公交稱

易徵君廬墓詩

颯颯西風四壁發哀猿啼鵑慘欲裂孤冢何人哭明月一椽荒原莽滲岔梁園老客湘之傑薦書紛綸臨墓門旅陳羔雁眼一瞥花香鳥語春風顛寸草年年獨心折送形迎精古有截高天厚地禮報絕前年勉就鴻儒辟手攀松柏不忍別與我同在保和殿王公卿相看落筆乃知才大性篤薄此圖與世標孤絕河間東平孚如日湘江東流不可擬朱夏長安天吹雪

巴陵許伯政惠棠拔貢生湖南巡撫滿洲鍾公所薦

易徵君廬墓詩

作披尺幅見欒欒片席愁雲淚不乾起撫楸梧春又
去坐驚風雨夜增寒三年孺慕依元宇百世芳規憶
素冠料得枝頭雙鶴下哀鳴聲裏助闌干

詞科掌錄卷十六終

詞科掌錄卷十七

荆溪葉蓊鳳[redacted]附監生山西巡撫滿洲石公所薦未及試病卒論著淵洽句而全謝山多采其說

乾元統天頌

臣聞德合天者謂之皇德合地者謂之帝天地之所以蘇萬彙者并容而徧覆帝王之所以參天地者普愛而無私高辛氏之前尚矣唐典之類堯德也錄親睦九族馴致爲國時雍之盛而庭堅頌舜曰臨下以簡御衆以寬總之爲好生之德自時厥後夏后氏傳唐虞之道民用以寧商之興也代虐以寬周之王也以仁易暴蓋自剖元立極以來歷聖代興靡不茂對

羣生光濟六合然必至唐虞氏而庶績咸熙萬國咸
寧暨夏載齊其量焉延及三代興世同風斯誠寰宇
太和之氣磅礴鬱積之極盛者也宜聖生春秋之季
道德功利刑名度數百氏之學雜然並興懼後之王
者無以持一統故上述中天下悖三季所以隆替消
息之原畢著之於經其在易曰元者善之長也君子
體仁足以長人書崇二典詩肇二南麟史以體元爲
君職行此志也繇東周而降兩漢之初與民休息唐
之盛修行仁義而治本未醇宋之隆崇尚寬仁而治
法未備明祖口誦仁義心術刑名雖莫不拘迹開統
敎化寧人而因利乘便代翁代張大率超一時之宜

未足以續唐虞三代之盛隻哉邈乎聖主之難逢向
至治之不易覯也洪惟
國朝
太祖高皇帝神武應期肇造區夏
太宗文皇帝不顯鴻烈載纘神功
世祖章皇帝天亶聰明混一文軌蓋與太皞氏之造
皇圖軒轅氏之恢帝統靡以異焉欽惟
聖祖仁皇帝經文緯武涵濡於六十載之中
世宗憲皇帝睿斷神謀規畫於十三年之內三辰順
於上九功敘於下民用太和物用咸若溥有形而歸
命繁無外以宅心凡夫雜霸之規模小補之氣象至

皇朝而蕩滌揮灑無遺迹焉敦麗渟固之氣與天地
相終始而
皇上以大聖之姿敬承厥後欽惟我
皇上
神明冠古
文思光天
藝總六經
道通三極
宅憂以來革千載易月之制遵三年致喪之儀盡慤
誠敬必信必誠大孝之所以通於神明也體天心之
從人德同生協天德之剛健行不息憤悱積於宮庭

仁讓孚於殊俗至誠之所以浹於中外也益稷夔龍
弼亮於上周召毛畢光輔於下總集者英有羅俊乂
九皐有鳴鶴之頌空谷無白駒之音大化之所以集
於天淵也纂
三祖之丕基紹
二宗之鴻烈以唐虞之道為必可行以三代之治為
必可復恭之如天涵之如海彌二十年未輸之賦而
淮海盈寧懷二十載未服之戎而邊隅清泰凡夫
詔諭之旨闡洙泗之淵源蹈尼山之閫域自京都士
庶以暨窮荒僻壤山陬海澨之氓罔勿騰踴懽忭以
為

聖人之既作而大化之將成也霸一變至於王王一變至於帝三代以來孰有以純心純政反近古之凌夷追往聖之絕業如

皇上者哉宋明道程子有言無古今無治亂能盡其道則大治或用其偏則小康由其說覈之漢唐宋明於前聖之治誠有閒矣然漢有高文之寬簡唐有貞觀開元之政教宋有藝祖仁宗之寬厚而明之孝宗純用儒術獨優於前代不可謂非近古之賢君治安之符驗也夫僅用其偏尚克培護元氣開數百載太平之基矧我

皇上纘

列聖之鴻緒勤勤懇懇爲萬世規以惻怛忠愛協勷
華之上德以慈和溫惠邁成周之至理者哉然則六
藝之微言素王之妙蘊越二千年而洛閩諸儒始克
明之又將洎千年而我
皇實克行之大易所謂乾元統天體仁長人之占符
契參同實在今日
皇上於三千載之後反古復始俾堯舜孔氏之道焯
爍炳耀天地同流萬嗣而下靡不臭馨香咀甘實宗
至德仰鴻名而況臣民之屬薰烝翔洽於
聖人之大化者與稽古極治之世有使下士獻詩矇
誦瞍賦者爰繹乾象之文敬述統天之頌其辭曰

於鑠
皇淸與天同德
列聖欽明萬邦作則於皇
聖祖德博化光凌爍殷周陶鑄虞唐
世宗嗣興乾乾翼翼經緯九壄奠安四極惟天輔德
惟
皇則天克紹克類有葉有年運際重熙祥開
至聖握彼璇圖御茲金鏡
皇帝純孝諒陰是遵下悲六合上動三宸
皇帝純孝紹天立教萬國儀型千秋則效
皇帝至德大道爲公九族旣睦兆庶時雍

皇帝至德邦本是植欽翼天工勤勞日昃番番良士
皇則式之截截諞言
皇則遠之協氣橫流仁風遐暢上際下蟠大來小往
穆穆布列明明在朝四門既闢八紘為招自東自西
扶桑若木自北自南龍荒卉服虞廷畫象周京措刑
渾渾灝灝蕩蕩平平海晏河澄階開斗運擊壤歌衢
含和吐韻如飲醇醲如沐陽春
皇恩之霈
天澤之勻樹駿流鴻超三邁五大哉乾元受天之祜
閩縣張甄陶希周麋生總角即肄業鼇峯書院潛心經
義九易寒暑巡撫奉天盧公學使奉新周公皆有國士

之目丁巳始來京補試

泰階六符賦

恭聞乾元下濟景若象懸至道上章應捷桴響叙星有好覗省歲之從違一德格天必休符之協應重華復旦卿雲五色偕儀鳳以齊飛天老授圖含譽一鈞挾黃虹以吐氣奎光聚煥三千年道統重光德耀凝輝五百里英賢一聚直經縱緯皆衆生繫命之天根象物象宜悉盛世垂休之顯驗故五星聚井開漢家四百之靈長七政呈祥肇

聖世萬年之昌熾欽惟我

皇上時兼乘六象兩人以同流位協登三順五辰以

建績德位時悉關至極天地人共仰無私垂龍袞宗
彝以頌夏朔薇垣帝座皆繞祥光本關雕麟趾以迓
周官椒寢前星悉凝紫氣調舒洲肅醲泉夜湧山川
敬老尊賢甘露晨飛竹栢而日離光初斷已洗虞淵
震御方臨便濃甘雨載玉璜于渭水殿所垂光沈金
柝於邊城旄頭不動金雞放矣獄空貫索愁雲悉化
商霖白馬維之彩映少微巖氣散爲時雨固已玉燭
永調歲星長守司儀占月重珥重輪太史望雲非煙
非霧矣於是君臣穆穆慶動瑤樞民物熙熙輝呈玉
宇太微垣畔徵六合之無虞華蓋星傍著
一人之有道階泰以三三極協應符占以六六宇咸

寧而文昌以上其號三台列御宿之旁恍呈六府芒清色正表我太和次定位齊形茲無陂仰觀斯得爰協律以聽東風在上爲昭敬拜手以瞻北極欲擊壤以歌帝力敢儷藻以逗天休其辭曰

惟盛德之無名兮著太平于有象民物聚順于雍熙錢魄是符于蒼莽凡璇閣之高揭多垂象于應響日復日而長拂扶桑路作甘而商凝仙掌而不破塊以潤滋風不鳴條而飢養惟有感而必昭故高懸而可仰萬物之精上爲列星則於人而象事效于地以呈形運而不息斗杓號爲帝車尊以爛光微省等于筵几此瀾扇裝置一緯一經非度則咎見居所則民

寧皆政樞而事紀非徒色耀而光熒也惟台星之顯爍尤耿耿以晶晶居太乙之尊職司鉉鼎近帝座之幄任等和羹合之為三天子諸侯齊庶人而繫命分之為六金木水火借土穀以騰精所司至巨厥繫匪輕非稱德之衡齊萬物以得所亦不能窺天之管測六物以偕平惟我

聖皇叶德上蒼孝德馴烏蓋天明而地察皇風舞獸又日紀而月暈五辰順度兩曜重光好雨則月離于畢合朔則辰集于房市駿求賢東壁芒生日角駕麟享帝南郊囊滿元霜爾乃三光明九曜定四氣和八風淨大理之氣潛消南極之星如鏡犀流下土祥格

七

上天瞻此三台萃爲一聯四輔星中三階級列五雲深處六宿珠懸既芒懸而彩郁叉踵接而比肩高下有常苑百官之得序均平如一識大化之無偏玉繩低轉淨若衡平金波作迴渾如鏡朗氣澹一行光垂萬丈觀列宿之羅羅知一人之蕩蕩彩浣銀河光搖玉葉位雖屬于三公驗符觀乎五帽蓋泰者太也所以慶明主而義取三陽階者梯也所以循臣職而資同九級惟悉關乎治理故同謂之休符所以大君上之報而上媲唐虞之鴻業也因爲之歌曰上階淸王道成堯歌阜親拜日躋高岡階雖開鳳鳴中階淸王道行風塵銷盡無甲兵市靑一統炎履豐下階

淸王化平提封萬里扶王京采衹無疆伸用情

蕭山周琰青瑤附學生浙江總督上蔡程公所薦賦性溫茂淵懷若不及古文刻厲精粹似孫可之

景陵瑞芝賦有序

臣聞天錫眞符聖受休祉道周萬物者其業弘澤普生民者其祥大應感之理達於顯微揚頌之文流及草野欽惟我

皇上大孝格天至誠動物體中和以立極極建而物效其靈擬易簡以臨民民宜而神降之福賜酺蠲租之恩屢沛求賢羞耇之典時聞條河海於東南畫井田於西北財成大道允塞宏猷如泰山之起雲綿綿

漠漠無遠不徧如陽春之布澤氤氤氳氳觸類皆滋
貢琛獻矢而四海來賓同文共軌而八荒在闥於是
天顯其瑞地呈其祥五星聯珠日月合璧慶雲見醴
泉出河海清晏麟鳳來遊嘉禾瑞麥之獻重見疊出
史不勝書然皆有而不居端默垂拱以求至道而已
紹千秋之大統操三王之遺珠矣夫祥瑞不言者聖
人之不邀福於天地也休徵類應者天地之必降康
於聖人也茲當
臨御之十有二載欣產瑞芝九本於
景陵之上歲發三秀沃道德之至精燦爛九光符
皇上之景命諸王大臣咸稱慶交口而言曰

皇上紹聞衣德纘述休明湛露甘霖之所潤澤翔風
和氣之所薰蒸沐日浴月莫不尊親鳥獸草木無不
咸若天人叶應瑞氣翔流允宜宣付史館以昭示來
許
聖天子謙讓未遑上其功德於
聖祖皇帝以承天眷以對兆民以開萬世無疆之懋
服小臣淺陋莫名至德謹拜手稽首而獻賦曰巍巍
景陵
聖祖所憑山川盤鬱百神效靈前臨月石旁帶紫荊
鳳舞龍翔鍾千年之王氣瓊臺金闕壯萬古之
園塋洵天造而地設乃上清而下停於時休祥疊見

嘉瑞頻呈一以彰
聖祖之功符造化一以顯
皇上之孝格蒼穹其瑞伊何靈芝煌煌稟五行而孕
質含七曜而吐芳其形則車馬宮闕其色則青白赤
黃綴玉葉之重重騈樹麗萼擢金莖之筒筒合穎連
房奕奕熊熊徧浮光於山谷紛紛郁郁覆雲氣於天
閶潤之以雨露凝之以雪霜照之以日月被之以文
章地有瑞而靈草是宅天非遠而
寶懋遐昌爾其秀挺
神宮榮敷
寢殿映黼黻之裳衣耀巍峩之冠劍光華的爍並同

珪璧之陳氣味辛甘可入馨香之薦沃松脂而蓮葉
爾鮮託磐石而靈根永奠帶以紅泉臨以翠巘狀龍
升而曲蟠寶珠垂而婉轉芸鋤無用何勞仙客三年
樹藝未嘗大異騷人九畹況復呈祥者四叢生者九
値西師奏捷之時當百穀用成之後一陽初動合
聖澤以成春萬福方來躋明堂而介壽彼夫或產齋
廚或生成醴甘泉則九榦揚葩延英則三花吐秀美
長平者不足稱獻零陵者何其陋按牒考圖此實罕
覯諸臣拜手而賀曰
皇上大化薰蒸太和翔洽若此其可信而可徵
一人謙讓而謝曰

聖祖至德昭明神功浩蕩朕敢不是荷而是承以奉
若爲昭受之本以紹述爲
丕基之凝曰欽曰敬不伐不矜大寶作乎
皇極至治協於泰清於是告萬方朝羣辟石渠開虎
觀闢篆丹文而鳳紙輝煌煥綠字而龍纏赫奕地不
愛寶榮同於朱草仙萱物應其誠產比於嘉禾瑞麥
於以被聲歌於以播金石道隆者慶自宜德厚者福
彌積迺天眷於無窮垂鴻名於寶冊臣更拜稽而爲
頌曰錫福惟天握符者皇欽惟我
后建極居正舜日重華堯風鼓動仗穀是諧休祥畢
貢煌煌瑞芝

景陵所鍾龍馬合質金玉瑽瓏瑞圖曷告篤我
聖躬聖躬穆穆至治昭融道符
皇祖德契蒼穹於萬斯年令名不窮
閩縣陳繼善敬堂附學生福建巡撫奉天盧公所薦

富春山釣臺懷古

物色歸來漢網寬春山高臥客星安故人敢抱煙霞癖同學深知諫議難七里松風凌石壯千秋臺榭枕江寒朱崖銅柱還摧折誰及先生一釣竿

四海會同賦以東漸西被朔南暨訖爲韻

粵自
一人建極四海會同發揚於元會運世滂薄於荒徼

鴻濛尊無與尚廓無與容在昔夏后排山導水濟難
決衝滌源澤陂壤則士供尾閭斯聚天吳自東塗山
玉帛荒服修通啟雙珪於宛委傾白谷而朝東巳而
命揚景亳兆起西岐邈越裳於重譯承大精於龍旂
莫不聲流溥海義漸雕題迨夫赤精含運黃圖勃碁
繪旟褏於王會歌天馬於域西怭瑣尾於竹素輒懷
愍於鼓鞾猶河伯之驕秋水川瀆之彝溝夷烏足以
大無外之觀係至治之思哉是以
聖上體二儀調六氣含元精鼓橐籥乘乾出震而爲
無爲騎日御月而事無事陶鎔造化而不爲仁剗雕
衆形而不爲智擁綱樞紐而不爲勇宰制萬物而不

爲義揚箕離畢不破塊而鳴條正扈司鳩亦贍蒲而
先蕣亟后力牧擯其能具莢大塊審其聲聽康衢而
知常則仰國皇而壽天齊孤竹貴和之聲大羹元酒
之味繆旒旟旐之儀合宮總章之位匆刻鏤於工能
匆文章於女事採耒鄙耜抽棘事藝與與冀冀旆旆
穟穟墳壤墟埴塗泥之州七施三土五種之地莫不
遂性標枝應時而作乂爾逌佐以果蔬衣以桑蠶充
以螯蛉廓以魚鹽食耕飲鑿老幼熙恬而後發蒙膏
屯仁摩義漸于諒易直道德醇醲外戶而不閉露積
而不閉
仁風翺翔

至化洋溢狀若乎岱嶽之雲油油於八表又似乎崑崙之水汨汨而四訖翻飛蜎動咸鼓舞於太和喙息跂行日蕃滋而馴佚矧夫含常負性之軀圓頂方趾之質何事於通道鑿山何限乎海澗出日東鯷西傾交趾翦髮鞮鞻之所未聞懷方之所未述莫不來享來王款誠庭貢仰

帝德之龍光覩中華之文物於是八達洞開九賓臚次應門將將庭燎晰晰鼓鍾在懸簫管旣備崇牙離采節麾揚翠氣捐青霄日華丹陛侯甸要荒之區躬桓蒲穀之瑞葱衡佩之音五服五章之制共或朝霞鳥羽環耳椎髻文身絡臂糾帔闌繝旋舞羅拜獻

琛納幣共惟帝臣衍之奕世
天子乃於華芝斧扆之中沖穆無朕之際秉圭端冕
垂拱而治矣北辰轉而列宿旋大塊噫而八荒被坱
德卑而萬壑趨繼明照而四方麗廣大含宏何涯何
際始知德無方隅道無城郭雖寒暑之或異同而形
類之有知覺總毛土之別榮枯而乾坤悉爲囊籥義
裘衣卉之民稽首而戴貞觀候月覘風之俗職貢而
尊正朔何必誇織文縞質之奇銅柱燕然之畧遊汾
封嶽而自譽其莫若哉歌曰卿雲爛兮甘露湛醴緩
緩兮風自南惟德動
天兮兩儀參至誠感神兮億兆銜大哉會同兮四海

亩

安溪潘思光亞卿廩生福建巡撫奉天盧公以第一人
薦丁巳歲補試

南掌國貢馴象賦并序以天子有道萬國來王爲韻

聖朝受命至德覃敷東窮日出之鄉西極王母之國無小無大咸稱外藩獻方物迺有南掌國多產奇象養而馴之重譯入貢羣公臣民觀者若堵以舞以樂能馴人心

天子方卻珍異貴用物而遠人賓服宜昭大化遂納而藩諸靈囿與鳥獸魚鼈同呈咸若之休焉此所謂

天子有道萬國來王者也生等躬逢盛事而荒陋弗

文莫克攄辭發藻以繼終軍白麟之對張說鬬羊之
篇旣蒙授簡益用汗顏遂再拜稽首而獻賦曰惟
聖哲之御天兮翔鴻化於八埏百順備矣萬物育焉
時則神爵出苞鳳翩麟遊郊而躑躅龍畜沼而蜿蜒
迨九府之錫貢悉輻輳以陳前外如雉自越裳重循
姬公之指獒來西旅書仍召伯之篇或致天馬於大
宛或得鸑鷟於朝鮮雖遠物之弗寶識遐志之惟虔
粵若蠻邦雕題交趾南掌稱雄在海之涘覘海波之
不揚知聖人之在此乃懷會朝乃計入侍望風孔殷
輸誠曷已於是悉土之奇搜邦之美曷云其臧曰惟
象爾爾其望首若尾動若耶徙力可撼山氣欲吞沚

疇能束以羈靮加以鞭箠彼蠻機張是度是揆降之以所伏投之以所喜浸擾浸狎載安載止順彼之性會我之旨於是呵之而行哼之而起頫則如蹲昂則如峙有戢其蹄有帖其耳通昧白之音聲應箾韶而擎跽爾乃戒使臣賫符璽不辭重洋之遙奚憚迅濤之駛畀神京於九天盼紫極乎萬里屬茲懷方媚於君子蓋其德奉三無仁昭九有道本無外類寧惕魄乃敵明堂共球咸受建章流鶯青瑣垂柳入方鼓舞以山呼物亦踴躍而趨走俄而禮賓賜衣蠻隸傳酒爰命奏騶虞歌鹿友象則張牙任鼻蹻足頓首鼓進斯前僉退而後或橫或縱或左或右頫鵷鷺之蹌蹌

如貔貅之赳赳是故視其形恢然而壯察其色淡然
而縞任力於朝何至焚身貢琛於國殊非懷寶羞備
鶴之乘軒陋濟馬之繪藻蔭紫陌之長槐踐上林之
豐草是則齊率舞於有虞同攸伏於在鎬蓋示服遠
之大觀非有奇獸之修道也夫夏甲豢龍莫纂禹服
之勳周穆馭駿終納祭公之勸若茲象之調良豈君
子之所遠矧南掌之可嘉越阻深而來獻盛不狎侮
遊無係戀塞淵是秉識騋牝之三千台德為先壯玉
帛之有萬爾乃聲教彌敷裔夷共式白鹿輸於朔方
文犀來自西域獲猊戢其威孔翠斂其翼咸不勞而
畢致借茲象而食息同集嘉祥靡稱猛力剝此奇姿

尤饒馴德匪獸之雄厥性不忒其善養諸以觀四國

誶曰猗休哉馴象兮曷其來南掌之邦兮天地之垓

負與質兮爲物魁入上國兮表雄才承輦轂兮不見

猜龍馳騁於閶苑兮莫偃息於靈臺浴太液之清波

兮薦御鑪之微香舞彤陛兮倚巖廊左虎踞兮右龍

驤倘桓武兮抑倘徉不攖網兮寧狷狂使者南旋復

故鄉象睠顧兮又彷徨豈不懷歸兮樂太平之光昌

魚不淰兮鳥不獝麟與遊兮鳳與翔槐棘有餘地兮

苑馬有餘糧不識不知兮娛我

聖王

蘄水南昌齡念貽監生湖北巡撫歸安吳公所薦秀水

萬光泰題其行卷後云軼事津津述晉唐春松秋菊各分行他年翦劃成圖障好句寧輸李十郎

江漢澄清賦

懿夫玉燭長調金鼇永奠嶽正瀆寧璧合珠貫洛瀆貢丹簡而朔神水負洪圖以獻祥開萬國頌道泰於河清祔視億年歌時雍於海宴茲皆

天子聖明功參造化之權是以

天麻洊至福應嘉祥之見矧夫

簡命遴簡任之臣重地大屏藩之建奉

王言以出治率百僚其敬憲爰時和而年登樂神康而民謐維三楚之名區復覩澄清於江漢原夫江自

岷而徑下漢由嶓而東流羌滔滔兮汨汨旋潛潛兮油油瞬一息兮千里乃潺瀉兮周遊似左襟而右帶遂瀠派而交滮撼晴川之傑閣繞黃鶴之仙樓挾鸚鵡而濤飛芳草映鳳凰而波浸丹邱然使濞焉洶洶洸焉瀰瀰挾泥沙而俱來滾汙濁以交馳則何以覩如練之形則何以快游泳之美今則安流息湍波迴瀾止渺焉無塵瀰然不滓夫何浩渺渺而澄朗朗兮長天一色而虛白孤映也蕩盈盈而縈瀹瀹兮銀潢遙漣而縈光斜浸也其清莫能盡挹兮廉泉酌而義井亦潤也其惡可以盡流兮頹谷洗而行潦亦濬也若夫朝光始出旭日初升如錦如綺如絲如綸非煙

非霧郁郁紛紛艷兮天邊之彩煥乎水上之文爛浸景於清淡而欣然於就日瞻雲當其浩魄凝空金波不起雲翳潛消夢塵一洗景星濯濯玉繩纚纚湧萬斛之明珠淨千波如素綺覽上下之清光而粲然於冰壺鑒水於是居其地者喜紛濁之潛除游斯土者樂清流之長在家家奮濯滌之思人人懷潔修之介仁漸義漬於深沉禮涵樂濡於廣大永矣深矣莫測溥博之淵源澄兮清兮堪竝濊恩之蕩沛況覩日夜之朝宗奚切油然於忠愛素儒下士固陋荒昧欽和食德不煩挹注之勞泳漢游江徒切望洋之慨聊灑墨以濡毫用賦呈其梗概賦曰紅漢千秋蓄澄清永

不囂鷗磯瀠瀠泄焉靡映瀨霄春水淡容與秋光遠
沉寥眼看三楚澤如接海門潮又賦曰漢廣江深久
擅名今來倚棹快澄清芳華翠荇香逾碧水點桃花
浪更輕月湧漢皋珠浦合沙明江岸玉衡平潮迴幾
度遲周望一洗塵根慰夙情曠懷天末極目晴波輕
煙散澤微風扇和操修潔滌慮良多曲終拜手乃
更為澄清之歌歌曰惟江漢兮奠南服凡百君子兮
宣化育大法小廉兮勵清骨邦之人兮敦龐俗江漢
澄清兮永弗濁
歸安孫貽年穀仁麇生少司空在豐之孫浙江總督上
蔡程公所薦

紀數年所遊

至錫山兮飲惠泉出京口兮晗江珮誰能騎鶴上揚州且願驅車瞻泰岱郯城梨花白似雪景州柳葉青如黛國門枚馬于于來仰觀宮闕實壯哉峨峨自有白玉塔蕭蕭不見黃金臺茫然策馬向皖口俗不爾醫强奔走猶玩蓮華九子峯攜上龍眠一斗酒長江鼓楫萍水隨秋風繫纜舟行遲江中之景數不盡三次提壺燕子磯屈曲宛轉至濟水且住為佳相因緣一眺太白之高樓又臨杜甫之南池去年一事眞賞心縱目岱宗億萬尋手摩秦皇無字石磨崖高碑常陰陰蒼松翠柏罕倫比此遊直等千黃金今年坐整

京城隔西山爽氣果何如病來合眼空所見祗想杭
州明聖湖

壬戌九月臥病長安起而賦此

半輪新月逼清霜鄰樹蕭蕭映短牆寒入敝衣迷去
住病侵羸骨覺淒涼擁衾每聽鴉聲鬧側帽徒看雁
影長迢遞燕山何所事支離一硯轉荒唐

嶺上孤雲水上煙隨風宛轉傍誰邊六年幻夢尋蕉
鹿千里浮蹤類紙鳶辛苦但成淒飽計丁寧曾怕利
名牽江干屢徧驚魂魄嘗得金山寺裏泉

弭口無言范叔寒新磨方鏡照余看暫禁兩足將安
往且斂雙眉不用攢紫硯珍須逾美璧白金難似覓

仙丹祇嫌病後徒添懶盥漱窗前日數竿

升沈高下運難齊山有空青淵有犀浮梗豈知論水土飛鴻敢與計雲泥孤燈獨坐眞堪笑岐路前行未可迷蹬頓精神理舊業希賢方是上天梯

天長陳以剛燭門康熙壬辰進士池州府學教授安徽巡撫膠州王公所薦刻有燭門詩五卷

金陵懷古

江吞龍虎氣泓涵幕府山頭對夕嵐城闕猶傳孫破虜旌旗還說晉征南波沈鐵鎖風迴合煙盡樓船水蔚藍盤踞勢窮江表氣將陵寒雨落松楠

石馬犧牛識已成憑陵七帝感西京諸公慢起新亭

歎飲水惟知建業清當日臺端先白望至今江左愛
虛名幾回朱雀航南路惆悵南風白下城
司馬門前火炬紅衣冠王謝盡江東新洲纔見誅龍
子十障旋聞感侍中野雉春田聲角角山雲雙闕雨
濛濛含章殿下花如舊轉眼悲歡事不同
汝陰宮殿徙丹陽大業爭傳蕭建康淵俭何曾恤舅
氏袁劉容自死封疆荒風輦路雞鳴埭青谿春燕射
雉場東邸鑾輿光祿淚瑯琊第內記衣裳
萬蒲花發光蘭陵樊河東來鳥馬騰同泰忽教停寺
省黍離何用泣中丞鯨翻淮海三千丈火起浮圖十
二層太息蕭梁灰燼後避樓猶在何堪登

額上陳師早建牙景陽宮外乍飛鴉門前突至韓擒虎樓內空憐張麗華畫雉香消胥井水彩鸞聲咽後庭花泠泠一片青溪月何處南朝江令家

齊山

城南碧巑岏山名刺史姓或云衆峰齊名以山形命我生劇褒斜到處恣遊興旣與山水緣具亦頗濟勝籃輿役兩兒那比彭澤令早雨破坱圠緩步陟幽徑陂湖綠盡處巀嶭懸飛磴盤躋上岡岵挽衣輒過歷化人有遺跡戚拇履石印把臂逢僊兒拍肩邀酒聖山僧迎我語耳受兼口應邀石坐駊騀晃蕩通靈境羣峯各吐吞萬壑爭凌競天匠劈山骨月斧森芒刃

神工爝爐韛融液流淸峻崇巖仰鬱岪古洞歷深淨
擷蘭爪甲香漱水寒泉遊杜牧九日詩風流在爲政
岳公尋芳句千載留佳詠斷碣拂蒼苔衣褏沾泥濘
此邦富山水此翁特伶俜太檀笑二婆新妝故明靚
掩映九子峯天姥懷靈孕淸江抱城流天外殘霞襯
紅樓閒白塔點點寒鴉陣惆悵昔時人千古事遙訂
後來應若是此理默相證晚歸酹江月團團出明鏡

郫縣許儒龍士元廩監生四川巡撫奉天楊公所薦增
父楊丹山爲廟進運使士元往遊因依焉時陳進士兆
崙方觀政閩瓓相得甚歡倡酬最多丹山名宏緒蘄繁
人辛丑進士後爲浙江按察有風力亦能詩

喝水崖聽琴

斷壁夾深谿崩巖堆怪石石上松篁生幽陰翳朝夕

艮遊起前代題識徧遺迹八分與篆隸貴可凌圭璧

柰何凹凸開一片蒼蘚碧孤亭篆幽竇芳躅見仙釋

僧言澗有水喝退自疇昔綠繞山腹中別注甘泉脈

撫茲聽鳴琴苔齒比瑤席弗歎知音希愛此遊踪僻

猗蘭一再彈恍遇古仙伯開復參賀若情逸破凡格

是時看蒼巖妙賞心有獲趺坐寡笑言澄懷肅魂魄

餘音下古澗一一貫石隙無水亦復佳到者已意適

琴罷更蕭然相對忘主客

磯頭高樹隱啼烏絕岸迴濤塔影孤共道倚風過貝闕一時濯魄在冰壺少陵老去思高李河朔杯行首顧廚爭似我曹清興在勝他煙雨莫愁湖

短碣穹碑不可捫遺塵老樹黯銷魂生前已就名山業身後難期數世村漠漠陂池牽荇藻叢叢蕭艾隱蘭蓀何人更解閒居賦坐看梅花帶月昏

安溪王士讓尙卿雍正壬子副榜貢生出陳進士句山之門研精三禮力學不倦福建巡撫奉天盧公所薦試後爾京師當軸薦入三禮館

上灘唫

昔在曾南豐嘗作道山記怖我水陸險分寸尋便利

惟此南中客初發江湖志寫形宇宙閒造物任安置
不閱風波中薾然何氣槪相彼蠢舟人喧豗亦孔痹
巉石砥狂灘虬龍競吼嚱負纜蟻溪行揮汗交泗濞
彼爲蠅頭射我以身名寄行矣指雲閒天涯男子事
莫言懷與安險中有至易
吳縣陸枚實君諸生少遊京師與索檢討秦查解元爲
仁周秀才琰王孝廉霖結社賦詩甚有時名宮詹太倉
王公所薦其婦翁卽楊編修繩武
查氏七烈詩
明珠不投濁貞玉本無疵女子亦有節詎肎隨波靡
飛焰歷窮劫倉卒搖坤維其嗟天地裂焉顧家室宜

母兄既有殉姊妹欣相隨芳華萎同日畢命懸朱絲
以彼婉孌質長此慷慨辭永言告彤史誰其嗣音徽
嗚呼七烈風可以愧鬚眉

花影菴寒菊

爲憐花事盡獨把菊花枝況是天涯見頻驚搖落時
乾坤罹後勁風雨憶前期他日能禁淚詩人幾度悲

秀水褚菊書榮九康熙辛卯舉人有几案才雍正丙午
丁未閒屢以大臣薦
召見仍令會試後出知上海縣事旋去職閣學滿州伊
公所薦不與試

和鄂使君鶴來軒讌集詩

廿載金臺客相逢一顧加凌雲輸野鶴茹苦類秋荼

月下觥船泛簾泉蠟炬葩殷勤諮使事那復玩芳華

郡廨梅花詩

元都仙犬吠聲橫玉蘂蕃釐舊迹傾惟有此花無色

相眞同茅屋大圭清

忍凍衝寒不受橫尋枝摘葉一番傾莫令朱實移時

落蜀映天心碩果清

南豐鄧牧乃夢康熙辛丑進士撫州府學教授江西巡

撫濕洲常公所薦主臨川李侍郎家與侍郎弟進士巨

州秀水諸教諭襄七鄞縣全吉士謝山倡酬最富

聞諸襄七在金華有述

玉堂仙人居士儔丹牀鸞鶴參遨遊萬言直瀉一盃
水三顧屢迴重瞳眸揭來吳越成春秋往欲從之何
緣由勞思末已仰天笑金華山高靈草幽

秀水朱稻孫稼翁貢生竹垞檢討之孫文盎上舍之子
少遊京師太倉相公薦修春秋故與宮詹有舊遂舉之
所刻有六峰閣詩

遊竇巷登南山亭觀磨崖冢入卦并米襄陽書琴臺
二大字即卅先太史辛巳夏遊南山原韻
南山勝概多未探心作惡廣文折簡招枕若有前約
吾生疲津梁卅載久飄泊茲來得淹留肯負青山諾
曉過間水亭湖光澄秀愕坐我總宜船能去櫻毛紵

舩頭沿長隄舩尾望傑閣客與過湖南且能尋放鶴
艤舟登岸行深林廧藷堊四望皆桑枝此地重蠶箔
相知八九人誰復歎暌索紆迴小逕逌巉巖怪石削
雲開天氣清爽入秋衫薄須臾到經菴日色滿櫨欂
連蜷攢老桂猶自吐香萼一泉本清泠衆鳥恣飛掠
坐久再登陟更上窮邛鑿主人營内舍閒來偶棲託
山腰叢樹截山頂一亭拓有泉可煮茗有場可蓺藿
亭敞收煙雲眺遠紆迤邐峯頂樹木稠松杉間樝柞
一僧獨來往輕捷走矍矍日供樵採人摘蔬烹齋鑊
荆棘得芟除惟恃乃錢鎛峯高欲捫天人立同鳥雀
謝公興正濃蠟屐登自若追陪有諸君我獨藉紅鞾

不能事攀援那得極空廓摩挲家人卦六爻遲聯絡
快意讀三復俗書盡掃卻其傍有琴臺二字頗寬綽
云是襄陽筆風雨未銷鑠兩公書絕倫乃於此椎鑿
歲月久流傳神氣多磅礴憶昔吾祖來題詩事如昨
惜乎米公書苔封罕剝落邂逅不及觀龍蛇空拏攫
晶熒光四射我眼已刮膜響搨縱未能免向暗中摸
夕陽催人歸逶迤步徑彴但聞風脩脩幾見煙漠漠
改席啟回櫂行籌復飛爵旨酒合嘉肴水陸備珍錯
方法本食經史飛出羨臛吾黨亦晚登儳扱共大嚼
莊語雜嘲詼主客互歡噱酒闌客僉謂茲遊信稱樂
主人前致辭客才皆著作可以賦新詩追和韻各各

淡交味最長奚啻飲醇醪壯志薄雕蟲萍蹤多落莫
只合老山中無心羨丹臒何當買一椽面湖遠城郭
但期適性情焉計境寥寛春秋多佳日幸不阻關鑰
支筇飽看山勝服仙家藥功名等浮雲儒衣厭褒博
我年雖五十筋力猶未弱此願倘得諧打包類行脚

詞科掌錄卷十七終

詞科餘話卷一

仁和杭世駿編

江都唐改堂紹祖以名翰林出守吳興雅負人倫之鑒時為程嚴進士遂成持父憂居里既闋徵書屢促辭以啓云

山高水長竊附遙遙之華胄雲蒸霞蔚罔攀馥馥之芳蕤望北闕以登仙久矣馳神景倩遊西河而作吏曷嘗受教文中俎豆已祧但主皋陶之祀牛羊初牧敢拋卜式之書蓋此事固廢嘯歌況生平本無學殖經荒六藝史昧三長既鮮虞談彌疎樂旨濱於海上心非王隱蝦鬚餉自雲開目睎陸機龍鮓錐方逆上難展貞觀列女之屏囊可掉來補殘慶歷侍臣之壁

文場跳浪扇抽卻遇王摘講座翻瀾席奪須防次仲空空如也汨汨然乎夫工固宜遲而拙偏不速譬彼雕弓鏤楮三年九年讓他詠豆哦松七步十步幾曾苦索嘔將長吉心肝不覺晚成餘得劉郎鱗爪談何容易頃刻而花幻藍關事果大奇咄嗟而冰敲金谷此薛道衡惟當蹋壁而臥陳無己不能對客而揮者也況自楚尾吳頭衣奔食走燕陲趙際車殆馬煩風月固是可人江山能無感我柯長史箏歌慷慨大有猨唫雁落之聲裴將軍劒舞婆娑雜以兕踏夔呿之氣除非純錦客可裰牆若是粗紗全思溢甑所以昔日者塙以尖隤路由未憖佺絁土板如聞一曲雲華

蕊闔㜸房忘折十枝汗水渺三山而風引儵八月其槎迴鼠已腸拖半砥淮王之藥鹿將背跨空尋葛令之砂從此奉檄前趨望塵下拜地鄰甌脫霰集河膠城邊亂山風高燕斷重關百二西征則一騎紅塵遠道三千南望則兩人白首奄然孤露藐是流離青箱盡散他家黃耳亦辭故主釜於何熱聽打闍黎杵杵之鐘衣不上船漬深杜宇枝枝之血所幸故人知我軫其越吟遂敎羈客歸家弛其官謗然而文通半頃變爲郭況膏腴宋玉一區移作肩吾居第牽船而住鬧鶩鴨之四鄰數米而炊減鶴猿之半料何心珉琩提三寸以褒書逷問珊瑚理千絲以結網恭逢憲臺

邪水名賢選樓重望理學則濂源閩洛文章則伯仲韓歐侍香案而撤金蓮制誥成于一手遷刑曹而持鐵筆平反約以三章國是奉爲鈞衡人倫仰如山斗乃

帝念股肱之郡以公實粱棟之材熊軾遙臨大猷遁跡麟符聿啟晦室生光劃明月之二分朗照碧瀾樓閣吹瓊花之一片徧栽黃歇山川坑亦稱銅雖膏不潤湖原名玉與鏡同清擊強暴以秋霜威宣拔薤熏善良以冬日惠洽蘇魴旱則封艾以祈黑蜧躍隨幡之雨災則繪圖以請白虹殺噓氣之妖若其捉髮迎賓改衣好士水南水北蒐羅滄海遺珠廨東廨西布

列崑山片玉固已禍星共照棠蔭毋忘已玆者欽承
聖天子籲俊之綸音近體督學憲翹材之典禮斧搜
林而采采鏵叩地以創創猥屬匪才將膺此選銜恩
色動聞命神驚如金石發于地中頓御趨歎之步如
雷霆破其柱下遂焦夏侯之衣抹眼朦朧椎胷簸蕩
且夫建章鐘鼓萬戶千門非可與居鼪鼬者問制度
也涿鹿風雲九宮八卦非可與戰蝸角者說陣圖也
薜靈芸使擅鍼神難以刺緗雲漢麻土言況嗤槌鈍
何當摻鼓雷門蓋蟻垤不可與五岳爭泥牛涔不可
與九溟測水也設也倀倀應召貿貿隨班吹竽碣石
之宮授簡平津之館題無解錄隔宵未夢韓楊畚只

晉室過晴猶疑堯舜半彎神臂可道斬王克敵之弓一握孤拳已盡都尉登仙之箭衛刀削樹思易窒而難通荷戟入榛句有奇而無偶楓落居然絕響珠來那有遺音青謝選錢紅叨勸帛被人逆料倒繃苗振之兒負我本來不櫛關圖之妹由是笳凄管咽斛律橫吹勅勒之歌竿折檣沈元長僅免瀟湘之沒是則不材者歸于勿用所謂有力者負之而趨者也嗟乎花飄藩溷寧忘茵席之榮魚爛泥沙詎屑斗升之活果可返魂天上誰甘埋照人間無如嵇康絕少仙緣孟覿終非佛慧江淹木老才已無多李廣不侯數原有定伏乞憲慈收迴薦牘毋將賤質濫厠徵書崔相

淸門合餐沆瀣晉公别墅莫種薔薇剏乃夏秋已來
瘖痾繼作杜甫詩吟二句不愈頭風廉頗矢歎三遺
漸移帶孔名非借病詔本停癃命也如何時乎不再
轉頭銜而引索休休待卜他生倒手版而牽絲寂寂
重尋故我龐然異物誰知楦覆麒麟擊之無聲畢竟
鞚投杖鼓然藥欄白鶴雖孤稱譽于氍毹而花笥黃
衣當誌報施于簃寀
無錫秦蕙田樹峯對巖先生之孫潛心經術聘修江南
通志
明詔既下當事有欲舉之者樹峯有辭啓後登乾隆丙
辰進士第三人授編修入直

南書房

竊惟國家設制科之典所以待非常之才典曠世而一逢才應期而特出是必見聞淹洽合萬物以周知辭藻淵通兼三才而共貫舉大不遺夫小尋源以及其流由其殫究典墳含茹邱索天心月脅之奧繭絲牛毛之微離合折衷夫百家同異研求乎四代遞爲醇儒之柢蘊學海之眞原至于龍門柱下東觀蘭臺道術遞更文章流別旣提綱而挈要復強記以博聞下逮諸子百家皆資考訂稗官野乘總與搜羅苟沈浸而醞釀乃縱橫而磅礴於是抽毫作賦遠薄風騷授簡摛詞力追唐宋成章以達積厚而流若彼宗乘

微言亦旁資于心性參同妙契可借証于卦爻效亭會註厥篇章洛水與窺其端趣務悅心而研慮庶探賾以窮岐備兹體用之全斯稱鴻博之選況夫才如司馬未傳六藝之書文似昌黎不作三都之賦杜陵野客第擅詩豪邊氏經笥僅居朴學蓋理雖一致而變有萬端彼皆軼代之雄姿猶且專門而各詣某才同襪線技恥雕蟲束髮受書知閉門而玩索酌蠡測海時望洋以驚疑半部初尋一經未殖編年列傳僅略得其大凡中論法言祇淺窺乎粗迹聲律未幾于深造剽竊寧比于闚通目牖全牛管窐半豹方愧樓遲里巷難窺七略之藏奔走飢寒屢廢三冬之業徒

以虛聲致慚妄供志乘之撰摩鈍筆奚堪無補
朝廷之著作正擬騰而自怍乃薦牘之下臨悚懼交
幷形神茲瘁

癸丑春余以禮闈被放滯客京邸旣奉
明詔貽書趙氏昆弟及谷林令子誠夫促其努力清時
潤色鴻業三載皆有詩寄余

憐君刺促未還轅病起緘書報弟昆抱玉刖來餘涕
淚移文勒後重邱樊無媒自昔人皆棄待賈從今道
益尊慙媿才名乖第五祇應散帶住衡門

林鵲朝喧破寂居故人京國報音書貢名敢許輕承
詔勸駕何來濫及余博學方將推一鶚劇材今得卜

連茹自慙菲薄難充薦不遂秋風挽使車
蚤立修名動
帝識年來身命貧相違久處盛事殊三等再舉名科
式九圍羨說擒文供珥筆會期省括羿虞機獨慙陋
質蓬窗底引首秋風望客歸
華亭王祖庚有應
詔述懷詩渠先祖文恭公以己未詞科試改官翰林故
首篇第六句及之
籲像絲綸舊典型濫叨汲引近明廷栽花未敢誇懷
令乞米何當認歲星榮遇
兩朝慙接武感懷三世說遺經巨鐘萬石憑誰撞何

意搜羅及寸莛

自分風塵老此身登車攬轡一逡巡三年薄宦情何極十載清華夢未真宋代詞科推伯厚漢廷儒術重平津騷壇盟主今誰健萬柳東風何處春

太倉王時翔抱翼不知何人所舉有丙辰北行示二三同志詩三首

明廷重推轂儲材選杞梓猥以襲後侈謬登山公啓繅帛再臨門驪駒當折箠竊祿素所慚彈冠詎云喜涉波識淺深就塗權行止皎皎絲易染庸庸眾多秕撫躬傷薄劣曷以酬知己憂心劇欽欽維用告予美

翩然野鶴下煙海歸路邈長鳴斂雪羽獨立矜風標

寒松散涼陰孤月流清宵素琴慰幽客三弄追雲韶
此曲古時有欲爾逢虞姚君子慎進退壯往咎所招
短褐聊可被長組匪易彯秉禮而虔義黽勉脂征軺
行行黃金臺燕昭邪足述卿雲日復日照耀重華室
下有夔龍佐昌言許違弼刻乃闢門廣兼之羅俊密
盡爲元凱登併乏巢由逸田間蟣蝨臣敢以不才匿
拜手頌萬年海宇永寧謐

甲寅九月總督上蔡程公今試全浙之士題有河清海
宴頌仁和處士吳穎芳擬作極工

大清承天駿命龍躍朔野終奄縣寓而宅之迄茲百
祀懿夫

太祖基之以德
太宗守之以文
世祖握機矩運玄度南向而八荒來同用昌有家
聖祖繼之於前益光先業咸若深仁湛恩俾我弁髦
黃髮嘘吸暉景於六十一年
今皇帝順風而播和沿流而漱淳培高以高蘊厚以
厚兢兢閔閔早朝晏罷臞躬肆懷民心爲心惟一夫
之弗獲攸厎儀然若己致之嘔噓其炎燠而推食其
厭飫故海內樂業朝廷淑清厖駿者像淳仁者升壹
鬱者散坎窞者平廓大道於無外啓靈響於有聲漉
醇粹於輿屏昆鴻光於天庭家給人足男女條暢萌

生蠕動具足願望上攬邇行雨暘允時下循土功成
效三壤至化融洽隆施曠蕩揚摧于烏冊篆素屈指
顯號之君誠足以下視漢唐淩淫接軫於三五矣惟
彼植物肇爾句芒由柝迨於扶握尋丈春蒸露滋得
墳壤之地罔勿條達俊懋灌溉之雍護之繼起之功
僉勤罔勿蓺芳鄂華彼萬彙者草木也政化者天地
人之功也而符瑞者政化之芳華也
歷聖導道於其前
皇上濟成於其後符瑞臻茲孰云偶哉是以天不敢
閟其珍地不敢藏其寶山川鬼神豐融肸蠁呈精効
能延恩錫羨僉赴厥盛合璧連珠之奇慶雲非煙之

儀鳳皇麒麟甘露醴泉嘉禾靈芝朱草之屬日月繼
至史不絕書而黃河澄清千里若鏡瀛海安瀾無驚
甸人駭觀而上告遠夷據徵而納款復奔走絡繹於
道猗歟偉歟實萬世之一時也謹按先記云黃河清
聖人在位五色遞變周成時海不波溢越裳氏卜中
國有聖人重譯而至下愚莫測
聖德耳目之所聞見推而精之詎非邦隆盛世哉竊
預沐化之一物廼賓烝黎顯蒙之所欲言作爲頌詩
以躡堯民鼓腹之歌頌曰天眷有德簡命赫清惟清
緝熙赫赫明明
歷聖載承文毓武耆久道流化我

皇其時生殖長養勿替衍之既固而安日月引之和
溢其休無遠勿彌天迴地游揚翔淫奇殊祥巳登河
海慶膺沛澤之兆坎德賓徵泂泂黃流噴礡萬古憯
是愌濁而清如酟天光爛然表裏斯覩潤下作鹹積
水之虛勿驚勿訛歸靜於初卉服內首載舟載車守
臣上祥羣工乃宣宜稽云亭升功報天
皇心沖然曰維先德匪天貺自今
聖祖之錫歷徵籍書孰讓孰丕孰攘厥符孰有順貞
而推不居謙哉孝哉視古則無惟孝天假流謙稟吉
茀祿爾康爾康爾秩澤緜如河純嘏如海於昭
聖仁永壽樂愷草莽作頌其聲淵邕以謳以唫以聆

采風

歸安沈炳謙以後到補試題有九法五政論蓋初學記偶儷牽合之辭楊後試帖盛行仁和孫之騄子駿向任慶元教諭家居著述其松源經說中亦有一論似攻擊沈君而作者然風簷應試之作未可與暇日獺祭者同論也

余嘗讀周禮大司馬之職掌建邦國之九法以佐王平邦國鄭注曰平成也正也賈疏曰此九法皆言邦國則施于諸侯爲主故云邦國也云佐王平邦國者九法以糾察諸侯使之成正故以平言之也但此九法據殷同之時建之故大行人云殷同以施天下之

政注云政謂邦國之九法則殷同之時司馬明布告之故云建也一曰制畿封國以正邦國謂制九等之畿封五等之國各有封疆界分乃得正也二曰設儀辨位以等邦國謂宮室車服之儀尊卑貴賤之位嚴名分也三曰進賢興功以作邦國謂有善行治績者擢之以起其勸善樂業之心使不惰廢也四曰建牧立監以維邦國牧州牧也監監一國謂君也建牧以爲長立君以爲監維謂連結而維持之此則太宰云建其牧立其監是也五曰制軍詰禁以糾邦國制軍謂大國三軍次國二軍小國一軍詰禁者按士師有五禁天子禮此諸侯亦當有五禁以相窮治相糾正

也六曰施貢分職以任邦國鄭注曰職謂職稅也任猶事也事以其力之所堪賈氏曰施貢多少據國地大小故地官大國貢半次國三之一小國四之一皆由天子施之此太宰九貢幷小行人春入貢皆是歲之常貢與大行人因朝而貢者異也分職者卽太宰所云九職任萬民也彼據畿內此據諸侯諸侯邦國亦由天子分之使民有職業以使稅之所稅者市之以充貢言貢據向天子而言云稅據民所爲爲說事相因皆所以任邦國七曰簡稽鄉民以用邦國簡謂比數之稽猶計也謂比數計會鄉民之強弱衆寡而用之八曰均守平則以安邦國諸侯有土地者均

之尊者守大卑者守小則法也謂五等職貢之等皆
有常法則邦國獲安也九曰比小事大以和邦國和
合也令大國比小國以恩小國事大國以禮凡諸侯
之邦交歲相問也殷相聘也世相朝也九者備矣有
不率則以九伐之法正之凡邦國大小相維立其牧
以統諸侯制其職各以其所能制其貢各以其所有
此天子所以養諸侯兵不用而諸侯自爲正之具也
及周室衰司馬之九法廢王道遂用不興五霸之起
尊事周室齊桓其首也管子以天下才輔其君以行
政假禮讓而貴富強苟以取威定霸而已矣無仁義
道德之實也迄今讀小匡大匡山高牧民之篇藹然

靡矣而學者稱管子仲秋立五政深合于先王重農桑而謹防禦原本官禮之遺而不可廢也余竊過之管子作四時篇五政不專爲仲秋設也其言曰春三月以甲乙之日發五政一政曰論幼孤舍有罪二政曰賦爵列授祿位三政曰凍解修溝瀆復亡人四政曰端險阻修封疆正千伯五政曰無殺麑夭母塞華絕芋夏三月以丙丁之日發五政一政曰求有功發勞力者而舉之二政曰開久墳發故屋辟故窌以假貸三政曰令禁扇去笠毋扱免除急漏田廬四政曰求有德賜布施于民者而賞之五政曰令禁罝設禽獸毋殺飛鳥秋三月以庚辛之日發五政一政曰禁

博塞圉小辯鬬譯跽二政曰毋見五兵之刃三政曰
慎旅農趣聚收四政曰補缺塞坼五政曰修牆垣周
門閭冬三月以壬癸之日發五政一政曰論孤獨恤
長老二政曰善順陰修神祀賦爵祿授備位三政曰
效會計毋發山川之藏四政曰捕姦遁得盜賊者有
賞五政曰禁遷徙止流民圉分異凡此五政是故聖
王務時而寄政焉作教而寄武作祀而寄德焉春之
政不行于夏夏之政不行于秋冬五政苟時所求必
得所惡必伏以蕃五穀強甲兵管子行之以霸齊國
然其間有俟時而行者亦有不需時而行者有見其
小而不足及天下者如論幼孤恤長老何獨行于春

冬乎求有功求有德何獨行于夏乎傅塞小辯譯既何獨禁于秋乎他若禁扇去笠毋扱免除急漏田廬皆政之鄙瑣不足道者說者乃以大司馬之九法管子之五政相提並論則霸功與王道固不相同蓋周禮周公致太平之書管氏之書特富國強兵術耳如管子可合于周官則孔子不小其器孟子不云功烈之卑且虞書曰以齊七政洪範曰農用八政五政未之前聞也大戴禮盛德篇曰執六官均五政齊五法六官謂冢宰司徒宗伯司馬司寇司空五政謂天子公卿大夫士五法謂仁義禮智信與管子之言五政不同也今之論九法者不詳其目論五政者不備其

時而猥以仲秋之理兵謂申飭九伐之法謂管子仲秋立五政深合于先王重農務本之意不知管子明以四時冠篇則五政不專爲仲秋立也九法之中制軍詰禁特一法耳其中春振旅中夏茇舍中秋治兵中冬大閱及九伐之法雖隸司馬之職然不在九法之中令舍其本事漫以己見附會之非其倫矣不純不備不可以爲定論也

甲寅冬余與太鴻既同被徵星齋以進士學習閣省亦列薦牘濡滯未至時鄞縣全紹衣祖望尚留京師除夕夢余及太鴻兩人抵京歡然道故有詩紀其事

故人連袂應徵書擬共春雲赴石渠舊雨幾年縈客

思淸宵一夢度吾盧斯文精氣原相召天下膏粱定
不虛爆竹聲中杯酒散對牀顏色尚蘧蘧
先正伊誰表大科蕭山秀水兩嵯峨軍容別整新荼
火陣法還修舊鸛鵞五十年來嘉話在六千隊裏俊
人多平生此意相期久夢裏猶能共切磨
會稽自昔擅雄封東冶章安我附庸畫野雖然分黃
嶠借才依舊屬吳儂漸江秋浪爭趨海劍浦寒芒共
化龍目斷南雲勞寤寐起呼滄酒試春醲
此夕驚心馬齒增新知培養亦何曾索居兀自思同
調有慶終應在得朋長柳書中頻刻日青楓林下幾
挑燈賈胡更笑陳無己三宿桑間嬾尚仍

天台齊次風讀書之室生竹一莖兩岐枝節相對是年甲寅次風適應大科之徵山陰胡天游爲賦瑞竹詩

雛龍脫甲便梢雲十丈瑤胎兩儷分幽檻乍驚漸送瑞列仙原識舊同羣正須作譜添佳事誰解傳神爲此君寄語好裁雙玉管赤城吹徹海霞文

一枝橫出抱匀員削掠翔鸞對影翻莫取明砂盛九節總宜春粉映芳樽駢鮮有種如依竝上參天不待孫月護煙籠三徑裏幾人曾見倚雲根

楚山寒破火前春已拔青瑤十萬簪雛覓緗苞雙屬玉劇於筀莌半栽金秀岐竟似漁陽麥穗實終邀日戶龕曾得到門看不厭滿空清翠撲衣襟

脩脩久憶淩寒竹兩到今逢絕世才共羨一鳴臨鳳沼猶期他日聚蘭臺風流人說東頭醉生翠還欣北垞開若問同年舊相識故山應乞一枝栽

仁和王麟徵曾祥以古文雄於里中與余及太鴻投分最密乙卯冬嘗爲序送余行

國家曠世之典未行於前數十年懷珍抱異之士早有修其事儲其道者顧其事或迂其道雖易至貴時之念迫則拔俗之韻艱故宏獎小才用招茂器風厲之權也下不媿名上不失實自然之理也吾友厲鶚杭世駿博覽精覈於學無所不貫所爲文辭高旨深若觀濤重溟莫得畔岸顧自壯盛僅充秋賦志用不

達連屈于春卿世之人合二君之遇觀其所爲功幾
疑學廣聞多匪所以適用蓋古制不講於茲六十年
矣自
聖祖仁皇帝御極之十七年頓紘舉網特闢大科一
時苞純稟精之彥應運膺至揚輝宣烈炳炳煌煌炤
灼質古迨其後良遇弗再決科發策僅循常選末師
後進靡所傾風上者分文析字合度稽程自矜巧歷
下者襲俳諧于舊牘貢閃揄于陳言騷雅之圍紀載
之藪疲老幽冥莫測原本二君方屑去淺俗容與翱
翔枕經葄書含英發藻獨知而寡諧供己而殫力故
學古之獲二君獨深疾驅方輪人之疑二君滋甚茲

天子嗣暉隆緒側席幽潛興繼舊典如
聖祖十七年故事浙省郡邑博學鴻詞薦者前後合
六十人呈試大憲擬什之二三二君以瑰麗卓越炳
乎十八人之列其在昔日疇咨熙載羣士響臻闡揚
文令春葩粲若以旁求之殷十一郡之廣旌簡所及
僅止數人衡厰無方得無少隘然而上嚴虛授下顯
良具拔尤升萃乃獲二君合造作爲程考四海稱雋
暐曄鴻藻等競疇曩傳諸遐年慨想勝業見少之意
其亦可以不作矣二君奏賦宰庭行操衡量末學騈
淺毋爲鄙夷磨錯後來俾成閎達宏奬日招拔之路
所不可知古制晦明繫乎宗主是則二君宜急爲圖

者於其行致其殷殷以此
錢唐沈埁峙公監生湯西厓少宰掌院時禮爲上賓有
盛名于京師駢體鴻麗少宰酬應之文皆其代作也晚
年里居府學掌教姚江蘇先生滋恢以薦牘上峙公有
辭啓盛傳于時句甬全紹衣至千里外寓書索觀之
奎宿紅明之日少微黃大之年萬國貢珍四門啓籥
野爭光而粥采朝聚精以會神賢良依日月之旁髦
彥萃星辰之下
聖天子垂衣松棟錫福蓂階猶望含經味道之生出
膺異等大科之選備集賢之學士顧問螭頭偕方丈
之仙人論思龍角必使翹車所至頓綱靡遺於是

詔書下而寒穴歡鷹壹騰而逸才顯桂山秋雨願脫
荷衣柳市春風爭拋蕙帳則誠百生之罕遇千載之
過恩也夫所謂博學者區區之強記云乎所謂鴻詞
者錚錚之細響云乎必也應世叔五行並下禰正平
一覽不忘張武始明習舊章班蘭臺淹長史學筆管
典經弋釣流略貴游畏其折角儒德重其解矇義擴
紛綸則試經第一異同洽執則上殿無雙人言吾道
已東帝謂太師在是猶復春鑽剔蠹疏汲冢之蟲文
夏閣翻螢辨嫣泉之鳥跡陳爾四下許卷佗佗覃恩
夾漈五十八籤琅琅成誦崔侯東術以內左氏藩溷
之間射訣營圖弈經算綱河洛風角之術陰陽讖緯

之書以及青囊之秘文黃衣之小說龍聽馬馱之箋虎符鳳篆之函莫不目想心游仰取俯拾一歸腹笥竝寫言泉博士乃經史之廚倉曹郎人物之志由是解蜀山之鐘應說洛邑之觴流釋疑斷絣老之年問疾得晉侯之祟星機織女知博物之君平仙館大夫服多聞之壯武至其彈毫珠落滴墨金鏘高浪駕天驚才震地絺章繪句扶雲漢而掃粃糠盡相窮形去牙角而破崖岸詩人之賦麗以則才子之文敵而工筆力大抵千鈞光燄無非萬丈雕龍吐鳳西京則揚馬稱雄搖嶽障川東漢以班張爲首三千聲出莫贊一辭二百年來從無此作乃至藝門叢逮畱使體書

鈴索丁冬點毫應詔來往足供十吏腕脫不休須臾且得百函口占未已扶輪大雅都焚研而求觀推轂名賢亦薰香而下拜詩鳴抉瞶息藝苑之蜩螗筆陣橫空掃文場之鶖鸛以此爲博何學不該以此爲鴻何詞不放於是龍津脈泳虹路㬉飛朝侍從乎甘泉夕對揚夫宣室或參代言之宥密或叨賜筆之恩華或鷺振於守屏或鸞停於省掖皆能含章緝政保舉流功杜知禮誠好秀才蘇子瞻乃眞學士況茲索偶搜迷之盛乃在左江右湖之間餐月香水影之清谷饒仙隱角雪陣銀山之壯野挺文豪何必三奇乃逢芝草但行十步即是幽蘭加以川撥沈珠泥抽淪玉

大臣公其聽採考官密其鑒裁東馬嚴徐登階而臺
孔雁常楊燕許入海而數龍魚各以金粟之後身往
作玉堂之先手矣乃若埒者東野凡生西村蕞品必
丁顧頷功夫馬磨之間長解咿唔卷帙鴉鋤之側貧
牀嗜古圜葵老而不窺投斧從師庭麥漂而勿顧識
裁十字安知經籍之纇家讀且百回莫析儒先之奧
義聞南華而色阻將謂中枵受論語而心開居然學
富遺家多怪卻惡烏於朋游延客評詩疑野鷹於王
稅其或煙雲作態招我發皇札翰無情任予搖劈官
商奔命逢鶴鼓而聲沈杼軸標能鬭龍梭而技拙凡
閒煙火未容換骨之丹荒壁青鱗難著點睛之筆每

笑虞殷之讀何補唫哦或云公袞之才尚堪排偶篇
齊梁之金粉筆不花生方睢渙之絲繪錦非夢借徒
勞學步失壽陵之故行自詡工謳謝秦青之高唱聞
者軒渠而拊掌讀之渴睡而落牀單碑齋曰何日覆
題春雪弓衣誰家噴織抱鋤犂而餓空谷百抽嚼醬
困場屋而哭秋風三餘浪擲於是饑來驅我肩書手
劍而行老去依人古纖筆耕而養從來此物當棄之
道旁豈有貴人樂聞夫生語匱中腐璞偏逢鄭賈之
收門下濫竽竟動晉工之聽爾乃開尚書之東閣匡
坐百城窺侍郎之西齋古香四壁敲銅立韻爭先缽
壘之場抽簾登車見許文章之伯尚流前輩訪杵臼

而留連厚祿故人命槍籌而談醮而進寸退尺學業日負其初心鏤冰畫脂功名徒勞於春夢微蟲蠹葉辛苦雖嘗宿蠹芸香神仙未化遂使漏卮惡命壯不如人槁木閒身老而無似剪翎籠內魂銷百鳥之翔況艇江頭目飽千帆之過去安之乎嗟何及也乃者

恭聞

宸詔歡起窮廬逢麴流涎聞鼙搖指望士縣心之地安得自高詞人翹首之秋敢不欲往而江淹才盡燭武精亡年不後人而學不前人名非下駟而實非上駟一生貼貼甘爲著水之萍夾岸依依分作排衙之柳不謂某官假以高狀薦之賢侯于皐蓋之崇嚴忘

白衣之疵賤伏惟某官學唯爲己德以潤身講席鱣來樹師尊於絳帳間階蝶上守儒重於青衫琢玉染藍秀艾於焉津寄歌風蹈雅巾卷因以鎔鈞談經各解其頤說士尤甘於肉若埒不足乎揚無能爲役乏河北陳琳之作翻謂博通愧江東袁淑之才顧云鉅麗斯人憔悴誇識面者紛紛存意蹉跎勸貢身者款款曾無半面八行荷引重之恩請俟三生一笑謝成終之賜惟是求茯神於老芋糅麴塵於雕胡收雀麥而絡兔絲引曲針而擎腐芥上車著作將證昔談踐窗含人當講來蝶驚心臠斥隊嗁懸魂怨病悖而失闔幾中風而狂走況乃任朝廷之耳目端賴聰明察

官吏之身言先從視聽今即五官茲用三耳忽增數
器可兼萬端罔漏尚虞空薄非所克堪豈有幽田失
職鞫遁不靈仙韜決牖之方社靳治聾之酒等風雷
於一噫付牛蟻於兩忘其憎畫地之煩自詫屬垣之
惑人非脅語必且問至再三我以目聽或者得其萬
一既截難陀之兩耳何殊漢上之牛人敢以尚能拜
起之病夫仰玷旁招俊乂之
大典今者奉黃堂之批萏詢白屋之行能徐仲車對
客粲然聞塵掃盡孟昌平昔嬰已矣先澤傳誰五刑
之屬有三千罪莫先於不孝百歲之程將七十禍莫
慘於無兒一生之艱齠若斯萬事之是非休問安能

使國人盡保展禽太學交推仇覽其薄劣也若此其
毫璝也若彼爰盎不足累公鍾君何獨識我非取笑
於同學即獲罪於
聖朝伏願某官曲從牢讓立寢濫言量陳力之不能
知過情之可恥先春暖氣不到寒巖大地華風何關
死草任反業於屠羊之肆永銷聲於藏豹之林一免
人言更無他覬謂高少室山人之價已若浮雲仍著
終南捷徑之鞭有如白水嗚呼日斜嬾起身猶落草
之牛秋盡歸飛心似銜蘆之雁安用借言以華老但
知飾巾以待終扶憊望塵溉辭叙款俗矇失措不知
所云

時峙公年近七十兩耳已重聽熊鄧伯道之兒有馮敬通之婦啓中所云皆實錄也學使帥蘭皋先生書其後云淵雲之墨妙淹雅無雙顏謝之筆精雕華第一九苞鳳彩合翥梧岡萬里鵬飇摶溟海乃珊中彪外蜚驗譽於文場而隱曜棲真等榮名於長物並張華之隕涕似續傷心抑周變之潛蹤烟霞成癖聽娉婷之不字多媿蹇修悵瓊玖之韜光應愿和氏非可強也抑有憾焉

予將北行峙公爲賦松吹書堂贈予行

松頂蒼濤海風𩙪飛泉丁當蓉谷半橋龍影香濛濛夕靄橫林開書幅伊人卜築臨清迴曲曲斜斜花繞屋茶煙一簇捲湘簾滴露研硃抱經讀書巢枕藉

等身富豔社歌呼父手速室延佳士五千卷座折諸
儒三萬軸有時含毫心萬仞車馬敲門若睡熟有時
金石出音聲孤郵風雨搖窗竹有時隸事新且多綵
筆滿堂醲賞獨有時夜話尋山僧天眼已作台司目
徑路無媒掩兩扉文章有神傳九牧三浴三薰傾鉅
公一談一詠驚尊宿氣凌細草壓千槐只共蒼官數
寒燠
文思天子要玄辭天網乾羅帀地施
詔下大臣公聽採爲天啓繭本所知士不求公公求
士蕭然松下方哦詩孝廉閒一範知十出手一試先
探驪朱衣引上淡墨榜鶴鳴雛樹離茅茨眞學士宜

宣室召行祕書合甘泉隨水北水南人盡去草堂一
蹙三清路松蓋蟠爲徵士祥棟雲飛作人閒澍蕙帳
空兮莫漫嘲竹筒喘者徒勞妒誰家趺坐佛隨成幾
箇吹簫仙使度雪天螢席三十年容易抽毫邀對御
人言捷逕在終南不見匡山讀書處

歲丙辰余與意林在京師屢爲峙公勸駕復有啓謝意
林

一旬小別王子情勞千里相思嵇生駕整況修門寖
遠合璧不停卽芳草以喻王孫喻秋蘭而思公子小
山叢桂往往聞香曲沼垂楊時時挂夢似天邊之鶩
鸞鳳起斯飛如壁上之龍身雲來欲去忽瑤華之送

響悅玉樹之臨風讀罷伸眉慰同促膝自春徂夏藏懷褒而不磨劫疾隔愁代嘗蘇而更效雖投桃報李曷日無懷而賣藥緯蕭當書自嬾不藉彈冠之慶莫辭慢命之愆先生餚饌百家佃漁六學十中郎江東獨步虞茂世海內共推凡託通流思闘嘉響地崇大老枉車騎而題門道重名公望衣縮而倒屣穿楊固已擅場折桂當無失手朱衣不助黃絹徒工阻雲翩之高騫詞霜跡之暫躓未免有情誰能作遣恭遇右文之代索偶搜逑並邀稽古之榮爭光粥彩詞人鳳舉佳士鴻翻君以卿雲作賦之才當軾轍決科之盛松門交目槐采傾心鷹墨翎騰

溫綸夕可洪容齋之雁序大抵仙班杜正倫之鴿原無非高第則且兼二子于金馬熟萬卷于黃車螭頭之直既叨雁門之蹐可復其爲慶蹐杓既鋪棻弟地寒根淺綆短汲深恥一物之不知悔十年之未讀當時游故彫零宿草之間邇日空疎擯落荒榛之下顧欲驅胼逐驥飾蚓陪龍爲爾車言璧然流汗今郎淪誤牆東翳沈竈北悼餘生之有幾問一飽之無時踹羈京華藏名于傭保吹簫燕市醫作于泥塗而賤客何嘗才士人奴妄望封侯樹借一枝無此功名之夢雲興四岳空諸幻妄之心其或珂馬遨班失聲音于道左錦袍歸院揖荒耄于人中執手寒暄盱衡贈處

所不圖也非敢忘也方今長安葉落太液風秋有客
下車樊榭出新詩之滿篋伯兒解帶喜夜雨之聯牀二
林暇而問竹評花雙傑來而分題受策樊榭堇浦鶴宵戒
露蛩夜咽寒仰顧珍宜待酬樊日比當相見此不具
陳

泰和梁機仙來以庶常出知山西某縣與江西巡撫常
公祿同官有素常公屢以書幣延之仙來固辭不出其
從子欽自京寓書勸其應
詔仙來荅數百言其文甚偉其略云
阿叔蹤蹟名場幾三十年幸際
聖朝備員中外中間爲當路喜怒所中年方知命退

託山林浮雲翳敝不仰紅日光輝久矣雖江湖魏闕
念何敢釋而引分守拙日惟學易以求寡過亦遂有
終焉之志邇者
詔開博學鴻詞之科羅淹貫之士以昭文治潤鴻猷
海內夙負博雅沈滯未達之耆舊丞歲慧辨健文通
藝之英銳與夫失職能文章之臣思用其所未足者
莫不峩冠振策欣然自慶其遭逢而
聖朝所爲殊科優擢一試卽列之清要者凡以液經
腴籍派注百氏絕遠章句之壘守自非耳目聰明思
精慮固啓秀披華窮年累歲則茫乎不得其岸畔故
由其藝遂以通知古今而近於道卽以助流政教雖

沈實高明不必齊其類而兼其所長要其人皆未易才也汝猥以阿叔素號多聞又爲朝士所推致書忳忳勸之就試意良厚顧君子立身自有本末出處大節詎容苟違于道阿叔弱歲遊

輦下與時賢豪角逐游藝之場自顧胸中亦頗有知識棄置以來雖不廢藝情而道心頗重于所慕固有一率履不敢越者以是爲學之本也頃聞

明詔未嘗不爲天下之績學者慶又未嘗不爲己之處地與勢惜也蓋欲阿叔之就此選其不可乃有三焉夫工文求舉科名時事也希尺寸以基遠大不得而不能已焉乃其分也若已列朝籍不能奮力功名

有故而去矣方當思過之不暇不然既俯仰可自安矣則益志道樹德以謝當時之望用舍一聽之世而已無所容心此君子處棄捐而隱遯以自強之正義也乃欲復以語言文字爲梯榮之藉縱不自醜故態能免高人鄙笑乎其不可一也往者康熙己未開是科亦并及失職之臣當時但
詔內外大臣擇薦以其姓名上而已試事則惟
天子親主之就之猶可也今在外則先試于督撫矣此在
朝廷恩意闊偏必俾之鄭重以免叨濫而在臣子愛惜國體則一揆諸理道以爲避就阿叔忝竊侍從在

詞館屢經
御試曾邀殊恩受
敕命官雖降調而故階尚在乃與老不得科第輩及
後生小子低首下心搖筆咿唔塗鴉于戟門之內其
顏之厚豈獨羞士論抑且辱
朝廷而
朝廷又焉用此不自慚之博學鴻詞爲也其不可二
也且是選也爲其道乎爲其藝乎藝亦道之寄也然
終不可以爲道而
聖意則有微旨矣夫上以藝求之所以廣進賢之路
使不致格于所難能而下以道應之所以著能賢之

實即以體曲成不遺之意而隱致其敬君之誠遂用蒲輪古來徵隱遯者以道不以藝也如以藝則功名之士耳顧蹋嘉遯之跡爲蔡道之人猶懷鉛挾槧角藝以干進古今曾聞此有道之隱遯乎此又北山之文所不屑移者也其不可三也蓋古之君子道洪德滋而學淹貫雖窮居不得志而期于出而有爲致吾君吾民於唐虞三代之隆其本願也曷嘗以學之淹貫爲能事以自長與徒以其學友教士大夫爲樂哉然往往事會所際長慮卻顧卒於不前者審地度勢又惡不由其道也不由其道則不固其學將生平萬卷更無一字養氣十年更無一息矣顧不大可惜哉

至若山澤之臞果於忘世或一往不返或作達自放
如梁鴻嵇康之流皆矯激以自異固於道無足深取
愚之三不可其理明白易曉其情勢有識所共諒要
於道無敢苟而已矣豈與夫五噫七不堪者之詡詡
喋喋外道以自高也耶汝在仕路貴游多高明試出
愚言質之并以謝勸駕諸君子當不至河漢而不謂
然蓋人心之同然者道也況在正誼明道之君子乎
來書云思得與阿叔從容朝夕所成就必大進於前
嗟夫南山未釋耕鋤西笑長安空留望眼會合固難
前期然神通于思苟即愚之三不可而擴之是亦精
進器識之一道也因家人來特布區區期在遠大北

望遙懷不盡

武陵胡期頤永叔有辭兵部侍郎署江蘇巡撫顧公琮

薦啓

期頤生逢

聖代世受

國恩苟得寸進之階冀效涓埃之報況遇非常之

盛典寧甘自棄於

清時祇以質類醯雞才同蔑綫三十年場屋博一第

如登天二十載簿書慚一官爲尸位智識短淺學問

粗疎加以衣食累人筆墨久廢幼猶了了老更茫茫

卽有一二篇章不過尋常紀述陳言盜竊故紙塵昏

眞同候蟲野鳥之鳴難入藝苑詞壇之選閉門自守
幸爲
盛世之氓擊壤而歌竊比康衢之叟耰鋤儕伍衡泌
棲遲茲當
聖天子旁求草澤之時賢公　人才之日宜有
班揚之彥上應俊乂之求甄陶於
聖學之高深歌頌夫
皇王之功德潤色鴻業鼓吹休明頤也何人寧不自
揣何敢幸邀於遇合有負加意之搜羅乃蒙執事過
採虛名遽行薦舉登朽株於楨幹飾燕石以瓊琚閼
信之辰心悸而戰竊恐綆短臨深取譏學海駑貲服

遠致蹶仁塗莫副大科負咎奚極伏望乘茲蒲柳別
購楩楠庶曠典不致濫膺而非才不致妄廁仰希明
鑒俯諒愚忱
錢唐陳撰楞山有辭寧夏趙銀臺薦啓
迢遞龍門未親淑艾扶於雝樹徒切依歸不謂猥瑣
之蹤特荷殊常之遇前此邗關駐節掘謁既已後時
秖今日下徵書傳催又來故里不特宥其疎戾抑且
曲賜雕鎪撰具心膂身非木石第念稟性頑愚賦質
孱薄弱齡偃疾何曾擁絮燃糠卅歲食貧徒自抗塵
走俗洎乎晼晚操觚已遲汔以沈冥屈瓠蒙誚乃者
夙疾未瘳新恙頓作感侵風露四體幾于不仁療治

刀圭帀月轉焉加劇羈棲旅榻踜蹬可憐夫銜風既哀飄鴻毛而不起馬齒加長希鶩足而猶疲矧此沈痾值非壯盛豈可塵玷大賢之採錄起副鉅典之旁求恭惟老大人柱石几筵喉舌白度挽回波于名教五山宗泰岱之尊宣盛化于文明萬彙啓曜靈之旦士訖終身之重野無片善之遺賢能資以騰鶱孤遠望而傾屬凡所引舉莫非絕倫博綜之才于以彙征堪應側席詳延之意而撰徒以尪羸致同非謀神山路近風引船回上負特達之甄期下咨時命之不偶其爲感惕夫豈可言

仁和汪臺抱朴徵車未至秀水祝維誥寄以詩云

蕭蕭薊門道秋氣忽已窮霜高落羣木天淨聞孤鴻
客子早畏寒敝裘理西風經句不出巷笑語靡所同
煙波渺錢唐遠夢何由通靜念作賦者早晚應薦雄
遲君話離索樽酒明微衷
甘泉金門詔易東以孝廉薦修明史長洲沈德潛餉以
詩云
聖代重明史纂修自夙昔康熙己未年史臣各分職
鴻辭衆耆儒湯潛庵汪鈍翁毛西河尤悔庵朱竹垞潘次畊諸公鄭重操徽纆
晨星漸零落繼起踵其迹萬季埜姜西溟諸公葺城王司農史
稾彙鐫刻羣材搜擇富四紀歲月歷
至尊勞睿鑒煌煌下令勅史裁纖可觀未殫才學識

詔令重纂修諸臣秉正直君雖鄉貢士公卿並側席延訪入史局衆指推巨擘常啓金匱鐍鉅典共紬繹茲事誠大難一字判淑慝談遷彪固後奕壽共標格廬陵追前蹤餘子難爲役發凡及起例詎敢肆胸臆有明三百年大事貴綜覈文皇逼金川靖難昭順逆忠義藉表揚誣謬需刪革（從亡隨筆致身錄之類）土木蹶乘輿立君負中國奪門陷于王厲階首徐石大禮議興獻君臣逞剛愎尊親人子心柰何稱皇伯（稱孝宗爲皇伯考則大統中絕矣）言官予廷杖不死遭竄謫婦寺持太阿三案亂白黑遂令鎮撫獄填積忠毅骼大怒人復怨秦晉熾蛾賊國步既板蕩思陵殉社稷中外死節臣決脰如

飲食勸忠自
興朝闡幽待史冊此皆關法戒予奪嚴剖析君本嗜
學人食雞欲千蹠素鬪南董良紀事能核實爲語諸
同館要須愼筆墨野乘防虛無實錄更洗擇一語違
寸心人禍連鬼責努力報
聖明千秋光載籍
閔華廉風江都名士余與太鴻應
詔北上濡滯邗溝廉風有詩贈行
大科試鴻儒厥初自唐代韓柳方見收玉溪猶弗逮
歷兩宋元明中間幾興廢我
朝右文學所舉一以再憶昔歲己未得人江浙最西

河與竹垞嬌嬌衆人內堯峯藕漁儔才力應可配其
數等列宿江浙共二十八人名字天壤在於今亦多士薦十
僅一解豈予蓬蒿人聞見失之隘獨知二君子當此
始不媿聖籍既窮源詞華乃餘派繩糾上下古逸響
振聾聵平生手著書捆載牛腰大匪特纖毛末兼過
宋洪邁二君吾故人北道阻江介是時天雨霜落葉
積門外翩然入敝廬共坐鐺腳對食以脫粟飯佐之
冬菹菜索我錄別詩頗似搔癢疥工拙那復論欲吐
且一快此行如登仙曷用感離會惟伏在下風嘉譽
俟君輩

予自乙卯除夕辭家以丙辰正月晦抵都時被徵之士

麐集京師故人吳江沱雲龍錢唐桑調元符曾喜子圣皆有次韻詩

海內知名士神交第一流異書多破家豪氣獨登樓一面卽相別三年誰與遊盼君頻數日預擬豁煩憂江鄉眇艮覿日下接名流姓氏頻驚坐朋曹半選樓

盧鴻應

新詔紫燕及春遊萬柳須修禊愆銜契闊憂君抱宏通識寧居第二流自能傾一座底用感登樓風雨思前日鶯花指後遊離懷今始慰消盡別來憂

與余同薦者凡十八人星齋自閩亦至公讌于汪西顥小眠齋徵歌選勝極一時之盛蘭坡有詩紀事

上元燈後屆傳柑香雪霏微喜盍簪相馬人稱鳴騄驪羅材予愧列梗楠乍儕

明詔聯同譜共赴徵車駕曉驂高會城南冠佩集淋漓藥玉酒初酣

詞壇萬丈建旌旃子子干旄賦在郊繡虎才華寧論斗射鵰身手欲鳴鶬枕經葄史懋儒術瑚雪鏤冰得素交衮衮諸公齊振翮好從阿閣覓新巢

明湖水漲碧醑犁柑酒還隨一聽鸝盤落清歌珠大小人逢舊雨漸東西雪消檐角梅初笑煙羃山腰柳漸稊刻羽引商清吹滿莫辭豪飲各如泥

翹翹車乘赴徵書策獻天人上玉除大雅如君眞董

賈不才似我愧嚴徐須芝之賦雪儷吟後舞扇歌裙夜
讌餘知向承明同給札紫煙縹緲拂衣裾

詞科餘話卷一終

詞科餘話卷二

會稽周長發蘭坡以庶常出外甲寅浙督上蔡程公薦于朝山陰胡天游有送其北上詩

崑陵標氣色碣石渺波瀾雲彩從今麗風流擅古難祥禽翡鸑鷟仙樹本琅玕宿藻麗江左新聲吐建安會將移寶月猶覺秀春巒荔浦逃香尉刀州妒錦官千芝縈鳳髓九乳動螭鑾繡矞機投霓牋波字抱鸞簪花邀內史粉舞對邯鄲別紹銅池柳宜含書省蘭芙蓉員闕曙鳷鵲玉繩寒尺詔前徵辦東京貴姓桓薰猊籠楯梐宮雉敞闌干豹待平陵客麟迎博士冠參軍鑄逸竹詹事脫輕丸騣殿分縹札鴻都架碧珊

鬬擘雙白璧未磬一珠盤豈有騎鵬背應知獵角觿

擁沙犀暈白拭土劍星丹定上三休觀殊非八節灘

橐籥堯刻玉鏤管漢祠壇袍影憐芳艸珂鳴度鏤鞍

隔朝西埭遠唯是酒痕殘

仁和盧存心玉巖應詔北上桑伊佐調元用喜予至京

韻迎寄云

脈望仙難得蹲烏景似流愁唫青玉案史橐絳雲樓

隱鍜猶清興將車且遠遊已傳春草作珠桂未須憂

桐城方貞觀總憲孫錫公先生所舉士也丙辰三月徵

書至老不能赴有言懷志感上孫公詩四首

忽傳徵召到茅茨泥首雲天喜更悲嚬典竟逢千載

盛餘生眞得一人知壽巢甫覺驚魂定有子才教右
手持身事支離雙鬢白可憐遭際十年遲
兔園一冊久拋荒敢厠清華侍從行若舉力田差自
許強名博學究何嘗薦肩縱與諸賢並馬齒先悲去
日長報稱無時歸又晚不如曳尾負明良
我心匪石豈無情友義君恩曠古榮未必文章能報
國由來草莽會沽名壯懷可柰衰無夢跬步須憑杖
乃行雕琢不堪慚朽櫟空勞推擇向承明
輶車北上去悤悤奮翼乘時箇箇同天下鄒枚原不
乏山中猿鶴可全空先生具眼驪黃外賤子甘心穢
積終無禮常嫌嵇叔夜絕交何至讟山公

部牒復至備見敦迫終不能赴再寄孫公

縹幣與安車存問其語矣書傳半眞僞竊恐未必爾今者符檄來洶洶吏如鬼幸不見執縛幾爲敦迫死家無應門童我病杖乃起老婦驚踰垣問禍來所以敢希稽古榮奚至捕盜比寄言謝故人銘心佩知己世不乏應劉樗櫟何足齒僂蹇負弓旌免蹈虛聲恥

臨川李紘巨州養母不仕以座主高安公之薦出山有郡城登舟及會城別姪子元長詩皆就徵所作也又有北征和少陵韻詩仲兄穆堂侍郎及萬孺廬編修暨從孫友棠皆有和章文多不錄友棠少年有美才曾就本省試未薦

橋度文昌遂放舟春明舊夢十年遊出山小草人應
笑破浪長風我亦愁回首雲根羊角石鷲心城闕虎
頭洲稻粱久謝平生志鴻雁天邊羽翼秋
楊氏龍文氣最醇殷勤相送向章門昨來勸飲多賓
從此去相看老弟昆白髮丹心惟我識青雲紫陌共
誰論傷人誤指徵書急子舍依依戀故園
歸安沈炳謙有應
詔入都述懷留別詩
勞動吟朋餞路岐此行檢點只心知嘗筵自笑鬑鬑
鶴垂老煩書混沌眉東壁光雖容借映北山文且莫
輕移藥欄雜柵藤花架牢囑園丁好護持

兩朝

恩詔訪殊才惶恐

徵書下草萊病馬何堪充駿骨爨桐豈必盡琴材年

華冉冉頻搔首徑路蕭蕭久絕媒不見韓公興八代

縣齋猶自歎低摧昌黎于貞元十年屢試博學宏詞不中縣齋有懷詩所謂何能一戰霸及蹉跎顏色低摧折氣愈下等句皆指此也

青箱舊業歎飄零端拜何能誦六經月下可憐舂藥

兎案頭長負讀書螢鄒枚有客誇梁苑賈董何人重

漢庭倚杖從容占斗象天街不少少微星

衡門兩版舊耕桑春月秋花媚草堂鐏酒枉煩蛇著

足登仙莫笑鼠拖腸麻鞵何意朝

天闕席帽依然入
帝鄉慙愧公車無長物三千奏牘讓東方
丙辰夏大學士無錫嵇公署浙江總督復試多士於院
署題有春秋三傳異同說余小友仁和趙一淸誠夫作
最爲詳盡竟遭斥落誠夫曾鈔示余今錄以備覽
漢世三傳並興武帝特好公羊之學立於學官最早
宣帝則好穀梁亦立於學惟左氏其書繁重難明河
間獻王傳有左氏博士之名而究未得立建武初立
李封爲博士封卒復罷終平中賈逵推原劉氏受命
之符謂有合於圖讖詔選高才生授左氏學加以前
漢劉歆後漢韓歆之爭尚不能免范升異端何休膏

肓之讖誕然觀陳長孫之辨四十五事，鄭康成之難三書小言破道入室操戈升與休且奈之何矣自今論之公穀皆子夏弟子而邱明受業於夫子之門傳聞之與親見固有異也故夫子書春王正月左氏云周正月言周以別於夏殷則於時王之制爲不倍深得夫子尊王之微意公羊以王爲指文王學之者遂有黜周王魯之邪說以正月爲三正之月學之者遂有子丑寅迭用之異文子雖至聖安能使周之不王而啓魯侯以帝制自爲之漸又安敢維舉先代之遺規以亂本朝之大法卽范氏穀梁註亦遵用左氏傳而無取公羊之臆解是以言經者莫不優左氏於二家然而猶有蔽者趙盾實弒靈公左氏借越境乃免之言以寬其罪許止實弒悼公左氏假不親嘗藥之事以蓋其惡君臣父子之間大義之不明其何以謂之盡得聖人之旨哉若公羊大一統及母以子貴之言議禮之家至今踵之凡盟皆惡凡城皆譏背命稱其信諭陳災志其存陳則自穀梁發之宋胡文定公作傳亟有取焉又如一尹氏也公穀以爲周太師尹氏左氏直改經文曰君氏以爲隱公之母聲子不知此實鄭大夫而來仕於魯者按惠公之季年隱公爲公子與鄭人戰於狐壤止焉鄭人囚諸尹氏賂尹氏而禱于其主鍾巫遂與尹氏歸而立其主其後公

祭鍾巫尹氏已卒始館寫氏遂遣羽父之難尹氏與公實相終始載在策書彰彰明著三傳均未之識也善乎先儒之言曰公羊之文辨而裁其失也俗穀梁之文清而婉其失也隘左氏之文豔而富其失也巫各有所長亦有所短君子節取焉可已抑聞之公穀之書同出一手其人本姜姓作爲廋辭以託於公羊穀梁者雖未可盡信然文義每相援附好立異同其始不過地名人名字形字聲之間如以盟蔑爲盟眛子帛爲子伯杞侯爲紀侯時來爲祁黎之類更僕難數至以會防爲會邴則魯邑也而宋邑矣以齊欒施爲晉欒施則齊人也而晉人矣于襄之伐加齊侯於

宋公之上而不知諸兒之反爲忽助於洮之盟增鄭世子華於陳世子款之下而不知小白之已斥華姦聖人不作時事無徵里背市語噂沓其間肖工瞽師棖觸無當其非傳經之舊有斷然者而左邱明好惡與聖人同嘗從夫子適周觀史歸夫子修節書爲經邱明修策書爲傳或傳經之所不載如鄭厲納王晉文歸國諸事獲麟之後猶存舊節十七條更集其餘事爲國語古學今學之分夫豈皷生俗士之所得而擬議之者耶昔馬季長欲訓左氏春秋而未能但著三傳異同說今其文惜不傳嗚呼嚴顏騶夾之已亡其說不爲學者所稱道倘有習其書者孰同孰異又

寧有量哉

溧陽任宗伯問士於門下士任編修應烈陳舍人兆崙首舉山陰胡天游穉威穉威時方里居有九秋得厲伏淮周元牧長安齊東書札說座主溧陽公垂意鄙生許于制科濫加噓引感興述懷因寄二君並示尖予謙張百斯一百二十韻

觀國奇瓌重何人特達殊星辰當丹禹雲日夾軒虞經術天人表聲華海岳鋪風騷歸大雅禮樂燦河圖器尚蕭曹陋材論耿蔡粗網羅端自古搜抉必升瑜破格仍興代嘉章繼今謨詔銜天鳳紫琴和嶧桐朱結綠看登陛乘黃亟頓撫金開望賢館通鄰上瀛衢

花樹烟裁錦仙莖露歷珠九賓誠典設八及豈憂無
捷足勞羣彥掀脣到弊𧝎麒麟爭在棷騕褭必遭逐
只覺春沾物多憐晚泣跗及時頻紛宛歷塊幾駒駼
牆堵窺鏤管榦絲轉轆轤垠开紅芍藥翡翠縹襜褕
顧訶千鈞弩何當一斂黼席虛宜室夜展負玉堂晡
書羨長沙茂辭懷子政數俳誇從擺落三五遞珍掄
渤海歌須藻高岡𧭹旭梧曾非議鹽鐵兼或致蕘芻
顧問陪行祕刊編擴衆郛絲綸光甬露氣象溢屠蘇
科斗旋輕譯重常得驟呼司南歸領褎朴學洗顓愚
地軸昆侖壯天潢砥柱扶榮名餘虎殿故事盛鴻都
稽古酬堯奏經時卽舜俞丹梯宵極引金馬日旁趨

賦裂牂牁組銘殘肅慎砮水心秦客劒荊璧薛君狐
宋玉雖高製相如本汰誣廣成鐃作頌典引復呈符
傑搆梁臺妙芳歌樂府須吞眠赤龍纈吮翰絳鶴雛
八米調胡粉三峯砌水爐春英終待綺秋實憶旋餔
寂寞憐時輩淵源隮卑翁典刑前匠掩僞體後塵蕪
瓴缶疑咸濩池隍復苦邾精英製元氣破碎費洪照
牛斗曾無觸山川幾鬱孤并陽止逐日崔蔡況扳胡
大道誰堪掃洪韓腴絕枹休工說肥瘦謝巧刮骻膜
鵠似那煩刻龍眞枉學居端能對奇木試更辨騶吾
印浦初佔畢闇庖事卻軱天憖苟況府與足任宏區
且跋闈棋燭恆逃據竈觚孝先工坦腹江皐未嘲鬢

篇稍長楊敵心非壯士輸徒然著繫露定夜異齊竽
鎖徑仍愁疾筌蹄但守株停當熟爾雅行欲忘盤盂
碑版雖逢索鶯花亦算捻方思椽鉛槧悔不取醍醐
三筆推緣謬艮朋意總劬慮名忽驚座巴里遂皇莩
江檻秋連薊庭皐曉帶吳餚錢川數箭沙鏡白穿鱸
菱綻明溪眼秔香爽雪膚寒知深蒔荔興合把茱萸
射的吟猿岫鄒亭暖雁湖故人雙浩蕩手札一萱蘇
郗氏因搴桂終軍已棄繻纖貧寒川纊材適濟川稃
太乙迴鯨石戈船壯蠙閣登樓孫楚秀懷古步兵吁
玉笛連芳草銀騧認酒壚金多待季子粟飽媿侏儒
卜肆今空有牛衣往未渝共嗟鶉肘在相惜鶴形癯

意氣闕排纂潢汙就汲剩疲涼出華衮鉛鈍劇鉏鋙
吏部中台貴膺門北斗樞威儀翔鸞鶱文采炳於黃
蓮火衡璇尺芝烟接禁爐賜衣屏孔翠披舞翟氍毹
枉木猶歸器祥金況積銖陶鈞合旋轉周路蕩岨峿
班忝門生箭原飴處士茶陸機耽竹篠徐稚本菰蘆
野狎哂芳島春浮倚晝艫藥闌滋茅朮社酒濁枌榆
奉檄慚毛義求丞異阮孚行謳佰榮啓早昔事南趍
馴性龍宜懶欲甯烏暫呼開田臨赤石收葉養青蚨
井臼煩鄰里雞豚宴臘膢舒覃催語燕適意撫遊駒
屐齒敲樊榭林杉滌舞雩竹枝溪女弄椶帽野人需
去任悠悠馬遙憑汎汎鳬菱荷牽郢客橘柚覓胡奴

簫局幽時拂琴囊潤後汗移牀迎蟋蟀分帙曬蜘蛛
分效閒居拙寧矜道勝腴所憂非悄悄其樂乃于于
江左嗤方格膠西舊闊迂術疎勞指措神勇漫睢盱
給解犀籠角占逢豕負塗安將喜遂獵亦誤趁楊軿
邀賞屏風絹爭彎射錦弧郢斤渠琢巧岑鼎特吹枯
擬拭華陽土空懷會計珷利搽騰路笱春熱鑄顏模
翩許垂天借鱗需涸轍痛棲遲猶白帢潦倒久丹徒
慚愧禰衡俊迴瞻趑趄驅幸非傷老大竊慼倍躊躇
闕有江湖戀霖依築塋徂明堂通戶牖丹汗足彭巫
袞袞生平意容容顧賤驅大科交慶得小技苦攣拘
東里多懷寶先鞭謝執殳觚稜春蔓遠萍實楚情娛

道士紅鸞館仙人碧玉壺釣竿高碣石會見拂珊瑚

又上溧陽尚書啓云

竊聞大鈞鼓化在埏埴而無言靈韓司和乃生成而備得遂乃懷英濯潤布彩揚華方滋雨露之恩即有風雲之氣擊石而平宮徵則山谷咸調吹黍以變春秋則暄涼頓易故知集鳳之枝百尺如龍之駿一鳴非逢匠石將社櫟以同榮倘遇孫陽詎鹽車之更服珍秦城于燕石卞和顧問之閒貴巴曲于虞韶師曠論音之下是以施其沛澤膠舟運于八川借其順風鴻毛遠于千里當敷榮之已盛猶暄動以知歸況乎蠢蟄昭蘇爰以軒墀戀切伏惟閣下紫漢凝精丹陵

表秀正色而威儀象緯則紀叶珠繩班朝而簪冕鵷鷺則身為玉斗瓌文懋典鉅學經時駕廷頌之椽毫掩溫成之冊府波瀾所際卽渺三江陶鎔之餘猶成九鼎孔文舉四方瞻表若衆星之有北辰韓侍郎百世宗師如五岳之尊東岱名賢七十姬公夕見之勤稚彥彬論京兆春容之譽人流由其祓濯士類以之奬成此則慶霄氤郁覆山海而舒祥元匱鏘翔望羽儀而頌吉者也某質等璠珉品慚貢銑殷往嗣菰蘆之下何擬國僑羅君章杞梓之稱敢邀司馬雖編荆以掌錄未窮袁豹之書冀假夢而心開詎嚥弘成之石或以優游少託佔畢每間相從敬禮時製小文問

效馬遷因攻雜賦豈謂傳諸好事實有愧于諛聞往者歲惟在酉事値興賢伏遇瑤鑑懸司金衡秉律某也隨粉袍而鵠立映畫燭以蜩唫日無五色之奇桂乏一枝之秀遂復齊竽濫廁宋楮咸登承敬輿之題評被歐陽之品目使得因依丙序謬竊乙科備灑掃之班從帷壇之後因已榮叨鄭握慶藉膺門雖無自于摳衣且殷懷于捧席自後周孝廉應宿徐進士廷槐孫太史陳舍人等竝皆久託宮牆早收翹俊咸傳至意更荷洪嘘不以受釆無堦承僅尠實灑三危之瑞露餘膏獨湛于中林耀若木之明光私照偏垂于幽谷若曲成之恐後笱大造而靡遺由是倍用銘恩

頻思效節誓不移于夙夜願永結于階庭今茲道炳元符運隆皇極考雲門之鼓管定衢室之典章甲子而巡雲路緣文已效于披圖仲春而封太山琢牒方觀其利玉是乃博搜耄士遠召鴻生歌赤雁而對白麟辨重常而名服匿鄒枚而集崔蔡雲歸漢五君之逌爾指日下而遵途胷兩生之潛然辭淹中而重舍莫不南金競奏西賮爭輸而執事猶以蕭綃可裁曲鍼無棄因鄉州之黨譽採左右之揚言使復江海沾濡雲霄汲引今月十六日得商編修所寄書上推好士次述虛中恭承吐握之勤辦切栽培之感欲使器如孚我將朽木以俱雕人異顏回等祥金而並鑄拭

華陽之赤士無所待于干將製曲沃之懸匏獨有懷
于隨氏昔者袁太尉周旋乎趙壹張壯武賞譽于陸
機蔡中郎寫公叔之書范始興誦水曹之策裴中令
延正封于邸第薛簡肅載景仁于後車是皆先效趨
塵親從捧手始以加其藻騣漸事推揄未有袖刺遲
迴掃門遙越遽通青瑣卽入綈囊不煩御史之呈身
奚俟臺郎于識而益所以載恩無地資祐自天者也
且物無感而不彰道有求而必應攸儵焉至潛也繞
巴瑟而浮波牂牧至微也依靈鞉而鄴岫霜露聞鐘
詎豐山之獨遠弦歌赴節顧流水以何情某駿卑徒
羈鯤池慕擊以文章為報國竊有志于生平以經術

而致身亦傳家之世守屬聿提于此日占慶譽于奕
章啓事尤重乎山公奏記敢同大阮籍當懷不韋之
小璣檢文通之剩錦風驂碣館星稅燕臺決匡鼎之
科綴桓寬之論潔舟車以從郭泰欣披霧而登仙執
丹漆以隨仲尼幸升堂于有日詠德依仁罔知所喩

山陰周大樞有謝紹興葉郡守啓

竊聞匠石不回顧則朽株變爲雕梁伯樂一言則奔蹄
成于駿馬故細椽亦備大廈之用而十駕或收千里
之功此蓋哲人範物曲爲棄短而收長用使下品呈
材得以匿瑕而見美其爲德造莫可名言銜結所深
古今一揆伏惟閣下珠躔兆瑞雲嶽儲祥崇基秀豐

掩王謝以霞標茂緒輝騰畢崔盧而鳳舉緗緗雲杳
千年傳海錄之書甲乙蟬連雙實表庭檑之瑞若乃
邁德可師嘉言成範淵源遂學卓鑠鴻文經笥縱横
開五衢之辨路詞泉湧霈起四照之文風周情孔思
懸璧耀以常新陸海潘江卷銀河而倒瀉然則天球
粹稟必見山暉之精大木高標自致棟隆之吉是以
觀光用賓策名利見綰銅晉邑結綬泌郊舉扇風清
冀艮苗于四壤隨輪雨潤灑惠澤于千家雖復二鯀
五雞西京特傳龔遂桑枝麥穗漁陽共樂張堪懸羊
纘之庭鮮馴中牟之舒翟方之巳傻兼焉爲盛于是
徽猷丕著異政宏敷奏治行之少雙觀天顏而有喜

衮衣用錫皁蓋遄來緹獵朱旛凜旬宣之重寄跟蹤
竹騎歡童稚而爭迎遂乃敦勖三農宏彰五教置孟
水以旌心坐棠陰而敷惠鏡湖八百里涵闊澤以俱
深越州十萬家布陽春而茲煦凡玆美績靡得殫論
豈特第五下車淫祀之風斯革諸葛蒞政陵夷之俗
以興而已哉加以愛景常暉謙光自牧朗照湛于冰
壺元鑒比于水鏡于廷尉之好客接引忘疲謝衛尉
之愛材奬題不倦雖片技而必甄即一言而亦採今
茲光炳瑤圖道開綠牒啓東觀而聚書闢重雲而講
學七曜則累璧駢珠千年之波澄瀾潔雲霞煥色非
關雕刻之工麟鳳呈姿有踰藻績之巧愛詔該洽之

儒用儲著作之任漢家典冊多出于班揚唐世文章必歸于燕許嚴徐東馬望函谷而爭飛盧駱王楊向長安以俱笑乃千載之一時爲非常之曠典閣下虔

體

宸衷篤公忠于衡鑒敦求才俊廑飢渴于抽揚拔異取奇振幽起滯若夫國僑辨汾水之神晏嬰論有莘之狀東方朔之識畢方郭景純之知驢鼠五總九總夙推博雅之宗古事今事並著淹通之譽斯可語于學矣賈生文潔而體清劉向趣昭而事博阮嗣宗之嚮逸嵇叔夜之興高並無巨製經一紀以練都亦有短篇未終食而草奏斯可語于詞矣至若謝該博學

受知于文舉虞翻洽聞見寶于伯符薦禰衡者曰百鷙不如一鶚舉正禮者嘗長塗之御二龍是則道與時彰名因實附既有然矣如某者草帶肅入蓬樞末品學僅成于斷港筆未夢于生花雖復截柳爲書網羅積歲蒸柴繼晷漁獵三餘奉訓趨庭略致研求于理窟從師負笈粗聞指授于文鋒而塗抹之餘祗堪覆瓿詠題之後雜用補袍讀史昧祈招之詩攷古愧琅邪之稻賦名六合幾同劉晝之愚贅有二毛敢歎安仁之拙奔走輪檝之間跳踔藩籬之際決起不及于榆鳩退飛有類于風鷁豈期固陋得與埏陶不由干謁之私猥蒙特達之遇欲令南郭合吹于齊竽將

俾巴人和聲于郢雪雖拔十得五不惜假之品題而耕九餘三實有慙于學殖且夫詞科之設始自開元宋世以來遂爲制舉韓昌黎尚未能以霸李樊南亦有所未堪眞德秀玄而不博留元剛博而不玄方今懿文蔚起人懷隋岸之珠麗藻日新家握藍田之玉顧以弇鄙之姿得與文華之月縱洪鈞與物以何心而小器因人而頓重咳唾所及鉛刀有貴于龍泉眄睞所垂魚目顧同于驪照某自問何人而膺斯寵木向春而唯見其榮鼇負山而深知其重敢不俛勤鞭策仰副裁成庶幾報國以文章益充所學永矢立身于忠孝不負所知

元牧與稱威在江東詩社中最稱傑出均列徵書會稽
南編修盤寄四律示喜云
秋柳蕭疎有和章十年踪跡各蒼茫金城涕淚桓宣
武瑤圃音塵郭密香琥珀乍傾燕市酒芙蓉初脫楚
人裳定知海日生殘夜警句爭題政事堂
駟潭寒碧繞精廬迢遞徵書到荻蘆宋代登科洪景
伯漢廷射策董江都易居肎索長安米俊味空抛巨
口鱸七載承明誰念我一生贏得是清臞
君家髯客舊清班謂朗庵太史況有嶔嶔老念山庶常應宿號念山
風雅一門傳賦詠鳳鸞三島稱疎頑才超金箭東
南外詩到韓蘇伯仲間慚愧六鈞弓在手病夫無力

未能闘

小劫華嚴話舊時含情鄭重問雲持（稚威別字）晚菘早韭山中味西崦南湖世外期九陌已殘千芍藥一龕須卻萬熊羆豐城雙劒應同至唯有張華望氣知

元牧次韻

珍重淸風有贈章轉令往事思茫茫十年我種陶潛柳三日人傳荀令香燕市相逢還皁帽越溪未嫁幾紅裳自慚鴻筆非揚馬只合林泉住草堂

蒼茫烟水愛吾廬強脫蓑衣出岸蘆豈有高才齊二陸還憑作序重三都名山縱擬同騎鹿秋思何當便憶鱸莫羨他家肥似瓠由來仙客半淸臞

玉堂詞客列仙班不數淮南大小山飛出杯丸君句
好轉餘谿石我心頑聲名敢說楊盧後位置何堪遜
朗開痁作更愁臂力軟大沼似月可能闢（予時亦病瘧）
越絕才名盛一時胡威傑出更誰持難邀彥道呼盧
興未省平原入雒期（時胡雲持以持服尚未入都）振鬣長鳴瘖萬
馬深叢兀坐見孤熊劇憐潦倒生平甚古貨年來喜
共知

稚威亦有謝商編修啓其略云

日者黃星煥景緯露垂文天子開鴻都闢虎殿將欲
辨三正于終始究六典之異同是以公孫兕貫竝集
鋒車東馬嚴徐咸隨鶴版莫不人騰鳳藻士佇鵷翔

爭獻繁露之奇思頌廣成之麗更得翰林主人以英絕爲之領袞方見東都典引無俟蘭臺元和美詩猶推吏部至如僕者鹿牀偃仰馬磨沈浮夢鳥無徵屠龍漫技阮公閉戶空懷經世之心許掾他年但有山林之志加以茂陵秋雨公幹漳濱乖子夏之琴歌愴皐魚之風木益用蒿蓬不翦惟思泥水自藏何期游論所加乃以鄙人爲寶假其片言遽成岑鼎遂令布鼓輕響雷門至於司徒識君孝之名太尉記魏材之籍斯則愛忘其陋改嚴葳于舊文所謂導之使前器輪囷於萬乘者耶獨以燕石徒雕終慚比玉楚鑵雖拂實異栖桐無由議析祥禽不足辨酬文豹且欲流

連谷口谷與邛中乃屬宏闊殷勤絳帷鄭重未敢青蒲曉別偕叔夜而趨書巖服術行與伯淮而遯跡也方當少留日月行李戒途京雒秋風懽期約手輒憑驛使便託報章書不盡言伏增馳溯

歸安姚世鈺有丙辰冬日書懷詩十首其末章云
收拾青衫舊淚痕居然挾策待金門珠聲玉價空花樣摘豔薰香夙世根鳳閣高寒留夾袋鶴書迢遞下孤村長卿渴甚難成賦免後猶能話
主恩

南城潘安禮立夫以戶部員外降太常寺典簿高安相國所薦士也有乙卯歲暮遣興四首

客省寒光冰雪時傷膺凍雀故相窺鴻濛隱几眞忘
象盧白交肩任竹雌詞簿漫言同赤斧風塵差喜隔
元規過除歲敘喧喧幕餞臘梅花酬一卮
三階星象泰初爻鶴有清陰鳳有巢振旅張旂徵粵
篠升中緒吧擷江茅官因遊散觀書帙客爲探奇載
洒肴懶性自來躭寂寞清時底用歎懸匏
傻指爲郎近十年當關紙尾淸如煙流光青鏡驚霜
鬢素業緗塵委石田只合巢書消二六敢誇奏牘滿
三千山公題目增顏甲策鈍新添勸學篇
薄笨羸車白練裙三間老屋倒斜曛送窮竊笑韓公
何謫宦長慙賈傅文金虎潛移霏素雪玉虬初轉覆

黃雲谷臺擬上中和頌剩有閒情對鷺羣
錢唐汪沆徵車北上客止揚州梵覺寺有述懷三首
軺車促駕太怱怱拋卻西湖舊釣筒柳外已疎涼鷺
雨橋邊空憶水花風裴頭黃尾非吾意越角吳根有
夢通
聖世淵雲人不少獨慙名玷薦賢中
薊門北望路漫漫逭暑聊營方丈寬遶鬢飛鬚常攪
寐隔垣清樾許分看無求那畜三年艾偶出非緣十
段官自笑比來能作達也隨茶板到蒲團
幾樹殘蟬咽綠楊重來極目感蒼涼二分明月真無
賴十里珠簾枉斷腸夜雨誰家歌水調秋風廢苑弔

雷塘題襟載酒追前事第一難忘濡雪堂濡雪堂余文苗村齋書地予曾假館一載

新建尚廷楓荼洋官戶部主事有逸才臨川李侍郎亟言于副憲孫公國璽遂列薦牘荼洋有上副憲詩四首今錄其二

漢帝立石渠唐宗開麗正制作得鴻通典章顯明聖後代忽稽古巖扉斷車乘貸攻帖新業貢析耶墳蘊聖君崇實學旁求切才俊弓旌九宇周異數千秋盛誰司推轂責公忠仰當柄匠石需豫章樂師審球磬清濁慎厥分良楛從所鏡冐令側席心祇供彈冠慶粤予負不羈少小游藝林沈酣忘歲月十載同書蟫

通籍從任子內顧違宿心簿領非所習郎署聊浮沈
大賢邀顧盼拂拭還砭鍼遭逢
右文主竊慕卷阿音
詎意青雲士器我逾南金姓名列薦牘艮覿猶侵尋
相賞未相識此風空古今作歌頌知己海岱同高深
長洲沈德潛有應
詔入都述懷詩
鶴銜
丹詔下層霄曠典應同車乘招黼黻特需詞藻手蒐
羅兩遇
聖明朝敬輿已見開前道夢得還聞接後鑣不使深

山有高臥竝看物色到漁樵

老驥空懷千里程三條燭下夢魂驚南轅北轍終何濟西抹東塗浪得名匹馬漫思隨李廣悲歌無意和荆卿衰年也受交章薦慙媿吳公識賈生

買山已過鮑山西蕙帶荷衣製欲齊月夜灌花呼稚子風林拾橡竝荆妻出門遙指天雙闕故里空閒雨一犂爲語雲巖猿鶴伴終教與爾共幽棲

折柳歌闌尊酒餘故人於此送征車聯唫北郭懷中歲（余年四十餘結北郭詩社）分手河梁及夏初畏我友朋宜養拙生逢

堯舜敢逃虛他時憑眺燕臺上目斷南鴻尺一書

全椒吳檠有應

召赴闕言懷八章

闕門

聖主治垂裳薄海弓招

帝網張七曜同躔輝

御座六星近斗燦文昌羣英鼓舞風雲際多士紛趨

日月旁慚愧不材糜薦牘抽毫何以奏明光

秋風歲歲逐星槎白蠟明經枉自嗟刻楮祇應成棄物懷鉛豈合謝名家泥塗共笑魚顋鼻毷氉頻催馬齒加不是

至尊親下詔窮廬無夢到金華
國恩上第世蟬聯累葉臚傳曉日邊柳篋東臺畱諫
草窓琴南嶠剩清弦前徽難繼金爲牖舊業空荒硯
作田豈意翹車傳異數涓埃未報仰
堯天
半世孤兒母教殷相依爲命恨中分魂歸馬鬣三年
杳恩負熊丸五夜勤不獲升軒娛白髮何心捧檄上
青雲有司敦迫柴車發回首松楸淚雨紛
螢乾蠹簡久心灰涉獵徒誇錦繡堆敢騁雄談非白
馬詎稱博物辨黃能賦推張左休輕擬詩羨曹劉未
易裁天咫不知終潛學

螭坳難厠掞大才
見惡行年已二毛此身自分老蓬蒿愁中欲爇君苗
硯夢裏都還郭璞毫詎料塗丹收社櫟何常攻玉借
鉛刀虛聲謬採慚知己感茲羣公屬望勞
鄉闈偃蹇獨行身路鬼揶揄謝主臣甘蓼微蟲原習
苦蟠泥屈蠖敢求伸那知士室窮唫士也作金門待
詔八
盛代孤生同朽枿倘蒸芝之菌獻
丹宸
藹然襆被赴
神京

曠典恩叨泿竊名給札不遺縫掖賤擿辭得傷
袞衣榮駑駘未敢思千里葦籥終難奏六莖謭劣知
非華國選願歸擊壤頌昇平
無錫華希閔被徵以年老不至丁巳歲子紘計偕至京
附啓謝舉主吳肖菴少司馬云
閔錫山鄙士才謭學陋讀書僅窺大意於古今名物
度數之大凡不能纖屑識記也文樸拙不務悅時目
十試布政司兩以副榜充貢至庚子始列賢書年近
五十矣試禮部文未得達主司之目或咎其拙於進
取閔獨自謂非拙也命也守其拙而不變亦命也五
十後不與計偕俯仰一室鑽穴簡編矻矻如蠹魚甘

之不言痒者十年矣癸丑夏
詔開博學宏詞科縣郡漫舉其名達三院檄令就試
閔自顧枵腹無可試者以疾辭乙卯秋制府趙公專
檄趣徵力辭免蓋壯不如人豈能以踰六望七之年
復與英俊爭得失於寸管去夏部檄至吳有司督促
就道知出自閣下薦剡喜躍之私倍蓰於前何也閣
下鴻名碩望海內仰之如山斗欲一出門下不可得
閔無尺素之通無左右之譽而輒以姓名達之
黼座其爲榮寵何如者況得徑試
殿廷與進士對策相埒較之橐筆裏墨唱名魚貫就
試三院而待薦者相去逕庭閔雖愚其愛榮醜褻亦

人情耳能不喜哉然愧悚亦倍甚博學鴻詞大名也
其科大科也一事不知不可謂博況芒芒於古今者
乎才非相如子雲不可謂宏況樸拙不悅時目者乎
陳情江撫咨達大部然未敢抒謝悃於左右蓋當多
士鱗集響應之時獨閣下所舉薦者邈然不至迹近
矯亢上負盛雅迨廷試已竣得雋者皆魁傑閎通之
材以讓陋命蹇如閔者則其閒必無幸焉然則守拙
引退以善全閣下推獎之盛心者未爲全非也至於
知己之感閔非然明而閣下不啻叔向敢不勉之以
圖報稱抱殘守缺至老不厭倘天假之年於先聖遺
經稍有窺尋見之箋削蒼蠅附驥尾而千里所以仰

答閣下者庶在於兹
江都許佩璜渭符以開封通守奉
詔之京
特旨先試卽歸江陰翁照朗夫有送其之任詩
河渠著嘉績南士安茇薪文章擅經術藝苑芟荆榛
詔須黼黻才大吏爲扶輪
九重先召試掞藻傾羣倫
帝曰惟汝璜治本能敷陳往哉之中州疏瀹兼拊循
郡人聞公來相迓河之滸隼旟導熊軾荷此
寵命新期展濟時策萬里馴波臣
憶昔乙未秋握手高陽里拜母歡登堂勗我如猶子

一別廿載餘流光若彈指幸同應纁招重逢
帝城裏君名重於山我懷淡於水夜榻方重聯春裝
忽先理之官奉版輿觀者咸興起祿養兼色養何樂
能逾此計日入承明待君纂良史

嘉善曹庭樞古謙亦有送渭符還汴州官舍詩并序

坐嘯來蘇門山下舊是孫登長嘯之臺著書居文選
樓中原爲蕭統讀書之地爰有邢溝才子偶乞竹以
分符官閣詩人時唫花而得句如論賦筆藉甚燕城
若數官聲最于嵩洛時則適當大典特闢宏才臨軒
以試
上方貴束帛之求赴隴而徵君遂翀敦槃之會花市

上林之樹擘錦先春歸太液之波沈香獨賦夜珠
明月樓頭已貯金篇曲翳提油郡佐姑分半刺而乃
蘆溝曉出官渡朝臨乳燕新聲似呢喃而惜別游絲
晴影若繚繞其縈愁客多贈策而唫僕亦歌驪以送
春方云暮行別我于鵁鶄觀前秋以爲期當待子于
鳳凰池上
西陵少室列煙鬟汴水東流碧一灣只許詩人暫管
領漫勞飛蓋賀江山
待尋仙路向瀛洲麗日曈曨丹鳳樓羨爾玉堦抽綵
筆聲名官職一時收
單車併奉板輿回況有東征作賦才渭符得夫人徐健菴公女工詩

著有詩綠軒集他日君歸叢禁上白雲依舊繞蓬萊
桃花紅雨晴江關曉送征軺意惘然慙愧鶴書虛赴
隴送人作郡已年年
仁和趙信喜五兄昱薦舉制科賦詩報聞
半生風雨和塤篪有用文章正及時未肎貢身居下
士已教折簡動農師雁行定自推先讓才薄應無擢
後思第一好音須早寄北堂萱草報春知
後意林亦爲通政寧夏趙公所薦其族兄也復用前韻
寄五兄
迢遞山河塤應篪東風消息及春時十年麗澤金蘭
友曾謂符一日公門花萼師遠騁敢忘千里志久疎常

作對牀思青燈自返慚無學益信何求莫已知

趙昱謝舉士少司農臨川李公詩并啓

昱淛河末學淺闇寡聞久棲畎畝遲頓場屋自問爲溝中斷梗不朽佩匏何敢仰希當道延洊垂眄猥以粢悅之材重負曠殊之典瘝寐難安惶悚無地適名卿志厲風俗宏長道業辱採虛聲過蒙獎藉曾作半面之通覓置貢名之列公忠體國莫罄頌揚蕪穢呈詞鑱識雲霞云爾

乾健符堯紀隆平敘禹疇文星占景麗相室藉鴻麻令德君陳懋清風吉甫謳僊根傳上姓臨水鎮方洲詩派西江接文瀾九道流規隨

皇遷蓀光輔
聖風柔位列元和重名稽龍朔侔委蛇明退食飈拜
副先憂允矣文章伯皇哉忠孝侯開天方穆穆統紀
自修修樹善垂青簡書勳羨黑頭榮名耋玉笏夙望
卜金甌丹桂洪桃植南金東箭收青標眞醞藉力學
仰溯彪風節冰霜見君臣魚水游等身書日富材館
錄頻搜縣宇坏陶下儒林發藻秋政先賢路闢謠第
從臣優儉壹丹臺領方閒金匱紬制科崇舊典
明詔布遐邇自犀延賓閣青袍感仄幽貢名遴得儁
充賦拔其尤曰壬之他長錄公無牛面謀勿招邀獎借
連茹及卑陬薦陸思逢吉援蘇始感歐萬言慙賈董

四俊媿程仇檢牘風吹柿穿楊射命鞲瑣材誠下走
舉主重傳騶自顧鯫生爾堪膺大對不閒編聯復絕
溫卷削而投豐劍沖城起胡琴入市售倒隨旌羽下
坌集假波求讓友希黃穆無媒憶馬周翕然裴垍論
卓爾季方儔賈倍連城璧光分近水樓喬雲輿靄靄
甘露降神沖羅列珊瑚網繽紛麟鳳洲煌煌呈寶鼎
濟濟戛鳴球韞櫝原懷玉披沙爲獲鏐典墳供枕葄
才謂費彫搜不負名鄉意溪毛或薦羞
少司馬懷寧楊公石湖沈廷芳畹叔之舉主奉
命祭告南嶽還
朝畹叔用昌黎謁南嶽祠及贈侯喜二詩韻上之

巍巍碩輔推吾公扶翊景運天方中
聖王卽位禮嶽瀆衡爲朱鳥稱南維當宁特咨鼎軸
老柴望鉅典垂無窮惟公精誠作大遣隨車膏雨揚
仁風明德維馨致禋禱呼嗡帝座潛感遄到山謁廟
氣肅穆雲翳淨掃開晴空紫蓋石廩兼芙蓉旁挾天
柱拱祝融五峯一氣互盤礴羣神仿佛朝靈宮表裏
吐納萬巖岫松柏楓桕搖青紅須臾璧帛牲醴具元
臣再拜攄丹衷祝云我
皇嗣大寶虔命祀告猶親躬神其降祥贊昭代山川
清宴薄海同禮成出祝洞庭水天長地遠相始終飛
揚旌旆繇春冬復命

天子嘉其功時上問公年命坐賜膳是時辨色入朝右玉除
敷奏光曈曨明良載歌紀盛事
國祚如日初升東
公如韓公我叔起頻造龍門清若水昔上抒情述德
辭曾蒙召坐春風裏紀己酉壬子先後文讌事龍門峻廣多名流
汲引隨手如挽輞賓筵乍厠心已醉得聞謦欬夫何
求公唫小詩不能已激賞常鱗出塵滓亟稱先子實
才彥頭角嶷然覘後起每懃遠到深相期顧盼自喜
轉自疑雲雷矯矯合變化曷尚偃息鱗與鬐已承長
者一嘉奬其在下也奚以悲八年耿耿長抱此不敢
少逸前賢規家貧母老困鄉土惟有讀書志未衰公

胡獨愛我恂謹文詞謂近古所爲還朝未及事投謁
策名薦剡無移時才非侯喜遇吏部對公感愧還自
嗤逢時孰肯徑歸去
聖澤浩淼非沮洳

甘泉馬榮祖集杜四律贈山陰胡天游

當代論才子終朝獨爾思靑冥猶契闊此道未磷緇
河海由來合風雲際會期出塵皆野鶴少有外人知
同調嗟誰惜蒼茫土木身天涯喜相見滄海闊無津
回首驅流俗觀圖憶古人衰年傾蓋晚直取性情眞
高視收人表長驅甚建瓴英雄餘事業才力爾精靈
對酒都疑夢提刀見發硎丹心老未折不嫁惜娉婷

自得論文友春來六上弦且持蠡測海應用酒爲年
欵憶唫梁父深期列大賢客愁全爲減明目掃雲煙
仁和周玉章乙卯除夜四律
春暮辭家已臘終蕭條四壁旅棲窮瓦盆注水降煤
氣布幔當門抵朔風草草杯盤叨地主依依形影侶
家僮遙知守歲嬌兒女客舍加餐祝乃翁
淸溪莫澣素衣塵鏡裏霜華又一新蠟炬作花如有
喜屠蘇次飲更無人終宵靜聽鐘街漏明日欣看
帝里春獨坐虛齋寒不寐早朝車馬過轔轔
朔雪堦前凍未融梅梢蓓蕾臘猶封消殘永夜三條
燭悵觸離思一杵鐘衰戶添丁應作慶他鄉逢節也

爲容上林計日聽鶯語斗酒雙柑興正濃

此身不分老江湖捧檄長驅上

帝都改歲光陰驚石火傷人門戶笑桃符尚方給札知難得東閣延賓亦懶趨窮達一時猶未判預愁季子愧妻孥

詞科餘話卷二終

詞科餘話卷三

華亭黃之雋試日以燭下不能作書日既夕遂舍去有試博學鴻詞不成自紀七十韻

繼述逢

明聖初元設制科大廷勤汲引廣宇極蒐羅翩翩來岡鳳菁菁集沚莪都人千軌沓國士九霄摩鉅典光

繩武新儀燦

保和五題涵學海兩試匯文河奧賾胸吞籀纖毫指旋螺羣英咸賈馬佳句必陰何烹鍊金融冶雕鏤玉切磋日華紅灩灩天影碧瑳瑳軍校森而肅王公謁不苛茶傳中使椀饌出太官鍋地迥精神睦秋深晷

刻炷雄麥方嶫巖朽質巳婆娑昔夢醒何在頹齡出

則那溯懷良用緬縷悉不勝覼少壯習成癖浮沈命

作魔偶圖燕市駿通鼓辟雍鼉濯第衰遲及流光瞬

息俄

兩朝棲玉署七載玷

鑾坡磚影曾追李亭陰倘憶柯凌雲邀

特眷染翰寡纖訛

日講絲綸接坊僚組綬拖衡文闖嶠去陪祭

景陵過史局竊三管朝班廁五紀淵冰懸躡蹝澡雪

戒媕娿拙宦頑如梗飛章巧中踏合沙多病痟碎璧

罷摩掌削籍歸尋術為農學藝不鬼鷗盟甫瀨巢鹿

伴煙蘿廢將荒調馬衰姬罷掃蛾鴻冥奚慕弋雉耿
未罹囮帶只紉蘭蕙衣惟製芰荷峯環貧士堵谷繞
碩人邁以日如增線而年似擲梭餌無徐市藥揮少
魯陽戈剩有丹心炯徒添白髮皤重華新日月肥遯
舊巖阿草莽聞皆起塗泥分久蹉忽膺東海薦猶恐
北山訶文豈成翻水書難作辟窠痂乾偏嗜好灰冷
欲嘘呵艮友紛攀柳
清時勸發軻轍因如火急冠遂輿纓戢遠舉身同鳥
長征力仗騾據鞍猶馬援遺矢未廉頗願接䍦嗜㱃
來賡紉纓歌
龍飛眞浩蕩畜負忘幺麼隨例趨

丹陀連名謁玉珂倚乘朝氣鏡何減壯顏酡粉滑幾
雙摺油濃墨一渦羽陵書穴蠹孔壁字盤蝌芹纂傾
心獻松雲逐韻哦賦成斯足矣詩就不遑他薄暮當
窗牖輕寒到帢韝風高頻扇蠟月暗未升娥便恐眸
生翳還疑體抱痾江花才欲盡祖雪意無多詎望金
蓮撤空勞鐵硯磨戴星辭桂栢橐筆走陂陀息影寒
山子驚心春夢婆且淹霜後柏待長路旁莎裘趁蒙
戎媛裝仍款段馱好歸江上櫂重理牧時蓑貰酒從
焦革栽花問郭駝隴頭聽擊壤水面看飛梭鏡對衰
容笑書逢老眼搓餘年隨磨蟻幻景任籠鵝穩坐耆
英社高吟安樂窩太平

堯舜日耕鑿飫
恩波
錢唐汪沆罷後館於津門有感懷寄余及星齋次風詩
四律
魚鑰傳呼啓禁門曈曨紫殿上朝暾
天題擎出黃羅匣尙膳頒來白玉尊威鳳自應棲閬
苑枯槎無路覓河源至今剩有觚稜夢終戀
君王一飯恩
天池接翼看囘翔鈴索時聞響玉堂垂幕夜然官燭
豔堆牀晴曬賜書香一時中祕抽金管共說羣公富
石倉努力置身清切地莫言報國但文章

蕉萃津門又隔年東華悵望樹如煙幾番中酒燒燈
夜忽漫懷人掃雪天玉蕋聲中悲晼晚梅花風裡負
延緣蓬萊祇合神仙住自悔空乘弱水船
小部當年記盡籙爭誇文采盛東南清歌夜館牋同
擘細雨春簾酒半酣往事尋思如落葉此身無俚過
眠蠶寄書休怪嵇康懶我已而今七不堪

山陰胡天游次韻

嘯破西風下海門要看鯨尾跋朝暾歌長不覺青天
小道在應知白恰尊一世功名成廣武幾年文字笑
陽源舍人早擅投壺巧合是西京最受恩
眼看雲際赤鳶翔紫鎖曾摩石劍當上下御增麟篆

熱微吟會帶鹿牀香湘蘭雨暗青楓寺苑樹春歸細
柳倉誰解金龜堪共醉風流空憶老知章
宮井桐花奏賦年燕關柔葉薊邱煙秦山好去非無
地楚筆狂來莫問天鷓鴣調高元有恨琵琶絃急更
無緣祇知不得文章力枉被人呼下水船
相見春蒲抽玉簪相思梅蘂凍江南日車壯士翻難
得冰柱豪唫鬬莫酣一禰借藏凝抵虱九絲遲蛙[illegible]
于蠶封題為報漳濱客等似維摩病未堪
山陰周大樞次韻
春風才子別青門悵望
京華上曉暾被褐敢論懷璧貴連城辭信擁書[illegible][illegible]

摩黃鵠非無路水問桃花未有源一自長楊成賦後
不關東馬獨承恩
金爵觚稜映日翔揮毫爭向集賢堂黃麻捧
詔蛟龍動玉粒頒
廚雨露香魚鳥繞雲排八陣山川畫米聚千倉蓬閣
纖爪空機杼輸與天孫有報章
日邊彈指共經年蕭瑟秋空散暮煙碧海奠嗟迷閬
苑瑤閒終擬奏鈞天未妨詩酒供行樂見說神仙注
宿緣五夜滄津虹貫月憑誰相覓孝廉船
津樹遙遙碧幾簪微茫煙水似江南心爭白日功名
晚氣戰秋風嘯咏酣鄉思若應看北雁歸愁我亦困

春蠶倦游莫起飄颻嘆典冊由來用最堪

天台齊召南次韻

一春消息阻津門每向東風望曉暾長自隔年勞寸簡何當對席理清尊名山枉負靑鞋約異域猶尋黑水源時纂雲南志書應是故人深念我醒狂多恐忤平恩

雁序天南接翅翔雄師筆陣最堂堂由來我輩顏應汗吟到君詩字亦香玉府暫看遺楚璞鼓文終自顯陳倉三秋更有

求賢詔

聖世長垂雲漢章

吳山顧曲記當年纔落春燈禁煙細雨溟濛畫客

夜徵風料峭養花天清歌共對樽前醉高會詐知夢裏緣今日天涯萍散盡如君還近潞河船厲太鴻沈幼牧周青璐張介石諸子旋漸多時

檻外微茫列玉臍江南山色借淮南諸公不厭壺觴數豪興偏矜筆墨酣花滿春堤移畫鷁草枯秋冢問金鼇奚囊多少閒詩句慚愧重遊尚未堪兼懷閔廉風諸子

西安申甫有送汪師李之津門詩

草草離襟悵不舒尊前聊復弟兄呼城邊西日上寒樹門外北風吹蹇驢客路蕭條多聚散詩人流落滿江湖不應更觸鄉心動花塢何年穩卜居

又有送厲太鴻歸錢唐詩

戶外紅塵插腳難爲誰牽率踏長安壯夫自悔雕蟲
技名士人多畫餅看我輩不妨還作達先生何必定
爲官南歸正有千秋業莫戀漁蓑與釣竿
新建尙廷楓有送厲太鴻詩
層城搗練北風微送別沙頭淚染衣四野夕陽羣鳥
散萬山秋草一人歸新霜已見鬢絲改中歲徒傷心
事違湖上舊廬終隱得幀桐汀柳尙依依
武進劉鳴鶴有送吳檠青然返全椒詩
東南有名士屈指推延州兗懷璠璵質內美申姱修
風雅吾所師卓犖誰與儔誦君來儀賦藻耀雲霞侔
雝雝和其聲律呂揚閎休上林木扶疎衆禽鳴啾啾

霓輝欲下之天半風飈颸振翮抗長往迴翔復淹畱
逝將返丹穴浩然息天遊羨君富文采意氣感應求
況逢軒皇代上瑞寧終幽丈夫不得志一躑安足憂

秀乃水萬光泰有送吳二縈歸全椒詩

名家吳季久知名偶賦長楊謁
上京鳳舉魚潛皆宿命敢將落紙誚雲卿
齊梁文物黯然消路抵南譙見北譙今日君歸貢職
暇澗西又好辨春潮
到日山梅應竹扉寄書猶及雁南飛世無蠶尾尚書
作莫著全椒道士衣

洛陽張雄圖彌山康生河東總督平越王公所薦世有

醇行下第後劉鳴鶴送以詩云

中州碩士八倫師古心古貌世所希我來
京華見恨晚時時過從心相依君家百忍傳同居先
生醇行舉國推更兼詩才似張籍淩雲健筆何紛披
得失浮雲幻蒼狗萬鍾于我真何有知己盟心道不
孤雲夢胸中吞八九忽來告我欲歸去我心先到君
歸處慢作長歌當贈行珍重來期慰情愫

泰和梁機仙來有寫懷二律留贈新建裘曰修叔度其
掌教書院時執經弟子也

北山採藥鎮銷憂西掖摛毫漫應求雞肋那因遲暮
惜鴻痕一任雪泥留樓頭自由來隱門下康成可

共遊早晚桃花得意後懷人試泛五湖舟

清談聽盡禁城鐘跋燭交花落翦紅奴倦懶司棋局酒人歸共嘆馬牛風家遙能返身常健金盡還來道未窮盛事相期爭不朽西京詞賦若爲工

秀水朱裕孫龍後踰年由潞河歸時錢唐汪沆秀水萬光泰皆館于查氏爲設宴水西莊限豪寒二韻送之

木葉下亭皋西風吹紵袍九衢淹旅食三板急歸艘芸閣遺書在荷池結屋牢還家一杯酒揮手謝羣豪

漂榆城北路惜別駐河干葦岸鯨波落津樓雁影寒往來成晼晚去住共艱難祖德芬應述胥君衷未刊

以上汪作

相見卽相別遄征何太勞歸心濃似酒野艇小於刀把袂西園晚迴颿北海高經行多勝地爲我問賢豪昨歲經過數相依秋正單賦詩金殿迴走馬玉河寒早食從朱穆深宵共李端靑袍依舊在回首惜汍瀾以上萬作

錢唐厲鶚有十月十三日接葉亭再別金繪卣金壽門符幼魯全紹衣王載揚申及甫汪師李詩

醵飮非關醉浩然唫復唫客心如落葉遙夜感羇禽文史耕漁用春秋保社尋明朝驢券後一幅寫寒林

秀水祝維誥有接葉亭小集送進耕石厲太鴻汪師李

南歸詩

暮色壓簷際離筵聞短唫朔風感游子霜月叫寒禽騷雅竟誰屬交期可重尋臨期試回首雲影蔽高林

會稽周長發有贈汪沆花塢卜居圖即送歸武林詩

漸江三載編圖經雙清梅石栖古廳西堂吳越集八士對牀風雨燈熒熒蒐討散佚補山水手披壺觴無兩停就中汪倫最沖澹心如止水何淵渟得暇便與鬬詞翰勢如萬斛傾滄溟有時撥愁恣憑眺小沽濁酒揚湖舲散髮名園探麗藪高歌舊曲聲瓏玲與酣耳熱意颯爽呼到儞汝皆忘形癸丑制科下明詔翹材闢館羅巖坰偕赴省試上元後打頭雪片

飛鵝𩝐寒宵歟嫁管呵凍達曙霽色明窗儒我
皐膺圖巽命渥公東雲集趨大廷月賜農錢佐膏火
榮叨稽古酬囊螢同時名噪五徵士儗居接葉城南
亭刻燭擘牋少虛晷抱憋嫫母隨尹邢九秋
親試保和殿曈曨曉日開重扃與君獻策喜接席脫
稾雒誦如翻瓶賦聲擲地作金石筆陣走銳驚雷霆
文章絕世憎命達誰乎阨君天所令美人香草慣謠
詠坐使未嫁酉娉婷縱有聲價冠儕輩邪堪蹤跡仍
飄零牽蘿補屋好身手浩然決計歸西泠煙嵐千嶙
壘蒼巘玻璃十頃澄芳汀結茆幽異有夙嗜數椽卜
築依雲屏梅花萬樹滿漾塢霏微香雪摇寒聲蘚痕

簇綠上堦綠草色鋪毯圍簾青積書萬卷手校勘艱
心孤詣窮冥冥杖函一昔奉樊榭歸然魯殿尊典型
名山著作在師弟定多慧業圖真靈他時歸訪讀書
處胎息還與鈔黃庭

錢唐金文淳亦有作

西溪溪樹煙濛濛花開十里香春風烏篷白屋足送
老無端插腳紅塵中朱門不用釣竿手萬卷撐腸亦
何有殿前作賦徒爾爲抽得閒身泥濁酒濁酒一杯
聊送行寒林目斷溪山明凌兢瘦馬馱客去計程到
及春花生我亦江湖舊徒侶花落花開幾風雨蹇驢
席帽聳吟肩太息而來不同去披圖清夢落花邊山

色花光兩悄然他年與爾謀三徑雪滿前溪好放船

新建尙廷楓亦有作

高月弄明色惠風揚遠心西溪水流淺香塢春光深

我友欲歸隱結廬在峯陰因思飯僧後臥看梅花林

錢唐符曾幼魯有送趙信意林還山詩

落葉西風黯不禁無端煎迫別愁侵半生竟作銜蘆

鼠一夕徒成繞樹禽殘柳送君臨野渡冷杯獨酌對

秋陰遺琴抱向空山哭何處絃牙問賞音

意林有次幼魯韻留別諸同好詩

離懷此夕最難禁況是風霜著意侵無戶可棲歸路

雁多愁惟學不言會早知春夢眠終醒已卜南華樹

有陰盧聞遠峙誰見僧欲飛一笑類翰音

又用前韻酬別兄昱谷林

半生積恨毎同禁愁洗霜華鬢已侵野性何能逐梧鳳閒身只合伴山禽且歡今日春萱茂好護他年叢桂陰莫爲塵喧久羈戀西湖泉石有淸音

谷林次韻

我住君歸淚不禁燈前一掬酒杯侵巖來破夢藏蕉鹿輪卻還山倦翮禽洗眼風軒看竹色閒身水石臥松陰琴材寂寞中郎遇千古空遺焦尾音

天涯遊子意難禁獨返南轅風雪侵事去蟄蟲憐屈蠖歸來烏鳥感靈禽尋詩舊蹟金臺冷貰酒寒冬燕

市陰誰共覊人經夜永鄉心時逐雁淒音

汪沆次韻

西山雪後結層陰曉裛唫鞭痒不禁燕市難忘燈下醉柯亭誰賞爨餘音笑歌白髭緇叢帙坐看黄梅嗅凍禽便是殘年歸亦好絕勝十丈軟紅侵

予與其兄弟過從尤密溫經研賦未嘗不偕館予穀子惟予所取求故諸徵士錄别皆作數日之惡唯意林獨黯然銷魂也有詩亦依前韻

躑躅寒街感不禁西風回首别愁侵荒城雪大藏行騎鄰樹月明空晚禽去客無心共斟酌天公有意費晴陰何時歸到南堂館看爾新題發妙音

新建僧超[illegible]亦有送意林詩

野鳥生樓浴鳳池國門攜手不勝悲故山松竹情元
厚
聖代文章道豈衰塞上風高雙雁急江南天闊一帆
遲重經淨慧論詩地七寶莊嚴問是誰

臨川李侍郎紱有送意林序

雍正十有一年
世宗皇帝特詔開博學鴻詞之科令在京三品以上
大臣在外總督巡撫會同學臣薦舉人品端純學問
優贍者應試蓋自康熙己未召試距今垂六十年矣
事嚴典曠中外相顧莫敢先發踰年河東督臣舉一

人直隸舉二人他猶莫有舉者
特旨切責諸臣覬望又踰年大學士高安朱公舉四
人而封疆大吏所舉猶趑趄不前
今上登極再詔督促余方蒙
恩以久廢起用官戶部與仁和趙公同為侍郎其從
弟意林來謁投南宋雜事詩七卷同賦者七人人賦
百首而意林與其兄谷林並在焉詩七百首隸事至
三千餘條其學可謂博而辭亦可謂鴻矣亟欲舉意
林應
詔意林顧辭讓謂公誠有意願舉吾兄賢哉讓乎世
人急名利小得失走若鶩博學鴻詞大名也中郎官

清華大利也獨以讓兄豈易得哉余未識谷林止見
其詩然能致其弟敬讓則其能友愛可知二趙子詩
筆如彼學問固優贍而人品豈不亦端純哉因舉谷
林以成意林之意而意林旋亦被舉明年天下所舉
士集
闕下者百八十餘人
天子臨軒親試之執事者猶持嚴重之意僅以十五
卷上
御覽二趙子並報罷蓋取數隘視己未四之一耳己
未三取一人而今十不能得一也未幾意林來告歸
願得贈言余謂博學鴻詞以實不以名有其實雖不

中猶中也韓文公三試於吏部卒無成然唐之中是科者其學與詞未嘗敢加於韓公子歸益勉其學充其詞不遇固無害況無不遇乎

蔚州閻介年葆和有感懷集唐二律

幸有歸山郎合休(崔塗)石門斜日到林邱(杜甫)情多最恨花無語(鄭谷)事往曾將水共流(羅隱)誰道高情偏似鶴(方干)解偷閒暇不如鷗(韋莊)人生豈得長無謂(李商隱)漫費精神掉五侯(羅隱)

春草如袍位尚卑(白居易)諸侯力薦命猶奇(張祜)長疑好事皆虛事(李山甫)懶欲今時問昔時(戎昱)慷慨莫誇心似鐵(劉兼)進趨何必利如錐(杜牧)三年奔走空皮骨(杜甫)冷笑

行藏祇獨知李咸用

汪沆有送張懋建介石還甫吉詩

野鶴無心出海濱遠從京洛染緇塵著書早等黃文潔歸棹還隨賀季真別酒此晨頻執手停雲他日倍懷人終期宣室陪前席莫向空山學隱淪

仁和金德瑛有送張少儀歸吳門詩

西風日日送賓鴻遊子經秋興已慵上國不羈千里駿故園去對莫釐峯停舟前浦潮生晚策馬寒林葉落重幾度燈花驗歸夢老親望遠倚孤筇

太湖山似舊崔嵬紫蟹黃柑勸客回行轍總隨鴻爪滅短籬還見菊花開頻年懷抱看詩篋萬頃煙波入

酒杯結社雞豚貧亦得他時容易說歸來

嘉興朱荃子年亦有作

一樽濁酒又臨岐正是長安落葉時多難自傷為客輩

早有才寧論得官遲雞聲旅店驚殘夢柳色津門指

後期珍重年華須努力倚閭人未鬢成絲

仁和沈廷芳贈別張少儀

青山明以淨白雲凝復流驅車歷清遠折柳臨蘆溝

送君酌醇酎南浦思悠悠君實天下士意氣淩滄洲

少年急父難至性追前修聲名動

京國傾倒王公侯久之事終釋奉父靡不周羣謂顧

挺出霜鍔看吳鉤一第既蹉跎見徵仍未收乃復抱

舞集叢蘿圍入遊薇蕪縣來遊頻爲昔書叢故會乞
月夜省覲歸吳州怡顏處予舍誠足紓親憂慎勿發
感慨高才登沈浮傳昔訂縞紵庚戌之孟陬兩人各
多難登驛俯蒯撥事往已十載心悸長含愁我今蕭
何怙君侍雙白頭樂境在庭陔正須戀林邱葆貞養
時垂鷹隼翔高秋酒酣黯然別斜日風颼颼
武進楊煜會吾三在吳眉巷少司馬座上和陳太史燕
窗歌韻送歸安王起鵬翀如之官清澗
和風偏拂春明門我友欲住王程教爽官熱腸歸昇
甕火輪市地成燒痕焦窗小集最幽雅爽如新沐曉
朝暾一方淨綠照四壁竹林蘚篁樓沐魂簷前垂柳

綰離恨無計結伴尋花村三年契闊各持誦兩地鼓
鼻時多噴服官少暇知爾猝挾策被放慚吾愲吟壇
酒社盡闃寂此座屹若蝕光存醉餘抵掌百不憚吾
舌尙在誰爲捫一錐莫辦倚地軸雙蹴欲擧排天關
窗閉主人擁獨坐不軒不冕邱儔侖談詩刻燭啜淸
醲放眼一任渾河渾長篇短句日投贈鄰架五色如
雲屯我來不厭百回讀幀幀嗟賞忘饔飧欲呼王郎
共唫玩征車一去如追奔天邊縹緲見雙舄日下驚
躅憐孤豚莫因憶我損懷抱五夜悶擊秦人盆燕雲
渭樹各千里千盤鳥道迷絪縕我從窗下獨宛轉此
心如卷連朝昏湟中夢覺本無鹿豈復敢作靈蛇吞

君持瓣香謁師座汝南月旦高評論且期再來共函

丈相與促膝傾芳樽

天台齊召南次風山陰胡天游稚威同安梁陽宗伯所

拔分最密次風以家累自淅中至稚威贈其移居詩云

柏松殊貞柯貞榮一令性金玉本同姿堅光含奇映

世俗苦飴濁賢八去疵病千尋出聳拔秋霄壽高勁

齊侯礪砢意眞率我所敬波瀾學流闊筆起嶺雲勝

懷祇無文辭相如缺裁正端然過前輩理實心轉靜

往時長安邸相見臘初凝聲名早云收嬌翔始應盛

道從芬香親常喜蹤跡並幕府頃無事飽食已屢竟

分談是所挾勞苦持諫諍君子義有適鄙夫懷其柄

方圓非岨峿苟同安取合腸爲疾惡剛契非私言剩
何知齷齪胸終日西淖濘三年何書宅詩篇積嘲贈
對若啼樹烏鳴聲必相應人生若紛紛迫役從所命
飄如兜羅鞴俄然易庭徑莫料聚散時世途久多更
遠懷蘇李別塵沙絕音聽近者憐庾徐書札空蹭蹬
良友昔誠重後遇誰從定猶欣畏壘居未絕蓬蒿境
雖非南郭牆庶復鄰依孟春林感華浚霜晨怨陰凌
相期敦所堅古色無虧瑩

次風答詩

天地重文章齋吝乃本性千古止數公磊落遙相映
眞宰握錘爐烹鍊出貧病彩發雕喬奇質過金石勁

同時或見輕閱世轉崇敬園池易改移始悟山水勝
繁星避皓月五緯色獨正洪潦方喧豗崖壑為不靜
安知萬里河應候解堅凝流轉天分光波瀾海爭盛
一事我足豪生與胡侯並示我所著書四歲讀未竟
心為造物蠹手與古人諍神速走兔毫縱橫揮塵柄
萬里嘶秋風百卉吐春令浩蕩氣有餘鮮新意無剩
迴覩諸子作局促步泥濘辟蘿山鬼棲芙蓉美人贈
絃因燥溼殊管豈雌雄應靡靡稱元音紛紛各自命
疇當鞭雷電罡風持塗徑健可五嶽搖迷使重雲更
高妙奏英咸鏗鏘洗群聽君才眞卓犖際遇何蹭蹬
韓筆及杜詩不朽早已定況居會稽山坐臥靈仙境

富足傲晉楚貴豈羨趙孟鶯鳩自笑鵬夏蟲終疑凌
磨崖刻我歌久遠煥貞瑩

黑璃秋興二首

抱膝高歌梁甫唫秋風無夢到山林乾坤事業空千
載今古文章只寸心晴色滿天蟋蟀鬧流雲映水雁
鴻沈杜陵有興渾難遣何處黃公待一尋
西風應是遍天涯開滿池頭白藕花有意不關沙上
鷺傷心難訴樹間鴉醉鄉記著無功隱輞影還驚兩
鬢絲老景那堪對蕭瑟平生迴首恨空滋

武進吳龍見恂士有初秋感懷用吳梅村韻寄諸同年
四首

欲消殘暑已秋風華髮何須怨不公夢繞湖山孤枕
外身辭
魏闕五雲中吹竽客去空梁燕問字車來絕塞鴻漏
水銅峯原有約安排蟹舍竝牛宮
毘陵夜發愴征夫幾日蒲帆戲社湖身世波濤容水
馬生涯蹭蹬逐檣烏風流江夏新詩伯慷慨元龍舊
酒徒回首淮黃輕涉險柴門把釣失良圖
雲谿背郭草堂開三徑蕭森屐印苔薜荔煙深花欲
盡梧桐雨洗月初來當年白紵傾南國此日黃金訪
古臺慚愧浮名成底事吳公空識賈生才
一天涼影渡銀塘書幌寒侵葉滿牀調膳正宜依子

舍懷香還憶過宮廊文垂雅頌輪君富跡混樵漁恝
我狂拙宦無家唫嘯穩籃輿同昇有諸郎
奉天王長住蘭谷世居遵化州馬蘭峪時為
景陵茶上人秀水祝維誥宣臣奉陪淳郡王謁
陵輿之款洽有贈詩
王郎才調眞孤標清姿炯炯離塵囂去年應
詔抵闕下獻賦不遇歸無聊擁書閉戶獨偃仰四圍
山色如青瑤我遊京國久失意汗漫東西少同志芒
鞵偶踏林谷間物外相逢欣把臂五陵松柏千丈強
淩雲之氣誰頡頏幽居苦無儕輩至為我置酒歌慨
慷舉杯屬君勿慨慷眼前何用虛名揚但得文章足

千古一生用舍隨行藏況今
天子甚明聖旁求草澤行將更貢材豈遂老巖阿完
璞終須待徵聘獨慚余髮星星白尚向諸侯作賓客
有書可讀未還家歲聽春山啼蜀魄

又有留別蘭谷詩

漫落生涯逐轉蓬敢將貧賤傲王公萬山留我逢今
雨孤劍隨人老朔風知己有心何礙遠干時無術莫
求工臨行更向金臺望燕樹吳雲兩不窮

奉新甘不周書南歸留詩奉別李宮詹二十四韻

今日文章伯雞壇獨主盟普天瞻積玉下士仰宵崢
痛哭無知己淒涼見友生謬儔佳賦在難述丈人情

自昔麟長往因之鳳不鳴王風時遞降儒術竟蹉跎
屈賈興高壘班揚建赤旌兩京旋綺靡八代益縱橫
韓愈吞舟篆歐陽擅壘兵用瀾無汎濫軋茁絕鬥爭
此道誠難起千年孰再賡金鏗衡斗麗玉燭照階平
朝老歌金石高贊和瑟笙校文耕說異拔士篤肫誠
品以貞而峻才由道自宏澤非含礧砢山潤抱瑤瓊
拜謁時揮麈問談更析醒憐才及後輩屬望快崢嶸
頭角曾何見之而愧未成十年射策侶五夜泣珠聲
辛苦輸轅質艱難道路征欲將詞感
帝妄想御調羹驥伏仍乘涙鵬摶莫問程酸心藤笈
敝潦倒葛裘更但有揚亭字偏矜蔡枕衡齒牙懷禰

朓聲價重韓荊泰岱輕邱垤黃鍾郘籛箏何當邀犇

喝一爲靜喧囂花樣輪時章雲心付玉京歸吳同沈

子去洛是盧郎梅屋懷招隱芟田話耦耕尚思登碣

石極望渺滄瀛寶筏眞堪濟丹梯庶已呈青雲如許

附終不愧孤榮

又有別陳京兆木齋先生詩

帝攬鴻才貯國華汝南月旦謬稱嘉忻留爨火梧桐

木媿負春陽茉莉花秦苑草深迷北馬炎江本長汎

南樣歸來敢忘懷風義絲綸平原對客誇

又有送南城鄧士錦還粵東教授任詩

宮城歇微雨碧草含清煙游言折楊柳送君當夏天

君子崇令德皎若峨嵋仙昔時飲香茗幾經歲月捐
今來閱面月曾不須臾閒徽文蔚金繡修短穆璣璿
枉爾鶴書徵儕珠沈龍淵慚余若小雀顧影徒相憐
粤陬詎非遐勉君在此還俯箐流教澤乃令吾道堅
結軫向西郊揚鞭臨廣川倉卒執杯酒沾脣不下咽
新篇爲由覲妙理未及詮薾疾困故紙藉君解糾纏
忽忽君遠去持茲竟莫宣但當瞻雲樹思君珠海邊

武進劉綸有送桂馨元夢歸震澤詩

回首觚稜耿夢思三年同說一襟繼熱腸苦對樽中
酒明眼貪看局外棋羈盡座閒容我輩捉將官裏作
人師皐比冷暖誰相問又是迎秋送客時

青袍被放夜遲遲褒裹阿房喚牧之暈解磨人才未
盡金能買賦格元卑名心尙續神仙傳交道聊存主
客詩何事撚髯成獨笑山塘燈火卸帆時
歸安孫貽年穀仁稟生少司空屺瞻之孫浙江總督上
蔡程公所薦罷後有詩留別都門友人云
細數光陰徒爾爲鄰鄰車馬漫驅馳蕭齋歸去貧無
策儆籠探來富有詩定省自憐千里隔姓名誇道
九重知從今未許塵情繞冷淡山巓共水湄
逍遙何必勸加餐疏食由來只一簞破甑不須回首
顧醜枝誰復舉頭看鳴琴本惜聲音淡照鏡原知骨
相寒莫道泥金便可喜好書兩字報平安

風雨離家憶苦辛重尋歸路豈迷津難將面目酬知己易把肝腸說向人對酒何妨邀阮籍讀書早已薄蘇秦故園頗有梅花古靜對寒香養性眞

一認西山爽氣佳軟紅塵裏整芒鞋揮毫已幸登金殿飽飯曾經拜玉階此去漁樵同活計算來詩畫是生涯山妻稚子賞庭綠濁酒消晚足解懷

郃陽秦幼湜逕諸生陝西巡撫碩公所薦年五十餘矣古詩朴老疎硬似其爲人攜其子詒謀徒步二千里入京臥病空館不堪其苦同人稍醵金資之去其留別南匯劉鳴鶴五言古一首云

遊人去京國屏營竚衢路不畏太行險依依在情愫
與子桃李場結根金石固忽如離羣馬一嘶一囘顧
念當秋節晚零落隨音樹失意幾微間風波共迷渡
頓令形與影千里睽行步人生亦何常誰能量去住
譬彼明月光弦望因時數願言各努力毋以年景暮

山陰周大樞和而送之

秋颷滿長安落葉飄中路相見一相憐拳拳輸積愫
蘭臺集衆美劬手論駉固蹀躞盡龍媒孫陽欲誰顧
長嘶返故關寒嶺穿秦樹素滻流舒舒斜陽銜影渡
惜別為君唫攜手北梁步同是天涯人子去余猶住
吾道匪艱難榮枯信時數舉國行復推無為憂日暮

劉鳴鶴亦有和詩

同心半雲散寂寞京華路予行我獨留何以慰衷懷延州倜儻八葉（謂吳）清河膠漆（謂張同年圖）相繼辭金臺掉頭不肯顧秋氣漸侵衣風振蕭蕭樹易水將欲寒公乎急須渡兮予相追隨無憂遂箸步告我駕驪駒我云君少住永此朝夕間三杯論酒數愧我無兼金贈言慰遲暮

山陰胡天游亦有送秦幼湜歸郃陽詩

相士常苦衣相馬常苦肥古來豈不然莫謂今更非秦士獒舟來超乘爭騰希自許一戰霸空振千鈞機仍將片葉身獨向灞岸歸霸陵夜雪深南山奪光輝

句芒遲遲春倉庚鳴不違浮雲浩茫茫安知所從使
謖謖秋樹林下有雙石扉青火閟逸竹亦足忘寒餒
去矣勿嘆吁各自從風飛

秀水萬光泰有送泰二涇歸郃陽兼問田秀才荃生詩
匏鑄本異器磬管非同儕一朝良會合具言聲律諧
自我騖皋路得升君子階縞贈雖未多嚶鳴稍已該
況當摧頹節羽翮兩無猜黃鵠志四海元禽念九垓
交非結髮期誼從傾蓋推歸時見田叔為我問蒿萊
涇因復作七言律留別

山風蕭瑟水離離寥落晨星四顧時鴻雁有聲聯斷
陣黃花無計戀新枝還家我豈垂垂老去國君應故

故遲從此燕臺重問訊渭天春樹幸相思

錢唐汪沆有送厲鶚進雲龍曹庭樞南歸詩

送客仍爲客悽然動越唫空亭餘落葉獨樹感棲禽太息青門去相期白社尋息壤吾不負卜築傍雲林

又有送周琰還蕭山省親詩

盧溝橋上望征塵爲爾臨岐一愴神待詔空齋三月虞誅茅難卜兩家鄰但依慈竹長無恙便合名山老此身我亦懷歸歸未得白頭愁殺倚閭人

懷寧李葂舉鴻詞不第盧副使見曾贈以詩云

才名誰似杜樊川楚客清詞皖上傳心折阿房終下

第那能不愧武陵賢
山陰王霖詞科被劾歸里頗有田園之樂感懷十律傳寫徧遠近同縣胡國楷敬方爲禮部主客司主事詩才敏麗日下少雙有大韻詩工力悉敵在吾曹存稿中今不錄

憶從淪謫墮八寰年少疎狂老更頑有酒盡容常日醉無錢落得一身閒靜觀消息時參易倦整心情亦愛山世事紛紜蠻觸鬪誰成誰敗不相關

辛勤機巧郎多憂本分何如懶拙休掃地焚香教赤脚典衣沽酒屬蒼頭棋難出手愁強敵唫怕雕心倦冥搜向說與君渾不信如今眞個是魚鳩

匳鏡多時不拂塵驚看面骨瘦嶙峋獻詩會上
金鑾殿歸老誰憐白髮人自斷此身爲長物前途何
處覓通津我生榮悴皆天定牛衾箕張詎有神
莫莫休休但信天天教頑健敵神仙敢誇詩有驚人
句不根囊無役鬼錢紫蔕湖菱霜後脫紅芒杭稻雨
中鮮殘年飽飯常教喫自在嬉遊鼓腹眠
鶴骨稜稜瘦不勝胷中豪氣失憑陵故人已作黃扉
老末路初逢紫閣僧身外功名同塞馬眼前毀譽等
秋蠅行年修短何須問自笑原無蔡澤能
莫怪先生腹慣枵誰能碌碌度昏朝乘軒常笑鶴丞
鶴捕蝶還慚李勝貓無用自難兼木雁投閒端合混

蕉蕉告來處有金銀盡不媿圖譜與插貂
杯盤隨具有規模留客殷勤日未晡放學兒歸數尚
指比鄰酒熱不辭沽霜螯手擘生糟蟹雪縷刀鳴細
膾鱸喚取大馮同一醉瓦盆擊節唱嗚嗚
花下尊前足唱酬水邊林下恣優游早年丹桂曾兩
折老去青山宵獨遊月白五雲溪上夜霜紅三竺路
傍秋不將家累爲心累禽向原來是俗流
種種頭毛逐漸增長繩難繫日騰騰才疏枉被囊見
誇命薄虛疑造物憎自悔從前三不戒豈知垂老一
無能怪君對面常欺我宵道同時便服膺
第一橋頭上野航淡煙斜日滿湖桑梅尖舊識仙人

聖鑑曲重尋道士莊鱸背銀鱗微點墨橋苞金彈殘
抽黃百錢昵就當壚飲爛漫君當恕老狂
試後將歸集杜甫別予云
當代論才子先生藝絕倫奮飛超等級鷹隼出風塵
文彩承
殊渥愚蒙但隱淪圖南未可料回首大江濱
新建尚廷楓有秋日即景送雨豐還越詩
青山一線穆陵西秋送王郎返會稽煙沼敗荷飛鼠
下風林繁栗野猿啼相憐蹤跡同羸馬轉誤文詞是
碧雞三十六峯天子鄰棹頭眞擬赴高棲
錢唐汪沆有同劉雪村懷雨豐詩

燕市分襟各黯然柳橋歸去倏經年上番看長梢欄
竹下溪覩耕負郭田羅隱有詩傳甲集方干多病老
桐川縱教未領芝之香局贏得南榮自在眠
每有西風愴客懷薊雲越樹影難偕梅廳向記花黏
席山寺同遊蘚滑鞵兼筆一時推著作論交小友忘
形骸酒入獨喜劉乂在吟寄相思遶古槐

詞科餘話卷三終

蕭山周琰西序貧居奉母畫護壽圖乞言宗人玉章送其南歸有詩

護堂八十強有子能竭力啖名夙相誡硯田甘守默求賢下明詔眞來北山北絕裾寧忍爲郡縣奈迫遏亦懷捧檄喜庶幾不家食待奉榆翟還一慰敬姜織豈謂九萬程仍作六月息行役苦相憶予季嗟屺陟雖無齧指痛脂車歸孔急河下三百灘猶足事稼穡曾聞尹母言祿養不如色桑榆樂遲暮時邁齊豐嗇欲爲召畫工斑衣添侍側

長沙劉暐澤芳久以四川宜賓令被徵旣罷祁陽鄧麟

華方伯有送其還任詩

今朝南去易蜀道古來難十二巫峯裏風流寄一官琴聲飄韻遠鶴夢抱花寒明歲北歸雁煩君寄羽翰

烏程嚴遂成嶽瞻爲上蔡程夫子首薦未幾丁內艱不與試予嘗寄以詩

一試驚傳賦手新詞科才望迴無倫劉屏獨枕寒廬臥絶似前朝法若眞

下田聞少漏蹄牛不浸湖波也自愁水風怪來芳訊杳只監三十六梟漚

客窗苦憶衮師兒卯酒朝酣晚飯遲乞得家鄉鼠須筆詩來渾似醉來時

新建夏之翰知畏試不得志作砥志賦

念余疇昔之好古兮廢寢食而徬徨望前修以追逐兮思參讚而茲行曾不知力之弗及兮志有極而無窮指崑崙以為期兮調余馬於扶桑豈余身之獨謀兮覽民德之是常歎三古之大邈兮何蕭艾之莽莽自嬴劉之蹶興兮代與代其遞序棄康衢而不由兮羌何樂乎險阻途既岐以希合兮譬適燕而轅楚雖美人之孔都兮實余心之所思丕幽蘭以結忠兮懷丹橘而致貽道修遠而子行兮甘繭足而不辭冀情質之見信兮傾余志而瞰之望雙闕之巍巍兮瞻

九重之邃遠詞直而闔不通兮情鬱結而蹇蹇鳳鳥
怨其下視兮許鷫鸘而前引余固知遇合之多艱兮
欲自廢而猶未忍因高翼而重進兮闕伴侶其莫從
徜
闤闠以驕敖兮漫流睇而余哂欲一見而無由兮遥
佇乎吾將歸撫佩衽以躊躇兮疑舜道之或非證心
跡于皇古兮覽余初其信芳彼蔽美固庸態兮曷余
心之可懲嗟歲月之遂邁兮恐操行之弗固鏘佩玉
以規行兮垂礪石以矩步苟斯志之未磷兮吾何怨
乎遲暮諒兩美其必合兮豈求媒而合予儻得之而
弗能兮增吾愧其奚如駕騏驥以遵路兮信古人之

不我欺遑余道於九疑兮拂松柏之長枝辭曰𥓓斯志兮逍遙聊離居兮寂寥盼佳會兮何迢迢思美人兮心煩憂

又有四十初度病中答妻弟裴曰修叔度韻四首

昔年同硯賦閒居一室三冬萬卷餘劇愛丹山翔鸑鷟早看筆浪掣鯨魚蘭滋九畹香漸路槐挺千柯綠蔭除博得高堂賢母笑晨昏定省不曾疎

薦章連日奏楓宸特闢詞科結網新向日難移葵藿性瞻雲猶是草茅身歷纍懸磬罷頻相慰市酒沽來得共親待詔金門昔再上東西南北未歸人

南望鄉園不計程思親夜夜夢江城雪餘老父從南
至春後戀戀悼議北遊計墨五行增留痛河流一路助
悲聲早知祿養成虛語菽水年年無限情
視息人間亦強顏不如飛鳥倦知還身方四十多衰
病喪僅三年又曠闊往既難追憐逝水晚如有遂愛
名山君才當爲蒼生出珍重無忘此世襄
錢唐符曾以憂不與試有感云
叢桂西風欄檻飄幽人盡赴小山招誰知不解憐芳
草依舊空山抱寂寥
歸安姚世鈺詞科報罷有南歸留別四章
一寸心曾冷復溫縱非惜別也消魂無才曾飽侏儒

粟有蔓重排金馬門世上敢言青眼少山中猶覺白
衣尊文章報
國談何彭身在終須答
主恩
井刀割斷繭絲棼茵泂元來命早分三試人憐韓吏
部數奇我似李將軍幾番戀
闕瞻紅日是處回頭見白雲細算生涯歸最得兒教
猿鶴悵離羣
鑾坡載筆氣飛揚自喜雕蟲有寸長紙上忽疑蠅點
璧天邊愁殺鼠拖腸不堪弱體同王粲最是浮名誤
孝章一賦子虛賦庭用漫勞知己費評量

不用天邊指少微縱囊青笠古漁磯平生未敢求溫
飽吾道還堪驗瘦肥汾水西風酒鶴夢壬子酒樓聚載師習中會夢召試體仁閣下王孫舊閣剩荷衣余居趙文敏故址號白蓮花莊隱居我
意殊种放未必名山計便非
閩縣張甄陶館于予同年友柴舍人宅距予寓不數武
朝夕過從投分甚密情性溫粹才亦縱橫謁京師未郎
去有秋懷八首
非關遊子好言愁萬里孤蹤易感秋折柳一聲傷者
大泛槎八月又沈浮山陽月落驚開篋故國霜前獨
倚樓此景爭教人遣得歸心況復人刀頭
玉繩低轉夜沈沈往事無根蕭到心身是然儒三[illegible]

慣思同楚客九悲深明河有恨懸雙杵涼露無聲透夾襟寂寂應介終賈笑壯夫事業但行唫

翹首庭闈萬里餘白雲何處望吾廬不才底日成投筆善病經年累倚閭隨計再拋藝稷黍過江一見問葫蘆撫琴彈曲粱山操四壁蟲聲亦助余

壎箎越國復京華兩地相思總憶家詩思那從驢背得秋懷偏感雁行斜西風動地嘶班馬夕照連天鬧晚鴉擬與鶺鴒拚一醉莫教獨醒更聞笳

驛路青來問遠遊鼇峯一樹正含秋誰與益者成三友欲往從之付四愁芋栗山中惟舊雨蒹葭水際溯寒流夜來記得還家夢蛙鼓池塘其泛舟

層樓迢遞俯清郊每見秋瓜笑繫匏司馬昔惟餘四
壁杜陵今更捲重茆行無定著思尋卜客作覓辭嘗
解嘲一事邇來聊自慰玩心吞下易三爻
遙將縫掖對華簪傳刺思投意轉慚病骨那堪空冀
北羈心祇是望江南侵寒遠樹皆綱綠向晚西山冀
滴藍燕市不愁知己少舊人處處過何戡
獨客支離滯異鄉新豐逆旅此曾嘗聽風莫待青梅
老持觿須乘紫藥芳落拓草元今尚白蹉跎照鬢易
成蒼儒冠寧負聞雞願一劍寒衎门卝芒
甘泉馬榮祖詞科既能了已已未連不得志於春官山
陰胡天游賦長古二篇送之次韻者長洲沈德潛嘉定

張鵬翀天台齊召南臨海侯元經皆擅勝場

力奮欲行不可挽爲我少畱心欲欲語聲未隨日輪沒別思已與江勢徹前年君來我適至長安風暖破冬慘共居城中各背面尺步街逵劃溝坎兩家誰何通騎驛城北徐公實英儁時將名字說魁壘新文一束持對覽幽營祕側聘天巧上襲高宮下元窅仙人翔羊遺衆族滄波明月相濯澈是時狂呼惱鄰舍夾如溝颷掃重靈逢逢白雲一南北相思欲寄無蕭萏今年闈門走席帽喜子千里來頓撼客能凌轢急爭過脫遺曲揖手前攬美鬚髭髭偉且俠傾似燕趙壯頤頷南州風纖氣孱媚崎嶔獨抗鄰阿匼雅排堆垤

起帆峰擺洸瀁汗出淵淡才淸力健眸子徹萬夫下
睨光睽眈我懷孤行背時利倔強自許崢心膽早期
志業富瓌瑋略兔荀卿笑神禪安能飴滑走轅熟下
逐徘優共吞噬文詞儻宕聊恣發往遭貽謗來憎僭
信知賢豪定殊衆不論偏嗜同昌歜解分瀾濤指瞑
渤獨珍黼黻輕雜緰囊書取觀如有得試誦未竟頤
屢領雄剸霸羣凌古昔語誇事鉅奚遑敢勸若川止
匆湏傳恐駭驚霆喑鬢髮斯文百年益熊萃果無滓
寶餘櫝欖近者粃糠愈爭篩羣守鋤芸如刻槧橫溢
極委寄無地漫漫垢濁漂塵黕端斯收汝使持要戢
者狂湍從灑瀋由來時俗吁可怪貪饕軒于勝翻齮

買珠市上但留櫝取魚水中會忘槮里人祇慣葵莧
飽牢鼎芳烹怯咀啖靈芝煌煌鉏不採轉沃百草滋
翳菴鸞皇衰裒食無處毛羽低頹顏色黔南宮何人
竟謬司蒙蒙豈解辨通闇陌桑搖頭笑樂曲有耳不
待施瑱紞音奇操古宜必棄使汝跋涉卷衣毯朝襃
在路鞭在手酒取滿觴豆盈醢古來窮愁多事業壯
士甚物憂轗軻臭齊味一尋厥類貢入淸漳水流韻
且從兒女畢婚嫁臥足風軒樂忘憾鶯啼已過林樾
大馬首正著楊花糝昔惟慵欣徒眷眷況此春物增
戀感安得從子凌江湖一洗塵埃入煙茭
羿弓勁爭白日挽蛙井樂無東海欲春秋盤與蟪蛄

說波浪但借鯨鰲徵物情小大信天授世論有無非
我慘一生不解錐餐壺終古何由海藏坎深釜霧苦
豹甘餓槁壤梟黃蚓能饞使蛇憐風那許得以稈當
鏡安取覽出門不見刀割塗鬭食時聞鼠鳴鵲入驚
馬背或且腫獨憐衣垢思劇潋乾坤未肯迴清新雷
雨正待驅陰霾幽篁公子荔女蘿彼澤美人蒲菡萏
國風比興久寥落屈原離騷絕幽憾瑟懸清廟誰一
弄棗擲小兒心競攪可憐豕腹昧形態詎識用須羞
頰頷紛紛邪謗驕俗唱佖佖梘覘工婦儉清所何嘗
悅牛聽鹹鼎方笑烹雞淡蟬知抱葉巧自徽鴟工視
夜虛雙眺試將巨細問鵃鵬何異楚越殊所膽寧昔

習兵乃矜戰未嘗學禮敢言禪鶺鴒從來羞鶖遜
馴忍許隨鶖喩仲尼睎文道有在莊生論兵志負情
不應重傷憐截鹹豈有燧類師組歡虹蜺作絲霞作
絺斑斕染廚綵染紃玉珉雜糅翠相易余士同價濕
旬領國中自古吠所怪賢者惟聞勇於敢西施定不
資元楊嫫毋何曾卻囊髮金刀祗用剖瞿所包貢區
容厠櫨欖傖人無非濫覆瓿異語徒然歸觸槧君看
抃山海水立忽爾垂天雲屋戰金支翠旌爭戛觸琳
角星鋋列澄淡竇啼巫唖一噴咳銀霧珠塵積蘇蘢
有時黃龍翰自蜀繞谷長蛇拔如椽雜樹鑱鏗御可
御蒙呼劉累誠堪啖百年清風獨雅頌九逵白日埋

八

寬養何入魁源今古間與物無滌瘢瘡驗立身風惟
恢節行事學更審從昭關譬本豐根盛柯葉如服貴
首先梳梳沐儻彈冠浴振衣夏必扇暍冬藉毯善音
不取侏離調聲味詎以醒醯醢但損湫隘造堂皇會
見清夷出軻轁黃河渠衖千七百大江帶拂瀟灘瀨
固應雲夢吞不足況于溝澮誠奚憾子建休論機上
肉仲文枉拾盤落轇馬佚新篇重貽別期君努力毋
浪感須臾秋氣掃蟣蠓坐見巖松擷葭菼

長洲沈德潛以諸生召試已過耆年華亭王昶庚有詺

共南還詩

掉頭東去路迢迢雲冷靈巖老石寮風月有情講書

紫文章無恙付漁樵昌黎負異空言命正則多愁漫
賦騷他日爲君傳一行華陰不數鄭逍遙

錢唐符曾亦有作

如此行藏一笑歸斯歸誰令管苔磯風塵滿眼惟適
扇林水縈心便拂衣休論文章憎命達但憐懷抱與
時違西風催促還山早依舊鉤簾看翠微

新建尚廷楓亦有作

清砧繁漏草蟲悲相與鐙前話別離堪歎困車多鶴
脛頓憐求鼓失鱗皮入生正合安今日世事何當異
昔時君住平江江水上雪蓑雲艇渺難知

確士有南還口號三首

輶車一兩潞河東回首長安夕照紅無限離情難忘
處西山蒼翠夢魂中
冰雪泠泠太古音枯桐三尺意深沈皇華一曲君能
賞任費成連海上心
遙指雲巖有故廬野人只合伴猿狙自嘲一事輸韓
愈光範門前不上書

錢唐符曾送翁照還江陰詩

依然鷗鷺是同心多向溪山佳處尋來抱遺珠出滄
海去隨落葉擁霜林詩書只合還家讀風月仍敎對
客吟但得此身強健在夢回休更問朝簪

華亭王祖庚家世嗣科一門鼎盛早成進士出宰茂縣

既被徵書旋以循舊丙召謂蓬瀛指顧可到一叢積濟與吳江徐耕石錢唐厲太鴻嘉善曹古謙連袂出都有

留別同學詩

落日金臺晚驅車馬獨東故人千里月客夢五更風薄宦如浮梗菲材覺繫樹長卿游已倦何處是臨邛折柳青門道銜杯話夜闌言歸還惜別此去復衡[illegible]巧拙官俱達升沈命可安槐庭遺舊蔭無忝一經[illegible]

長洲宋照謹涵康熙戊戌進士改庶吉士以撰文忤憲皇帝意革職放還田里同年閣學桐鄉吳公薦復[illegible]京都驟罷得與試當事薦修三禮病卒[illegible]詩云

十

天春氣漸滋百卉茵生欄老幹發萌蘗衰意弄春暉
篔簹頻歲來斧斤競芟夷隙根久受傷踐履亦窘蹙
困時得覽長重難力難支未抽徑寸莖竟至一夕萎
交君方壯年豪氣不可羈坐中無此君錦席失光輝
君亦雅自負談笑撚髭鬚同講三百人巨任誰肩任
旂常載勳業致事工設施斂手不自信到君無猜嫌
事恆出不料斯言大無稽追送國西門有力莫與攀
太息祖帳酒不敢措一辭歸來閉雙戶悲君轉自危
壞牆易摧塌殺羽同差池追我憔悴跡校君遲兩期
相見金闕道握手各豈咨咸穀皆聾耳慰勞徒支離
去年來涼城紅塵暗九逵相逢不相識彼此坐衰顏

猶話少年事飲鬪發猷癡有子長等身赤幟奪禮闈

彤庭還庶士

召對升

丹墀叩門聞笑聲格格閣兩顚厄塞氣壓吐十五年於茲我持老禿管危犯英銳師蹄蹶累千仞敗北卷旆旗來就束髮交澆此魂磷懷入門挂憾幃一碣跟君屍詢病得倉卒無藥能醫治目張涙不落聲咽肝俱摧昔胡爲而去今胡爲而來少壯俱野田老死投客扉屬之運數奇子方長新枝以爲門戶榮君又撒手歸天道不可測荒邈遂至斯落落數晨星行行尹路岐出門無所適談論誰與偕生人有定命造物爾

胡為惟塈庭前樹蔚為梁棟委斯人不可作後起其
庶幾強為達生觀涕淚已四垂

山陰胡天游秋霖賦并序

乾隆丙辰冬予被徵詣長安迨明年夏盡費罄且冬
慨然思歸値涼風散秋霪潦洪集意不自得乃假司
馬長卿董生綴述為賦若夫莊周造論展跡同時於
仲尼伯益著書桂林係郡於山海寓言十九設論無
方故邛竹枯樹之體黃初元鼎之年陸雲高鳳之名
石馬鶩鶩之事不以先後相次限辨 鵾於千仞將
發諸霜篠示王公子云爾
楊得意遂薦相如後期命駕言從關外優遊下杜樊

鬬雞之苑望牧豬之市未謁平陽不賓驃騎既而周
南留滯茂陵臥病桃笙之簟一牀縣竹之鄉萬里於
時玉琯灰移金飈始扇熠燿則帶火俱流絡緯則依
宵候織葉翳蟬而爭噪鶴警露而先期心迎人柳飄
已先秋聲感霜鐘淒其動曉況復朝臍西郊祁祁興
雨非魚闊之七日幾黿竈之三旬戶足閉於袁安書
無情於邢邵乃喟然而歎曰地矣蓋厚天乎至仁茫
茫宇宙渾渾烝民予家本周人爲王所父夷從士伍
圭璋守焉奉德首之文承禮安之訓風恆睎乎季節
效略備乎荀儒初有意於雲雷本輕心於壇土行書
鄧晉謂復經綸見求章華大夫謬以篇詞受列冊旅

蕭條淹廻日月關河顧影星露沾衣對碣石之層臺坐談天之舊館終朝不息愁霖悵然莊周涸轍賓泳儵魚膠鬲空城惟聞沒馬背之衣赭背巖乘船貼月未徵陽豫徒羨金川溺沱巳倦於風人潦倒惟觀於舉止予桑戶之室幾於成歌應休璉不言空思跟屐陸士龍以窮居作賦張景陽以紆鬱騰謠歲方徂於上國軫猶辭於近郊楚客之悲參慄越唫之怨切騷既煩言而結恨將比物以陳勞況陰陽之盛沴非兌艮之初交召清商於兆則吹閶闔於天皐秋何氣而不慘氣何秋而不憀咉殊庭之纍歷徧廣陌以瀟瀟觀漂搖乎百柱陵滅沒乎雙峭方濕霧而成畏更縱

橫其尚遙其始至也則鴻沼流形斗房現氣河度元衣山縈縞帶蜥移冰谷駒遷地市燕錦礎於文基潤玉彭於巽位井旋浴鶴之師春變飛鴻之礎美人窈窕於帝弓玉女將翱於仙袂豕白蹢於烝波鬣雄鳴兮動瀨刺東井而宣符命南箕而告備羊羣奔而隨桴烏爭飛以夾旃少男則鳴鳥從風河伯則朱冠戒使駭玉虎於梁琴擲金蛇於驍矢非五色而濯枝忽千慓而破塊於是若濟若戰若散若游飄撇滮浮超忽凌亂濫積氣於咸池鋪高旻於江漢聲則三峽俱廻勢則百川竝灌挂銀竹而森飛舞組驂而不斷碎鷟武於飛宮冷芝房於漢殿度參差於甲帳溼霏微

於羅薦盤承露而疑傾竿相風而不轉汗石馬而將
嘶沐金徒而偷泣翻鯨戲之昆池壓犀奔之刻岸濶
學市而槐疎上河橋而柳變盪滑水兮遙明送燕山
兮不見暗旌騑而路盡征人之紫陌何窮封蠮螉而
關長都尉之黃沙一片樓捲簾而自迴天倚杵而長
低雞嘐嘐其已晦宇陰陰其欲摧何假黔巫之淵寧
餘壽陽之悲溺炭梟於若木掩絳繒於飛霓蝸蜓爭
主之肆蓬蒿仲蔚之扉卜林訪而炎許權對修而局
爲始甚黃初之世竟徵庚子之期乃復朱印聾浮文
鯀族迸星天上而魚明石山前而燕競妖鴟則九首
朝哀涔鳥則焦明夕應木寡湘東之祠不斬華陽之

命酬楚夢於綢繆逞其工於贏勝鞭何效乎荆神楚
徒聞乎漢縈虛吹穆滿之遂空鑄軒轅之鏡非嘆酒
而奚多非洗兵而此鏇若夫寒暑異令剛柔異性士
博博而爻貞天蒼蒼而色正爽則素位居秋高則燕
分値孟迴狎溼於長沙轉奧區於旋濘鱗見陸而相
攸鳥窮巢而不定淖御史之靑驄沮陳王之畫乘出
墨翟於中閣困伯桃於路璧麥高鳳而無庭苔江淹
而失徑將漂瀑於藜牀屢堆塵於飯甑爐則黃犢方
沈壁則七星幾映孑夏之甍爭驕遵世之占莫聖音
殊孔甲之作曲咽粱山之聽河滅渡於空候隴流離
於項領雒尹日而船浮泛齊桃而岸圮見晉麥於難

飛撫周櫃而覩釘幾遺角巾之折久奪弓腰之勁屧
則東郭頻嗟葛則西華失牘穗長康而零落葵於陵
而蹭蹬嘯漆室於客閙掩徐吾於夜經無不悽愴徘
徊幽憂競并貧惟瀾浪之嗟實寡泥塗之病況乃上
京迢遙下客遂巡室惟長鋏囊餘斷蟫涇泥五斗感
闕一身幾時褰儆令朝舌存舍人詎事鄭賈無親吹
竽異術投筆何因安能說劍誰期吐茵北騎相訪南
僚見尋虞卿慷慨甯戚風塵門肪貴璧朱絃託音固
遠懷於宦室但相望於上林欲小逝而寂莫擁青袍
而滯淫倦拊素王之衡遙聞南國之舫濟梁邛而無
介臥平陽而不仕易隕韓娥之泣難爲晉曠之音顧

翡鳥之羽散當應龍之怒沈促伯迴舟於短弄淥飽樂
於哀唫室函棋局窗通龔屏酸棗兩樹枯桑半林覽
成引破不事龍簪帶鄰落而脫緩几支離而凭深鄭
坂異周年之碧櫟陽非夏后之金倘睽孤以遇吉何
霈宴以徵令巴峽千峯瀟湘一岸桂樹層陰竹枝無
限堠蜒白鷺橋平金雁猿暝唫孤煙深淚滿岫岫青
楓汝沙　蘚碧蕙滋旗紅蘭重簫瑤瑟絃低沙棠楫
領赤駒山深水仙潮淺洲曉白於黃陵霧宵逃於橋
館江昏帆斜入歸夜遠披蘚藹而邀樂採芙蓉而亞
曉與疊嶼而愚鄉弄君山老靈宮御騶步於牆東覺
遠遊迷來雙屐西荃木鋪蘭函蕨焉朱遺蔚藉昧時

乎不俱人知其一莫知有餘遊齋太息困楚嗟吁来
逢阮籍先對楊朱采采蒹葭白露載塗彼君子者其
溯洄之思乎乃援琴倚歌曰鳳皇千仞翼梧桐百丈
枝雌雄一雙珀無人莫自吹白雲一南還一北漸月
如盤復似眉但言黃河作海水明鏡朝來定有時
秀水萬光泰循初下第後館于津門查氏倡酬之樂逾
於都下將歸裒其詩曰燮于集稚威序送之
音有八以爲樂也均而攻器難易辨焉朔石乎于聲
琢之而已吹竹乎于管籥之而已絲竹匏革則治之
土則燒之至夫金丱發焉吹煮焉更熟焉笵篤型剖
焉鑠焉于焉鼓焉鉦焉彝焉甬而衡焉帶篆枚隧焉

嚙蟲鱗刻龍獸崇林以處而塗血必巨牲於事爲倍費然言律奏之樂聲莫於金大者雷霆之震無不爲谿谷之響無不放且物於天地咸以易攤金爲用獨千年而存堅所宅者其精聚也昔軒轅氏鑄五鐘以聽五政陰陽之運人事之變皆考而得之以爲樂首夫詩宜乎聲而通於樂樂苟不作未嘗一日亡故周漢至今凡能以詩自雄士雖布衣窮居其聲且遠而愈流流莫之塞然或爲之耳工鳴辨羣奮瑟之易良琴之婦好塤篪之翁博若其萬石而鼓之擲鯨而怒之闐聲鬼神礌硍震動杜甫韓愈所以攏擅洪喝也過此以往之且未有也予友循初自浙右來京師以

游閩國中甚久之所作愈多亦更自少凡數篇其篇之餘棄於篋者以爲稱乎人者之未有臻焉今夫冶者烹金而和之色必竭其黝然者三變而臬然秋鏡然洞然後善之循初之詩氣餘力完始絕巧麗而務窮所變夫將棄其繇乎絲幽乎竹圉乎木而獨振夫熏心大音中黃鍾於縱首者吾又以知其不一擊而不驟已聞乎千里不止也循初試于朝雖不中已得京兆舉將歸秀州更一年當復集禮部吾卜子之來其聞之甚之愈於今也夫且益遠矣雖或熒於聽其孰能閼然者乎道以送之遂序其詩以別

錢唐汪沆送循初還嘉興詩

篴牀聲咽吹不起斜日西莊舟獨艤柳條罨岸乍飛
花折取一枝贈遊子遊子家居古秀州春波橋畔築
青樓擕腸拄腹五千卷不羨車前鳴八騶鶴書催上
長安道獻賦
螭坳年最少天門詄蕩𥳑雲馳會見黃金鑄騣裹誰
敎辛苦染緗塵席帽依然未離身縱看蕊牓書名氏
仍是飄零下第人水西主人雅嗜各于園林亭殊婉
嫿玉山佳處壽觴多授餠騰觚緜日夕憶君來值沆
寥天叢菊周遭簇四筵三年彈指同聲唱罷瀋猶黏
攬翠軒我憐爲客津門久雙鬢蒼浪竟何有秋鴞春
陰一擲梭似烏在穀魚在罾輪君歸泛燕梢輕一路

看山眼倍明計程市月征帆卸桑柘連郵綠已成門
前不改採藍水砌下還開花似綺月波新釀挐雙瓶
隔巷好招錢載與李宗渤人生難得小團圞爛熟何須
思好官秋風我亦秋涇至相訪同餐蛤蜊盤
新建尚廷楓有送循初南還詩
燈前離緒不能持坐到天明酒莫辭三徑綠苔人別
處一江紅樹日高時還山書劒行隨客高世文章賞
對誰此後相思人易老歌成已變數莖絲
山泉馬榮祖有集杜南歸留別詩六首
詞賦工無益深慚畏損神應圖求駿馬獨泣向麒麟
碧海眞難涉青雲滿後塵此身酬復醉謀拙竟何人

火雲揮汗日容易卽前程把酒且深酌青山空復情
異才應閒出天意薄浮生濟世宜公等投林羽翮輕
名豈文章著虛傳幼婦詞諸公不相棄吾道未磷緇
壯節初題柱哀歌欲和誰尚憐詩警策江峽繞蛟螭
擇木知幽鳥茅齋八九椽孰知江路近只想竹林眠
生意甘衰白虛心味道元繫舟今夜遠歸雁喜青天
聖朝無棄物良會惜清晨獨鶴元依渚乘槎與問津
才傑俱登用泥塗任此身
雲山千萬疊宵別定留人
高義豁窮愁蛟龍不自謀野人寧得所暮齒借前籌
正是炎天闊還悲水國秋江都獨歸處傍眼見揚州

又有集杜別胡稚威四首今錄其二

天地空搔首憐君如弟兄定知深意苦因見古人情

良會不復久扁舟應獨行百年從萬事寂寞壯心驚

不作臨岐恨形骸痛飲中將期一諾重恥與萬人同

天路牽騏驥詞場繼國風窮愁應有作未敢息微躬

山陰周大樞有送錢載坤一歸秀州兼餞盧存心玉巖詩

寒色經春盡空餘旅客愁如何逢遠別又遣對清秋

送送臨岐路何須涕淚揮羇心將艸色一片逐君歸

苦憶垂楊下輕陰並騎行春風吹帽帶不似昔時情

有客前年去蒼茫風雪中慿將無限意千里寄虛鴻

錢唐汪沆有將出都門過趙孝廉寓齋小飲詩

故人惜我去密坐話更闌貧米違初志歸耕計大難

月窺虛幌白風刺敝裘寒且盡三升酒鼕鼕街鼓殘

仁和趙昱功千罷後羈京師復五年集其詩名秋英巷

唫稿錢唐鄭侍讀有詩題其後功千報章云

唫身束縮秋辭拈蛩螢辨響殊酸鹽卷中之語乚寒

餓半屬羈旅鳴煩惉挑燈起輒讀一過孤蓬百感心

無忺揭來鄭公舊同學師風友義原相兼十年契闊

等萍梗質以蕪穢夫何嫌侑酒論文轉膠固相於承

間加鍼砭況公雅重翰林署三千風月冰清衙出以

六籍振髭後入則三長專徵顯觀此唫飄餘事耳公

餘雕纘傳處恬予乃鬱鬱久居此進取艱于竿頭鮎孤悰悽耿應秋律坐令口角如銜箝報章示我箏珙璧中慙勗勵辭炎炎玉堂天上不可到只合幽仄潛夫潛來詩有蓮叢體之貢玉堂句

予嘗次韻爲題辭

秋堂寫韻險語拈如蕁羹美重施鹽靈根汨汩意浩浩但有活脫無濃澹雲中手把青菡萏嗅之蘇忩心爲恢攄懷絕類孤月皎論價何止兩金兼火聲撼俗非阿好擬古作者誰猜嫌榮華倒與秀何近膏肓欲向天公砭枯蟬苦飢警鶴瘦高才不博條冰銜大科未得纘裴陸小經差喜窮顏嚴斜街卜宅跡轉晦寒

廬僵臥神尤恬酒人吳廷華全祖望日過訪同隊[illegible]
一遊鱂鮎力追幽詣造古澹舌本淵永難加雜傳人
豈必區顯約尚論吾欲齊涼炎史官今喜得王隱徵
士安可無陶潛
功千復次韻答予
芙蓉淚借秋露拈徒工刻畫慚無鹽石交疊響妍韻
和春容不作商聲湛冰霜歲晚樂調護晴窗小懺詩
人恢嗟予年來學飯顆作詩之外無方兼畏人避跡
如避債出處戶限成疑嫌不須碎琴駭都市誰將嵇
懶膏肓砭龜尾只便泥中曳馬首不受金絡銜公等
鐘鏞應律呂聲名旗鼓中軍嚴窮而益工易勞苦[illegible]

則抒語多愉恬十石連弩捷鷗鶚千斤餌犗釣鯷鮎
詞源灝瀚倒三峽蜚騰衆口喁喁絣獨立江花嘿無
語幽枝不到陽光炎身世漫論通晦裏悠悠江漢分
沱潛
予復次韻報之
雪山微笑天花拈忽然撒作空中鹽幽廬有意綴若
語清商哀徵聲非悲興酣寫出三萬軸一昔快讀心
神恢正風不使畫紫亂至味似有酸鹹兼古情時與
作者會澀調劣得凡夫嫌露盤金掌挹沆瀣力洗俗
豔良余砭以茲傑句愜心賞厎用薄倌詼頭銜工亦
人身既不惡陸厥風槩尤矜嚴高簾不動紙關閉曳

裒瑟縮唫幽恬有時摘句圖主客酌我桑落煮枯鮎
英韶振響雎律應一切哇咬咸施籍品題合媲康樂
謝鮮華朗暎初陽炎行看若木開四照燭龍含曜陰
虬潛
嘉興張庚浦山以古調自鳴不工律體試目棄去復就
湖北蔣學使幕秀水萬光泰有詩送之
山人好詠詩作古不作律所法魏以前作五不作七
詩筍到處窮幽探去者八九存二三喜從皇墳別源
始恥共愚下爭酸鹹世人愛雕文山人示之璞世人
愛太牢山人食之菽令精茹英數十年溢爲畫法九
清妍關荊董巨路久絕山人尚欲躋其巔金馬門開

來俊彥白衣獻賦明光殿羊角風高未得搏依然歸抱紅絲硯卽今重泛楚江雲仍是天涯瀟灑人東華軟塵高百尺誰能尼我山人輪十月層冰繞路隅尖風欲透貂襜褕偸閒若書狂游意寄我輕舟迅邁圖

山陰周振采白民以病不得試北闈復報罷山陰胡天游爲賦明妃曲三首送之

明妃生照楚江清豔比天邊明月明尚愁金屋汚仙骨絕代豈爲呼韓生龍堆雪捲黃沙雨偏著春風雙黛嫵定知造物惜紅顏敎與飄零擅千古君不見邯鄲小家施薄朱春倚市門朝佩珠可憐光彩覇天下何恨當年衞子夫

明妃一顧已傾城紫臺遠去轉娉婷鳴驄嘶馬雜羌語夜夜朝朝那可聽天低海水西流處獨有琵琶堪喚語斷絲枯木本無情猶勝人心百迴許幽怨聲聲解與傳自憐意態驕神仙生不得當茂陵天子眞龍子乍可巫山峽月空嬋娟

明妃初向長門入窈窕無心矜獨立自然動影搖春風璃鬟薄洗巫雲灑六宮良家五陵子容華多少誇桃李齊聲卻步稱第一今朝爭爲甘心死婦人妒色恆自持尚令忘妒前相悲如何瑰豔映海日近出珠櫳人不如以圖索馬安有馬況是丹青不能畫畫師長安市上兒一生解貌東家施黃金縱使不相責鄙

人詎識天人姿昔疑漢妾今焉支妾身分明不淚垂
玉顏一爲他人得枉是千金莫贖時
新建尚廷楓有送王藻載揚還吳江詩
行跡淒涼酒後顏離亭孤月異鄉山客情解惜明朝
別一夜衝寒幾叩關
素壁清燈張古琴洞庭木脫水深深江鴻夜叫嶺猿
急月白天高風入林
湖莊芳草自敷腴桃柳春天無處無高坐暖風遲日
裏知予燕寒憶鶯湖
黃絹曾繙幼婦詞凌波絕愛柳絲絲每逢佳什情難
舍何況是君歸去時

又有送梁機仙來還泰和詩

柳絲短短草萋萋觴榼相將序解攜樹影數重河水北雁聲一道月華西行欣南畝耕耘老歸見高齋簡簬齊在昔空思千氣象悔將彩筆諷金門

又有送盧存心玉巖還錢唐詩

歸老江東客行看薊北天日圓殘雪上風響亂雲邊曉過洲無鳥春晴樹欲煙漸南幾氣寡吹遂具區船

嘉善曹庭樞歸途雜詠

三年離緒悔徒勞局外輸他褒手高調鼎任從充饑雁轉輪空用覓稀膏酒杯愁照離人面草色寒侵去日穩堪歎成都豎千字長楊不賦賦離騷

渉江采采向芙蓉搖落蘋驚江上蹤秋老黃花留晩節霜酬紅葉借春穠不勞繡譜金針度自覓元霜玉杵舂但記宮花舊香好遶牆行處意惺忪

又廣陵舟次留別厲太鴻

君暫停橈廣陵驛去留意緒總難堪雲山一路愁兼別風雪三年北又南獻賦漫勞尋往事挑燈不盡接深談歸來好傷西溪住笻杖欆鞋取次探

太鴻次其韻有前輩風流空日下故人憔悴滿江南句傳誦一時

孝感李春耀東谷康熙丁酉孝廉以鄉前輩大司空涂公薦來京試後病歿旅邸鄞縣全祖望醵金歸其櫬秀

水萬光泰哭以詩云

同作公車客須眉獨皓蒼龐公本耆舊庾信擅文章伏櫪追騏驥棲梧感鳳凰馮唐眞可羨白首尚爲郎應詔芙蓉闕承恩芍藥窠升沈終古事生死一朝情奏牘名猶在遺書帙未成飄零蘅杜路餘恨滿江城忘年呼爾汝志意頗相關腹痛誰澆酒腸迴獨轉環安車千里至丹旐一棺還他日詩人冢青青漢上山

嘉善柯煜南陔向有盛名

明詔初下趙鐵崖侍郎卽欲薦之後爲桐城方閣學所舉未及試卒于衢州官舍同里曹庭樞哭以詩云

自昔論交地詩人屬老蒼丹邱長寂寞白社竟淪亡

已亥冬歲暮經舊宅荒鐵冠室有夢一拂鄭西樵
老作巾車令湘江鼓枻頻官因東橐廢家貲著書貧
白髮還塗路滄江自隱淪稽山他日權一哭鏡湖人
舊隱烏衣巷新唫黃絹詞延年五君詠平子四愁詩
晚歲常遭疾工文不療飢更憐殘槀在身後託伊誰
有詔徵才急相從借未行井茶堪適口麥飯豈塡腸
命薄終黃七名虛薦紫閭蒲輪徵未起已掩少微光
憶共忘年友頻登大雅壇哭唫餘宛轉楚些雜辛酸
可忘綈袍感猶留雞黍歡山陽賦懷舊偕誦淚汍瀾
歸安沈炳震東甫耆年宿學南歸逾年不得志以卒錢
唐厲鶚哭以詩云

曲曲溪雲抱隱居晚年問葉結相於以與諸沈問巢不問房出范攄雲溪友議緇塵別後山河隔白社生前笑語疏甯允誰為徵士頌嵇康久作絕交書篋中糾謬存唐史尚有見孫檢蠹魚

宣城梅兆頤恕漪庚申長夏始得南還有留別胡泰舒兄弟詩

漫說雷陳堅總由契以道語惟修能重相見常相好安定諸昆弟學各有深造交近四十年把臂輒傾倒哲兄四與六在家共探討偶然北來遊値君兩官僚郎第自同居招我頻醉飽互素皆摛毫見許未枯槁何能尚淹留不即歸荷篠眼底少年輩所交愛娛巧

那知相切磋自劾得主腦令人共欽敬謂立俗塵表
述爲留別言更冀後人曉

胡天游有送陳黃中還吳郎入閩赴王中丞茲寄座主
虞山侍御一百韻

作奏陳湯健哀時許伯慆食魚歌易倦躍馬意何傈
俊傑收無路窮愁歎久僑纔令逐塵土終覺稟風飈
閩嶠朱天外滄波萬里遙官空漢都尉地尚越無搖
婐剽占餘俗蠣蜼畧幾朝氣偏倭蜑雜人綜𣬈巫祆
記室方遥往長纓忽作彯濟時眞得理遭世豈誠雕
家令文辭少賢良議論饒蘭畹播春谷鵷矯隘情霄
白璧英華富清秋意氣歊諸公耶崔寔大學表劉陶

聲滿頻驚座雄談早建標小生誰票櫝高論眇儔梟
舊宅依梅福新書敵應劭端能詶蟣蝨未許問漁樵
雞鶩憐爭食麒麟泣服偉青陽嗟冉冉白水憶儦儦
穩臥空煩爾狂唫或不聊辛勤奔地走沒委簿書朝
捉髮桓公對懸牀孟玉邀縱橫杯欲落淒厲瑟難調
主諾寧宗守參軍異鄰超試從三語掾處駕一封軺
故相輸恩切登門絕譽標賞裁關意匠推築極琨瑤
紉斷龍休匹桐枯律未凋眼從當世暗心肎逐人銷
祇有甘爲蔭安知暫折腰迴眸矜嫵媚顧影惜嫖姚
侍御今王吉貞風扇杜喬鄉閭同板屋賓客盛連鑣
獨立惟相許生平識久要得朋原有慶攻玉每成琱

物望吹噓亟才流品價昭辟書爰屢到封事借滌條
開府臨湘大重湖割楚遼嬀宮蒸湞洞帝樂起咸韶
遠思匀斑竹羇魂照碧瀟是身疑逐客卜命問華樵
跧屈諸侯佐低迷白日消千年連百濮遺釁積三苗
揮扇非無策燔亭恐遽挑預防凌戰伐愼勿警貔貅
束縛經營當齟齬計畫澆不成飛鳥陣散寂五溪刁
果恨貪功晚難憑坐論微拂衣雲共卷去府燗空燒
感決先投版沈淪懶鍛譙及時看燕雀底處隱蓬蒿
已沒皐家廡那吹鶴市簫故人衣繡在京國緘書招
待試魚腸貴猶籠鳳翮翲龍詩務臺夜花自誹經寮
司業天邊旐仙公海上橋碑新堪下馬淚溼總和椒

行路乖磨鏡當機卻弛弨燕丹別寒水彭祖弔前謠
跡自今晨放材兼壯士饒一枝甘尸牖終日苦簞瓢
負米身應數燃膏夢共焦觴囊頻鹿獨賦筆枉鵂鶹
碣石悲風振燕山暮景蕭相逢幽抱豁約手旅情漂
似爾徒披碣何人慣續貂久同梟泛泛正恨髮髟髟
東閣虛留滯新豐共寂寥詎能隨朔客倩擬託齊蕘
城郭生涼早雲沙入塞飄憎人多雜擾病耳沸寒蜩
邑吠恆須怪宮詹莫細描崎嶇偃迴伏空闊劇襌繆
天地翻蒼莽山河對慓憭氍毹行待理雨雪想全瀌
實憐哀鳴雁時催勁獵鷂從來感賢達會值阻岧嶢
寄食宜遵命謀躬類冶鷯所須隨自得盡態任人驕

南服冬榮見炎州火氣燏落榕輕斫櫟栽蔦細分蕉
蒻熟且歐接禽花越羽翹槃鮮帆擘黨市溢錦輪賧
樹酒芳含柘蠻童色抵莪佅儺尋越譯卑溼甚匜荆獠
不報盧龍艦還嘘紫蜃潮題詩恣脫落高揖掃虛橋
送汝孤迢邐行歌傷洑寥還吳勞卒卒過客自蕭蕭
秉節懷綸氏彈冠漫此宵寄聲滋感激直道託司杓
解戀湖尊美休扶入洛橈

江陰翁照剛大病不與試既從錫山中堂出都數年後
復從盧中丞來京師詞科同籍諸君握手道故皆有送
其之錢唐詩

早以才名荷急徵文章聲價久遡增長風欲鼓盟胥

鶴巨網難收擊海鵬壓逐幕蓮來
北闕又因堤柳念西陵湖山勝處留題徧有惠珠璣
託剡藤海寧查祥星南
人居雲海古黃山亭上松風散客顏玄卅書傳三篋
內太沖賦著十年閒劍鐔欲試方鳴匣藥裹為鄰恰
閉關剩有風華真絕代須麋未許一躋攀
閒身覓句倚秋林貌得疎狂濮上襟濁酒慣邀今舊
雨名山盡入短長唫多才豈作諸侯客戢影仍存處
士心去向段家橋畔住梅花消息索寒岑高郵夏之芙蓉裳
朔風凍長河空堂忻執手三年訴離悰搖落指門柳
竭來京洛遊白髮半盈首相逢且盡歡莫惜餘小酒

諸與遊天涯殘年風雪走有春還江南江梅能寄否

宜興萬松齡星鐘

君才敵百夫有作儼雅頌大江盪文胸崔蔡見伯仲
篠簜美東南蔚爲天府貢拂衣不肯住泉石足嘯詠
一別渺天涯關河倏四凍征車再入雒賓主偶相從
吾鄉君舊遊飽看南湖葑相送復歸去牽我吳山夢

仁和杭世駿大宗

先生不世才下筆璆琳瑯崟嶔藝苑寶錯落天葩芳
醴泉及芝草始信根源長卅年軺車徵多士集翱翔
咸頌文運啓豈特詞賦昌惟君屬領褎同應獻長楊
奈何遽引疾翩然還吳鄉爭歎高飛鴻未得儕鵷鳳

比來著述富湖水時相羊名山業已成聲望允煌煌
余昔附薦剡揮毫登金堂逢君慨素抱傾倒廿趨蹡
匹諸陳后山有集名見黃明水木中程分襟情殊傷
五載千里思重覿彌歡腸共話歲寒盟一笑舉一觴
人生重氣義形跡須相忘會合邈難期君復理歸艎
酒闌語悤悤微意不得將斷指松柏心葆此各老蒼

錢塘王延年介眉

徵書同憶赴詞科拄腹推君萬卷多誰向行吟憐正則長從示疾對維摩嬾眠古巷聯蓑屐接葉高亭發嘯歌別後相思渺煙水西湖五載住雲蘿

元瑜標格擅風華綠水池頭白帢斜一日百函眞作

手十年三賦早名家來贈碣石風前雁去索孤山壽
後花可耐淩競衣褐冷玉河分手隔天涯會稽周長發蘭坡
早時有論著潛夫曾就徵車日下趨善病長卿遲給
札參材記室枉研都一生可得文章力久际應看山
澤臞此去梅花春正好迎風迎雪泛西湖天台齊召南次風

錢唐桑調元有九日感舊簡呈盧二玉巖詩

永恨方家峪奇光萬丈埋紅萸誰醉把遺草未編排
蔓飛東皋路淒涼對水涯遊蹤不重聚淚點此頻揩
仰想人如菊曾傾酒似淮拄藜過古磴灑墨在荒厓
呼嘯嘉晨引登臨數子偕寒風禁短褐好月戀荆柴
老死書中蠹枯黏壁上蝸儀型虛烏帽意興失青鞵

雲況離雙岫塵方冒六街秋容新病瘦山景故鄉任
白鶴歸何日丹楓落滿階鴻鑪跡異物燕邸覓同儕
相與追詩叟寧惟動旅懷可憐良讌會無復舊高齋

又有病中雜詠懷人詩

鼉江縹渺白雲夫催逐秋風到九衢兒女含愁猿鶴
怨卻憐羈病得人扶盧存心

渴想青燈剔蠹魚纍書亭上雁來初知心一語牢鐫
記許勘家藏八萬餘朱稻孫

騷歌風味苦因依今雨苔生叩冷扉病底雙瞳清炯
在臥餐秀句忘朝飢李宗潮

妙贊詼諧未用莊沈冰壺有中山狼贊輸他小筆亦雷硠若論

我齒寔於水不到中山獵後狼

長洲沈德潛懷人詩

孺人稱子家庭樂況有門生載酒過暇日竹亭聯繼

目亂山三面點青螺倪頎塘承茂

未嘗獺祭才原富自愛林居拙獨存新買一船雲水

外載將桃葉與桃根厲樊榭鶚

解驗風雨一身秋詠綠裳句少歲才名著遠遊近日荒江

勤述作可宜王粲更登樓翁朗夫照

高才與世真何礙流輩偏多忌姓名願爾養雛師紀

消莫教盛氣更長鳴蔡方三寅斗

石經牋疏俱穿穴菊及茶經又鶴經更把一竿閒釣

雪灘名遠隨鷗鷺入煙汀家翁舊彤
錢唐金文淳懷人詩
弱齡便已稱詩伯管領騷壇三十年九愛清詞更清
絕露螢煙鶴與秋蟬偶焚偶鴉
大科同領名賢薦奮翮無端塌翅歸訪我衡門闌春
甬小樓山翠一一脉闌沈樹德中桥
沈德潛有酬曹廷樞詩并題其集
吳越有二鳥毛羽生容輝冥棲匪所安飄然入王畿
有口不妄鳴有翼不妄飛所遭竟蹉跎鎩羽各旋歸
循分泯怨尤守道履坦夷渴飲澗中水飢啄山根薇
虞廷奏簫韶此鳥仍來儀

燕臺復會合念君尚垂翅如逢任丙華練裳而蔦帷

邁蹇維心亭嶽嶽秉道氣恐我違素衷苟且厠微位

初衣受緇塵澗壑抱慚愧箴規豈偶然猶存古人誼

感君意綢繆書之藏篋笥願與白鷗羣洗心兩無累

雅鄭誰復分正聲日以熄鏤刻非不工性情漸乖隔

之子慕嶔崟憲章在古昔絮絮成連琴海水相蕩激

所守苟不移道在終有識聽曲得其眞精爾鳴盛德

遇合俟時命憂樂匪通塞他年賡猗那輝光耀邦國

秀水祝維誥懷同邑錢載坤一詩

故人不得志歸去益相思詞賦黃金擲功名白髮危

浮雲天末捲明月意中期莽莽幽燕北關山滯客兒

長洲朱厚章徵書甫下遽以病卒嘉定張檢討鵬翀題
其集後云
中年哀樂長多感況復懷人心慘慘夜臺寂寞閟元
文開篋漼漼淚難檢悵憶君弱冠定交初萬丈虹霓欲
爭攬崑山良玉發光華練水微波映涵澹愛君折節
重多師事事精能心若斂出瀛東軒酒初漉放櫂北
田花發荅聯唫痛飲知幾何十載寒氈同聚慘壯年
書劍事薄游千里山川供歷覽詩筒贈寄不辭勞雲
樹江東情暗黲我酬一第傷晩暮子負高名憐轗軻
回頭已覺聚時稀鬢髮鬖髿霜似糝夢中把臂話清
游池閣半餘紅糒毯作前

聖主開詞科聞子見徵來抱槧我時歡喜告同僚孤
館寒燈舒玉蕊峩冠闕下川于于幾度望君來不建
徵書那省訃音隨愁緒劇憐兵氣憯一編遺草字半
漫萬丈爇天光詎晚才名略比封禪書曾待塡金尙
石礎黃門寡婦賦酸辛紅淚提孤兩髦髭欲歸語問
怕傷神宿草墳荒久終禫酒闌燈灺讀殘篇時有奇
光發黯黮把君詩句配離騷名士由來多壈坎細探
格律妙毫顛融液精華銷糝糟直同崔蔡味中邀賞
待微甘同苦欖五言況復摘長城山嶽森巖誰得撼
如我何能謬見推平生嗜好同芰歜傳抄什襲藉西
窗戴君范莘海手抄余兩家倡和詩手澤尚新餘墨黕門生獨侍俟

芭賢金氏昆仲將爲校刊遺嗣幸殊韓祖閒京華舊好共題評
編校更無毫髮憾縣購千金合有時減增一字知誰
敢酹酒無緣愁痛腹論文自昔傾狂膽每將我輩儼
君書處處樗蒲裹錦贉祇今塵壁賸題辭初日尚含
新菡萏手隨鍾子絕危弦口媿少可齊衆喊夢中天
篆久同吞世上浮名何足啖直令萬古長光價足兹
生平消顑頷祇恐修文骨尚寒青袍地下還如葵

詞科餘話卷四終

詞科餘話卷五

兩中堂意以保舉多有濫觴取額遂隘其實亦水遺珠不關離朱象罔也九月後諸徵士皆返故園不能盡讀其所著朋好閒閒有投賖者輒錄數家

山陰周大樞試卷

五六天地之中合賦

懿天苞之不曜矞河圖之燦陳表精微於造化通軌則於生民稽奇偶之文五十有五而縱横星布推掛协之策四十有九而變化環循樞中旋轉交合絪緼俟效法於天縱妙經綸而日新律呂則調於司樂于支則算於疇人原失精謁初芬端倪攸正仰沖氣之

不息脩柔儀之至靜羲和分命而賓餞有常章亥計
步而經緯斯定彼造物之至神歷曩哲而攸敬觀其
數以理生陽以陰應一三七九而五處中權二四八
十而六推合併於以闢萬化之門於以播五行之令
爾乃彙羊頭之秬黍聽鳳鳴之雄雌起音小素之首
採竹大夏之西盎牛木雉之聲叶六律而正變互出
圜鍾太簇之管含五音而和繆旋吹以倍實而四實
或損之而益之奏簫韶與象箾歌立本與扶持繼室
飛灰而應候音官吹律而告時於是五緯如珠兩曜
似鏡隸首攸司大撓是命懿茲正朔之顆首在干支
之止重其五者六甲序而適合於符兩其六者五子

均而不忒其柄所以見天地之心所以盡人物之性
同欽若於中天允茂對於
上聖
皇帝乃握乾符闡坤珍齊七政撫三辰應紫極之有
曜秉黃中之至純恢發生之
大德布訢合之
深仁勳業則咸五登三胥歸陶鑄文章則襲六爲七
聿洞幾神惠風翔洽於九垓熙熙咸若協氣旁流於
四隩盎盎皆春範圍者及於千世萬世財成者暨於
億人兆人繄太虛之寥廓固元氣之無阻縈太極之
渾沌宛中央而居所仰

帝德之精微合天道之揚詡符平泰階之六福斂
皇極之五執中而運貫三極以應無窮變泰其同統
萬事而符厥序元音無假於宮商大樂非關於律呂
若夫測南北之晷景考經緯之星躔參笠蓋於周髀
窺雞丸於渾天撫五辰其以序調六氣而無愆定經
制則五量五權五度之各正典教化則六德六行六
藝之胥全積策歸奇四時以閏月而定子孳丑紐三
統以建寅爲先蓋合五六之德者能和玉燭而常權
綜五六之數者必察璿璣之永旋此造化之循離所
以不貸而
聖主之昭事所以惟虔也小臣纂量海甄管測天圓

比於九九之技何能一一而宣謹拜手稽首而作頌
曰
聖皇肇造自天授兮轉以鴻鈞物在宥兮赤文綠字
河圖覯兮中五樞旋六輻輳兮參天兩地平復姤兮
柄之敘之對時茂兮鳳鳥司正四靈畜兮暘谷昧谷
恬宵晝兮萬象烝烝雲出岫兮大樂無聲太和奏兮
福祿來同申保佑兮遙追八九億萬壽兮
賦得山雞舞鏡
由來文彩人間重亦有微禽照好顏舞似前溪臨水
上鏡如皎月出雲閒妍媸盡向空明現形影深知態
度爛五色錦機花爛爛十光[illegible][illegible]斑斑春風廣宇

飄長袞麗旭高樓[illegible]曉鬢咸若共欣逢
聖世羣飛乍喜離塵寰誰眠翠岫連芳草那展紅翎
傍碧灣便化南鵬移北海何殊越雉款重關性情各
自矜毛羽表裏雙看弄往還宛轉擬將朱鶴竝縈迴
堪與紫鸞班軒轅鑄歷千秋炯仁壽光涵萬象開正
是歸昌儀
帝德翺翔長願近岐山

黃鍾爲萬事根本論

聖主所以順陰陽之氣宣時序之和調性情之適協
綱紀之宜者莫大於律律者萬事之所從出也而黃
鍾又爲律之本黃鍾定而十二律行正矣律正而萬

事萬物胥理矣黃鍾之管九寸九九八十一數三分損一而下生林鍾三分林鍾益一則上生太簇矣三分太簇損一則下生南呂矣自此以往損益遞生窮於仲呂而旋相爲宮此聲氣之元律呂之序也管子淮南司馬班氏之說皆如是同位則娶妻隔八則生子十爲之體九爲之用文之以五聲播之以八音濟之以變宮變徵通之以子聲演之以六十調八十四調清濁高下各得其宜而嘉樂成矣自呂覽有含少之說而李文利據之爲律呂元聲以黃鍾居子其律三寸九分極短而爲陽始蕤賓居午其律九寸最長而爲陽極二律縱爲經十律橫爲緯是則不明乎呂

氏之意而臆爲之說者也夫呂氏所謂三寸九分者數之積也天函三爲一而子之數一參之丑而得三參之寅而得九故三寸者積三三則九言其寸也九分者積九九則八十一爲言其分也此正黃鍾九寸八十一數之說也且夫黃鍾爲宮則太簇姑洗林鍾南呂皆以正聲應無有忽微非黃鍾而他律雖當其月自宮也其和應之律有空積忽微是則黃鍾之至尊無與竝也爲陽之首爲律之君彼十一律者不避發黃鍾之蘊者而已矣備數和聲審度嘉量權衡皆於是乎出以其長爲之度則別於分忖於寸蒦於尺張於丈信於引度長短者不失毫釐矣以其容爲之

量則龠於龠合於合登於升聚於斗角於斛量多少
者不失圭撮矣以其重爲之權則始於銖兩於兩明
於斤均於鈞終於石權輕重者不失黍絫矣若夫紀
於一協於十長於百大於千衍於萬所以算數事物
順性命之理又何莫非起於黃鍾之數者乎且夫權
與物均而生衡衡運生規規圜生矩矩方生繩繩直
生準準正則平衡而鈞權矣權衡合德百工繇焉以
定法式聖人所以制器尚象者莫不由此而其於兵
械尤所重易曰師出以律傳記所稱斷可見矣蓋其
爲物也或銅或竹不過一氣之微而陽氣之踵黃泉
而出者候之而得吹之而聽可以驗天衍之消長考

人事之盛衰以和神祇以洽上下則信乎其爲萬事之元而根本之攸繫也昔之人或求之於絲竹矣京房之準荀勗之篴是也或求之於度量矣周鬴漢斛魏尺之類是也或求之於鼎黍矣李照以縱黍胡瑗以橫黍而房庶則欲以千二百黍亂實之管中迄無定說也至於葭灰緹縠候氣之法皆所以求黃鍾而爲律本必有穎悟神解之士出若軒轅之有泠倫堯之有夔然後考中聲以量制嘉樂仁以養之義以行之握其根本而事物各得其理矣

華亭王祖庚山雞舞鏡詩

霜染楓林采色殷名翬刷羽下秋山蹺階獨立依華

袞軒鑑高懸對

御顏繡翼共看藻翰好翠翹正照玉臺開霞光乍散紛如綺日影初旋合似環一片煙籠花隱隱七襄雲疊錦斑斑翩翩若解相酬對動蕩應憐遞往還曾學迴風身不定常隨曉月影堪攀光儀綽約生來整逸興遄飛望裏嫺欲擬丹鳳巢閣上敢誇孔雀列屏開文明自合星雲彩進退偏馴鵷鷺班五色未妨頻照耀寸心不獨愛孄斕恰逢

聖代數文治披得光華徹九寰

錢唐厲鶚山雞舞鏡詩

菱銅挂壁光無翳全距開籠貌不閑顧影忽疑隣月

裊長鳴共詡出林間分行宛轉蹲蹲立按節低昂拍
拍還大冶自陳金范鑄微禽如惜羽衣斑九苞敢擬
隨丹鳳五色猶期勝白鵰望去空明翻繡臆窺來只
似隔花關態依仁壽銘文動翅逐宜官寶帶環幸伴
貢琛歸上苑冀同率舞仰
天顏幾年啄粒棲香谷今日傳芭自遠山散彩繽紛
過錦市回風綽約俯銀灣玉虡作鑑中皆澂小物呈
材技未嫻願荷
恩波沐咸若雉馴寧羨越裳蠻
錢唐桑調元山雞舞鏡詩
珍禽刷羽錦斕斑御在菱花掩映間五綵相輝纔顧

影一時起舞竝開顏陸離炳耀來巖曲繚渺窺臨誤
火灣有態翩翩成麗景無心點綴下塵寰當窓寶鏡
光原朗到脹奇毛色最殷飲啄忽經移翠苑飛鳴何
似掠松關軒昂勢欲隨丹鳳璀璨容堪俯白鷳尾散
珠璣紛的皪冠迎雲日倍璘媥品流應得依三島翡
翠何須貢入蠻文囿從容排鷺序堯階歡忭雜鵷班
書成金鑑還當對藪紀苞符未用刪黼藻賡颺叨
聖鑑文明萬象照蓬山
新建凌之調山雞舞鏡詩
朱明設色睒璘媥蕭自園亭飲啄開錦翼終期騰漢
表翰音阜欲度天關清修鉄雪雖爭鶴肅節鳴秋亦

讓鷳獨有文章驚衆目卻憐毛羽豔名山菱花一照
神爲聳翟采雙開澤欲斑顧影自疑還自駭回頭相
近不相攀低飛彷彿縈塵舞曲繞依稀絳樹班首尾
迴環光錯落去來想像興闌刪末隨鴝鵒紛難戢若
逐鸞鳳轉自閒馴食階除無此態呼春巖谷有斯顏
珊瑚架靜輕支遁玳瑁梁深抹小蠻得地方知翩翩
異全身已在玉壺間

海寧查祥良玉比君子詩

天生粹質非雕琢幾向詩書蘊蓄來廊廟定知增寶
貴山川亦久盛栽培櫝中彩映工方剖褱裏輝騰璞
始開溫潤自宜陳几席光華先遣拂塵埃藏修敢信

眞懷寶進獻何須託有媒忠信可能誇特達晶英終不讓玫瑰品加縝密人爭賞學費磨礱世共推貯作圭璋崇氣象升之俎豆蔚雲雷鳳音嘒嘒諧韶琯鏗韻泠泠發磬材坐上未曾披什襲斗閒早已見昭回軒騰直欲淩三素名品方知重八垓深荷明庭延訪切欲昭純白愧無才

嘉善曹庭樞山雞舞鏡詩

蹁躚自愛羽毛鮮映徹空明玉一彎久爲幽棲託巖谷願將文彩耀瀛寰璚雲乍散菱花朗寶月遙開翠尾斑初見昂頭矜獨立漸看張翼舞雙還照中一片離褷彩影望裏千盤錦色殷恍動龍鱗春寶匣似分雲

扇引朝班琉璃屏上光常合翡翠窗前勢竝拔相顧
臨風驚滉瀁還如映水轉斒斕騰囘頡頏疑垂手側
落朱冠是墮鬟旭日曈曨低隱樹晴霞爛漫遠依山
丹匣綵鳳應堪侶瑤島青鸞定可攀好與漸鴻向天
路搏風直擊九霄閒

長洲沈德潛山雞舞鏡詩

作啟鏡奩光閃爍何來野鳥錦斒斕乾離竝象非朱
雀纂組多文異白鵬顧影自矜姿婉麗引吭差別語
緜蠻囘旋矩步徐兼疾進退規形往復還五色連軒
翔躍裏雙看晃漾有無閒明星影耀紛妍態秋水光
涵散綺顏巾拂有容同綽約劒丸合節共迴環虹流

欲息神疑靜雲舉初停意自閑翅半斂餘垂似手足
單翹處屹如山相將舞鶴琴三疊共對盤龍月滿彎
渡海未邀鸞作伴立階或與鵠為班徵禽倘入來儀
隊韻和簫韶傍九關

詞科餘話卷五終

詞科餘話卷六

鄞縣全祖望撰詞科擬進帖子援據精核爲召試諸公所不能及時全已官庶常不與試

五六天地之中合當是古語漢志唐志並引之而其解不同亦各有失漢志旣以天五地六各居其中而合乃又引左氏之六氣五味而証以別傳天六地五之文其意乃以天五地六爲中天六地五爲中之合析中合二字爲兩層（注中但解第一層而無第二層）但考天六地五其數見于素問而素問在七略不載其目頗疑晚出則志中所引未知何據若以素問之六氣五運言則以水木金土各一而火獨有二故曰六氣其與左氏

之陰陽風雨晦明不同要之兩書所云皆別爲一義無關五六中合之旨天道固下濟而正不必以其數之偶合于地者當之地道固上行而正不必以其數之偶合于天者當之漢志強爲傅會似巧實支深寧困學紀聞竟謂左氏之說卽素問之說亦因漢志而誤也唐志專主大衍卽以五六之中爲合盡發漢志枝葉之說所見是已而又用六日七分之術謂一月中五卦卽天策六候卽地策則其謬也總之五六中合本屬大衍生成之數而五生音六生律歷家由此而出更無可旁牽者予因詞科出是題擬作進卷先據唐志以糾漢志又代漢志答唐志得二首而序以

先之
聞之凝績在於撫辰授時必先居敬順九紀以窺化
工審七衡而求元命天効其景地効其響機緘出而
理可推天流其芭地流其符法象昭而數可定一先
一後陽布德以乘權有屈有伸陰含章而聽令二始
則歷本之所自生二終則閏餘之所由剩二微則尚
藴于蒙二章則漸趨于盛而要之自一而九誰爲之
樞自二而十誰爲之枋是以參兩備而五位于焉錯
行兼兩成而六爻于焉互應蓋十一而奇偶之數皆
含亦六十而參伍之機以竟爾其求天元定蔀首五
十五位之用可循四十九莖之策可授碭礴纖觀微

茫細剖五與五相守而音以分六與六相同而律以就音治陽律治陰五六各擅其專官音司日律司辰五六各求其配偶中宮則八十一分之積窮極忽微黃鐘則三寸九分之含并包羣有以音求律莫非歷數之周分以律審音即爲歷家之統母關逢當夫乾位甲而兼壬晷紀宅于坤維子而居丑蓋言乎五六之周貫貫始而徹終亦縈左而拂右是知數之紀三而變七者圓而神惟五是衷數之紀四而變八者方而知惟六是紐由五而逆溯之原其妙于兩化一神由六而遞推之極其變于虛十盈九雖音與律爲有常之用總不外于下損而上增日與辰爲至動之機

或不免盈前而縮後幾疑夫積分之易差定時難殽而要惟此中德之渾命常見其合符于永久粤稽古歷代有先民謂夫律歷同原之祕實即乾坤成化之門掛象三而揲象四其由始而終者以合而備蓍以七而卦以八其由中而終者以合而神立之爲度秉之爲均律通于易元聲所以周于一十二辟歷通于易策數所以徧于三百六旬天地之心于此而見人神之極于此而分是故天中之策以求卦地中之策以定時卦之周于六十有四者如棊之布時之運于七十有二者如輪之馳內卦之策爲貞外卦之策爲悔一貞一悔而節候定中氣之前以增中氣之後以

減一增一忽而秒忽齊卦十其六而四爲餘則分至
啟閉爲之籥時倍其五而二爲寄則東西南北補其
維蓋合二策而均于六百卽通全策而協于當期今
夫運行之度見于天幽贊之功歸諸聖將以御大中
之鈞完保合之性則審音期于克諧治歷要于各正
責太史之攸司戒四鄰以汝聽彼三統而後爭校短
而角長五紀以還亦互負而更勝是皆未操乎五六
之宮以求其中合之并是以朓朒之易淆疾徐之難
靖彼夫天以六爲制則氣至六期而一備地以五爲
節則運逢五歲而一巡此乃素問變遷行度之序而
非大易生成相得之論至若以六氣之發散成五味

之氤氳則又左氏之偶紀非軒皇之所陳雖于陰陽
化育之功皆別有徵而可信而于律歷循環之故未
免稍疎而不親蓋五音之所出固同其脈而六律之
分紀未得其因豈容以五六之錯見遂據爲中合之
互文吾故謂漢志之言稍鑿未若唐志之議有倫彼
折衷于舊史何無墨守乎疇人方今
皇上正南面以繼離眞北辰而居所五事協而嘉祥
歸六炁諧而慾伏杜五章五服本天產以賁文明六
德六情本地產以消慉慾于以勤民之宜于以篤天
之祜相風之烏和鳴跳辰之龍就撫方且追蹤姚姒
接武羲軒先天中天後天歸吾心盡亥朔亥望亥率

别有眞傳握五弦之遺徽聲以神運布六觚之妙算
意在法先又何有于徑圍未合之說中西未定之選
右賦據唐志科漢志
溯夫精氣結而爲三辰躔度昭而成七政理乘乎氣
象數皆至道之紛綸歲紀夫時律歴本一元之合并
參天兩地四象之策所生十圖九書八卦之爻以定
一三七九主乎奇五爲之宫二四八十主乎偶六爲
之柄神行者五鬼行者五五位相得而淸濁分雄鳴
者六雌鳴者六六管相乘而倡隨盛蓋音生于甲六
十調互爲其剛柔律生于辰十二均互爲其動靜斯
誠若時者罔敢不欽而勑天者其疾用敬今夫軒轅

之世已遙泠倫之書誰授而問葭灰于河內則節可坐而推驗秬黍于羊頭則法可立而就五兼二變而為七下宮上宮之無徵六以三分而得八正聲變聲之遞奏至若五音各有倍而清聲少其一者用九之首所以虛六律各有同而準総多其一者歸奇之扐所以備是故以審音者審運五德各嬗其嬴盈以分野者分辰六辟同徵其休咎日以一十有五而尊者五之以三而乘時以二十有四而完者六之以四而究彼其天中則譬之璣衡七宿罔或畸東而畸西地中則擬諸瀍澗三塗不須卜左而卜右斯固極之示會運世而非遙抑亦質之度量權衡而不謬今夫一

二爲始不過生數之相比九十爲終不過成數之相隣若五則于生數爲已屈六則于成數爲方伸生之已周有資乎庇材之力成之伊始未離乎毓產之因一減一增忽爲同位或進或退與爲互根當其兩儀翕聚一綫絪緼錯行有道交易有門下降者非故爲貶上騰者非妄自尊睢睢盱盱輪輪囷囷蒼精見于九道黃牙徧于八垠哲王有作丕示蒸民定爲音者以通乾成爲律者以流坤始于一而終于九者積之即重五之所出始于二而終于十者積之即重六之所分而于是合而求之五行實兼夫六府六事皆運于五辰斯璣衡歷象所以起而紀元章蔀所以尊是

故觀象則取其至著備數則取其至齊生於東而竟于冬吹律必期其順序明者孟而幽者幼推策尤泯其參差分七十二候以成期昏中旦中之有度通一十九章而置閏大餘小餘之有時苟稍滋其補湊即不免于支離況夫五六之數本相調而中合之幾無偏勝五土之貞定地合于天者罔差六宇之周流天合于地者畢應故氣之應日而盈者于五稍過而非有餘朔之應月而虛者于六稍歉而非不競本之真宰之運所以上協夫太虛著爲斯人之程所以仰承于上聖至理不假旁求要術不勞曲証者也若夫六日七分之術一月五卦之文京房首爲列算揚雄于

焉臚陳卦之以五而周既離辭于紛錯候之以六而判實難解于區分然則唐志之取衷于大衍雖已符乎舉正之旨而其標示夫中策尚未見其說易之醇蓋自七緯之遺言流傳莫辨漸與四聖之奧旨混沓同論彼中孚之居首將序次之安存笑月令之改本乃勒石于成均斯乃八能所未盡究九術所未盡甄其與互易夫五六之說者總之無見于中合之眞敢效忠于舊史非以妄訾夫前人惟我皇上知效崇而德效卑圓象規而方象矩通八十四聲之妙理不逾五節之循環合五十二家之遺言以推六物之潮齣猶復有嚴居心無逸作所迎寒迎暑

迎日迎月之祀上符乎六氣之溫涼寄鄉膏羶膏臊
膏鱻之宜下調夫五味之茹吐斗杓色正玉燭芒寒
衡量自心豫調劑于濁長清短機樞在手評轇轕夫
月後日先皇極之時成若泰階之符畢宣固宏陋六
甲之四十二軌而黜五子之一十八篇

右賦代漢志答唐志

嘉定張鵬翀天扉丁未進士官翰林檢討天才敏富倚
馬立成詩書畫並稱絕亦有擬作

龍烏紀官璣衡齊政推筴以迎握觚斯定大撓六甲
而后爰分司日司辰羲和四宅以還羣稱南正北正
參天兩地系黃鐘萬事之元治日明時本王者一心

之敬其敬伊何奉天先後仰觀俯察爲民左右人告
其心天爲之授洩祕奥於圖書衍化原於宇宙履端
於始一二則二始可推歸餘於終九十則二終可究
惟五六乃天地之中其訢合即陰陽之媾民受以生
物無不囿五音六律數以順而環生六氣五味道以
交而輻湊十一而用已畢該九三而法無不就爰稽
三正爰撫五辰每緜疏而游衍亦推陳以知新十九
成章定五年再閏之月三甲著統開萬古建寅之春
銖黍無差正權衡而審度量錯綜交徧成變化而行
鬼神此五六所以體乾坤之合撰二中所以參天地
而立人故夫始自顓頊定於伊耆既正日毋還求歲

差漢則五紀定論唐則八改殊規法春秋者不無傳會準大易者自可推移自五以降五行之生數遞增自六以往五材之成數可知錯而乘焉五十備二篇之策參而互也六十窮萬化之施中朔相求無忝鳳皇之司日宿離不貸寧徒烏鵲之知時於此見天地之心於此驗神明之聖小餘大餘旣置閏以統元乎溯定朔迺順時而行令我

聖皇欽翼齋宮凝承寶命聲則叶宮之元色則體黃之盛運二儀之化以無爲涵萬有之機於至靜披圖受玉建皇極於九疇之中觀物書雲法天行於三律之正于焉出政于以寧人旣類旅于律呂復觀察於

日辰六甲運旋而終始五子隨位以屈伸損益相生
情諧乎夫婦同心一統義屬乎君臣闔闢無窮握兩
間之樞軸端倪呈露轉一氣於鴻鈞是以星順其躔
極居其所九州分埜來環衞於三垣兩乙賓門聚光
華於四輔相與應地之六合天之五前衡後權左規
右矩中心無爲準繩是處我
聖皇所以執一中而調五氣之和御六合而受萬靈
之祐天兼地八則天五位之合乘焉蓋雖日官所掌
實爲王政之先
頒朔於朝萬國稟珠囊之範闔扉於閨百家遵金鏡
之編周流六虛漢史不得擅唐都之術二中協用唐

志不得專一行之傳守無失於撫提稽三百六旬而
無易數不系於元會永萬八千算而長綿

賦得山雞舞鏡

軒鏡萬年懸玉座寶雞千里出丹山揚輝乍入巢鸞
侶耀采初隨舞鳳班照灼銀華寧自炫飛容金閣更
相關雙情妙拂龍盤影三瑞明徵雉子斑伏處漫矜
毛質異逢場徐振羽衣閒養成繡臆呈元鑑鑄就璘
光試錦斕引頸驟疑窺碧沼翻身忽訝隔塵寰七襲
妍跡終慙拙五采奇文欲起孱節應紫鸞簫競逐行
聯孔雀扇斜還舞餘樂曲翻朱鷺鏡裏威儀掩白鷳
藻鑑倘容全借樹恩光長擬報銜環徘徊覓日瓊臺

上喜獲龍鱗識

聖顏

仁和翟灝大川監生僻居東郭與處士吳穎芳西林結讀書之社詩才清麗爲吾鄉後來英絕領袖戊午歲始來京師以所擬賦示余

稽古人皇肅性至命判造化而挈璇衍旁龐鴻而握金鏡唯河睢洛萌朕兆而開幾爲龜爲龍啟玄文以錫慶原萬物之資始二實五殊本太極以互根陰柔陽勁條支衍漫雖億兆而靡窮元象賅羅唯五六之居正因端究委而蕃肖已摻執兩用中而理氣無覬此至人之所以吹律求元而哲后之所以授時致敬

也且夫圖行而左書轉而右相生相尅或承或授茲
奇偶之懸殊實陰陽之互媾陽數奇也一三始而七
九居其終陰數偶也二四先而八十處其後致生成
之次則以水一火二類相求積大衍之辭則以天五
地六歸其宿故章終于九而五獨位乎尊亦數極于
十而六自逢其湊于是冥輿既彰顯明可觀通之于
歷元按之于算數陽餘以二五遞壇而甲乙之統日
市六運而周方陰支以二六分班而子午之馭辰鎮
五巡而居所幽都南冥調明晦而順宜濛汜扶桑歷
朝晡而叶序爾迺寫音達妙戛石吹筠律娶妻而呂
生子宮爲君而商作臣音由五而絲竹[illegible]附[illegible][illegible][illegible]

而亥子遞循依永成聲埻元音以宣天地因心製器
作大樂以和神人至若横衡轉璣上柱下維迎辰以
籤定晷以儀三百六十五度造計以驗其積九萬一
千餘里布衛以諒其基攝提感三五之交而氣遷於
十五日斗杓隨二六之運而位轉於十二時驗以刻
分則毫芒悉協求之宿度則經緯均釐又若皇極道
符箕疇理併申之以敘彝倫道之而齊庶政建用乂
用五六實平治之綱唯福唯極五六包吉凶之命由
前而溯貫太始與太初由後而推證先聖于後聖此
乃無中生有妙處能傳并包乎律歷發洩大坤乾握
易簡之機而神之者一化之者兩方大中之數而難

之可百散之可千八柱九維不能逃其閫域毫分杪
積不能混其精研雖昭顯于耳目之表實根柢于象
罔之先欽遇
一人首出百度用張奠清寧之天地逌肅乂乎雨暘
迓鴻禧于廓落之表延大化於漠泊之鄉青氣騰空
而夜朗黃雲扶日以晝驤風雨驗而各從所好雷霆
合而不亂乃章五行既敍自修和於六府六氣無沴
咸滋茂於五方允執其中化育功參於覆載大作之
合順健德比于陰陽小臣測理多昧攷術未詳纂歷
攄衷莫爭能乎往哲調元贊化唯歸德於
明王

仁和吳穎芳亦有擬作不用官韻卽以題字爲韻

昔者聖人仰觀俯察觸類旁通或偶或奇惟老少剛柔之變惟五惟六符性情曲巧之中唯太極以埒形賅羅元始括兩端以貫賾苞籥無窮算叶而理無不叶數同故氣必相同執律以布日辰窺幹運迴游之大巧操術而求衡度顯陶鎔鼓鑄之神工原夫河洛開幾龜龍啟瑞連山歸藏而上彖備已早著天書之時籀文可紀陽之奇始一三而終[illegible][illegible][illegible][illegible]伏羲八十而先二四歸餘于扐變化之而卦象爻象以分允執其中綜覈之而界精散精以位十七萬七千一百四十七之實殊途而同歸十二萬六千一百七十

五之紛依經以定次若指其掌運蓍折薪而靡差有
會于心生管張絃而不忒此才士之所以迴統立元
而哲后之所以參天兩地也且夫法軌一源高深一
矩駓駉像偎而迹可求劈措麗鴻而顯可覩羽淸宮
濁屬之天而六氣御其樞陽律陰閒配乎地而五方
分其寓晦明風雨飛籥于春作秋成甘苦鹹酸長養
其幽都北戶尋其賾錯見而互形折其衷兼收而並
取顯夫機軺埻元聲而不爽忽徵闡彼祕先建部首
而可推三五此本幽函洪化妙契自然互根于元氣
基始于先天亥凝子滋寅鐘還十二辰而數足甲剖
乙軋攝提歷十五日而氣遷孟居雄而幼處雌往來

匹妃以調列律娶妻而呂生子反覆嬗禪而周旋在垣則辰拱斗綱在野則星分宙合產氣造計而播和界道交纏而混納戾條理者沴必乘秉精剛者運無雜天政既于是乎齊朔經又于是乎肅攷曲臺之禮而逆聲稽洪範之書以衍福或按味以薦膏乃因音而吹竹憑相侯其疾徐太師審其盈縮正旂章之純采德協銅渾應羅穀之輕灰和調玉燭色殊于赤白青黃制別于東西南朔達陽殷于乾九戒殺順于坤六是以大撓索微而造甲子易京衍氣以測干支劉歆纂歷而綜鼎洛揚雄擬元而擬軒羲淮南貫黍驗其積張衡立縈止其儀惟氣數之冥有會也故歷代

可一以貫之

常熟瞿駿不就試有僎山雞舞鏡詩

生來彩羽花千片占斷空明水一灣炫異自能超衆鳥卑棲只欲在深山網羅藪澤常需日貢獻君王亦霽顏苑樹嚶鳴堪結友巴江吐綬可齊班拳毛不放光華露斂翼從知舞意慳寶鏡含輝疑伴侶繡翎交映更迴環流風宛轉輕飛燕豔質飄颻鬪小蠻慣傍澗溪勤抖擻愛看形影倍媥孄幸登天府文章顯輸與沙汀鷗鷺閑乍啟朱唇欣作合旋停歌板最相關珍禽遠致南中產金鑑初傳殿下頒主聖物昌彰五色虞廷儀鳳好追扳

無錫鄒升恒恭和時官侍讀有僎山雞舞鏡詩

瑤臺皓月出塵寰本以虛明照玉顏恰有珍禽矜彩色偶窺清影舞斕媥褵褷欲並巢阿鳳娟妙還同映雪鷴驀處乍驚蟾兔窟栖來不定女牀山柘枝飄瞥容偏麗桂樹團圞意自閑啼向汝南慚質陋祀于陳寶笑聲殷開屏孔雀分金翠占水鴛鴦謝錦斑側立迴腰情尚戀斂容收拍態徐還應憐伏處栖遲久幸對圓靈皎潔開昊出離明文最著占成巽象義相關柳袍寫入芙蓉鏡桃綬横拖翡翠環辦得羽儀王國具千秋金鑑必同班

仁和趙大鯨横山時官贊善有僎山雞舞鏡詩

中天泰運光軒鏡鳳翽文明詄九關見說山雞耀藻
翰卻逢明鑑舞斒斕華文誕育炎離質麗采高騫霄
漢閒自愛羽儀矜介性欣看朗照引淸功盤龍散彩
澄如水鏤鵠飛華恍在山作合作離神欲竦郎兮郎
色影雙還揚翹特起舒仍斂振翮蹁躚婉且閑雲錦
燦時圓蓋徹霓裳映處月輪環翠光絳氣紛相射蘭
縡菱花共一斑翔向風前多態度幻從花外絕追攀
繪衣藻火昭三殿又獻梯航走八蠻瑞彩芙蓉贈
黼扆顧呈五色耀人寰
義陵盧秉純性香時官侍御儗山雞舞鏡詩多至十篇
今錄其三

離明有象歸乾照仁壽光中欲鑄顏鸂鶒灘頭群可
證芙蓉鏡下夢相關執來霞彩超鴻雁放去秋空任
白鷗暨訖自能溢風敎幹旋眞可濟時艱棲遲巖穴
圖惟肖掩映風華度自嫺似曳冠帔流壁月竝分金
翠入屏山意超黑白雌雄外論定丹黃甲乙開錦笑
江郎工割裂衣憐萊子舞斒斕藏時耿介疑高枕徙
處精融若轉圜高竝羲圖測奇偶巖同禹鼎辨神姦
袞明藻火輝難似黼滿松雲望可攀肯念愚忠酬鳳
價璣星合彩動朝班
詩題新向五雲須欲引光華出舊山不比尋常臨水
面可知咫尺接

天顏羽儀交映巖廊下僂息初辭雨雪開奮地一鳴
先顧盼摩空十色久迴環敢云舞鶴文相似但覺塗
鴉字可刪餘外心裁花有樣就中神契玉爲班紛華
久謝天人戰清白先開夢覺關日五色臨朝氣銳樹
三花映夜珠還九重月且規離合一部陽秋鑑秀頭
鴻筆爲霖纔折證鳳岡掞藻恰登攀鸞才絕豔來三
殿刮垢磨光見一斑率舞儀游仁壽鏡萊衣耶錦兩
優嫻
亦欲歌風摹復且忽驚縮地入家山錦雲巢認游行
處紅雨花飛磬折開合德體香仍瀲灩育長影好久
迴環渾身洗入金壺露側面迎來玉筍班坐接紅雲

天步穩看成黃鵠歲星頑映來仙骨春常抱悟入靈
根月竝彎朱翠自翻花樣別丹青錯綉石紋斑蟻穿
九曲珠中過鶴繞三華樹裏還非色非空光一片相
憐相妬意雙關按時初訶南風競閃處眞疑北斗般
十六天魔驚卻步三千月斧護修顏廣廷若奏簫韶
樂率舞爭知鳳可攀
族子必成艮甫直
武英殿議敘時官固安縣丞有擬山雞舞鏡詩
越嶲珍禽貢五蠻綵絲繡出鳳毛斑鑒形几自矜秋
澗出谷方知戀舊山未許文章展錦臆何當鎩羽寄
雕闌靑鸞有匹終憐偶黃鵠無朋得遂還從入朱扉

長斂翮爲開金鑑一舒顏毰毸朱首昂雲表嘐嘐和鳴達帝寰霓舞月中應有曲趙妃掌上鳳來嫺綺分鸑鷟雙飛翼彩結湘靈十二鬟羽激清風迴雪轉翹迎晴旭綬紋彎作回鏡殿驚鴻翥憶向嚴花鬭晚殷翠翰翾飛光熠熠下墀清韻語關關陳倉巳卜典王瑞暫得飛鳴彩仗開

秀水祝維誥宜臣以奉天府丞之薦部議謂非三品大臣所舉不准試時寓京師有擬山雞舞鏡詩

南國文禽貌自開當階對鏡舞迴環竦身作見昂然立角睞方驚瞥爾還金距交橫苔跡亂朱冠仰射日

光殷形分秋水奇姿發節應清歌逸態嫻欲退且前
窺宛轉暫停復起鬭爛斒玉臺掩映心逾迴繡帶盤
旋尾更彎五色離褷雲翼燦千聲綷縩羽衣班天機
自鼓忘棲樹野性能馴不戀山為愛文章矜顧盼敢
因藻鑑逞容顏引吭約畧鳴相和逗影低徊意未憫
司曉有心依殿內談經無術近窗間況逢鸞鳳來儀
日江海何須羨白鷗

吳江李重華實君時以編修罷職寓京師有擬山雞舞
鏡詩

繡羽何年下碧山偶逢清鏡鬭斕斑都緣照影為儔
匹故作迴風遞往還喜極自添靈翼健興來不放影

衣閑初疑翽鳳形相對作覺盤龍勢可攀求友正同
鶯出谷報恩殊勝雀銜環劇憐三市飛涼月未羨雙
栖戲暖灣九劒有情須動色巾裙無緒祗羞顏搃憑
軒驚舒毛質肯爲秦臺掠鬢鬟冀與華蟲充衮服得
隨雉扇引朝班嬝娟半徹空明裏藻燿平分掩映閒
從此登場追節鼓異時驚曉闢天關翩翔但傍芙蓉
檻繚頂紅羅次第頒

華亭張司寇照時失職閒居奉
命書十五人試卷擬作山雞舞鏡二首

瘦羽翁𦑣淚欲潛黃塵如夢久離山飽經雕檻籠冤
魄那得清泉照舊顏狎客偶然期試舞主人漫與勅

開闢徘徊身世傷搖落俯仰元黃易宇寰鵠峙如癡
奚娀媚鸞吭已啞不繇蠻誰教玉照堂前啟忽覩金
輝尾勢彎國士無雙心自喜佳人獨立意常閒未忘
餘習聊為爾特整神容奏幾般嬌首高飛疑欲往傾
翎低下倏來還敢希絕藝當時賞蓋惜英華眞笑慳
眩目盤旋成噤痒涌身光景更斕斑終朝之死猶難
歇始信文章亦所患
翠羽分花本在山掩羅眩轉落人寰皇居傳致千亭
竪絕徼輸同三春管玉爬立時淸月迴雕籠開處靜
而嫻丹邛峯壑迷先夢碧落鸞皇少舊班頻趾欲前
心悄悄戢翎恐後目睽睽文臣體物通幽思宮使開

匳見故顏宛在虛明潭影裏全彰文彩月華開久掛
隻影成千古是否雙飛合兩環振迅高騰俄並逝空
徊瞰下慨同還居然應節神機暢況乃當秋雲景斑
小試天成好身手大都國藝絕辛艱鑪均倘以癡遺
議斷卮辭儀未可訓

詞科餘話卷六終

詞科餘話卷七

前己未時四布衣名動

天子今時所舉亦有布衣四人南豐趙寧靜余未知其人秀水張庚西安申甫詩皆清古可味蒲城屈復則年近七十尙事塗抹如三五少年時去古遠矣夫布衣之名爲不耕而食者所易託一介之士操觚率爾輒動

聖主之旁求其不得怨律之審矣吾鄉有三布衣以其所詣律之於古誠可以不媿而皆辭榮卻聘守貞抱山其品尤可尙也

錢唐金農壽門自號冬心先生嗜奇好古收儲金石文不下千卷足跡半天下詩格高簡非凡所躋分隸[illegible]

絕一時有集四卷自序云

予賦性幽貿少耽索居味道之樂有田幾棱屋數
在錢唐江上中為書堂面汀背山江之外又山[illegible]
若沃洲天姥雲門洛思諸峯嶺攀欲褰裳涉波[illegible]
予者於是目厭煙霏耳飽瀾浪意若有得時取古[illegible]
經籍文辭研披不閒昕夕會心而啟紙畢遂多然[illegible]
不自慊近交里閈二三能言之士大抵多與予同其
好林壑閒儁僧隱流盔單瓢笠之往還復饒岩硬[illegible]
峭之思相與摅發抉摘蒐取高車影纓韋所不至[illegible]
境不道之語而琢之續之由是世遂比數予於詩
予翻然祕匿懼其隘而不廣於見聞直而不[illegible][illegible]

興濟而不暎於枝葉笑覆陸機之瓿甗矣或有躋乎[illegible]
於鉅公派別者予曰昔徐師川不深附西江張伯[illegible]
能超乎鐵雅詩固各有體趨今何如則古邪迺鄙[illegible]
所好常在玉溪天隨之間玉溪賞其窈眇之音而[illegible]
豔不乏天隨標其幽遐之旨而奧衍爲多然學从[illegible]
玉溪而範天隨哉予之詩不玉溪不天隨卽玉[illegible]
天隨耳比長年來益爲汗漫遊徧走齊魯燕趙[illegible]
楚粵之邦或名嶽大河傾寫胸臆或荒臺廢殿棲[illegible]
古懷或雨零風欲感傷羈屑或箏人酒徒飛揚意[illegible]
境會所遷聲情隨赴不諧衆耳唯矜孤吹此則予詩
之大凡也孤露以後舊業隨廢欲求夫隨予松江過

一湖之田小雞山之樵薪已不可得旅食爺困念玉谿生有打鐘掃地爲清涼山行者誓願因亦誓願五十之年便將衣祴入林得句呈佛以送餘生遂發憤將舊槀刪削編脅都爲四卷寫一淨本付之鏤木家自今有索冬心先生而望岫息心者得不披對此集乎冬心先生者予丙申病痁江上寒宵懷人不寐申旦遂取崔國輔寂寥抱冬心之語以名號之以氏其集云

雨後獨步池上

煙際曳筇入掩關繞行池上夜忘還浮萍剛得雨吹散吐出月痕如破環

曲江之上先人敝廬在焉積痾初劬雜書六首

門庭漸衰落彈指等浮漚羌非廣絕交客有浪見投
戀戀兩黃犬蕭蕭一蒼頭自拾甑中塵貧窶忘苟求
麻薄葛纚疎摧燒各悲秋

七八月之閒胡爲抱積癉酒庫麴蘗荒相思屢欠呵
比無俗喧豗耳目成嬾惰野花牆匡生暗泉牀下過
娟娟涼葉飛虛堂枕手臥

鄉里時問疾幼女戲摣背合和藥一劑差覺醫可愛
辛苦服三苓本草出褒內江湖計已輟攝生理固在
晢將乞神農耶樊汞潛晦

舊種偪强松弱藤互句棘上巢塌翅禽反哺形偏仄

馴性年復年奚忍施鞭弋似憐主人意當年叫不息
博得二千石餘糧爲汝食
憶昔載遊具賢尹眞吾胄春帆十幅蒲太湖行還遑
百里洲上樹疎瘦如牛毛題詩大雷山詭蹟搜冥豗
至今寒夢中洶洶驚波濤
退院赴齋期緇流濟孤蹤禪派話靈嶽方袍策短筇
功德離垢幢竦然聞淸鐘秋光妙渲染溪雲洩陰濃
變雨忽不雨朶朶詹際峰
江上歲暮雜詩四首
內史書蘭亭絕品閱世久風流翠墨香得之獨濃重
（曾爲劉山人所藏）楮爛字畫全光華神氣厚舊傳七遺民淋

瀾跋其後惜爲老點工名蹟已劃取櫝去珠尚存何
傷落吾手少日曾習臨摹帷羞新婦自看仍自收奩
箱防污垢一事勝辯師未飲觚面酒冬心齋中石刻禊帖
有物爬沙行合眼聽怪絕索索復茸茸天寒一夜雪
撒鹽與鋪絮清曉生萬潔牀琴凍折絃巷門荒脫[illegible]
主人病躭愁濕縮中陰閉身比枯木僵心如死火熱
坐失江上山微茫辨明滅新添空澗中泉聲日鳴[illegible]

雪

高生作畫圖送予還鄉土淡墨善工愁至情寫難[illegible]
鬱鬱刺孤城惜惜飛小雨戢晉江南山樹有別離苦
恍聞吹浦篴又覺打灘鼓其艘一霎行帆風度揚子

叶抵家兩月餘闍懷耆牆堵屢軸每思君何時奉清塵題廣陵高翔送予還錢唐山水軸子

古鏡破難照中斂寒月精幺錢薄無用上漬丹砂明嗟吾兩不如萬事忝所生可憐窮鳥賦鄉人多識評獻荅楊三十五知

樊川雪後至西坡菴尋陳文貞公題名

餘雪媚樵徑精廬策杖行眼明千峯影心洗百泉聲馴鶴稚稚立朝曦暖暖生樊川陳閣老巖壁有題名

石閣道院

歷巖俯石閣赴嶺得幽造花穠向夕斂水活入林冒顛要白兔公齋房誦眞詩咳芝七孔明心光翳盡掃

春苔
漠漠復緜緜春苔翠管圓日焦欺蕙帶風落笑榆錢
多雨偏三月無人又一年陰房托幽跡不上玉階前

平定道中
雨後春流瀉黛脂李譚作頌託微辭行人飲馬來偷
見一陣花飛妒女祠

榼山寺示諸僧衆
疊嶂鉤連擁磴斜迦藍齋會設無遮佛煙聚處疑成
塔林雨吹來半雜花年記鼠兒碑尚在山尋雞足路
還賒欲求文字資禪錄須辦緇帷茗一車

詣庶滋上人齋堂蔬飯望中條山

淨名巳悟小輪圍紺宇精嚴一款扉孤竹瘦於尊者
相野雲白似道人衣何曾心地妨禽鳥且向齋堂飽
蕨薇試上莓梯腰脚健中條山色見纖微

中條山下人家

蒼翠中條路人家荒史前逃名卻蕭帛無象喻罘筌
廣場勤春稼長廊畫古賢好將山下水一灌淶陰田

秋雨坐槐樹下書懷

昨宵娟魄明銀蟾似水潋潋樓短檐雲翳那礙半影
好露洗轉覺濤光添低頭思鄉了無益三更著枕垂
風簾今朝熱衣換敝笥滿城秋雨飛霏霰陰晴之理
意難度豈能乙巳窮窺古階前老槐十對大碧羅張

徽高厭厭花開未落葉忽落可憐樹亦生涼炎嗟子
朱顏就沮喪口鮮滋味非醯鹽方柄圓鑿匪所用顧
者卻避多猜嫌客嘲賓戲深且險伯夷反貪盜跖廉
江東士氣乃不振堅守中壘提封嚴何如傭書鐵佛
寺寫經一卷直一縑

馬曰琯曰璐兄弟招同王岐余元甲汪埴厲鶚閔華
汪沆陳臯集小玲瓏山館

少遊兄弟性相仍石屋宜招世外朋萬翠竹深非俗
籟一圭山遠見孤棱酒闌遽作將歸雁月好爭如無
盡燈尚與梅花有艮約香黏瑤席嚼春冰

稽先生恒謙老毀儒服委跡浮屠聞其瓶拂隱于鄧

黟山中寄贈

渴來安得萬年冰御潑清涼佳九層晚謝朱幡烏府

客老爲白鬪紫衣僧長肩掃墖花開久左手鈔書燈

下能歷盡劫灰人隔世飈輪碾破法輪升

仁和吳穎芳西林居艮山門外足不入城市熟精選理

兼長史學深自韜晦不求世知

飛來峯賦

石氣騰上滃滃沆沆鴆英發靈千彙萬狀灕慶欐連

狠戾倔彊窺冥顛攢跳透迭遏回穴相寤斥孔相向

龍蔡趺于糅擾孟浪疇劉鬼斧玷敝天匠獰顛肝咢

孰可名象其大勢也若雲若霞若濤若波壘㠥戢叠

躘側汚斜倏起瞥滅咫屈尺拏其於物也若案若几若篋若匭若積阜凸若斫弃栜無根若菌有綴若蘂若無形模不成方員巨細廣狹隨意而然貌出想外防理自聯其在人也若仰若俯若立若臥若揖而趨若顧而坐若負兩嬰若挾一个若生若死若耄若稚蔺胡其面反蹠其趾齾若墮齒攣若卷耳盎甕夔疣髡刖馘刵其擬於飛走也鹿奔猿接熊經豕立喙伸鬣駊爪攫角觝故其升於高也若逐羣排隊撑其尾尻而登遐于霄其俛於低也若遊娛顧命蹠其肘蹐而下飲于溪其肅穆則若列陳營兵銜枚無聲悠悠旆旌其燦爛若琥牙圭璧會朝羣辟是以始至猝晒

醜惡刺眼撈腸挂腹顛倒瞑眩久而自得神奪意轉
幽情來餉懷抱申展忘疲破昏塵氣如洗晷刻莫計
欲去難遣無言內娛莫定所善藥我褊狹窔妙取側
若乃躡梯峻登則又坦衍壇漫左右肆玩衆山屏圍
拱揖霄漢其或尋歷巖洞則谽谺豁張嵌空玲瓏石
室石戶窈窕四通稍進偪側肩背不容傴僂僅達竅
步蟻同若出無徑顧無戶牖仰勢盡壓石稜如鋒天
開小明穿漏日光側首而睨有石欲舂上闘驚聲險
情自訌忽出洞底泉鳴秋瀧震動崖谷進退莫從亦
有龕佛千身一形銘勒櫛比僅辨百名鍾乳融積繡
爲古花上成波譎蚪蟉龍蛇水脈沮溼移晷一滴老

禪如尸糜見而覩洞有三川一入地底極視深黑敢
以身試嘗闇地道巴陵洞庭誰爇炬火幽尋仙靈若
此奇妙有山無之天何孕育地何設施巧奪意構載
目共知雖樂其妙終莫知其奇有西域胡師睹之而
眙曰此身毒者闍崛山也胡爲乎來哉迺卓錫於茲
山之陰謚名飛來用是神物設供道場金刹大開爾
後近二千祀爲我寶法護持若乃聚其方域綴迹嘉
蹟天竺峙其南韜光亙其北稽首蓮花殊號共脈康
樂翻經之臺圓澤長歌之石許邁之室巳荒葛洪之
井未塞上有神尼之浮屠下有理公之塔婆爾瀾瀧
叢[illegible]累磴馳西[illegible][illegible]徑羅於其[illegible][illegible][illegible]冷泉翠光蕩

聲五亭餘一呼嚥鷲波面峯面本堂靜得宜徒觀其
魚鳥妖戲草木茀離古榦橫度日月蔽虧根著寸罅
抱石合皮幾轉冤抑怒發不羈懸藤糾纏人工指麾
巢鳩嘈叱咳嚄若爲倒漾漪淪安生嵯峒儵遊影中
啞緣運渦鬼嘯囈亂尖風淒而非仙佛者曷能狎斯
昔白公暨蘇公茲以絕德魁能函氣造化美月桂之
夜落玩跳珠之晝瀉流連登涉每態遊駕作爲謌詩
氣概天下迄今寂寥風流迢遙探索而模似者輩學
然而蟬嘶蛩唱曾何補於風騷不揣庸陋布之辭條
謹接末唱系而長謠謠曰靈鷲名峯插天起神物西
來幾萬里飛時合送扶搖風絕迹還過望洋水一墮

南州不計年蒼山臥老埋雲煙媧皇若假巨靈手煉
取能完半壁天
紙帳賦
芸窗主人遊書林疏藝圃和天倪契太素會心之暇
敕命廚侶謹言既浹衡今矩古坐有閒肅賓而進援
帳而語曰吾之製茲也賓知其故乎吾聞威尚炳蔚
文崇絳繒甲乙珠翠龍鳳羽儀參天覆斗金繡錦機
蓮花四角之采流蘇百子之奇懸瓊鉤而的皪雜棊
組而嚴鞶皆所以因事宏耀纖麗是爲吾何蔑焉而
獨有取於斯索竅暢妙爲我賦之敬承子聽子無我
辭費勦疏肆而辭曰懿兮美兮莫倫比兮樸兮素兮

中程度兮懸諸邈其始夫蘇然篠蕩君子之德其中
鑿盧其節高直山虞程才是椽是束下之千仞之崖
畤之陰洹之壑白石之所舂撞清泉之所盪沃澄其
菁華沛其惡濁綴以園客之繭絲參以楚人之網纖
成人手之和齊中簾程而方幅體皎潔乎霜雪聲叱
吸其戛玉其質性工緻固已超塵而邁俗矣爾乃命
善繪灑寶墨花丁芊繼枝幹詰曲如顧兔薄階而麗
影等虬龍盤崖而蛻殼揚東閣兮清芬印孤山兮高
躅然後廣狹就式邊緣比屬黏以瀛洲神禾砑以藍
田元瑛張四維而廓然適廉稜而圭角納斗交垂寨
深邪托時復與以開合順陰陽而和肅捲北窗之涼

巖溫南榮之朝旭屏沴厲以具違騰流塵而不觸於是薦用烏衣之氈榻以遨東之木枕絃桐簞桃竹左圖書右沈速可以清步兵之目坦孝先之腹凝歐陽之思伸子陵之足頽臥龍之玉山醉中山之天幕夢羅浮之彼姝感橫江之孤鶴凝魂神於環中叩至道於寂寞寄孤思而高遊鎮靈樞以愼獨信儒宮之雍飾而爲君子之創作也若夫緣幔元帷輕幬紺幄彝中單羅柱下碧褥他人優爲之于君豈有不足耶顧棄彼而著此者豈不以德人之習服性非有樂於此也主人於是離席而前撫掌稱善

錢唐丁敬敬身居近湖平賣米自給遺文蓄翰備書甚

窮山巖古寺經幢彝碣椎拓殆徧著有武林金石錄

北郭舟中

峭風抑舟行春水軋槳力搖搖俯淡淹桑柘影如畫
三山起北郭黃鶴更幽特聞多壞衲僧息意內棲匿
神車駕飆然已落化人國願禮初月光不畏入林黑

石鼓亭

獨樹號天風石鼓但餘想欲路鴉墮樵破岸魚入網
古跡置闕成佳名列横牖博物更何人空亭日來往

遊佛日淨慧寺

古寺空山中幽敞足遐企來遊況佳侶瀟灑得把臂
虛欄拱靈籟一聽含衆異微月破春暝疎梅耿寒薦

心魂清佛火短榻翻可棄明當討陳跡歷證鮮于記

曉起徹上人導行黃鶴峯下觀龍藏泉遂尋龍洞至

仙姑洞

深山候參差林鳥春未聒漱齒清我心束帶緊屨鞨僧語助精銳不憚磴蘚澾奧跡許倒窺神物此曾拔蜿蜒留石蛻雷雨牆猶怛一洞頂覆釜一洞口懸鉢龍氣坐欲噤仙兵瞰疑豁裂石走狡兔興雲掃妖魃靈境詎容了登頓出松栝憩足空亭中寄目遠巀嶪

觀梅蔚十六羅漢畫冊

宣城梅氏饒畫筆瞿山聽山雄相當中間蔚也更秀絕人物迥追元宋唐即如此冊所畫小身羅漢一十

六一精彩無低昂或從菩厂瞑定度千刼堅守清
淨鬅神鋩或趺華林熙怡展微笑虛空無著無畔興
天龍一指出磨衲法華三昧然匳香大安隱石坐寂
歷最光明地行端詳露衣真見骨梗梗啓卷似有經
珢珢頷髭松苗頸鶴瘦錯落老少分豐厓其餘七者
亦清古面異晳黝坳圓方杯浮錫飛且鈍置團圝共
此摩尼光慈雲悅惚現靄靄天花髣髴來芬芳我疑
畫師前身的是老尊宿鹿苑鷲嶺合十常趨蹌似覺
尊者淪精飛魄入其腹然後得以行筆跳動宛轉如
此隨毫芒稠腴似漆楮似雪已歷花甲無纖傷何人
寶此得完善漸城詩伯何書王冊中題跋盡名偉金

風亭長尤雄強枯祖句子妙創獲八分小字如蠶蠹
雲煙過眼眞幻耳玉魚金椀何慨慷池北書庫逝魚
鑰一朝飛落塵中坊陸君欣得謀包裹祇許良朋開
囊箱我適諦玩夏之朔綠陰池館生清涼疎簾棐几
滴嵐翠主人愛客陳壺觴座中廓達二三子脫帽露
頂同清狂興酣掩册欲起舞便去振衣屋外千仞岡
妙畫通神或恐變飛去爲囑山靈呵護主人爲我長
珍藏

同太鴻游梵天講寺

朝來幽事動良友過我早清游敦夙昔一雪晴正好
逶迤城之南幾度略彴小蹋凍乾蘚披從倚疎林杪

硐風劃松雪殘玉落翠叢錢王此籍構突兀雙塔表
劫火雖銷藏句勒猶夭矯金容歸浩空追蠡騶勿考
依稀景泰字剔辨勞指爪靈鰻應就蟄寒蛩偪深窅
裵回日亭午古意益緜眇高僧句通禪心折玉局老
月履疑往來煙鐘寂昏曉久立肌骨森煩慮脫如埽
江光瑩不搖極目點雲鳥

游智果寺

偶停艇子叩虛寮初見森森竹放梢鳥語狎人渾不
去湖光似雪更難銷名泉舊自高僧著壞碣曾經野
火燒五月藕花思往句唸魂雖在倩誰招

吾鄉文學黃興可以應明詔者更僕不能悉數今略舉

其尤者

錢塘周天度心羅披貢生熟於史事尤詳勝國掌故駢麗之文淸雄跌宕蔚有古情永城李惺存存令錢唐時以國士相目

臺山春望賦

屠維協洽之歲余隨今觀察衛園先生北游塞上明年太歲在甲建辰之月距余始至爲一星終而離鄉去里則四踐歷矣蔚古代郡先生所臨治其南有臺山史云倒剌山以其與淸涼相望故亦曰小五臺巒岡四崇纍石負起方春時和綴目新眺爭塗望景傾潤懷煙騷人之宏致也先生舉以賦士余不獲親延

勝賞而有懷雲表宅心寄意昔人云情以物感心緣目暢非力寬無以託杼軸之思非高遠無以開沈鬱之緒是用端牘抽札以詮其咏詎云冥槭自達妙軫遐長夫亦形勞者善思不自知其辭費也其詞曰

夫何青帝之司晨兮迴黍谷乎窮陰粲玉杓而東指兮振條風于春林俄蘭期之淹至兮悵鬱陶乎余心憯沈慘而罔釋兮將灑淅乎登臨柅余車以不前兮縶余馬而不駕獨踡跼而內處兮承戶樞以纚藉浮雲忽然西馳兮神耿耿而不下假宣毫于尺素兮當遠游之攄寫維衡山之有嶽兮實代予之幽都挹恒嶽而抗燕然兮襟上谷而帶平盧前封狼之巇嶮兮

後則峆岢庨窌而塞夫飛狐洵靄區之縹緲兮翳豈
樊桐縣圃荒忽而虛無緬雲客之栖心兮獨寢與而
戒僕侶軍持與不借兮襲容與之芳躅眇離塵而卻
垢兮曠高覽而遐矚上危碧與峭青兮下紛紅而駴
緣何磵戶之幽深兮贊藋虺韡而交纏忽長林之菱
蔚兮嵤峯劫還而騰驤歷坱圠而踐陂陀兮意裵徊
而凱康紛出沒于瀑聲虹影之閒兮倏萬象之森張
始棄巃而極目兮正天雞之鼓翼榑桑曈曨偃蓋兮
春靄搖空而霽色金波渺其瀲灩兮光景昭而復匿
出少海而涉暘谷兮戾嵎夷而緩節迺迴目而卻顧
兮覿幽窔之峨峨漚洟渙與其欲釋兮蕩飛光之駊騀

時禽乳獸丁寧而上下兮或回翔而騁娛信陽氣之
浮乎大宅兮分不隔乎崟阿彼恆衞之煙郊兮漭平
皐之超忽壯提封之萬井兮袤大都之雙闕內隱隱
而展展兮上煙熅而蓬焞農人方事于東作兮繡交
畦而瀠縈岨寒門之絕垠兮實坰牧之在茲泉豐甘
而草芊或兮散毛物之參差飛黃阜而騁騋驕兮志
倜儻而權奇眇吳都之曳練兮夫孰云谷異而川馳
繼大造之回斡兮賦千彙而萬狀陋微生之局促兮
終白日之摧藏將排九閶而睇六合兮訣蕩蕩而莫
上俯遙岑之寸碧兮磧乾坤之雷硠翳幽谷之谽谺
兮隱陸離之潛姿雲䨴隊而奄陰兮霧迷漫而離羅

茍余辰其猶未卽兮雖文采其焉施亮無慙于君子兮儻遂焉而逢時洎余將稅駕于湯寺兮問拓跋之故宮洵一源而異流兮奚涼燠之覓同左懸冰而帶坻兮右沸沈而吹瀲寧陽施而陰設兮悵元諦之莫窮氾吾更遠玆幽診兮或告之以那羅之荒迹謝拳入關之齋果兮夕飲三危之墜液哀明能之來覲兮戀衆情之蕩僻掌何爲而舒香兮光何爲而在石人生固各有所上兮力非絕而可勞幽棲非不固兮廬行迷之曠瞵何靡俗之攘攘兮累神明之宰掌斬撟礙而滌蕪兮庶憑慇襟而觿楔

嫣川新柳賦

仙溪北地之瑤源佛峪幽都之璇館爰有杏園蘭澤
靈亭翠巘帶長城之逶迤漾危樓之空嵌會波濯素
漱石排珹虹梁下飲雁渚平衡爾迺日島風疎韶光
淡沲壚頭麴散陌上春多流瓊作釋雨碧新挼梳梳
似織湛湛如羅蟄燕初翦嗁鶯未梭煙含黛而弄色
萌舒金而散渦蕊其為物也稟列宿之降精布東皇
之淑介靡曼夭斜茀鬱閒豔近隱餳簫遠遮妝鏡婉
夾岸兮長垂醮橫波而高映爾其拂拂書船依依板
橋千縷萬縷長條短條眼惺忪而猶纈腰婀娜以頻
招翠美人兮蹀市不至思公子兮玉勒空驕章臺乍
迷不勝幽怨渭城初唱忽爾凝銷迺有道里爵樓闕

河倥傯觸景悲來游月魂迍鶯素領之華髮繫紅闈
之昔夢短褒結兮淸淚滋長箋歛兮哀聲送楝子風
淸桃花雨重時節離離曲榭灩灩芳塘鴨凝淺綠鴉
䰐嬌黃枝枝傍檻絲絲過牆猶且悵遙情之蕭瑟感
別緒之蒼茫也矧復蠮螉外徼桑乾北渡火已新
寒色猶逅白門此日定可藏烏梁園昔年已觀飛絮
眇物候之差池惜流光之遲暮若夫長榆緣白塞垣
縈紫淡月曉沈征埃暮起舞盡日兮無人獨臨風而
徙倚亦有柔情似醉穠態如眠將花共笑濯露尤鮮
漸稀宛轉脩眉連蜷羌脈脈以含思對渺渺之晴川
維昔之翠葆雕房金輿玉牀苑名香水臺稱鳳凰驪

金元之舊壞時于邁之相羊六宮妖嫣七萃騰驤色妬春旗之卓枝牽細帶之長或刷金鈠之羽或垂明月之璫朱顏酡兮莎茵淺妙伎呈兮蓮幕張豈復游平樹古址沒基荒此何侯江潭搖落楚客見之而心悴漢南攀折桓子顧之而神傷也哉迺重爲之歌曰野水流何極王孫去不歸閒雲獨今古春色自芳菲沈憂華何遠樂緒邊城稀惟有嫣川新柳色年年猶上旅人衣

鹿野耕雲賦

豕鹿舊壞帝熊故墟𤃩𤃩芳何灖灖淸渠交畦負郭中田有廬若夫落杏飛花夭桃散水禁綠吹烟曉紅

散綺布縠虢殘春鉏嗅起短轅下澤以徐驅長鐏臨
流而寂倚迺有剡剡生畦菱葠屬帖初若縱褸俄似
紆綬翩噭淰旭嵛碧失秀雛雊不驚蛙鼓微和壹不
知坻隴之參差獨演漫而延袤關其三[illegible]競勸六耦
齊舉初翻鵶背未脫龍具一翦泠風半犁酥雨減兮
沒兮豈煙鷺之繼縱託鷗波而咸聚也至若高城乍
開遙天澄滓饁婦歸來田畯至喜爰有烏犍下坂游
魚出沚簑笠舉眮衣帶露樂眇入語于春郊悵盤桓
而不能已

彌陀寺銅佛歌

宣城東北隅去府治二里許彌陀寺在焉梵宇巋然

垣礙崇麗致之地志不載何時所㓂文摭金元澂斷
也址下植立數豐碑是宣德十年重修時立文爲楊
士奇金幼孜篋並行扈蹕巡邊同寓茲寺云云亦不
詳其所自始碑於紀元之處不知何故悉皆剷鑿存
者彷彿可覩爾寺之後殿有銅佛一軀髹塗佛二軀
皆長二丈餘足趺有識橫列曰正德十四年造蓋正
武皇盤游時也己未四月望前五日偶過其處感嘆
剎之傾頹覩慈容之摧剝無端悵觸沾詩而歸
上谷城東彌陀寺琳宮巘嶫何創置新史竟無傳其
源重修碑泐餘皇字入門空首禮空王芬陀利花貝
葉裝寂寥師子座黯淡滿月光香燈法雨何蒼涼吾

聞西天象教徠西極應眞入夢黃金色出來我相本非相談與孳生酬福德牢牢千載護持力始猶擘紙砦絹寫作圖漸巳捧十揭木驚愚夫椅檀易朽繼易阸乃致范金斵石垂形模即如此像創自正德十四載鐘簴移來貌不改髻頭螺子含遠青眉閒卍字凝朝釆想當初鑄月猶及金甌全大慶法王（武宗自號）隆法筵更有國王夫人允娟姸（劉良女武宗寵幸或有賜予必書鎮國公同夫人劉氏）神策諸軍宏願力傾城士女紛喧闐屏翳熾炭烘鑪然鑄成幡花供養爲因緣奕奕長明鐙倏忽石火滅我來摩挲三歎吁相逢不異恆河劫噫於乎佛附何不向雪山頭黃蘆穿膝撻兩眸不然但入舍衛國

抵衲相隨行乞食胡為一身墮落塵土閒窮年兀兀如等閒酸風射目煙撩鼻輿以飽閱淒心顏貞倚金剛堪不朽從前未落貪夫手君不見秦時翁仲久銷沈漢代翡廉亦何有欲往尋僧證苦空掉頭不荅雙耳聾拂衣背手出門去半規月上蓮幢東

仁和金甡雨叔孝感令長孺第六弟也雍正癸卯孝廉穿穴諸經時有創解詩宗韓杜駢體得南宋二李之遺

孤雁賦

甡與家兄別且一載比聞入保陽幕而余飄泊清源水陸殊塗遂虛良覿秋老關河凝高遠望感征雁之獨飛爰賦以寄意云

倚秋空而騁望哀孤雁之遐征雲程之寥廓愴離羣而自驚原夫氣本含和行偏進節曹植離繳雁賦含中和之純氣赴四節而征行露先戒而怯風寒冰乍融而知候熱南翔衡岳之高峯北犯塞門之餘雪伊族類之阜繁孫楚雁賦族類阜繁數則千億粲橫空而成列旁行或擬夫雲書旅進妙同于舞綴幸接武于天衢鎮聯翩而不絕爾乃逡巡險岸瞻望陽隅維稻粱之可慕忘于野之勤劬紛振羽于沙漠邈投身于江湖既從風而借力亦避繳而銜蘆問何關于兵氣庶聲勢之不孤孫楚賦角聲勢于晨風雲來連青瀟湘洞庭草長沙軟曲岸迴汀迺命儔而嘯侶徐整翰以梳翎結菰蒲之深隈唼水物而含歷怨群

徊而閔默想昨歲之會經快飲啄之從容假翱翔而娛戲或雙起而低回或單飛而上遂窮遠勢以盤天寧旅朋之忍棄試矯顧而引吭倏穿雲而崩墜時怵惕于分張固天同而神比則有命尼罝羅費萌機括羈雌故雄死生契闊嗟年落而無偶聊附贅於行末効中夜之警循悲禍至之若掇覘篝火以驚叫旋被啄而僕脫長困苦而為奴亦何心于獨活若乃圍沙霧集比翼繩連懷舊鄉而未返循洲渚以隨遷翔不要而自聚（羊祜雁賦同趣不要而自聚）顧中道之忽捐隔重雲而相失頻悵望于齊肩畏楚客之宵加駭莫係之狂弩負遠信于纍臣俾長羈于南土匪白擅其能鳴識雋

禽之心苦孫楚賦有逸豫之雋禽至若元冬始度結陣言歸指
碣石以首路餘漲海而背飛飽江鄉之餘粒倩朋豐
而力微映遥空而明滅俄先後之相違捲沙礫於衝
飈逐蓬根而飄越曙晨星之殘暉象浮雲之奄忽羽
肅肅而排風聲嗸嗸而悽月俯照影於寒流冀妃耦
之無斁羨獨鶴之晚歸耿離憂其難歇覽八極之遼
迥感微生之偪仄和鳴寶藉夫同聲險難每乘于孤
特問太守以佐餐投比邱而充食倘穨落之無時曹植賦忽穨落而離羣願追隨而焉得徒奮發于呼號情鬱鬱其
何極綿歷三時遭逢多變或旁助夫酸辛亦隱同于
繫援乃有警夜霜烏辭巢寒燕未邀棲息之安特苦

征行之倦作感激于哀音競舊飛而相序彼簷前之
黃雀共雛落之鳧翁無千里之遠志祇依託之偏工
睍青冥而騰笑詎軫念于途窮羈旅關河恨人雖僕
何處一聲愁心低逐將比物以興懷送離鴻而申諷
憂患同丁摶沙聚萍豈合離之有數抑才力之殊形
寄愁思于鶗鴂訴急難于鶺鴒望川原之修阻困籠
檻之深扃嗟差池于短翼悲形影之伶俜若羽儀之
軒翥養六翮而齊均縱高尋于天步橫四海爲通津
雖錯迕于小別終倫序之必親方承響而景赴同雝
雝而來賓
錢唐吳廷華中林康熙甲午舉人官中書舍人出爲福

建興化府同知以事鐫級少宗伯桐城方公薦修三禮著有周禮儀禮疑義詩文尤繁富

周禮疑義序

六典媺聖所以致太平而歆以亡新王以誤宋非六典故不能用六典故爾試思五均六斡僱役青苗放之經文果出何典則所用特劉鄭之說而掠影者流因以妄詆六典吾知劉鄭且竊笑之然劉鄭之累周禮亦甚矣莽固漢逆用周禮亡不用周禮亦亡歆特促之且周禮之傳由於歆歆之說禮止誤一莽可置勿論若元則身任訓詁當爲千古傳其信乃多以不經之說說經故有賸夫註而或疑閒爲縱修有載師

註而或疑周爲横征有大司樂註兩或以爲師巫之造怪樂律之悖戾凡黷祀嚴刑自私自利之習悉舉以疑經斯周禮之厄矣且不特周禮如以燿魄寶混圜丘之禮故六朝之祀無昊天以靈威仰等亂五帝之名致八代之祀皆列宿大裘祭地所以啓元儒之合祭也占算斥賣所以開唐宋之煩苛也曲學臆說墨守不移良法美意爲累不少斯又千古治道之蠹矣余幼讀六典見口率出泉之說而疑吾師謂余此鄭說非先王法余乃知口率之說爲誤且知不獨口率之說爲誤執此以讀諸經諸傳凡誤如周禮者往往有之因合三禮三傳書傳史漢十種凡疑義千七

百餘則迄今四十年矣悠忽因循老已將至抱此疑義甚將終身豈徒駒隙太速亦姑待一念誤之今年以事羈三山得宋儒文康葉氏禮經會元讀之喜其先得我心但伶我互見未克全純爰綴之說既藏事復舉新故疑義萃而說之六典中凡得二百餘則書註疏大槩在割裂經文傅會史傳經文史傳之不已又廣之以緯書緯書之不已又廣之以漢法莽制且又好爲武斷穿鑿之說其義既紊其疑益多有宋以來諸儒多論之余謂典故在經精微在理故必以經斷理斯可以經解經鄭氏欲屈理以從心又欲屈經以從已故其說多可疑余之於鄭說也經有可據則

信之以經經無可據則信之以理至經與理俱無可據則別之爲疑義此二百餘則所自志也雖然余非好疑也自六經燔而周禮幸存自冬官補而周禮又幾於不存末世瀆亂之說倡之於前十論七難之說排之於後俞王五家且以復古之說亂之今日得見全書不可謂非大幸然疑義未析致千古學者不疑註而疑經不獨註經者之咎亦讀經者之責爾夫漢以來儒者好自立異諸聖人精義特爲辯訟所借端如疑孟非孟廢疾膏肓等編皆儒者習氣余方自爲多事而顧自蹈之然欲如春秋調人模棱兩可固非素心所敢安也則亦與凡讀六典者共參之可矣

尹觀察東泉爲說其事始末作七十五韻紀之
大清百載廣聲教暨訖四海承夏虞龍堆雁海悉綏
靖赤夷白狄奉軌模臺灣社番久歸化榛榛狉狉安
顓愚迄今五十有餘載黑沙一旦遭吞屠沙轆郡丞
躬走徼入山伐木肆嗟吁歲晚不得少休息睚眦作
慝繁有徒大甲西社掉臂起迫丞丞脫狀其拏內山
五社寄三窟荆楚之梟巢東吳結隊而出肆焚殺公
時聞警馳貓盂首結後壠大包絡上下控制歸中樞
賊懼忽復首相犯飛矢如走千戟戳營中壯士正作
氣括羽礪鏃磨錕鋙能死者從奉公令奮勇疾擊雄
於菟懸首大張白鵠幟伏莽悉飽金僕姑逆膽破盡

作鼠雁血模糊漬青珊瑚臺灣草名呂帥走援巳罷戰合
師進逼如風驅西河參府亦北勦犄角布列行摧枯
肘腋要地衆厚集公以本職籌軍需難民亦令飽餘
粟佐以番樣隨瓜瓠兩師先後戰七捷逆衆走死難
枝梧惕息更有阿里史入山蛇伏同恇怯軍門會下
招撫令許入編戶全其軀逆方首鼠勢已迫紛紛出
穴馳飆跑轆閑羅拜各悔罪伏款自謂永不渝飲至
適際解糉會香浮九節仙人蒲邑氏逐隊歌且舞辟
兵無事抱朴符惟公深念日切切參府亦復懷躑躅
撫創恤痍僅五月賊烽又起溪北隅逼脅社番首發
難一十六社嗤萑苻酋長大武走沙轆絳氈彩羽紅

髭鬚公堂踞坐作首領羣醜無敢相揶揄雜坐擁衆各跳躍跣跔如戲誇都盧盎雷大震數百里民痛未定重剝膚烈火光中雜狂喚嗚嗚中夜吹茄蘆羽書雜沓碧城館公發怒指嘯屬鏤走約參府任辦賊大軍退保芙蓉郭登舟慷慨破鯨浪黃俯濤用方渡瀛參府南嵌公淡水俯壓賊窟諜縱約羣逆震懾遂南走環攻新邑戕城烏呂帥親出一再戰中軍龔令親援枹賊怒方盛轉大掠武壠以北幾成墟未幾天子簡大帥鄖瑯公正張發弧埤頭賊合烏眼賽阿猴沙馬氏如荼五旬大捷更奉詔招撫北指羣儲須一帆直達鹿仔港潑天戰氣揚綸綸首先檄公策稍

餉機空密密相咨諏風雲蛇鳥神變化握機不外山
川圖揣情度勢致鄭重勝兵貭若鎰稱銖五協將軍
按部出堂堂天陣乘孤虛三箭巳竊及水利雙蹤大
肚以次勦公師亦破大埔坌天狼墜處狐尾濡嘉志
大那巖堵截大屏之山作逃逋大軍朝合各深入焚
林開道窮崎嶇搜勦淨盡巳無迹有人岸際相招呼
絕壁有路細如綫猱升忽聽啼呱呱義民奮勇魚貫
上躍身如入壺公壺羣兇時踞大樹頂先發盡齒新
戈胡敢死之士氣益勇老鵲不怕危高榆後軍凌空
發大礮虬枝擊折同枯株逆番墜地死無算渠魁[illegible]
忽隨飛狐鴉巳喪林兔迷穴脫身那顧雛窠雛公及

參府更定策元惡按籍羣就俘脅從分別各處置封
尸安社起疾痛民番千萬永寧息班師鐃吹聲歡娛
大庭銘功寄金石至今鐫鑿光瑤瑜昔聞有明略地
及海上晉江東界聯澎湖七十二島後失守入臺不
啻魯小邾我
先皇帝布聖武鯤身鳳卵成康衢赤嵌城邊始置郡
股肱之邑三大都番人沐德庶生聚失馭乃致驚狂
颶吞霄水沙昔倡亂撲滅曾不容須臾詎今頑梗接
踵起師武臣力誠魁殊公號文弱卒建績仁者之勇
良非迂老書生已廢遠略筆爭壘戰徒區區次第公
言作韻語謌頌凱奏歌吳歈

仁和張熷曦亮廩生過目成誦長於史事古文尤精燧拔俗與修浙志兵防其所輯也與王會祥汪沆符之恒皆予里中密友

符南竹哀辭

君子立奉親早耀文行不幸淹疾五稔以戊午秋九月卒年三十有三於是君嚴親眊矣痛咽不能哭母妻提孺孤號叫頓絕臨喪者皆為殞心嗚呼天胡酷耶以君之明秀而命奚其促耶豈數與理違殫不可究詰而化運之流升降脩短事有萬族耶余託末契夙敦至歡自君之喪嗒焉如忘默然其不自得已乃秉翰敘意申一言以慰尊嫂且以慰君之父母而亦

以舒吾哀辭曰

惟我適州與君定交稱良執是時里中英英數子相角立君于朋儕最少而才尤俊逸棄俗如唾介居靖貞寡仇匹緊何所尙容與文林揚風什緣情詮想澄微紛紛元思得我居接閭從君識處恆彌日而君有懷乃亦步趾履我卽靜言賞對推彼前藻與爲質比志儷蹤二十寒暑如一息君性儻蕩忽焉持生不中節劇來二豎纏其肌骨爲殘賊一朝仆敗秋風悽戾叢蘭泣衰覿孤惸指膺相向涕橫集孝慈中睽雖卽重扃永銜恤嗚呼人間死生僇擾寧終極旣化而生又化而死孰窮詰惟名長在不隨遷化垂鉛筆君有

遺詩當君之存手自輯美斯可傳何遽古今不相及嗟君短年一第不升困儒術閟此幽光應流後世見褒述

仁和王曾祥麐徵增廣生里中諸子相尚爲古文學獨見清麗

衆安橋施將軍廟碑

行不必軌于道而合乎人心之同然事不必成于時而傳爲後世所共快此發于意氣之正不齊于利害計較故感激里兒巷婦歷久不沒而儒生之責備有所不得施當秦檜之柄國其狡詐有以中高宗之隱其慘刻有以箝朝野之口其陰賊險很有以盡擊一

世善類俾不得伸迨和議既成太師魏國之號方偃自尊大謂天下莫余迕將軍一殿司小校耳獨不勝武怒以匹夫之力思剸刃于其胷事之不克卒以其身受磔裂而不悔嗚呼是亦烈矣自今言之檜之惡天下之惡皆歸也當檜之隆則儼然天子之輔也以小校賊天子之輔天子釋不問上師不執則其下必犯名干分不至于大不道不止自古以來無此國典也是則將軍之刺檜克亦磔不克亦磔不克則爲檜磔克則東身闕下爲天子磔此理之必然安得希冀乎苟免且自昔少年報士韓國趙廁吳宮燕市匪有所覓價要亦衡恩感義有不能以已將軍何爲者或

曰岳忠武之死將軍有痛心焉用為之復讎爾按將軍對檜距忠武死且十載豈其有所需待即以為然將軍與忠武尊卑異分內外殊地知必無生平握手之雅余獨偉將軍之對檜者曰天下皆欲殺虜汝獨不肯我故欲殺汝也嗚呼天下之欲天下之公情也檜拂天下之公情檜之流腸焚首天下所勤企也企之不得時即有正色直辭論天下謂檜雖逋誅身受惡名百世不改天下且以為迂緩不足信將軍手此搏膺扼腕非一朝夕之故柄不在己鋤之靡由計惟不惜菹醢為天下誅檜檜死天下稍舒其憤而吾身不與不死亦足褫檜之魄且使任檜之君心萬一

有悔神人振激將軍亦若有所不容已而原本愷惻則鬻拳之兵諫史魚之尸諫又彷彿其遺意焉嗟乎人臣柄國即好行己意柰何使人不愛其身不畏國典必甘心後已柰何使後之人不推究國典不賊我者是責伊我是罪凡夫恣睢偃仰咈百姓以從己之欲其亦可惕然知所懼矣杭衆安橋舊有將軍廟里之人既葺而新之因請文于余余考潛說友臨安志載將軍刺檜伏望仙橋下蓋橋之側近檜一德格天閣及家廟在焉且又檜趨朝必經之地俗言衆安橋傳聞之誤也顧將軍斯舉既以爲天下則廟食弗替爲遠爲近宜無不可者綴之以詩俾工歌之以妥侑

將軍辭曰

瞻望中原痛稠結兮問誰捐棄姦檜孽兮白璧庫土忿不可雪兮匪無奮臂慘烹滅兮桓桓將軍氣如霓兮有赫斯怒鬢插戟兮恥與國賊共日月兮天地草草奇功巘兮端辭顯義勁不可折兮吁嗟將軍于今猶活兮此邦列庶義所激兮秩祀有典歲罔缺兮几筵既飭廟貌濯兮何以迎之清酤冽兮梅桃蓮藕棗榛栗兮乘駒入廟風淅瀝兮鐵石齒齒濡碧血兮何以送之浩歌烈烈兮悲管竹刺逐清瑟兮飄然遠舉既嚴且懌兮響象恒在敢褻越兮匪普而淫不寒以慄兮

查氏七烈祠堂碑

七烈者當明懷宗皇帝甲申之變懼以其身受汙于賊决于義而死焉者也七烈不一姓其授命在一門并在一時故以查氏槩之查氏自江右寓京師三世矣明末有爲鄉貢生諱忠者生二子曰國瑛曰國才一女曰四姑適丁貴國瑛早世妻周氏生二子如鑑如鏡一女曰二姑二子奉母命往榆垈營避亂地二姑依母以居國才娶張氏生女二長曰三姑次尚幼無子妾廉氏有母恒依焉忘其姓氏家人稱爲廉母云黃家婦四姑中年夫沒兄嫂是倚攜一女亦曰三姑與查氏二姑三姑年相等友愛若同生甲申二月

十七日賊陷外城所帥僄佼貪很之徒用淫掠爲能事喧突叫呼聲震四遠國才走出偵視僮奴胥散僅一老僕守門周氏知不免即列張氏入人于前昌言曰吾與若等生長良族義不可爲寇賊辱分當死死無踰今夕則羣然曰是固有同志相率爲繯九以次就縊黎明內城破賊抽刃入室咸咍愕莫敢仰視爭掠其貲財以去閱一日徐二繯忽絕麥廉氏及張氏之幼女復甦七人者則竟死矣嗟乎死爲人之所難而孔子顧以溝瀆之經致小夫匹夫匹婦豈不以事屬過情不軌于中正漫門引決不足與死節者次比若乃明一定之分而不辱其親不慢其遺體不負其

所天身可殺志不可折雖婦人女子而爲人所難爲
固卓卓與聖賢爭烈抑余又參稽往昔之節操有縱
若樂羊子之妻許升之婦皇甫規之繼室類在寇賊
既逼薦無可脫始慷慨自裁無所回易苟寇賊未入
毒害之未侵遽等諸豫自刎蒯之爲雖立意較然然
事亦疑于過激顧天下事至無如何裁之以義斯定
矣義之既定持之以決乃不失矣劇賊之鋒匪沸揚
之後宵少戢也剿剿之慘匪閭家介姓能倖免也中
閈之弱質更非有奇策異力足枝柱于倉猝也七八
者必熟計夫勢之所終極以謂不死于內城未破之
先而回疑瞻顧將依瀾汙染後且欲死不可得卽不

然委宛覥息僅而獲全無蔡琰捐廢之羞必有王興
飮藥之恨事不當會少緩則褒厲所主不見爾時負
物望服輜輧者耶爲送款爲迎降爲勸進失身苟賤
固無可道而亦有閉門深居遺情榮利而因循牽率
卒與鬼瑣齷齪輩均蒙垢于淸議雖重以聖朝之洗
滌而指日終乃不泯也則豈非義弗素定而念慮操
舍間不決之于早也哉由此言之女子而具審幾之
識至智也當事而絕卻顧之私至勇也七人而不爽
臨難之約至信也周防在後致命自先至慷慨至從
容也夫天下未有備德若斯而不足援典故耀貞珉
俎豆于百世者如鑑之于日乾既爲之搆堂以奠時

之賢士大夫復作爲文詠以誦歎之余惟祠祀之設
所以示方來使有所觀而化也故具書其本末而用
以推明其立志之所以然廉氏後度爲尼幼女適王
氏舉年八十餘乃終系之以詩其辭曰
初謂坤則道尙和柔影響是惕鼠虎爲羞及乎挺節
神明內遒誰爲効者敢與匹儔猗歟笄裙時際蕩潏
威弧不張貪狼用發始弄黃池旋睨金闕慘淡靑壥
縱橫白骨不有凜洌曷顯貞萋志亮明白事無委蛇
輕塵易度勁植弗移均獲死所附有異辭爰斂華妝
永辭明鏡白璧盟心靑絲畢命羞彼懸軛恥就亭刃
皓質同歸芳魂合併賊方入室厥欲婪婪旋乃驚顧

周覩再三動容以胃交口而談誰謂巾幗趨死如甘自昔女宗言傳詹事不專一操殆有遺議曾是才辨可媲貞義風烈區明當昭其最若玆峻節伊古誰方固若盤石凜乎秋霜身世飄忽神理回翔人欽圖像事定雕章有表其藏有奠其位凡厥式瞻罔弗生畏許國致身大義等類我作斯文用警紳佩

錢唐金志章繪由雍正癸卯舉人官內閣侍讀今爲口北道少讀書於籍侍御田居所於學無所不窺詞鋒淵穎標格矜嚴早歲詩極清駛晚益精微有才子二曰焜曰文淳

讀後漢書感賦

桓靈之際無事無賣官鉤黨四海痡雌雞晨化黑身
墮青蛇晝見妖狐呼鴻都待制半無賴宣陵孝子皆
姦徒曹節王甫楊球程璜及趙嬈霍玉盜竊神器顛
皇圖陳留書生實良史條陳七事皆嘉謨金商披露
最侃侃漏言自上臣何辜飲章一達遂北徙謗口交
扇還南徂封上十志動帝賞亦復好事傳方問琴音
卒辨爨下興篴材妙識柯亭殊斯時入林恐不密辟
書枉結胡爲乎鼓琴不引假師疾而乃反欲山東逋
可憐有悔釋不得空思老作華顛胡信宿三遷特偶
爾感恩遂至捐其軀謗書追咎史遷作放此而戮甚
嗟乎君不見藉粱慕董卓一致中雖嬌嬌非完瑜丈

表彰廉貴偶擇此身一失千秋汙 蔡邕
陳阿母黜常侍規梁商忤梁冀盜賊散解姦機避卓
哉李公洵廉吏種禍一再建立議胡廣中庸趙戒悖
杜喬同心究無濟太后雖聖羣小忌喧呼萬歲速之
斃罷會抵書亦何爲哲人知幾公則未 李固
父嶽嶽子兀兀囑諸王成傭酒家李宗不滅賴有姊
父不肖亦帝子不肖亦王是父是子俱剛方伯東門
前馬如狗甄邵諂貴實友符融亂下揚厥醜紘直
眞不愧乃公君不見疾惡如風朱伯厚 李燮
世人結交不結心王貢管鮑徒紛紛世人結交似結
而張陳蕭朱眼中見翻雲覆雨難尤難知全者鮮惟

王丹懷縑賻友甚高談吐言能令孟公愧微車遥遥赴洛陽誰何逅謁拜道旁司徒結交意亦推如此老公獨長謝淡然默作心相知入言何謂君所凝 王丹

申屠先生貞如龍合華隱曜神夷沖澹然道義感從事卓爾擒德高蔡邕五經紛綸竅過并恥聞恆言唱龍軀前東獨醫戰國時黨禍未發機先炳亦不披髮爲佯狂亦不滅跡逃窮鄉庋巢樹上撿典籍入間何地非首陽當年荀陳亦可入蒙檥一出聲名輕懷琛處亂遂高志始終不辱惟先生紛紛衆論如嚼蠟先生仰天笑不答 申屠蟠

子胥已往來丹死報讎又見蘇謙子儁鵂夜嘯鬼火

青照膽斜飛血光紫霧層疊地勢更勢斷頭掘冢煩
冤消五步之內恨不手神殛獨有林宗褒罰書君還
狀上去亡命還思避刀鋸不然養母終武都何為棲
棲掠名譽可憐張奐段熲矜恩仇城門失火池魚愁
豈知好還理不爽何曾少貸新豐侯段熲封新豐侯為楊球所殺
蘇不韋

水清魚不生八清衆同忌太剛物必折柔克乃有濟
孟博高明姿澄清攬車轡利劍恥腐朽一缺不可剸
世亂貴葆眞和光以養晦惟名實胎禍況乃丁末季
循善附大戮王政吁可謝惡既不可為為善又非計
伏狀解印何紛紛寒禍請從龍舒君黃泉差樂母勿

恨壽考豈得兼令名斯言雖悲破昏昧賢哉范毋獨知廢　范滂

君不見漢陽趙元叔囊無一錢文滿腹閃榆榮納空嫉邪榮納由于閃榆壹憤世嫉邪賦中語也泣血何人剖良璞雖龍吐鳳才何長要如良賈能深藏不然恃才祗速禍莫耶雖利還自傷魯生作歌獨知止十辟不就趙壹死趙壹死禰衡作大兒文舉薦一鶚漁陽參撾曹操辱劉表不容黃祖戮鸚鵡洲前草空綠不如窮鳥能永年遺仁遇神全其天　趙壹

行中中位安樂貌庸庸享厚祿七登台司事帝六萬事不理但食衆君不見陳蕃誅李固族入十老翁獨

完璞樸棄乃有不雕木　胡廣

身不必瘖與聾瘖聾之徒眞世之有道也尹敏語遇不必窮與通遯

言危行卽有道違親絕俗人何蒙優游遠患如冥鴻

鉤黨豈得攖其躬夜觀乾象特夘廢明獎士論尤持

公瞻烏慨歎心忡忡世亂守默眞能容卓然明哲難

追踪令人千載欽高風　郭泰

苦雨一百韻

歲在閹茂秋作噩陰氣閟　必毀先兆金穰類或動竈

擊一雨何連綿肖風正騷屑眞占江星移白驗豕蹢

涉入室閒婦歎伏枕苦肺熱舉頭天色昏靑霧白凝

結恍如混沌初元氣未曾洩山帶白濛濛四合鎖巖

業霠雲千萬里靄霺生變滅或如天馬屯或如魚鱗
劈或羊而飛奔或人而微徜沖油幻無窮利劒揔雜
抉長披玉女衣暫推阿香轍陰石何必鞭焦明自然
集雨舞殊未休蓬春竟不輟沃焦日馭藏仰瓦月暈
缺天同大黎漏檐若黃河決有如匡廬瀑懸向野人
梲難求古礎乾頓失花甎凸泮浮景元堦苔漫匡氏
壁鳴皺蚓上堂縮距雞棲塒官蛙或產竈槐蟻早封
穴青蟺走蛜蝛棐几伏蠨蛸牀牀倦移書泥泥見乘
橇作喜鵲報屏終歎鸛鳴垤角墊林宗巾佩捐楚臣
玦經旬似貫緪水漲欲平闌得時行蝸牛失意叫鶻
嫣晨炊溼薪柔夜夢亂簷鐵淒兮增薄寒悲哉失寥

歲已過白露屏幸無紫電掣井梧碧爭零砌草黃不苗涇桂香葳蕤暗蛩語悲咽病唫對藥爐愁思逃麴蘗德甚類子桑援琴歌聲闋裹飯來子輿高論莫捫舌土垣半傾頹茅舍亦杌隉補苴眞張皇撐拄費曲折一室計猶淺誠恐傷黍稷昨宵逢農夫含憂向我說自從芒種來雨暘無悖節春耕而夏耘亞旅力已竭良苗屢懷新大有可預必幾日秋已分光陰信一瞥八月届西成千塍黃雲截早禾穎盡垂晚稼花又拆正宜露華滋尤望風日烈誰知雨腳懸半月點不絕零陵飛石燕商越浮朱鼈初時尙衝泥既久欲鼓枻白波灌溝澮濁浪吞畎畮履畝愁江湖望洋渺瀰

碣重思稻名浸汪洋魚子米名漂瀲冽無計通積潦并力
開水埒決渠竟何濟攻祉亦無谿溪潤瀉淙淙陂陀
嚮潏潏石橋斷雁齒野水漾魚纈行悲粒食艱坐歎
生理拙豐荒轉斯須盈歉變頃刻物情原反覆天道
固奇詭掤截虛籌車刈穫冷腰鍬泥滑啼竹雞風寒
唱螃蜊閒鷗泛之容與白鶴聳孤潔更有木棉花經久
苞蕊裂皚皚絮沾泥飄飄蘆飛雪將毋化緇塵素質
染于涅不愁身力疲但恨難采擷問天天夢夢我
亦屢契赫赫羲和輪何日馭澄澈林麓施網罟婦子
披蓑薜肅若昧休徵狂哉應凶忒言之心忡忡聽者
憂惙惙我聞太平世大雨不終日爲霖但澤壑百穀

用番殖破塊尙希見何況肆洋盜卽今東南貧盡藏尠十餘去年歉秋成民已愁掣跌大役方繇興氣象久萎苶洋洋甌海中剽掠多草竊紛紛章安郡飢黎飽薇蕨昊天既不寧何人得怡悅那堪復罹此晝夜聞淅瀝萍翳驕而霆馮脩信作逆愁霖賦陸雲苦雨詠張協元冠馳海岸白馬幻駟驖金虎慘不舒重陰力難撥峽束蛟龍爭隄潰黿鼉齧陽減非小懲朱纏義當務五行果何災試取洪範閱厥咎貌不恭厥罰皇不極其極則爲惡叢脞萬事劣其禳在作肅惟汝自敬德諸公憂民瘼減膳斷脯血步禱殊虔虔精誠遂上徹向夕殘霨收連蹤撤雌蜺中宵霽景臨朗朗

衆星列申旦六宇澄譬彼吹劒呎木偶停飄流野馬
块奔軼老農聲喧厖快若脫羈絏從玆樂豐年一笑
百憂撤
楞嚴壇
雪山白牛乳醍醐妙香十種沈檀蘇（蘇也）合和合黃土
繞地塗八邪已攝壇八隅壇心蓮花金鉢盂芬陀十
六閣香爐妙行妙德莊嚴俱甲煎三合投純酥然以
享佛供文殊幡花種種色界數如來左右張毗盧彌
勒阿閦兼烏芻頻那夜迦列門檻形象變化難揣摹
懸虛智鏡光明珠一千二百五十徒淨戒三七貪淫
無遂有摩頂來舍那鏡光交處無糢糊上智妙明獲

眞如須陀含果超凡夫色聲香味一切虛圓通自在何清娛入三摩地六亂祛易如順風揚塵登高呼佛言眞實非我誣我來頂禮心神愉遶壇三帀煩惱除浮漚身世眞斯須五濁輪轉如轆轤澄湛覺性久已汙七心九定胡爲乎悲悔誓證泥沙陀哀求金臂開迷途

夢遊南山

平生愛探奇閱歷苦不廣湖山美西南幽秀畫圖仿聞名不得遊中心發悶痒行如飢十日思飽太牢饗喧卑歸入寰栖栖冉稱枉憶傳情冉移攬勝約屢爽及茲秋氣清萬象增秀朗遙思深山中景物應更蒼

叫元霜擣青霄繡錯染林莽頗欲于斯時芒藐遂忘
賞典發願又達魂交神忽往栩栩觧塵氛飄飄出泱
漭不乘赤麟龍豈跨鳥角鶱憑空御天風幽尋自此
防始焉心魂驚久之見聞敞蛇伏仄徑轉鬼搏怪石
搶或錯如犬牙或覆如甕盎或斲劍鋒削或似怒鷹
掠斧劈煩巨靈奇醜匪一狀孤亭懸山坳險若繫繩
繼飛鳥墜復起轉瞥巳非曩交藤密掩路披拂乃可
上人行同貫魚匍匐兼用顙前尻進益聳後頷俯不
仰捷足輸猿猱坳騰雜魍魎日腳盡破碎光景巖際
晃微聞丁東聲水樂戛方響小憩乃復前陡絶更發
攘石竇閉煙霞雲壑瀉漗泱壞塔撐晴空高峯失嶒

屹裛荻蓊樹杪清韻答樵唱迴溪坳松風吞吐兩澈
盤陰森欲無天午影不落壤蕭條枯聳飛墜地大蟠
拏劫灰餘精藍露冷泣龍象殘僧如野鹿支體盡偃
彊渴飲清澗流飢拾空林橡悠然全天眞憐客或進
杖危巘何璁瓏孤峭聳百丈鬼工窮雕鏤煙蘿錮標
梢陰崖積龍脫漁洋句高松墮鶴毿幽幽斷人蹤勝地
世無兩泉聲撼禪扉苔花繡石礫香臺如青蓮秀菂
裛篠簜回看江上山海氣散沆漭登攬多嶔崎寓目
半惚恍神遊自忘疲夢覺乃知閟明燈耿虛壁圓月
鑒書幌起坐三歎息作詩寄慨慷處世本如夢況乃
純塵網不知此一生當著幾緉安能更束縛悶若

兒就彊要當離天刑逍遙絕無冀世人噩夢紛難眞
亦為妄而我獨輕安齊物性得養巳于夢中夢悟徹
想非想何時買扁舟空明盪蘭槳遂成應夢遊老作
西湖長

洞庭龍女圖歌

春秋茫茫滌川野雨泣花寒龍女寡夜啼紫鳳憔狂
夫壻牧青羊怨飄衣雨膚刷翠鎖彎環淺縐細字如
春蠶書成東望不得達綸小紫袍來翩翩鳶肩公子
楚江客陌上相逢問消息柳宿通光姓在天躡雲辭
罷秋空碧臨岐傳意鄭修蛾湖陰古樹蟠青虵琅琅
三發海宮應獲蛟前導分廻披飄然竟入靈虛殿七

寶珠蘐九霞絢解書拜手前致辭霧鬟風鬢忍相見
老龍掩泣涕潺湲宓妃魚媵皆慘顏錢唐奮怒天柱
折轟雷激電搖千山火鬣朱鱗擘空去陳破涇陽關
風雨須臾樂作奏還宮騎鸞霓旌迎貴主黃鵝舞罷
難久留顏風吹淚滕康腸神名愁秋眸一割不能斷依
然離別傷綢繆餘歸繡幰春寒重錦疊空牀化雙鳳
粉霞紅綬宴新婚披扇迴看宛如夢舊情煩憶還自
憐感君意氣傳書前文屏割水寶釵消而工騎入湘
潭煙仙餌還童十千歲游戲龍堂海光碎瑤姬去後
月魂孤影落人間畫圖內丹青瀟灑欲通靈遙峯列
綠攢蒼冥披圖一嘯擬龍驚散作秋聲滿洞庭

歲暮雜詩

雨雪空齋冷據梧淒然百感獨紛吾千峯背郭寒俱暝萬木唫風響並枯世態任從蒼狗變浮名眞笑碧雞誣茫茫坐對西窗紙燈火靑熒得趣無

曼衍莊生旨易迷解人何處覓筌蹄全無非是爲疑始但有成虧屬傲倪過眼窮通雙涸鮒忘形身世一醯雞寥寥寥隱几聞天籟吹萬新將物理齊

失若年來悖雨暘眼看生計日淒涼啼飢有喙長三尺乞米何人滿一囊冰合關河集皛皛鴻哀中野月茫茫呼天欲問頻搔首斗柄還驚似挹漿

庚癸頻呼若下村流民誰繪鄭監門雖言荒政無奇

策自是

朝廷有特恩幸免徵符同火迫猶聞冠蓋似雲屯安

人匡濟諸公事旰食應能慰

至尊

餓虎飢鷹祇自災黑風羅刹逼人來三褫未革頑嚚

面入倅難寬厮養才幕燕只今休更賀海鷗從此不

須猜纖見莫倚熏天勢太息冰山最易摧晉江蕭以貪墨斥

輪囷奇氣抱青霞鬱鬱安能老歲華璞為暗投頻見

刖箕會夢授欲生花霜寒肖葙飢天馬月射瓊枝噪

野鴉傳得王維新樂府羞將一曲奏琵琶

瀟瀟秋風蔣葉丹紙鷥殘臘雪漫漫泅寒自覺憐冰

子爛熟何心慕熱官夢境生涯蕉鹿幻醉鄉天地酒
杯寬行藏在我原無例兩卷檀弓物理殫
中腸忽忽轉車輪愧作人閒可笑人穿蠹文辭慚小
草雕蟲事業悔勞薪安親求遂雲龍志入世難諧土
木身賦就悲歌空斫地物華彈指又班春

詞科餘話卷七終